MARIA BRĂESCU

DICȚIONAR
FRANCEZ-ROMÂN

NICULESCU

© Editura NICULESCU, Bucureşti, 2003
    Adresa: 060204 – Bucureşti, Sector 6
    Bd. Regiei 6D, Tel/Fax: 312.97.83
    Tel: 312.97.82, 312.97.84
    E-mail: edit@niculescu.ro
            club@niculescu.ro
    Internet: www. niculescu.ro

Procesare computerizată: *SERVNET 1848 S.R.L.*

Tipărit la *S.C. EURO PONTIC*

ISBN 973-568-811-3

Prefață

Dicționarul de față cuprinde un lexic al limbii franceze cu locuțiunile și expresiile corespunzătoare, însoțite de echivalentele lor în limba română. Conține, de asemenea, unele neologisme și expresii familiare folosite în limbajul cotidian.

Alegerea cuvintelor conținute în această lucrare s-a făcut pornindu-se de la premisa că ea se adresează în special elevilor și studenților, dar și tuturor acelora care studiază, utilizează sau aprofundează limba franceză modernă.

Editura

Abrevieri

adj.	adjectiv	*iht.*	termen din ihtiologie
adm.	termen administrativ	*imp.*	impersonal
adv.	adverb	*inf.*	infinitiv
agr.	termen agrar	*inter.*	interogativ
anat.	termen din anatomie	*interj.*	interjecție
arg.	argou	*invar.*	invariabil
arhit.	termen din arhitectură	*înv.*	termen învechit
art.	articol	*jur.*	termen juridic
astron.	termen din astronomie	*lingv.*	termen din lingvistică
av.	termen din aviație	*lit.*	termen literar
bis.	termen bisericesc	*maj.*	majusculă
bot.	termen botanic	*mar.*	termen marinăresc
card.	cardinal	*mat.*	termen din matematică
chim.	termen din chimie	*mec.*	termen din mecanică
conj.	conjuncție	*med.*	termen din medicină
com.	termen comercial	*mil.*	termen militar
constr.	termen din construcții	*muz.*	termen muzical
cul.	termen culinar	*nav.*	termen din navigație
dem.	demonstrativ	*nehot.*	nehotărât
expr.	expresie	*num.*	numeral
fam.	termen familiar	*ord.*	ordinal
ferov.	termen feroviar	*peior.*	termen peiorativ
fig.	termen figurat	*pl.*	plural
fin.	termen financiar	*pop.*	termen popular
fiz.	termen din fizică	*pos.*	posesiv
geogr.	termen din geografie	*prep.*	prepoziție
gram.	termen gramatical	*pron.*	pronume

qn	quelqu'un	*tehn.*	termen tehnic
qch	quelque chose	*text.*	textil
rel.	relativ	*tipogr.*	termen tipografic
relig.	termen religios	*vi.*	verb intranzitiv
s.f.	substantiv feminin	*vr.*	verb reflexiv
s.m.	substantiv masculin	*vt.*	verb tranzitiv
s.n.	substantiv neutru	*zool.*	termen din zoologie
sg.	singular		

A

à *prep.* **1.** la; *Il est né à Paris* El s-a născut la Paris. **2.** de; *machine à écrire* mașină de scris. **3.** cu; *aller à bicyclette* a merge cu bicicleta. **4.** pe; *aller à pied* a merge pe jos. **5.** după, conform; *à mon avis* după părerea mea. **6.** câte; *Les enfants vont un à un* Copiii merg unul câte unul. **7.** în; *À la veille de Noël nous allons à l'église* În ajunul Crăciunului mergem la biserică. **8.** pentru; *Cette tasse est à thé, l'autre à café* Această ceașcă este pentru ceai, cealaltă pentru cafea. **9.** cam, aproximativ; *Il est de sept à huit heures* Este aproximativ de la șapte la opt. **10.** cu ajutorul; *Cet appareil fonctionne à l'électricité* Acest aparat merge cu electricitate; *à perte de vue* cât vezi cu ochii.

abaissement *s.m.* **1.** coborâre. **2.** scădere. **3.** *fig.* înjosire, decădere.

abaisser I. *vt., vr.* **1.** a (se) coborî, a (se) lăsa în jos. **2.** *fig.* a (se) înjosi, a (se) umili. **II.** *vt.* a reduce (prețul etc.).

abandon *s.m.* abandon, părăsire.

abandonner *vt.* a abandona, a părăsi.

abasourdir *vt.* **1.** a asurzi. **2.** *fig.* a ului; a stupefia.

abattage *s.m.* tăiere (a copacilor, a vitelor); doborâre; abataj.

abattement *s.m.* (stare de) descurajare.

abattis *s.m.* **1.** grămadă (de lucruri tăiate, doborâte). **2.** măruntaie. **3.** *pop.* mâini, picioare.

abattre I. *vt.* **1.** (despre copaci, animale) a doborî, a tăia. **2.** *fig.* a slăbi, a descuraja ‖ *à bride abattue* în goana mare. **II.** *vr.* **1.** a cădea. **2.** (**sur**) a se repezi la. **3.** a se potoli.

abattu, -e *adj* abătut, trist.

abbaye *s.f.* abație, mănăstire catolică.

abbé *s.m.* **1.** abate. **2.** preot.

abdication *s.f.* **1.** renunțare. **2.** abdicare.

abdiquer *vt.* a abdica, a renunța.

abeille *s.f.* albină.

abêtir *vt., vr.* a (se) prosti, a (se) tâmpi.

abhorrer *vt.* a urî, a avea oroare de.

abîme *s.m.* prăpastie, abis.

abîmer I. *vt.* a strica. **II.** *vr.* **1.** a se strica. **2.** a se prăbuşi. **3.** *fig.* a se adânci (în gânduri etc.).

abjuration *s.f.* abjuraţie, renegare publică (a unei credinţe etc.).

ablation *s.f.* ablaţiune, tăiere.

abnégation *s.f.* abnegaţie.

aboi *s.m.* lătrat ‖ *être aux* ~*s* a fi încolţit.

aboiement, aboîment *s.m.* lătrat.

abolir *vt.* a aboli, a desfiinţa, a anula.

abolition *s.f.* abolire, desfiinţare, suprimare.

abominable *adj.* abominabil, oribil, cumplit.

abomination *s.f.* dezgust; ticăloşie.

abondance *s.f.* abundenţă, belşug, prisos ‖ *parler d'* ~ a vorbi pe nepregătite; *parler avec* ~ a vorbi curgător/fără greutate.

abord *s.m.* **1.** abordare. **2.** *fig.* primire, întâmpinare. **3.** *pl.* împrejurimi ‖ *loc. adv. d'*~, *tout d'*~ mai întâi, în primul rând; *au premier* ~ la prima vedere; *de prime* ~ din capul locului.

abordable *adj.* abordabil.

aboucher I. *vt.* a îmbina. **II.** *vr.* a se înţelege, a intra în contact cu cineva.

aboutir *vi.* **1.** a ajunge la, a atinge. **2.** (despre un drum) a duce.

aboutissement *s.m.* rezultat, realizare.

aboyer *vi.* a lătra.

abrégé *s.m.* compendiu; rezumat.

abréger *vt.* a (pre)scurta.

abreuver I. *vt.* **1.** a adăpa. **2.** a stropi cu. **3.** *fig.* a copleşi ‖ ~ *d'injures* a copleşi cu insulte. **II.** *vr.* a se adăpa, a bea.

abri *s.m.* adăpost.

abricot *s.m.* **1.** caisă. **2.** zarzără.

abricotier *s.m.* **1.** cais. **2.** zarzăr.

abriter *vt.*, *vr.* a (se) adăposti.

abrupt, -e *adj.* abrupt, râpos.

abrutir *vt.*, *vr.* a (se) abrutiza, a (se) prosti, a (se) tâmpi.

abrutissement *s.m.* abrutizare, tâmpire, îndobitocire.

absolument *adv.* **1.** (în mod) absolut, cu totul. **2.** neapărat, negreşit.

absorber I. *vt.* **1.** a absorbi, a înghiţi. **2.** *fig.* a preocupa. **3.** a bea, a mânca. **II.** *vr.* *fig.* a fi absorbit, a se adânci.

absorption *s.f.* absorbire; absorbţie.

absoudre *vt.* **1.** *jur.* a absolvi. **2.** *relig.* a ierta.

abstenir (s') *vr.* a se obţine, a renunţa.

abstention *s.f.* abţinere.

abstinence *s.f.* **1.** abstinenţă, abţinere. **2.** post; dietă.

abstraire I. *vt.* a abstrage. **II.** *vr.* a se adânci, a fi absorbit.

abstrait, -e *adj., s.m.* abstract.

abstraitement *adv.* (în mod) abstract.

absurde *adj., s.m.* absurd.

absurdité *s.f.* absurditate.

abuser I. *vi.* a abuza, a face abuz. **II.** *vt., vr.* a (se) înșela.

abusif, -ive *adj.* abuziv.

acabit *s.m.* **1.** *peior.* soi, teapă. **2.** *fig. fam.* fire, caracter.

acacia *s.m.* salcâm.

acajou *s.m.* acaju, (lemn de) mahon.

acariâtre *adj.* certăreț, arțăgos.

accablant, -e *adj.* covârșitor, copleșitor.

accablement *s.m.* **1.** împovărare, copleșire. **2.** extenuare, istovire. **3.** *fig.* tristețe, descurajare.

accabler *vt.* **1.** a împovăra; a copleși. **2.** *fig.* a umili.

accaparement *s.m.* acaparare.

accaparer *vt.* a acapara.

accapareur, -euse *s.m.f.* acaparator.

accéder *vi.* **1.** a accede la, a avea acces la. **2.** a ajunge, a răzbate. **3.** *fig.* a consimți.

accélération *s.f.* **1.** accelerare. **2.** accelerație.

accélérer *vt.* a accelera, a iuți, a grăbi.

acceptation *s.f.* **1.** acceptare, primire. **2.** consimțire la plata (unei polițe).

accepter *vt.* **1.** a accepta, a primi. **2.** a se obliga să achite (o poliță).

acception *s.f.* accepție, semnificație, sens.

accession *s.f.* **1.** accedere, ajungere. **2.** anexare, alipire. **3.** alăturare (la), aderare.

accessoire I. *adj.* accesoriu, auxiliar. **II.** *s.m. pl. tehn.* accesorii.

accidentellement *adv.* (în mod) accidental.

acclimatation *s.f.* aclimatizare ‖ *Jardin d'~* grădină zoologică și botanică.

acclimater *vt., vr.* a (se) aclimatiza.

accointer (s') *vr.* a avea raporturi strânse cu cineva; a se înhăita cu cineva.

accolade *s.f.* **1.** îmbrățișare. **2.** acoladă.

accoler *vt.* **1.** a îmbrățișa. **2.** a reuni, a alătura.

accommodant, -e *adj.* conciliant; binevoitor, amabil.

accommodation *s.f.* acomodare; deprindere; adaptare.

accommodement *s.m.* **1.** potrivire, aranjare. **2.** conciliere, împăcare.

accommoder I. *vt.* **1.** a potrivi, a aranja. **2.** a (pre)găti (o mâncare). **3.** a împăca. **II.** *vr.* **1. (à)** a se adapta la. **2. (de)** a se mulțumi cu. **3. (avec)** a se înțelege cu.

accompagnement *s.m.* **1.** însoțire. **2.** *muz.* acompaniament. **3.** *pl.* obiecte, accesorii.

accompli, -e *adj.* îndeplinit, realizat.

accomplir *vt., vr.* a (se) îndeplini, a (se) realiza.

accomplissement *s.m.* îndeplinire, realizare ‖ *l'~ du plan avant terme* îndeplinirea planului înainte de termen.

accorte *adj. f.* simpatică, binevoitoare, amabilă.

accouchée *s.f.* lăuză.

accouchement *s.m.* **1.** facere, naștere a unui copil. **2.** moșit.

accoucher I. *vi.* **(de)** a da naștere unui copil. **II.** *vt.* a moși.

accoucheur,-euse *adj., s.m.f.* **1.** mamoș. **2.** moașă.

accoudement *s.m.* **1.** sprijinire în coaste. **2.** *mil.* așezare cot la cot.

accouder (s') *vr.* a se sprijini în coate.

accouplement *s.m.* **1.** împerechere, împreunare. **2.** *tehn.* cuplaj, ambreiaj. **3.** *tehn.* cuplă, mufă.

accoupler I. *vt.* **1.** a împerechea, a împreuna. **2.** *tehn.* a cupla, a

ambreia. **3.** a înjuga, a înhăma (pereche). **II.** *vr.* **1.** a se împerechea (pentru reproducere). **2.** a se uni.

accourir *vi.* a sosi în grabă.

accoutrement *s.m.* îmbrăcăminte nepotrivită și caraghioasă.

accoutrer *vt., vr.* a (se) îmbrăca nepotrivit și caraghios, a se împopoțona.

accoutumance *s.f.* obișnuință.

accoutumer I. *vt., vr.* a (se) obișnui, a (se) deprinde. **II.** *vi.* (numai la timpurile compuse) a avea obiceiul.

accroc *s.m.* **1.** ruptură, sfâșiere. **2.** *fig.* pată. **3.** *fig.* piedică, obstacol.

accrochage *s.m.* **1.** agățare. **2.** *pop.* ceartă; belea.

accrocher I. *vt., vr.* a (se) agăța, a (se) atârna; *s'~ à qn.* a se ține scai de cineva. **II.** *vt.* **1.** a izbi, a lovi. **2.** a întârzia.

accrocheur *s.m.* muncitor care leagă vagoanele.

accroire (faire) *vt.* a spune cuiva gogoși; *s'en faire ~* a se crede, a și-o lua în cap.

accroissement *s.m.* creștere.

accroître *vt., vi., vr.* a crește, a (se) spori, a (se) mări.

accroupir (s') *vr.* a se așeza pe vine.

accueil *s.m.* primire (făcută cuiva)

accueillant -e *adj.* primitor, plăcut.

accueillir *vt.* 1. a primi, a întâmpina 2. a da ascultare (unei plângeri).

acculer I. *vt.* a înfunda, a încolți II. *vr.* (**contre**) a se sprijini cu spinarea.

accusé, -e I. *adj.* (despre trăsături etc.) pronunțat. II. *s.m.f.* acuzat.

accuser I. *vt.* 1. a acuza. 2. a scoate în relief, a sublinia. 3. a indica, a releva ‖ ~ *réception* a confirma primirea. II. *vr.* a se recunoaște vinovat, a se învinui.

acerbe *adj.* 1. aspru (la gust). 2. *fig.* tare; sever.

acéré, -e *adj.* 1. foarte ascuțit. 2. *fig.* tăios, mușcător. 3. de oțel.

acérer *vt.* 1. a căli. 2. aascuți (și *fig.*).

acétifier *vt.*, *vr.* a acetifica, a se oțeți.

acétique *adj.* acetic.

achalandé, -e *adj.* 1. cu o numeroasă clientelă, cu vad bun. 2. *fam.* bine aprovizionat cu mărfuri.

achalander *vt.* 1. a atrage mulți clienți. 2. *fam.* a furniza mărfuri.

acharné, -e *adj.* înverșunat, îndârjit.

acharnement *s.m.* înverșunare, îndârjire.

acharner I. *vt.* a îndârji, a asmuți. II. *vr.* a urmări cu înverșunare.

achat *s.m.* 1. cumpărare. 2. cumpărătură.

acheminer *vt.*, *vr.* a (se) îndrepta către.

acheter *vt.* a cumpăra.

acheteur, -euse *s.m.f.* cumpărător.

achevage *s.m.* finisare.

achevé, -e *adj.* desăvârșit.

achèvement *s.m.* 1. sfârșire, terminare. 2. desăvârșire.

achever *vt.* 1. a termina, a desăvârși. 2. a da lovitura de grație.

achoppement *s.m.* piedică, obstacol; *pierre d'*~ greutate, piedică.

acier *s.m.* oțel.

aciérie *s.f.* oțelărie.

acoquiner (s') *vr.* 1. a se înhăita, a se încârdui. 2. a se deda. 3. a lua un obicei rău.

à-côté *s.m.* amănunt, accesoriu.

à-coup *s.m.* 1. smucitură, șoc. 2. oprire bruscă.

acquéreur *s.m.* cumpărător.

acquérir *vt.* 1. a dobândi, a câștiga. 2. a cumpăra. 3. a cuceri, a câștiga adeziunea cuiva.

acquiescement *s.m.* consimțire, aprobare.

acquiescer *vi.* 1. a consimți, a se învoi. 2. a aproba.

acquis *s.m.* deprindere, experiență, pricepere.

acquisition *s.f.* 1. achiziție. 2. dobândire, achiziționare.

acquit *s.m.* chitanță, dovadă ‖ *par ~ de conscience* pentru a fi cu conștiința împăcată; *par manière d'~* într-o doară, neglijent.

âcre *adj.* 1. înțepător, aspru (la gust, la miros). 2. *fig.* mușcător, înțepător, caustic.

acrimonie *s.f.* 1. acreală. 2. *fig.* ton acru/arțagos.

acrimonieux, -euse *adj.* 1. arțagos, pus pe ceartă. 2. acru.

acte *s.m.* 1. acțiune, luptă. 2. act, document.

actionnaire *s.m.* acționare.

actionner *vt.* 1. a pune în mișcare. 2. *jur.* a intenta o acțiune.

activer *vt.* 1. a zori, a iuți. 2. a activa.

acuité *s.f.* ascuțime, acuitate.

addition *s.f.* 1. adunare. 2. adăugire. 3. socoteală (la restaurant).

additionnel, -elle *adj.* adițional, suplimentar.

additionner *vt.* 1. a aduna. 2. a adăuga.

adhérence *s.f.* aderență.

adhésif, -ive *adj.* 1. de adeziune. 2. adeziv.

adieu *interj., s.m.* rămas bun, adio.

adipeux, -euse *adj.* adipos.

adjectif, -ive **I.** *adj.* adjectival. **II.** *s.m.* adjectiv.

adjoindre *vt.* 1. a adăuga. 2. a numi ca adjunct.

adjoint, -e *adj., s.m.f.* adjunct, locțiitor.

adjonction *s.f.* 1. adăugire. 2. numire ca adjunct.

adjudant *s.m.* aghiotant; plutonier-major.

adjurer *vt.* a ruga fierbinte, a implora.

administrateur, -trice *s.m.f.* administrator.

administration *s.f.* 1. conducere. 2. administrare.

administrer *vt.* 1. a guverna, a administra. 2. a da (un medicament) 3. a aplica (lovituri). 4. *relig.* a împărtăși.

admirable *adj.* minunat, încântător, admirabil.

admirablement *adv.* (în mod) admirabil, de minune.

admission *s.f.* admitere.

admonestation *s.f.* admonestare, mustrare.

admonester *vt.* a admonesta, a mustra.

adonner (s') *vr.* a se deda; a se dărui.

adoption *s.f.* **1.** adoptare. **2.** adopțiune.

adorateur, -trice *s.m.f.* adorator.

adossement *s.m.* sprijinire, rezemare.

adosser (contre) I. *vt.* a sprijini. **II.** *vr.* a se sprijini cu spatele.

adoucir *vt.* **1.** a îndulci. **2.** a îmblânzi. **3.** a șlefui. **4.** *fig.* a ușura, a alina.

adoucissement *s.m.* **1.** îndulcire. **2.** netezire. **3.** potolire (a mâniei etc.). **4.** ușurare (a pedepsei etc.).

adresse *s.f.* **1.** adresă (indicare de domiciliu; comunicare oficială). **2.** îndemânare, abilitate, pricepere.

adresser I. *vt.* a adresa (un pachet etc.). **II.** *vr.* a se adresa, a vorbi.

adroit, -e *adj.* **1.** îndemânatic. **2.** dibaci, abil, priceput.

adroitement *adv.* cu îndemânare, cu dibăcie.

adulateur, -trice I. *adj.* lingușitor, slugarnic. **II.** *s.m.f.* adulator.

adulation *s.f.* lingușire, slugărnicie, adulație.

aduler *vt.* a adula, a linguși.

adultérer *vt.* a falsifica, a altera.

advenir *vi.* a se întâmpla ‖ *advienne que pourra* orice s-ar întâmpla.

adversité *s.f.* nefericire, vitregie.

aérage *s.m.* **1.** aerisire, ventilare. **2.** aerație (a solului).

aérer *vt.* a aerisi.

aérien, -enne *adj.* aerian.

aéronaute *s.m.f.* aeronaut.

aéronef *s.m.* aeronavă.

affabilité *s.f.* bunăvoință, blândețe, afabilitate.

affable *adj.* binevoitor, blând, afabil.

affadir *vt.* **1.** a face să devină fad/dezgustător. **2.** *fig.* a face insipid.

affaiblir *vt., vr.* a slăbi, a micșora, a-și pierde puterea.

affaiblissement *s.m.* pierdere, slăbire (a puterii, a activității etc.).

affaire *s.f.* **1.** afacere ‖ *cette affaire a été conclue dans des bonnes conditions* această afacere a fost încheiată în condiții bune. **2.** *pl.* afaceri ‖ *toutes les affaires dépendent du cours de la Bourse* toate afacerile depind de cursul Bursei. **3.** treabă ‖ *il a une affaire urgente* el are o treabă urgentă. **4.** chestiune ‖ *les recettes de cuisine sont une affaire de goût* rețetele de bucătărie sunt o problemă/ chestiune de gust. **5.** a se descurca ‖ *se tirer d'affaire*.

affairer (s') *vr.* **1.** a forfoti, a nu avea astâmpăr. **2.** a se afla în treabă.

affaisser I. *vt.* **1.** a scufunda, a prăbuşi. **2.** *fig.* a copleşi, a doborî. **II.** *vr.* **1.** a se prăbuşi. **2.** a se încovoia. **3.** *fig.* a fi copleşit.

affaler I. *vt. mar.* a lăsa în jos (o frânghie). **II.** *vr.* **1.** (despre un vapor) a se apropia prea mult de ţărm. **2.** *fam.* a se prăbuşi, a se trânti.

affamé, -e *adj.* **1.** înfometat, flămând. **2.** *fig.* lacom.

affectation *s.f.* **1.** afectare, manifestare nefirească. **2.** simulare, prefăcătorie. **3.** destinare pentru un scop (a unei sume, a unui imobil etc.).

affecter I. *vt.* a afecta. **II.** *vr.* a pune la inimă.

affectif, -ive *adj.* **1.** afectiv. **2.** duios. **3.** emotiv.

affectionner *vt.* a avea afecţiune pentru, a iubi pe.

affectivité *s.f.* afectivitate.

affectueux, -euse *adj.* afectuos.

afférent, -e *adj.* aferent.

affermer *s.f.* **1.** a arenda. **2.** a lua în arendă.

affermir *vt., vr.* a (se) întări, a (se) consolida.

affermissement *s.m.* întărire, consolidare.

affichage *s.m.* afişare, afişaj.

affiche *s.f.* afiş.

afficher I. *vt.* **1.** a afişa. **2.** a se făli cu. **3.** a face cunoscut. **II.** *vr. peior.* a se arăta ostentativ în lume.

affidé, -e I. *adj. peior.* de încredere. **II.** *s.m.f.* spion

affilage, affilement *s.m.* ascuţire (a unui brici etc.).

affilée (d') *loc. adv.* întruna, fără oprire.

affiler *vt.* a ascuţi (un brici, o sculă etc.) ‖ *avoir la langue bien affilée* a fi rău de gură, a avea limba ascuţită.

affilier *vt., vr.* a (se) afilia.

affinité *s.f.* afinitate, înrudire.

affirmatif, -ive I. *adj.* afirmativ. **II.** *s.f. gram.* propoziţie afirmativă.

affirmation *s.f.* afirmaţie.

affirmer I. *vt.* a afirma. **II.** *vr.* a se afirma, a ieşi în evidenţă.

affleurer I. *vt.* a egala, a netezi, a nivela. **II.** *vi.* **1.** a atinge (un nivel). **2.** (despre un filon) a se ivi la suprafaţa solului.

affliction *s.f.* tristeţe, mâhnire.

affligé, -e *adj., s.m.f.* **1.** trist, mâhnit. **2.** năpăstuit. **3.** atins (de o boală).

affligeant, -e *adj.* care produce mâhnire.

affliger I. *vt., vr.* a (se) îndurera, a (se) întrista. **II.** *vt.* a năpăstui.

affluence *s.f.* **1.** afluenţă. **2.** *fig.* aglomeraţie, îngrămădeală, puhoi de lume. **3.** *fig.* belşug.

affluent *s.m., adj.* afluent.

affluer *vi.* **1.** (despre ape) a curge spre, a se vărsa în. **2.** *fig.* a veni puhoi.

affolant, -e *adj.* înnebunitor.

affoler I. *vt.* a scoate din minţi, a înnebuni. **II.** *vr.* a-şi pierde stăpânirea de sine.

affranchir I. *vt.* **1.** a elibera (un sclav). **2.** a scuti (de o taxă). **3.** a franca (o scrisoare). **II.** *vr.* a se elibera, a scăpa de.

affranchissement *s.m.* **1.** eliberare. **2.** francare.

affres *s.f. pl.* groază, chinuri.

affréter *vt. nav.* a închiria o navă.

affreusement *adv.* groaznic (de), îngrozitor (de).

affreux, -euse *adj.* groaznic, îngrozitor.

affriolant, -e *adj.* **1.** care deschide pofta. **2.** *fig.* ademenitor, îmbietor.

affronter *vt., vr.* a (se) înfrunta, a (se) sfida.

affubler *vt., vr.* a (se) îmbrăca fără gust şi ridicol.

affût *s.m.* **1.** *mil.* afet. **2.** loc de pândă (la vânătoare) ‖ *être à l'~* a pândi.

affûtage *s.m.* **1.** ascuţire la tocilă (a instrumentelor). **2.** scule (de tâmplar). **3.** aşezare pe afet.

afin de, afin que *loc. conj.* pentru a, pentru ca (să).

agaçant, -e *adj.* sâcâitor.

agacement *s.m.* **1.** sâcâire. **2.** strepezire.

agacer *vt.* **1.** a sâcâi, a plictisi, a irita. **2.** a strepezi.

agaillardir *vt.* a înveseli.

âge *s.m.* **1.** vârstă. **2.** ev. ‖ *le Moyen Âge* Evul Mediu.

âgé, -e *adj.* în vârstă, vârstnic.

agence *s.f.* agenţie.

agencement *s.m.* aranjare, îmbinare.

agencer *vt., vr.* a aranja, a rândui; a ajusta.

agenda *s.m.* agendă.

agenouillement *s.m.* îngenunchere.

agenouiller (s') *vr.* a îngenunchea.

agglomération *s.f.* **1.** aglomeraţie. **2.** aglomerare.

agglutiner *vt., vr.* a lipi, a aglutina.

aggravation *s.f.* îngreunare, înrăutăţire, agravare.

aggraver *vt., vr.* a îngreuna, a înrăutăţi, a agrava.

agile *adj.* sprinten, voi, agil.

agilité *s.f.* **1.** sprinteneală, agilitate. **2.** agerime.

agioteur *s.m.* speculator, jucător la bursă.

agir I. *vi.* 1. a acționa 2. a se purta. 3. (sur) a se comporta; a influența ‖ *faire* ~ a pune în mișcare. II. *vr.* a fi vorba, a fi în joc ‖ *il s'agit de* a) este vorba; b) trebuie să.

agissant, -e *adj.* 1. eficient. 2. care produce agitație. 3. activ.

agitateur, -trice 1. *s.m.f.* agitator. 2. *s.m. tehn.* amestecător.

agitation *s.f.* 1. agitație, zbucium. 2. *fig.* neliniște, frământare.

agneau *s.m.* miel.

agonir *vt.* a acoperi, a împroșca (cu ocări, cu insulte).

agoniser *vi.* a fi în agonie.

agrafe *s.f.* agrafă, copcă.

agraire *adj.* agrar.

agrandir I. *vt., vr.* a (se) mări, a (se) extinde. II. *vt. fig.* a înălța, a înnobila.

agrandissement *s.m.* mărire, sporire, extindere.

agrarien, -enne *adj., s.m.f.* agrarian.

agréable I. *adj.* plăcut, agreabil. II. *s.m.* agreabilul, plăcutul.

agréer I. *vt.* a primi favorabil, a aproba. II. *vi.* a plăcea, a conveni.

agrégation *s.f.* 1. admitere. 2. concurs pentru a avea dreptul de a preda într-un liceu sau într-o facultate. 3. titlu de agregat. 4. fix, agregare.

agrégé, -e *s.m.f.* agregat (profesor prin concurs).

agrément *s.m.* 1. consimțământ, încuviințare. 2. grație. 3. plăcere, agrement. 4. *pl.* ornamente.

agrémenter *vt.* a împodobi.

agressif, -ive *adj.* agresiv.

agression *s.f.* agresiune, atac.

agreste *adj.* 1. câmpenesc, rustic. 2. *fig.* grosolan, din topor.

agriculteur *s.m.* agricultor.

agriculture *s.f.* agricultură.

agronome *s.m.* agronom.

agronomique *adj.* agronomic.

agrotechnique *adj.* agrotehnic.

aguerrir *vt., vr. fig.* a (se) căli, a (se) deprinde cu ceva neplăcut.

aguerrissement *s.m. fig.* călire.

aguets *s.m. pl.* pândă ‖ *être aux* ~ a pândi.

ah! *interj.* ah!, oh!

ahurir *vt.* a ului, a buimăci.

ahurissant, -e *adj.* uluitor.

aide I. *s.f.* ajutorare, ajutor. II. *s. m.* ajutor, adjunct ‖ *à l'~!* ajutor!

aider I. *vt.* a ajuta. II. *vi.* a da ajutor, a contribui la. III. *vr.* 1. a se ajuta. 2. a se servi (de ceva).

aïe *interj.* au!, vai!

aïeul, -e *s.m.f.* 1. (*pl.* -s, -es) bunic. 2. (*pl.* aïeux) strămoș.

aigle I. *s.m.* vultur. **II.** *s.f.* **1.** femela vulturului. **2.** drapel, steag (cu acvilă).

aigre I. *adj.* **1.** acru, înăcrit. **2.** *fig.* pițigăiat. **II.** *s.m.* acreală.

aigrette *s.f.* egretă.

aigrir *vt., vi., vr.* a (se) acri, a (se) înăcri (și *fig.*).

aigu, -ë *adj.* **1.** ascuțit. **2.** *fig.* pițigăiat, strident. **3.** acuț.

aiguière *s.f.* cană de apă (cu toartă și cioc).

aiguillage *s.m.* schimbarea macazului.

aiguille *s.f.* **1.** ac. **2.** andrea. **3.** *pl.* limbi de ceas. **4.** limbă de clopot. **5.** pisc, culme. **6.** ace de conifere; *de fil en aiguille* dintr-una-n alta ; *chercher une aiguille dans une botte de foin* a căuta acul în carul cu fân.

aiguiser *vt.* **1.** a ascuți. **2.** a ațâța.

aiguiseur *s.m.* tocilar.

ail *s.m.* (*pl.* **ails**) *bot.* usturoi.

aile *s.f.* **1.** aripă (și *fig.*). **2.** flanc. **3.** pală, paletă ‖ *à tire d'~* ca vântul; *voler de ses propres ~s* *fig.* a sta pe picioarele sale.

ailé, -e *adj.* înaripat, cu aripi.

aileron *s.m.* **1.** aripioară (și la pești). **2.** pală, paletă.

ailleurs *adv.* în alt loc, aiurea ‖ *d'~* **a)** din alt loc; **b)** de astfel;

par ~ **a)** pe altă cale; **b)** pe de altă parte.

aimable *adj., s.m.f.* **1.** amabil. **2.** demn de a fi iubit.

aimant[1] *s.m.* magnet.

aimant[2]**, -e** *adj.* iubitor.

aimer I. *vt.* **1.** a iubi. **2.** a-i plăcea. **II.** *vr.* a se iubi.

aîné, -é II. *adj.* mai în vârstă, născut înainte. **II.** *s.m.f.* cel mai în vârstă, primul născut.

ainsi I. *adv.* așa, astfel. **II.** *conj.* deci.

ainsi que *loc. conj.* **1.** așa precum. **2.** precum și.

air *s.m.* **1.** aer, văzduh, atmosferă. **2.** vânt ‖ *en plein ~, au grand ~* în aer liber; *parler, raisonner en l'~* a vorbi în vânt; *courant d'~* curent (într-o încăpere).

airelle *s.f.* **1.** afin. **2.** afină.

aisance *s.f.* **1.** ușurință, nestânjenire. **2.** îndestulare materială ‖ *cabinets, lieux d'~s* latrină.

aise I. *s.f.* **1.** plăcere, bucurie. **2.** tihnă, comoditate. **3.** *pl.* tabieturi, confort ‖ *à votre ~* cum doriți; *ne pas se sentir d'~* a nu-și mai încăpea în piele de bucurie. **II.** *adj.* vesel, mulțumit.

aisselle *s.f.* subsuoară.

ajourer *vt.* a ajura.

ajournement *s.m.* **1.** amânare. **2.** citație.

ajourner 1. *vt., vr.* a (se) amâna, a (se) proroga. 2. *vt.* a trimite citație.

ajouter *vt.* a adăuga ‖ ~ *foi* a da crezare.

ajustement *s.m.* 1. potrivire, ajustare, reglaj. 2. găteală, toaletă.

ajuster *vt.* 1. a potrivi, a ajusta. 2. a găti, a înfrumuseța. 3. a ochi.

alambiquer *vt., vr.* 1. a distila. 2. (despre stil) a face prea subtil, a întortochea.

alanguir I. *vt.* 1. a istovi. 2. a moleși. II. *vr.* a-și pierde puterile, a lâncezi.

alarme *s.f.* 1. alarmă (și semnalul). 2. *fig.* neliniște.

alarmer *vt.* a da alarma, a înspăimânta, a alarma.

albâtre *s.m.* 1. alabastru. 2. *fig.* albeață strălucitoare.

album *s.m.* album.

alcali(ni)ser *vt.* a alcaliniza.

alcaloïde *s.m.* alcaloid.

alchimie *s.f.* alchimie

alcool *s.m.* alcool.

alcoolique I. *adj.* alcoolic. II. *s. m.f.* bețiv, alcoolic.

alcooliser *vt.* a alcooliza.

alcôve *s.f.* alcov.

aléatoire *adj.* aleatoriu, nesigur, riscant.

alentour I. *adv.* împrejur. II. *s.m. pl.* împrejurimi.

alerte I. *adj.* sprinten, ager, vigilent. II. *s.f.* alarmă. III. *interj.* drepți!, atenție!

alerter *vt.* a alerta, a da alarmă; a chema (pompierii, poliția).

alezan, -e *adj., s.m.* roib.

algarade *s.f.* ieșire dușmănoasă, scandal.

algèbre *s.f.* algebră.

algébrique *adj.* algebric.

algue *s.f.* algă.

alibi *s.m.* alibi.

aliénable *adj.* alienabil.

aliénateur, -trice *adj., s.m.f.* (cel) care înstrăinează (un bun etc.)

aliénation *s.f.* 1. alienare, înstrăinare. 2. nebunie; alienație.

aliéniste *s.m.* psihiatru.

alignée *s.f.* șir, rând.

alignement *s.m.* aliniere.

aligner *vt.* 1. a alinia. 2. a îngriji cu migală.

alimentaire *adj.* alimentar.

alimentateur, -trice *adj.* care alimentează.

alimentation *s.f.* alimentare.

alimenter *vt.* a alimenta, a hrăni (și *fig.*).

alinéa *s.m.* alineat.

aliter I. *vt.* a sili să se așeze la pat. II. *vr.* a cădea la pat.

alizé, -e *adj., s.m.pl.* alizeu.

allaitement *s.m.* alăptare.

allaiter *vt.* a alăpta.

allant, -e I. *adj.* neastâmpărat, vioi. **II.** *s.m.* chef, veselie ‖ *les allants et les venants* trecătorii.

alléchant, -e *adj.* atrăgător, ademenitor.

allée *s.f.* alee.

alléger *vt.* a uşura.

allégorique *adj.* alegoric.

allègre *adj.* vioi, vesel, sprinten.

allégresse *s.f.* veselie mare.

alléguer *vt.* a invoca, a pretexta.

allemand, -e I. *adj.* german. **II. 1.** *s.m.f.* (cu *maj.*) german. **2.** *s.m.* limba germană.

aller *vi.* **1.** a merge, a se duce. **2.** a conduce, a duce. **3.** a o duce, a se simţi. **4.** a funcţiona. **5.** a-i conveni, a-i plăcea ‖ *se laisser aller* a se descuraja; *ne pas aller sans* a fi inseparabil de; *s'en aller* a pleca; *fam.* a se căra; a sta bine, a se potrivi (o haină); *cette robe te va bien* această rochie îţi vine bine.

alliage *s.m.* aliaj.

alliance *s.f.* **1.** alianţă. **2.** căsătorie. **3.** verighetă.

allié, -e *adj., s.m.f.* aliat.

allier *vt., vr.* a (se) alia, a (se) uni, a (se) combina.

allocation *s.f.* alocaţie; alocare.

allocution *s.f.* alocuţiune, cuvântare.

allonge *s.f.* alonjă.

allongement *s.m.* (pre)lungire.

allonger I. *vt.* **1.** a lungi, a prelungi. **2.** a întinde, a iuţi (pasul). **3.** *fam.* a aplica (o lovitură). **4.** a drege (un sos). **II.** *vr.* a creşte; a se lungi; a se întinde.

allouer *vt.* a aloca.

allumage *s.m.* **1.** aprinsul (focului). **2.** amorsă.

allumer *vt., vr.* **1.** a aprinde. **2.** a deschide (un aparat). **3.** *fig.* a stârni.

allumette *s.f.* chibrit.

allure *s.f.* **1.** mers. **2.** înfăţişare. **3.** purtare.

alluvion *s.f.* aluviune.

almanach *s.m.* almanah.

alors *adv.* atunci.

alouette *s.f.* ciocârlie.

alourdir *vt., vr.* a (se) îngreuna, a (se) face greoi.

alourdissement *s.m.* îngreunare.

alpaga *s.m.* **1.** *zool.* alpaca. **2.** alpaca (stofă).

alphabétique *adj.* alfabetic.

alphabétiser *vt.* **1.** a pune în ordine alfabetică. **2.** a citi literele alfabetului.

alpinisme *s.m.* alpinism.

altération *s.f.* **1.** schimbare în rău. **2.** alterare, falsificare.

altercation *s.f.* altercaţie, ceartă.

altérer *vt., vr.* **1.** a (se) schimba în rău. **2.** a (se) denatura, a (se) altera, a (se) falsifica.

alternance *s.f.* alternanţă.

altesse *s.f.* alteţă.

altier, -ère *adj.* semeţ, trufaş.

altimètre *s.m.* altimetru.

altruiste *adj., s.m.f.* altruist.

aluminium *s.m.* aluminiu.

alvéole *s.m.* alveolă.

amabilité *s.f.* amabilitate.

amadouement *s.m.* ademenire, îmbunare (prin linguşiri, dezmierdări).

amaigrir *vt., vi.* a slăbi.

amaigrissement *s.m.* slăbire.

amalgamer *vt., vi.* a amalgama.

amande *s.f.* 1. migdală. 2. miezul unui sâmbure.

amant, -e *s.m.f.* iubit, amant.

amarrer *vt. mar.* a amara, a lega (cu odgonul).

amasser *vt., vr.* a (se) îngrămădi, a (se) strânge, a (se) aduna.

amateur *s.m., adj.* amator.

amazone *s.f.* amazoană.

ambages *s.f. pl. fig.* ocolişuri, ascunzişuri ‖ *parler sans ~* a vorbi pe şleau.

ambassade *s.f.* ambasadă, solie.

ambassadeur, -drice *s.m.f.* 1. ambasador. 2. *fam.* sol.

ambiance *s.f.* ambianţă.

ambiant, -e *adj.* înconjurător, ambiant.

ambigu, -ë *adj.* ambiguu, echivoc.

ambiguïté *s.f.* ambiguitate, lipsă de preciziune.

ambitieux, -euse *adj., s.m.* ambiţios.

ambition *s.f.* ambiţie.

ambitionner *vt.* a năzui, a râvni, a avea ambiţia de a.

ambre *s.m.* chihlimbar.

ambulance *s.f.* ambulanţă.

ambulatoire *adj.* ambulatoriu.

âme, -s *s.f.* 1. suflet. 2. locuitor. 3. inimă. 4. spirit. 5. animator ‖ *la mort dans l'âme* cu sufletul sfâşiat; *jusqu'au fond de l'âme* până-n adâncul sufletului; *rendre l'âme* a muri; *corps et âme* trup şi suflet; *état d'âme* stare sufletească.

amélioration *s.f.* îmbunătăţire; ameliorare.

améliorer *vt., vr.* a (se) îmbunătăţi; a (se) ameliora.

aménagement *s.m.* amenajare.

aménager *vt.* a pune în ordine; a amenaja.

amendable *adj.* care se poate îmbunătăţi.

amende *s.f.* amendă ‖ *faire ~ honorable* a-şi recunoaşte vina.

amender *vt., vr.* 1. a amenda, a îmbunătăţi. 2. a introduce amendamente. 3. a îngrăşa (solul).

amener I. *vt.* 1. a aduce. 2. *fig.* a introduce. 3. a cauza ‖ *~ les* *voiles* a lăsa pânzele jos; ~ *son pavillon, ses couleurs* a se preda. **II.** *vr. pop.* a veni.

amer, -ère I. *adj.* **1.** amar. **2.** aspru. **II.** *s.m.* substanţă amară.

amerrissage *s.m.* amerizare.

amertume *s.f.* amărăciune (şi *fig.*).

ameublement *s.m.* mobilier.

ameublissement *s.m. agr.* afânare (a pământului).

ami, -e I. *s.m.f.* amic, prieten. **II.** *adj.* favorabil, prietenos.

amiable *adj. înv.* prietenos, amabil ‖ *à l'*~ pe cale amiabilă, prin bună înţelegere.

amical, -e I. *adj.* prietenesc, amical. **II.** *s.f.* asociaţie.

amicalement *adv.* prieteneşte, amical.

amide *s.m. chim.* amidă.

amidonner *vt.* a amidona, a scrobi.

amincir *vt., vr.* a (se) subţia.

amincissement *s.m.* subţiere.

amine *s.f. chim.* amină.

amiral *adj., s.m.* amiral.

amirauté *s.f.* amiralitate.

amitié *s.f.* **1.** prietenie, amiciţie. **2.** *pl.* cuvinte prieteneşti, complimente. **3.** plăcere, serviciu ‖ *faites-moi l'*~ *de* fii drăguţ, fă-mi serviciul să.

ammoniac *s.m. chim.* amoniac.

amnésie *s.f.* amnezie.

amnistier *vt.* a amnistia.

amodier *vt.* a arenda, a da în arendă.

amoindrir *vt., vr.* a (se) micşora, a (se) reduce.

amoindrissement *s.m.* micşorare, reducere.

amollir *vt., vr.* a (se) muia; a (se) moleşi.

amplitude *s.f.* amplitudine.

ampoule *s.f.* **1.** băşică. **2.** fiolă. **3.** bec.

amputation *s.f.* amputare.

amulette *s.f.* amuletă.

amusement *s.m.* amuzament, distracţie.

amuser *vt., vr.* **1.** a (se) amuza, a (se) înveseli, a (se) distra. **2.** *fig.* a păcăli, a purta cu vorba.

amygdale *s.f.* amigdală.

amygdalite *s.f.* amigdalită.

an *s.m.* an ‖ *le Nouvel An* Anul Nou.

anachronisme *s.m.* anacronism.

anagramme *s.f.* anagramă.

analogie *s.f.* analogie.

analogique *adj.* analog.

analphabète *adj.* analfabet.

analyse *s.f.* analiză.

analyser *vt.* a analiza.

analytique *adj.* analitic.

anarchiste *s.m.f.* anarhist.

anathéme *s.m.* anatemă, blestem.

ancestral, -e *adj.* ancestral, strămoşesc.

ancêtres *s.m. pl.* strămoși (folosit rar și la *sg.*).

ancien, -enne I. *adj.* **1.** vechi, bătrân. **2.** fost. **II.** *s.m. pl.* bătrânii.

ancre *s.f.* ancoră.

âne *s.m.* **1.** măgar. **2.** *fig.* dobitoc ‖ ~ *bâté* ignorant; *c'est le pont aux ~s* e la mintea cocoșului; *brider l'~ par la quette* a pune carul înaintea boilor.

anéantir *vi.* **1.** a nimici. **2.** *fig.* a strivi, a ului. **3.** *fig.* a istovi.

anéantissement *s.m.* **1.** nimicire. **2.** *fig.* strivire, copleșire.

anesthésie *s.f.* anestezie.

anévrisme *s.m.* anevrism.

anfractuosité *s.f.* adâncitură, cavitate adâncă.

ange *s.m.* înger ‖ *être aux ~ s* a fi în al nouălea cer; *rire aux ~s* **a)** a râde fără rost, prostește; **b)** a râde în somn (copiii mici).

anglais, -e I. *adj.* englezesc. **II.** *s.m.f.* (cu *maj.*) englez. **III.** *s.m.* limba engleză **IV.** *s.f. pl.* bucle de păr în spirală.

angle *s.m.* unghi, colț.

angoissant *adj.* neliniștitor, chinuitor.

angoisse *s.f.* **1.** angoasă; neliniște. **2.** *med.* anxietate.

angulaire *adj.* în unghi, colțuros ‖ *pierre ~ fig.* piatră de temelie, cheie de boltă.

animal *adj., s.m.* animal.

animalité *s.f.* animalitate, bestialitate.

animateur, -trice *adj., s.m.f.* animator.

animation *s.f.* însuflețire, animație.

animer *vt., vr.* a (se) însufleți ‖ *être animé contre qn.* a fi întărâtat/pornit împotriva cuiva.

ankyloser *vt., vr.* a (se) anchiloza.

annales *s.f. pl.* **1.** anale. **2.** letopiseț.

anneau *s.m.* **1.** inel. **2.** verigă, segment (la insecte).

année *s.f.* an ‖ *Bonne ~* La mulți ani!, An nou fericit!

annexe I. *adj.* anex. **II.** *s.f.* anexă.

annexion *s.f.* anexare.

anniversaire *s.m.* aniversare.

annonce *s.f.* anunț.

annonciateur, -trice *adj.* (pre)vestitor.

annotation *s.f.* adnotare.

annoter *vt.* a adnota.

annuaire *s.m.* anuar ‖ *~ des téléphones* carte de telefon.

annuel, -elle *adj.* anual.

annulaire I. *adj.* în formă de inel. **II.** *s.m.* inelar (degetul).

annulation *s.f.* anulare.

annuler *vt.* a anula.

anoblir *vt.* a înnobila, a acorda un titlu de noblețe.

ânonnement *s.m.* bâlbâire, dificultate în vorbire.

anonymat *s.m.* anonimat.

apache *s.m.* apaş.

apaisement *s.m.* liniştire, potolire.

apaiser *vt.*, *vr.* a (se) potoli, a (se) linişti.

apanage *s.m.* apanaj.

aparté *s.m.* aparteu.

apathique *adj.* apatic, indiferent.

aperceptif, -ive *adj.* aperceptiv.

apercevoir I. *vt.* a zări. **II.** *vr.* (de) a băga de seamă, a observa.

aperçu *s.m.* **1.** rezumat, trecere în revistă. **2.** părere, apreciere.

à peu près I. *loc. adv.* cam (aşa), aproape. **II.** *s.m. invar.* aproximaţie.

apeuré, -e *adj.* speriat, înfricoşat.

aphérèse *s.f. lingv.* afereză.

aphorisme *s.m.* aforism.

apiculteur *s.m.* apicultor.

apiculture *s.f.* apicultură.

apitoyant, -e *adj.* de plâns, care-ţi face milă.

apitoyer I. *vt.* a stârni mila. **II.** *vr.* (sur) a se înduioşa.

aplanir *vt.* **1.** a netezi. **2.** *fig.* a aplana.

aplatir I. *vt.* a turti. **II.** *vr.* **1.** a se turti. **2.** *fig.* a se umili.

aplatissement *s.m.* **1.** turtire. **2.** *fig.* înjosire.

aplomb *s.m.* **1.** (poziţie) verticală. **2.** echilibru. **3.** felul cum cade (o stofă, un costum). **4.** *fig.* siguranţă de sine, aplomb ‖ *d'~* perpendicular, solid, în echilibru.

apocryphe *adj.* neautentic, fals, apocrif.

apogée *s.m.* apogeu (şi *fig.*).

apostrophe *s.f.* **1.** *gram.* apostrof. **2.** *fam.* apostrofare, mustrare.

apothéose *s.f.* apoteoză.

apôtre *s.m.* apostol.

apparaître *vi.* a apărea.

apparat *s.m.* strălucire, pompă.

appareil *s.m.* aparat.

appareillage *s.m.* **1.** *nav.* pregătiri de plecare. **2.** aparatură.

appareiller *vi. nav.* a porni, a se pregăti de călătorie.

apparemment *adv.* după toate aparenţele.

apparence *s.f.* **1.** aparenţă. **2.** probabilitate ‖ *sauver les ~s* a salva aparenţele.

apparent, -e *adj.* **1.** aparent, vădit, evident. **2.** deosebit, însemnat.

apparenter I. *vt.* a înrudi. **II.** *vr.* **1.** a se înrudi. **2.** a se alia.

apparition *s.f.* apariţie.

appartement *s.m.* apartament.

appartenance *s.f.* apartenenţă.

appartenir I. *vi.* (à) a aparţine (cuiva). **II.** *vr.* a-şi aparţine, a fi liber/independent.

appât *s.m.* momeală (şi *fig.*).

appauvrir *vt.* 1. a sărăci (şi *fig.*). 2. a secătui (solul).

appeler I. *vt., vr.* a (se) chema, a (se) numi. II. *vi. jur.* a face apel/recurs ‖ *cette situation appelle une solution urgente* această situaţie reclamă/impune o soluţie urgentă; *en appeler* a invoca; *appeler l'attention sur* a atrage atenţia asupra.

appendicite *s.f.* apendicită.

appensantir I. *vt.* a îngreuna, a împovăra. II. *vr.* 1. a se lăsa cu toată greutatea. 2. *fig.* a stărui, a insista (asupra).

appétissant, -e *adj.* îmbietor, apetisant.

appétit *s.m.* poftă, apetit.

applaudir I. *vt.* a aplauda. II. *vi.* (à) 1. a aproba. 2. a se felicita. 3. a se mândri.

applaudissement *s.m.* 1. aplaudare. 2. *pl.* aplauze.

applicable *adj.* aplicabil.

application *s.f.* aplicaţie (şi la broderie).

appliquer I. *vt.* 1. a aplica. 2. a da (o palmă) ‖ *~ son esprit à* a-şi îndrepta atenţia spre. II. *vr.* 1. a-şi da silinţa, a se strădui. 2. a se aplica.

appointements *s.m. pl.* salariu.

apporter *vt.* a aduce.

apposition *s.f.* 1. punere, aplicare (de sigiliu etc.). 2. *gram.* apoziţie.

appréciation *s.f.* apreciere.

apprécier *vt.* a preţui, a aprecia (şi *fig.*).

appréhender *vt.* 1. a se teme. 2. a pune mâna pe, a aresta.

appréhensif, -ive *adj.* temător, fricos.

appréhension *s.f.* teamă, îngrijorare.

apprendre *vt., vi.* 1. a afla. 2. a învăţa, a studia ‖ *je vous apprendrai à dire des sottises!* te voi învăţa minte să...!; *j'apprends le français* studiez limba franceză; *apprendre par cœur* a învăţa pe de rost.

apprenti, -e *s.m.f.* 1. ucenic. 2. *fig.* începător, novice.

apprentissage *s.m.* ucenicie.

apprêt *s.m.* 1. apretură. 2. apretare (a pieilor, a stofelor). 3. apret. 4. dresul mâncării. 5. *pl.* pregătiri.

apprêté, -e *adj.* 1. apretat (piei, stofe etc.). 2. căutat, afectat, cu fasoane.

apprêter I. *vt.* 1. a pregăti. 2. a găti, a potrivi, a da gust (mâncări). 3. a apreta (stofe, piei). II. *vr.* a se pregăti, a face pregătiri.

apprivoiser I. *vt.*, *vr.* a (se) do-
mestici. II. *vr.* a se deprinde, a
se familiariza.

approbateur, -trice *adj.*, *s.m.f.*
aprobator, care aprobă.

approbation *s.f.* aprobare.

approchant, -e I. *adj.* 1. asemă-
nător. 2. aproximativ. II. *adv.*
aproximativ, aproape, cam.

approcher *vt.*, *vi.*, *vr.* a (se) apro-
pia.

approfondir *vt.*, *vr.* 1. a adânci.
2. *fig.* a aprofunda.

approfondissement *s.m.* 1. adân-
cire. 2. *fig.* aprofundare.

appropriation *s.f.* apropriere, în-
suşire.

approprier I. *vt.* a apropria, a adap-
ta. II. *vr.* a-şi însuşi, a-şi apropria.

approuver *vt.* a aproba, a încu-
viinţa.

approvisionnement *s.m.* 1. apro-
vizionare. 2. rezerve.

approvisionner *vt.*, *vr.* a (se)
aproviziona.

approximatif, -ive *adj.* aproxi-
mativ.

approximation *s.f.* aproximaţie.

approximativement *adv.* cu
aproximaţie.

appui *s.m.* 1. reazem, sprijin.
2. *fig.* sprijin ‖ *l'~ d'une fenêtre*
pervazul unei ferestre; *à l'~* în
sprijinul.

appuyer I. *vt.* 1. a sprijini. 2. *fig.*
a da sprijin. II. *vi.* 1. a apăsa.
2. *fig.* a accentua, a insista.
III. *vr.* 1. a se sprijini. 2. a se
bizui ‖ *~ des deux* a da pinteni;
~ sur la droite a ţine dreapta.

après *adv.*, *prep.* 1. după, pe
urmă, după aceea ‖ *être ~ un
emploi* a căuta un post; *être ~
qn.* a se îngriji de cineva, a
alerga pentru cineva; *eh bien ~?*
ei şi (apoi)?; *~ tout* la urma
urmelor. 2. împotriva ‖ *crier ~
qn.* a striga la cineva.

après-demain *adv.*, *s.m. invar.*
poimâine.

après-midi *s.m. invar.* după-
amiază.

âpreté *s.f.* 1. asprime (şi *fig.*).
2. asperitate (şi *fig.*). 3. lăcomie,
patimă (la joc, la câştig).

à-propos *s.m.* 1. apropo. 2. ver-
suri, piesă de actualitate; v.
propos.

apte *adj.* apt, potrivit.

aptitude *s.f.* aptitudine.

apurer *vt.* a verifica (un cont).

aquarelle *s.f.* acuarelă.

aquarium *s.m.* acvariu.

aquatique *adj.* acvatic.

aqueduc *s.m.* apeduct.

aquilin, -e *adj.* acvilin.

arabe I. *adj.* arab. II. *s.m.f.* (cu
maj.) arab. III. *s.m.* limba arabă.

arabique *adj.* arabic ‖ *gomme* ~ gumă arabică.

arable *adj.* arabil.

arachide *s.f.* arahidă.

araignée *s.f.* păianjen.

arbitraire I. *adj.* arbitrar. II. *s.m.* despotism, tiranie.

arbitre *s.m.* arbitru.

arborer *vt.* 1. a arbora. 2. *fam.* a afişa cu ostentaţie.

arborescent, -e *adj.* arborescent.

arboriculture *s.f.* arboricultură.

arbre *s.m.* 1. copac, pom, arbore (şi *fig.*). 2. *tehn.* ax, arbore ‖ ~ *de commande* arbore motor, arbore principal, ax motor.

arbuste *s.m.* arbust.

arc *s.m.* arc (şi *fig.*) ‖ *avoir plusieurs cordes à son* ~ a avea mai multe resurse.

arc-boutant *s.m.* (*pl.* **arcs-boutants**) arc de susţinere.

arceau *s.m.* 1. arc, boltă. 2. *arhit.* arcuitură.

arc-en-ciel *s.m.* (*pl.* **arcs-en-ciel**) curcubeu.

archaïque *adj.* arhaic.

arche *s.f.* 1. arc (de pod). 2. arcă (a lui Noe).

archéologique *adj.* arheologic.

archéologue *s.m.* arheolog.

archet *s.m.* 1. arcuş. 2. arc de oţel pentru acţionarea unui burghiu.

archipel *s.m.* arhipelag.

architecte *s.m.* arhitect.

architectonique I. *adj.* arhitectonic. II. *s.f.* arhitectonică.

architecture *s.f.* arhitectură.

archives *s.f. pl.* arhivă.

archiviste *s.m.* arhivar ‖ ~ *paléographe* arhivist.

arctique *adj.* arctic.

ardent, -e *adj.* 1. aprins, arzător. 2. *fig.* înflăcărat, aprins, fierbinte.

ardeur *s.f.* 1. arşiţă. 2. *fig.* ardoare, înflăcărare, pasiune.

ardu, -e *adj.* 1. abrupt, prăpăstios. 2. *fig.* greu, dificil.

arène *s.f.* arenă.

aréopage *s.m.* areopag.

arête *s.f.* 1. os (de peşte). 2. mustaţă (la spic). 3. creastă (de munţi). 4. muchie.

argent *s.m.* 1. argint. 2. bani ‖ ~ *comptant* bani gheaţă.

argenté, -e *adj.* 1. argintiu. 2. argintat.

argenter *vt.* a arginta.

argile *s.f.* argilă, lut.

argileux, -euse *adj.* argilos.

argot *s.m.* argou.

argotique *adj.* argotic.

argument *s.m.* argument.

argumentation *s.f.* argumentare.

aride *adj.* arid, sterp (şi *fig.*).

aridité *s.f.* ariditate, uscăciune (şi *fig.*).

aristocrate *adj., s.m.f.* aristocrat.

aristocratie *fig.* aristocraţie, nobilime.

arithmétique *s.f.* aritmetică.

armateur *s.m.* armator.

armature *s.f.* **1.** armătură. **2.** *muz.* armatură.

arme *s.f.* **1.** armă. **2.** *pl.* carieră militară. **3.** emblemă (a unui oraş etc.). **4.** *expr. faire ses premières ~s* a lua parte la prima campanie; *passer pas les ~s* a executa prin împuşcare.

armée *s.f.* armată.

armement *s.m.* **1.** armament. **2.** înarmare ‖ *la course aux ~s* cursa înarmărilor.

armer **I.** *vt., vr.* a (se) înarma ‖ *armé de pied en cap* înarmat până-n dinţi. **II.** *vt. nav.* a arma (o navă).

armistice *s.m.* armistiţiu.

armoire *s.f.* dulap.

aromatique *adj.* aromat(ic).

aromatiser *vt.* a da aromă, a aromatiza.

arôme *s.m.* aromă.

arpège *s.m.* arpegiu.

arpent *s.m.* pogon.

arquer **1.** *vt.* a arcui. **2.** *vi., vr.* a (se) încovoia, a (se) arcui.

arrachage *s.m.* smulgere, scoatere (a ierburilor).

arrache-pied **(d'~)** *loc. adv.* întruna, fără întrerupere.

arracher *vi., vr.* a (se) smulge ‖ *on se l'arrache* fiecare vrea să-l (să o) aibă, e la mare preţ, e foarte căutat.

arracheur, -euse **1.** *adj., s.m.f* care smulge/extrage ‖ *il ment comme un ~ de dents* minte de zvântă. **2.** *s.f* maşină de recoltat (cartofi, sfeclă etc.).

arrangement *s.m.* aranjament.

arranger **I.** *vt.* **1.** a (o)rândui. **2.** a-i prinde bine, a-i conveni. **II.** *vr.* **1.** se pune de acord. **2.** a se împăca.

arrestation *s.f.* arestare.

arrêt *s.m.* **1.** oprire, încetare. **2.** staţie. **3.** hotărâre, sentinţă. **4.** sechestru. **5.** *pl.* arest ‖ *tomber/être en ~ devant* a rămâne surprins în faţa; *sans ~* fără întrerupere; *maison d'~* temniţă, închisoare; *être aux ~s, garder les ~s* a fi la arest; *mandat d'~* mandat de arestare.

arrêter **I.** *vt.* **1.** a opri, a împiedica. **2.** a aresta. **3.** a imobiliza. **4.** a încheia un târg. **5.** a sechestra. **6.** a decide, a hotărî. **7.** a fixa. **8.** a intercepta (corespondenţa cuiva). **II.** *v.r.* **1.** a se opri, a nu mai funcţiona. **2.** a rămâne, a întârzia. ‖ *rien ne l'arrête* este în stare de orice; *arrêter ses soupçons sur* a bănui pe cineva; *l'ingénieur s'est arrêté à son dernier projet* l-a ales...; *s'arrêter court* a se opri brusc.

arrhes *s.f pl.* arvună.

arrière I. *s.m.* 1. partea dinapoi, spatele (unui vehicul, unei nave etc.). 2. *sport* fundaş. II. *interj.* înapoi ‖ *en* – în urmă, înapoi.

arrière-garde *s.f* (*pl.* ~~s) ariergardă.

arrière-goût *s.m.* (*pl.* ~~s) gust lăsat de un aliment.

arrière-saison *sf* (*pl.* ~~s) sfârşit de toamnă, de sezon.

arrière-train *s.m.* partea dinapoi a unui vehicul, a unui animal.

arrimer *vt. av., nav.* a încărca un vas, un avion.

arrivée *s.f* sosire.

arriver I. *vi.* 1. a sosi, a ajunge (şi *fig.*). 2. a izbuti. II. *v. imp.* a se întâmpla.

arrivisme *s.m.* arivism.

arrogance *s.f* aroganţă.

arrogant, -e *adi.* arogant. semeţ.

arroger (s') *vr.* a-şi aroga, a-şi însuşi.

arrondir *vi., vr.* a rotunji.

arrondissement *s.m.* 1. rotunjire. 2. *adm.* sector ; cartier.

arrosage *s.m.* udare, stropire.

arroser *vi.* a uda, a stropi.

arrosoir *s.m.* stropitoare.

art *s.m.* artă, măiestrie.

artère *s.f* arteră (şi *fig.*).

artériel, -elle *adj.* arterial.

artésien, -enne *adj.* artezian.

arthritisme *s.m.* artritism.

artichaut *s.m.* anghinare.

article *s.m.* 1. *jur., gram.* articol. 2. marfă ‖ *à l'~ de la mort* în clipa morţii.

articulation *s.f* 1. articulaţie. 2. articulare.

articuler *vi.* a articula; a afirma.

artifice *s.m.* 1. *fig.* artificiu, şiretlic. 2. artificiu ‖ *feu d'~* foc de artificii.

artificiel, -elle *adj.* 1. artificial, nefiresc. 2. nesincer.

artificieux, -euse *adj.* şiret, viclean.

artillerie *s.f* artilerie.

artilleur *s.m.* artilerist.

artisan, -e *s.m.f* 1. artizan, meseriaş. 2. *fig.* creator, autor.

artiste *adj., s.m.* artist(ic).

artistique *adj.* artistic.

as *s.m.* as (şi *fig.*).

asbeste *s.m.* azbest.

ascendance *s.f* ascendenţă.

ascenseur *s.m.* ascensor.

ascension *s.f* ascensiune.

ascétique *adi.* ascetic.

aseptique *adi.* aseptic.

asexué, -e *adj.* asexuat.

asile *s.m.* azil (şi *fig.*).

asperge *s.f* sparanghel.

asperger *vi.* a stropi.

aspérité *s.f* asperitate (şi *fig.*).

asphalte *sm.* asfalt.

asphalter *vi.* a asfalta.

asphyxie *s.f* asfixie.

asphyxier *vi.* a asfixia.

aspic *s.mn.* aspic, piftie.

aspirant, -e 1. *adj.* care aspiră (şi *fig.*). **2.** *s.m. mar.* aspirant.

aspirateur *s.m.* aspirator.

aspiration *s.f* **1.** aspirare. **2.** *fig.* aspiraţie.

aspirer *vi.* **1.** a aspira (şi *fig.*). **2.** *vt. fig.* a aspira, a năzui.

assagir *vi., vr.* a (se) cuminţi.

assaillir *vt.* a asalta, a ataca.

assainir *vt.* a asana.

assainissement *s.m.* asanare.

assaisonnement *s.m.* **1.** condimentare. **2.** condiment.

assaisonner *vt.* **1.** a condimenta. **2.** *fig.* (despre o operă literară, o conversaţie) a face plăcut, spiritual etc.

assassin, -e I. *adj.* **1.** ucigaş. **2.** *fig.* provocant. **II.** *s.m.* asasin.

assassiner *vt.* a asasina.

assaut *s.m.* asalt.

assèchement *s.m.* uscare, secare.

assécher *vt* a usca, a seca.

assemblage *s.m.* **1.** îmbinare, adunare. **2.** *tehn.* asamblare.

assemblée *s.f.* adunare, întrunire.

assembler *vt., vr.* a (se) aduna; a strânge, a (re)uni ‖ *qui se ressemble s'assemble* cine se aseamănă se adună.

assentiment *s.m.* asentiment, învoire.

asseoir I. *vt.* **1.** a aşeza, a pune. **2.** *fig.* a stabili (o teorie). **II.** *vr.* a se aşeza.

asservissement *s.m.* aservire, înrobire.

assesseur *s.m.* asesor.

assez *adv.* destul, de ajuns ‖ *en avoir* ~ a fi sătul.

assidu, -e *adj.* asiduu, stăruitor.

assiduité *s.f.* asiduitate, sârguinţă.

assidûment *adv.* cu stăruinţă, cu insistenţă.

assiette *s.f.* **1.** farfurie. **2.** aşezare, echilibru. **3.** dispoziţie, stare de spirit ‖ *n'être pas dans son* ~ a nu-i fi boii acasă; *fam. l'* ~ *au beurre* pâinea şi cuţitul.

assignation *s.f.* **1.** *jur.* citaţie; citare. **2.** alocare.

assimilation *s.f.* **1.** asimilare. **2.** asimilaţie.

assimiler I. *vt.* a asemui; a asimila. **II.** *vr.* **1.** a se compara. **2.** a-şi însuşi, a-şi asimila.

assise *s.f.* **1.** temelie, fundaţie. **2.** *pl. jur.* tribunal pentru jude-

ASS 32

carea crimelor ‖ *cour d'~* curtea
de jurați.
assistance *s.f.* 1. asistență. 2. aju-
tor.
assister I. *vt.* a asista, a sprijini.
II. *vi.* a asista, a fi de față.
association *s.f.* 1. asociere. 2. a-
sociație ‖ *~ pour le travail en
commun de la terre* întovărășire
agricolă.
associé, -e *adj., s.m.f.* asociat,
tovarăș.
associer I. *vt.* 1. a asocia. 2. a a-
duna, a reuni. II. *vr.* a se asocia.
assombrir *vt., vr.* 1. a (se) întu-
neca. 2. *fig.* a (se) posomorî.
assombrissement *s.m.* 1. întune-
care. 2. *fig.* posomorâre.
assommer *vt.* 1. a ucide. 2. a
plictisi, a bate la cap, a pisa.
assommoir *s.m.* 1. bâtă, ciomag.
2. *pop.* cârciumă.
assortiment *s.m.* 1. asortare. 2.
colecție, sortiment.
assortir *vt., vr.* a (se) asorta; a
(se) aproviziona.
assoupir I. *vt.* a ațipi, a face să
adoarmă. II. *vr.* 1. a ațipi. 2. *fig.*
a se potoli, a se liniști.
assoupissement *s.m.* 1. ațipire.
2. liniștire, potolire. 3. *fig.* amor-
țeală, letargie.
assouplir *vt., vr.* a deveni suplu; a
(se) mlădia.

assourdir *vt.* 1. a asurzi. 2. *fig.* a
năuci. 3. (despre voce) surd.
assourdissant, -e *adj.* asurzitor.
assourdissement *s.m.* asurzire.
assouvissement *s.m.* săturare,
potolire.
assujettir *vt.* 1. a supune, a subju-
ga. 2. a sili. 3. a înțepeni, a fixa.
assumer *vt.* a-și asuma.
assurance *s.f.* 1. siguranță, certi-
tudine. 2. asigurare.
assuré, -e I. *adj.* 1. sigur, îndrăz-
neț. 2. asigurat. II. *s.m.f.* asigu-
rat.
assurer *vt., vr.* 1. a (se) asigura.
2. *fig.* a (se) încredința.
astérisque *s.m.* asterisc.
asthénie *s.f.* astenie.
asthme *s.m.* astm.
astiquer *vt.* a lustrui, a freca.
astre *s.m.* astru.
astreindre *vt., vr.* a (se) con-
strânge, a (se) sili.
astringence *s.f.* astringență.
astringent, -e *adj., s.m.* astrin-
gent.
astronome *s.m.* astronom.
astronomie *s.f.* astronomie.
astuce *s.f.* viclenie, șiretlic.
astucieux, -euse *adj.* viclean,
șiret.
asymétrie *s.f.* asimetrie.
asymétrique *adj.* asimetric.
atavique *adj.* atavic.

atermoyer *vi.* **1.** a amâna o plată. **2.** a purta cu vorba, a amâna.

athée *s.m.* ateu.

athéisme *s.m.* ateism.

athénée *s.m.* ateneu.

athlète *s.m.* atlet.

athlétique *adj.* atletic.

atlas *s.m.* atlas.

atmosphère *s.f.* atmosferă.

atmosphérique *adj.* atmosferic.

atome *s.m.* atom.

atomique *adj.* atomic.

atonie *s.f.* atonie.

atout *s.m.* atu; avantaj.

âtre *s.m.* cămin, vatră.

atroce *adj.* atroce, groaznic, crunt.

atrocité *s.f.* atrocitate, cruzime.

atrophie *s.f.* atrofie; atrofiere.

attabler (s') *vr.* a se aşeza la masă.

attache *s.f.* **1.** curea, legătură. **2.** agrafă (pentru hârtii). **3.** inserţie a muşchiului. **4.** încheietură (a mâinii, a piciorului) ‖ *tenir qn. à l'~* a ţine pe cineva din scurt.

attaché *s.m.* ataşat (al unei ambasade).

attachement *s.m.* **1.** ataşament. **2.** silinţă, străduinţă.

attacher I. *vt.* **1.** a ataşa, a lega. **2.** a lega, a fixa. **3.** a atribui (importanţă etc.). **II.** *vr.* a se ataşa, a se lega (de).

attaque *s.f.* **1.** atac. **2.** *med.* acces.

attaquer I. *vt.* a ataca. **II.** *vr.* (à) a începe (o lucrare).

attarder I. *vt.* a întârzia pe cineva. **II.** *vr.* **1.** a întârzia. **2.** a zăbovi.

atteindre *vt.* **1.** a atinge. **2.** a ajunge până la.

atteinte *s.f.* **1.** lovitură. **2.** *fig.* pagubă, prejudiciu moral ‖ *hors d'~* în afară de pericol.

atteler 1. a înhăma, a înjuga. **2.** *vr.* (à) *fig.* a se înhăma la, a se apuca de.

attenant, -e *adj.* alăturat, vecin.

attendre *vt.*, *vi.* a (se) aştepta.

attendrir *vt.*, *vr.* **1.** a (se) frăgezi (carnea etc.). **2.** a (se) înduioşa.

attendrissant, -e *adj.* înduioşător, emoţionant.

attendrissement *s.m.* înduioşare, emoţie.

attendu I. *prep.* având în vedere, dat fiind. **II.** *loc. conj.* ~ *que* dat fiind că.

attente *s.f.* aşteptare.

attenter *vi.* a atenta.

attentif, -ive *adj.* atent.

attention *s.f.* atenţie.

attentionné, -e *adj.* atent, prevenitor, grijuliu.

atterrir *vi.* **1.** a ateriza. **2.** a acosta.

atterrissage *s.m.* **1.** aterizare. **2.** acostare.

attestation *s.f.* atestare; adeverinţă.

attester *vt.* **1.** a atesta. **2.** a lua ca martor.

attiédir I. *vt.* **1.** a încropi (apa, mâncarea etc.). **2.** *fig.* a domoli. **II.** *vr.* **1.** a se încropi. **2.** a se potoli, a se domoli.

attiédissement *s.m.* **1.** încropire. **2.** domolire, potolire.

attirail *s.m.* **1.** totalitatea obiectelor necesare pentru vânătoare, călătorie etc. **2.** *fam. fig.* calabalâc, catrafuse.

attirance *s.f.* atracţie.

attirant, -e *adj.* atrăgător; seducător.

attirer *vr.* a atrage.

attiser *vt.* a aţâţa (şi *fig.*).

attiseur, -euse *s.m.f.* aţâţător (şi *fig.*).

attitré, -e *adj.* titular, permanent.

attitude *s.f.* atitudine.

attractif, -ive *adj.* atrăgător, atractiv.

attraction *s.f.* **1.** atragere. **2.** *pl.* atracţie, distracţii.

attrait *s.m.* **1.** atracţie, înclinaţie. **2.** *pl.* farmec, nuri.

attraper *vt.* **1.** a prinde, a pune mâna pe. **2.** a lua, a căpăta (o boală). **3.** a păcăli.

attribuer *vt., vr.* a(-şi) atribui.

attribut *s.m.* **1.** însuşire, atribut. **2.** *gram.* nume predicativ.

attributif, -ive *adj. gram.* atributiv.

attribution *s.f.* atribuire; atribuţie.

attrister *vt., vr.* a (se) întrista, a (se) mâhni.

attroupement *s.m.* îngrămădeală.

au (*pl.* **aux**) *art.* contras din *à* şi *le*. **1.** la, cu. **2.** formează dativul.

aubaine *s.f.* noroc, chilipir.

aube *s.f.* zori.

aubergine *s.f.* (pătlăgea) vânătă.

aucun, -e *adj., pron.* **1.** nici un(ul). **2.** *pl.* unii.

aucunement *adv.* nicidecum, deloc.

audace *s.f.* îndrăzneală, curaj.

audacieux, -euse *adj.* îndrăzneţ, curajos.

au-deçà *adv.* dincoace; de această parte.

au-dedans *adv.* înăuntru.

au-dehors *adv.* în afară.

au-delà *adv.* dincolo.

au-dessous *adv.* dedesubt.

au-dessus *adv.* deasupra.

au-devant *adv.* înaintea; în întâmpinarea.

audience *s.f.* audienţă.

auditeur, -trice *s.m.f.* ascultător, auditor.

auditif, -ive *adj.* auditiv.

audition *s.f.* audiţie.

augmentation *s.f.* **1.** sporire, creştere. **2.** mărire a salariului.

augmenter *vt., vi.* a spori, a creşte.

augurer *vt.* a prevesti; a prezice.

auguste *adj.* impunător, solemn.

aujourd'hui *adv.* astăzi.

aumône *s.f.* pomană.

auparavant *adv.* mai înainte.

auprès **I.** *prep.* (pe) lângă. **II.** *adv.* (pe) aproape.

auquel *pron. rel.* căruia.

auréole *s.f.* nimb, aureolă (şi *fig.*).

auriculaire **I.** *adj.* auricular. **II.** *s. m.* degetul mic (de la mână).

aurore *s.f.* auroră.

ausculter *vt. med.* a asculta.

auspice *s.m.* auspiciu, prevestire.

aussi **I.** *adv.* de asemenea, şi, (tot) aşa de. **II.** *conj.* de aceea ‖ ~ *bien* căci, pentru că; ~ *bien que* ca şi.

aussitôt **I.** *adv.* îndată ‖ ~ *dit*, ~ *fait* zis şi făcut. **II.** *loc. conj.* îndată ce.

austérité *s.f.* austeritate.

autant *adv.* tot atâta ‖ *d'~ plus que* cu atât mai mult cu cât; ~ *que j'en puis juger* pe cât îmi pot da seama; *en faire* ~ a face la fel.

autel *s.m.* altar.

auteur *s.m.* autor.

authenticité *s.f.* autenticitate.

authentifier *vt.* a autentifica.

auto *s.f.* automobil.

autobiographie *s.f.* autobiografie.

autobus *s.m.* autobuz.

autocar *s.m.* autocar.

autochtone *adj., s.m.f.* autohton.

autocrate *s.m.* autocrat.

autocratie *s.f.* autocraţie.

autocritique **I.** *adj.* autocritic. **II.** *s.f.* autocritică.

autodafé *s.m.* autodafe, ardere pe rug.

autodidacte *adj.* autodidact.

autographe *adj., s.m.* autograf.

automatique *adj.* automat.

automation *s.f.* automatizare.

automne *s.m.* toamnă.

automobile *adj., s.f.* automobil.

automobilisme *s.m.* automobilism.

automobiliste *s.m.* automobilist.

autonomie *s.f.* autonomie.

autoportrait *s.m.* autoportret.

autopsie *s.f.* autopsie.

autorail *s.m.* tren automotor.

autorisation *s.f.* **1.** autorizare. **2.** autorizaţie.

autoriser **I.** *vt.* a autoriza. **II.** *vr.* (de) a se baza pe.

autoritaire *adj.* autoritar.

autorité *s.f.* autoritate.

autoroute *s.f.* autostradă.

autour **I.** *adv.* **1.** împrejur ‖ *tout* ~ de jur-împrejur. **2.** *fam.* aproximativ. **II.** *loc. prep.* ~ *de* în jurul, împrejurul.

autre I. *adj., pron.* alt(ul).
II. *pron.* (precedat de *art. hot.*)
celălalt ‖ ~ *chose* altceva; *nous*
~*s* noi ăştia; *l'*~*jour* deunăzi; *à*
d'~*s!* s-o spui altcuiva!
autrement *adv.* **1.** altfel, altmin-
teri. **2.** cu mult mai.
autrefois *adv.* altădată, odinioară.
autruche *s.f.* struţ.
autrui *pron.* altul; aproapele.
auvent *s.m.* streaşină (la uşă,
fereastră etc.).
aux *art.* v. **au**.
auxquels *pron. rel.* v. **auquel**.
auxiliaire *adj.* auxiliar.
aval *s.m.* aval, josul apei.
avalanche *s.f.* avalanşă.
avaler *vt.* **1.** a înghiţi (şi *fig.*).
2. *fam.* a crede (din naivitate).
avance *s.f.* **1.** avans, înaintare.
2. *pl.* avansuri.
avancement *s.m.* **1.** înaintare, a-
vansare. **2.** *fig.* avansare (în grad).
avancer I. *vt.* **1.** a întinde (înainte).
2. a grăbi (plecarea etc.). **II.** *vi.* **1.**
a înainta. **2.** (despre ceas) a mer-
ge înainte. **3.** a ieşi în afară. **4.** a
face progres ‖ *ça n'avance à*
rien! asta nu e o soluţie; *nous*
voilà bien avancés! mare scofală!
avant[1] *adv., prep.* înainte.
avant[2] *s.m.* **1.** partea dinainte (a
unei şalupe etc.), proră. **2.** *sport*
înaintaş.

avantage *s.m.* avantaj.
avantageux, -euse I. *adj.* **1.** avan-
tajos. **2.** care şade bine (pieptă-
nătură etc.). **II.** *s.m.f.* îngâmfat.
avant-bras *s.m.* antebraţ.
avant-coureur *s.m.* (*pl.* **avant-**
coureurs) precursor ; *fig.* pre-
vestitor.
avant-dernier, -ère I. *adj.* (*pl.*
avant-derniers, -res) penultim.
II. *s.f.* (silabă) penultimă.
avant-hier *adv.* alaltăieri.
avant-propos *s.m.* cuvânt
înainte, introducere.
avant-veille *s.f.* (*pl.* **avant-veilles**)
alaltăieri; preziua Ajunului.
avare *adj., s.m.f.* zgârcit, avar.
avarice *s.f.* zgârcenie, avariţie.
avarier *vt.* a avaria.
avatar *s.m.* **1.** schimbare, trans-
formare. **2.** (abuziv) vicisitudini
(ale soartei), neplăceri.
à vau-l'eau *loc. adv.* **1.** în josul
apei. **2.** *fig.* în dezordine, în
debandadă.
avec *prep.* cu; faţă de.
avenant, -e I. *adj.* **1.** drăgălaş.
2. amabil. **II.** *loc. prep.* à *l'*~ *de*
după, potrivit cu, în conformitate
cu. **III.** *loc. adv.* à *l'*~ la fel.
avènement *s.m.* urcare (pe tron).
avenir *s.m.* viitor.
aventure *s.f.* **1.** întâmplare ‖ *par*
~, *d'*~ din întâmplare; à *l'*~ la

întâmplare. **2.** aventură ‖ *dire la bonne* ~ a ghici, a prezice.

aventurier, -ère *s.m.f.* aventurier.

avenue *s.f.* bulevard.

averse *s.f.* aversă.

averti, -e *adj.* priceput, versat, experimentat.

avertissement *s.m.* **1.** avertizare. **2.** avertisment. **3.** somație de plată (a impozitelor).

aveu *s.m.* **1.** mărturisire. **2.** învoire, consimțământ ‖ *homme sans* ~ om fără căpătâi, vagabond.

aveugle *adj., s.m.f.* orb ‖ *à l'* ~ orbește, prostește.

aveuglement *s.m.* orbire (și *fig.*).

aveugler I. *vt.* a orbi (a lua văzul, mintea). **II.** *vr.* **(sur)** a nu voi cu dinadinsul să vadă, a-și face iluzii.

viateur, -trice *s.m.f.* aviator.

viculture *s.f.* avicultură.

vidité *s.f.* aviditate, lăcomie.

vilir I. *vt.* **1.** a deprecia (o marfă). **2.** a înjosi. **II.** *vr.* a se înjosi, a se degrada.

vion *s.m.* avion.

viron *s.m.* **1.** ramă, vâslă. **2.** canotaj.

vis *s.m.* **1.** părere, sfat. **2.** înștiințare, aviz.

viser I. *vt.* **1.** a zări. **2.** a înștiința. **II.** *vi.* **(à)** a reflecta la. **III.** *vr.* **(de)** a-i trece prin minte, a se gândi la

‖ *ne vous avisez pas de vous fâcher* nu te-apuca să te superi; *on ne s'avise jamais de tout* nu te gândești niciodată la toate.

aviver *vt.* **1.** a înteți; a înviora. **2.** *fig.* a zgândări.

avocat *s.m.* avocat.

avoine *s.f.* ovăz.

avoir[1] **I.** *vt.* **1.** a avea, a poseda ‖ *fam. avoir quelqu'un* a înșela pe cineva; a învinge (în sport); **2.** în expr. *avoir faim/soif/peur/ des raisons/de la fortune* a fi, a-i fi foame/sete/frică/a avea motive/a fi bogat etc. **II.** se folosește ca verb auxiliar în formele verbale compuse active ale tranzitivelor.

avoir[2] *s.m.* avere, avut, bunuri.

avoisinant, -e *adv.* alăturat, învecinat.

avoisiner *vt., vr.* a se învecina cu.

avorter *vi.* **1.** a avorta. **2.** a eșua, a rata ‖ *faire* ~ a zădărnici.

avouable *adj.* avuabil, care poate fi mărturisit.

avouer *vt., vr.* a(-și) mărturisi, a (se) recunoaște ‖ *s'* ~ *vaincu* a se da bătut.

avril *s.m.* aprilie ‖ *poisson d'* ~ păcăleală de 1 aprilie.

axe *s.m.* **1.** osie. **2.** axă. **3.** ax.

azur *s.m.* azur.

azuré, -e *adj.* azuriu.

B

babeurre *s.m.* zer.

babil *s.m.* **1.** trăncăneală, pălă-vrăgeală. **2.** gângurit. **3.** ciripit.

babiller *vi.* a flecări.

babiole *s.f.* **1.** jucărie. **2.** *fig.* fleac.

babouche *s.f.* papuc.

bac *s.m.* bac.

baccalauréat *s.m.* bacalaureat (examen).

bachelier, -ère *s.m.f.* bacalaureat (titlu).

bachot *s.m.* **1.** *fam.* bacalaureat (examen). **2.** mică ambarca-țiune.

bacille *s.m.* bacil.

bâcler *vt.* **1.** a zăvorî. **2.** *fig.* a da rasol.

badaud, -e *adj.*, *s.m.f.* gură-cască.

badigeonnage *s.m.* **1.** văruială, zugrăveală. **2.** badijonare.

badigeonner *vt.* **1.** a spoi, a zugrăvi. **2.** a badijona.

badinage *s.m.* glumă.

badiner *vi.* a glumi.

bafouillage *s.m. fam.* bolborosire, bâlbâială.

bâfrer *vt. pop.* a înfuleca, a se îndopa.

bagage *s.m.* bagaj ‖ *plier* ~ a c șterge; **b)** a da ortul popii.

bagarre *s.f. fam.* **1.** tărăboi, ceartă, scandal. **2.** învălmășeală, în căierare.

bagatelle *s.f.* fleac, bagatelă.

bagnard *s.m.* ocnaș.

bagne *s.m.* ocnă (pentru deținuți)

bagnole *s.f. fam.* automobil ho dorogit, rablă.

bague *s.f.* inel.

baguette *s.f.* nuieluşă, baghetă.

bah! *interj.* aş!

baie *s.f.* **1.** mic golf, radă. **2.** och de fereastră, de uşă.

baignade *s.f.* scăldat.

baigner I. *vt.*, *vr.* a (se) scălda (se) îmbăia. **II.** *vt.* a uda (o loca litate, un teritoriu etc.). **III.** *vi* fi cufundat (într-un lichid).

baigneur, -euse *s.m.f.* persoan care se scaldă.

baignoire *s.f.* **1.** cadă; baie. **2.** l jă la parter (într-un teatru).

bâillement *s.m.* căscat.

bailler *vt.* **1.** a înmâna. **2.** a da (' arendă) ‖ *la* ~ *belle à qn.* păcăli.

bâiller *vi.* a căsca.

bâillonner *vt.* **1.** a pune călușul. **2.** *fig.* a închide gura.

bain *s.m.* **I.** baie. **II.** *pl.* **1.** stațiune balneară, băi. **2.** baie publică ‖ *salle de ~s* (cameră de) baie.

baïonnette *s.f.* baionetă.

baiser¹ *vt.* a săruta.

baiser² *s.m.* sărut; sărutare.

baisse *s.f.* scădere, descreștere; diminuare.

baisser I. *vt., vr.* a (se) coborî, a (se) lăsa în jos. **II.** *vi.* a scădea, a micșora.

bal *s.m.* (*pl. -s*) bal.

balade *s.f. pop.* plimbare.

balader (se) *vr. pop.* a se plimba, a hoinări.

balafrer *vt.* a face cuiva o tăietură pe obraz.

balai *s.m.* mătură.

balance *s.f.* balanță.

balancement *s.m.* **1.** legănare. **2.** *fig.* nehotărâre, îndoială.

balançoire *s.f.* **1.** leagăn. **2.** *fig. fam.* balivernă, palavră.

balayage *s.m.* măturat.

balayer *vt.* **1.** a mătura (și *fig.*). **2.** *fig.* a spulbera.

balayeur, -euse I. *s.m.f.* măturător. **II.** *s.f.* măturătoare (mașină).

balbutiement *s.m.* bâlbâire.

balbutier *vt., vr.* a (se) bâlbâi.

balcon *s.m.* balcon.

baleine *s.f.* balenă.

baleinière *s.f.* balenieră.

balisage *s.m.* balizaj.

baliser *vt.* a baliza.

balistique I. *adj.* balistic. **II.** *s.f.* balistică (știință).

baliverne *s.f.* balivernă, palavră.

ballade *s.f.* baladă.

ballant, -e *adj.* care se leagănă/se bălăbănește.

ballast *s.m.* balast.

balle *s.f.* **1.** minge. **2.** glonț. **3.** balot ‖ *saisir la ~ au bond* a profita de ocazie; *renvoyer la ~* a riposta; *enfant de la ~* care a învățat meserie de la tatăl său.

ballerine *s.f.* balerină.

ballet *s.m.* balet.

ballon *s.m.* **1.** balon (aerostat). **2.** minge.

ballonner *vt., vr.* a (se) umfla ca un balon, a se balona.

ballot *s.m.* **1.** balot. **2.** om greoi; prostovan.

ballotter *vt.* **1.** a arunca încoace și încolo. **2.** a face balotaj.

balluchon *s.m. fam.* boccea, legătură.

balnéaire *adj.* balnear.

balourd, -e *adj., s.m.f.* greoi, necioplit.

balustrade *s.f.* balustradă.

bambin, -e *s.m.f. fam.* copilaș, puști.

bambou *s.m.* (trestie de) bambus.

ban *s.m.* **1.** publicaţie, notificare. **2.** anunţ de căsătorie ǁ *publier les ~s* a anunţa căsătoria. **3.** interzicere de şedere ǁ *être en rupture de ~* a nu respecta un domiciliu obligatoriu; *fig.* *mettre qn. au ban de la société* a pune pe cineva în afara societăţii.

banal, -e *adj.* (*pl.* **-s**) banal.

banaliser *vt.* a banaliza.

banane *s.f.* banaı.ă.

bananier *s.m.* banan.

banc *s.m.* **1.** bancă. **2.** banc (de peşti, de nisip). **3.** banc (de tâmplar, de lăcătuş etc.).

bancaire *adj.* bancar.

bancal, -e *e* (*pl.* **-s**) **I.** *adj.* cu picioarele strâmbe. **II.** *s.m.* sabie curbată.

bandage *s.m.* bandaj (şi *tehn.*).

bande[1] *s.f.* **1.** fâşie, dungă, bandă. **2.** legătură. **3.** panglică.

bande[2] *s.f.* ceată, bandă ǁ *faire ~ à part* a se izola, a se ţine de-o parte.

bander *vt.* a lega, a bandaja.

bandit *s.m.* bandit.

bank-note (*pl.* **~~s**) *s.f.* bancnotă.

banlieue *s.f.* împrejurimi (ale oraşului).

bannière *s.f.* steag, flamură.

bannir *vt.* **1.** a surghiuni, a exila **2.** *fig.* a izgoni, a alunga.

bannissement *s.m.* surghiun, exi lare.

banque *s.f.* bancă (instituţie fi nanciară; la joc de cărţi).

banqueroute *s.f.* faliment, ban crută.

banquet *s.m.* banchet.

banquise *s.f.* banchiză.

baobab *s.m.* baobab.

baptême *s.m.* botez (şi *fig.*).

baptiser *vt.* a boteza (şi *fig.*).

baquet *s.m.* hârdău.

bar *s.m.* bar.

baragouiner *vt., vi. fam.* a vor stricat (o limbă), a stâlci o limbă

baraque *s.f.* baracă.

barbare *adj., s.m.f.* barbar.

barbarie *s.f.* barbarie.

barbarisme *s.m.* barbarism.

barbe *s.f.* **1.** barbă (şi la spic **2.** mucegai (pe pâine, fruc etc.). **3.** *pop. fig.* plictiseală ǁ *la ~ de qn.* sub nasul cuiva.

barbelé, -e I. *adj.* dinţat, cu din **II.** *s.m. pl.* sârmă ghimpată.

barbier *s.m.* bărbier.

barbouiller I. *vt.* a mâzgăli. I *vi.* a bolborosi.

barbu, -e *adj., s.m.* bărbos.

barder *vt.* **1.** a îmbrăca pe cine cu armură. **2.** a împăna cu sl nină (o friptură).

barème *s.m.* barem.

barge *s.f.* şlep.

baril *s.m.* butoiaş.

barioler *vt.* a împestriţa.

baroque *adj., s.m.* baroc.

barque *s.f.* barcă ‖ *bien mener/ conduire sa ~* a-şi vedea de propriile interese.

barrage *s.m.* baraj.

barre *s.f.* 1. drug. 2. bară (de gimnastică, justiţie, de metal preţios etc.) ‖ *avoir ~ sur qn.* a avea un avantaj asupra cuiva.

barreau *s.m.* 1. bară; gratie. 2. *jur.* barou.

barrer *vt.* a bara.

barricade *s.f.* baricadă.

barrière *s.f.* barieră; obstacol.

barrique *s.f.* butoi (300 l).

baryum *s.m.* bariu.

bas[1], **-sse I.** *adj.* 1. scund. 2. încet, şoptit. 3. scăzut. 4. de jos, inferior. 5. *fig.* josnic ‖ *temps ~* timp noros; *faire main ~se sur* a fura, a jefui. II. *s.m.* partea de jos, josul.

bas[2] *adv.* 1. jos ‖ *en ~* jos; *à ~ les traîtres!* jos trădătorii! 2. în şoaptă, încet ‖ *parler ~* a vorbi încet; *mettre ~* a făta.

bas[3] *s.m.* 1. ciorap ‖ *~ de laine* economii. 2. josul (paginii, scării etc.).

basalte *s.m.* bazalt.

basaner *vt.* a bronza, a pârli (faţa).

bascule *s.f.* basculă.

baser *vt., vr.* a (se) sprijini, a (se) baza.

bas-fond *s.m.* (*pl.* **bas-fonds**) 1. adâncitură (de teren). 2. apă mică. 3. *pl. fig. les ~s de la société* drojdia societăţii.

basilic *s.m.* 1. busuioc. 2. şarpe fabulos.

basilique *s.f.* bazilică.

basket-ball *s.m.* baschet.

basque[1] *s.f.* poală (la rochii, haine).

basque[2] **I.** *adj.* basc ‖ *béret ~* bască. **II.** *s.m.* limba bască.

bas-relief *s.m.* (*pl.* **bas-reliefs**) basorelief.

basse *s.f. muz.* bas.

basse-cour *s.f.* (*pl.* **basses-cours**) curte de păsări.

bassesse *s.f.* josnicie, mârşăvie.

bassin *s.m.* 1. lighean. 2. bazin.

bassiner *vt.* 1. a încălzi aşternutul. 2. a stropi, a umezi uşor. 3. *pop.* a plictisi.

bastion *s.m.* bastion ‖ *~ de la paix* bastion al păcii.

bastonnade *s.f.* ciomăgeală.

bât *s.m.* samar ‖ *chacun sait où le ~ le blesse fig.* fiecare ştie unde-l doare.

bataille *s.f.* bătălie, luptă.

batailler *vi.* **1.** a lupta, a se bate. **2.** *fig.* a se certa, a polemiza.

bâtard, -e I. *adj.* **1.** corcit; bastard. **2.** (despre scriere) batardă. **II.** *s.m.f.* corcit(ură); bastard.

bateau *s.m.* vapor; vas, navă.

batelier, -ère *s.m.f.* barcagiu, luntraş.

batifoleur, -euse *s.m.f.* zburdalnic.

bâtiment *s.m.* **1.** clădire, construcţie. **2.** *nav.* bastiment.

bâtir *vt.* **1.** a clădi, a construi. **2.** a însăila.

bâtisseur *s.m.* constructor; *fig.* întemeietor ‖ ~ *d'une nouvelle vie* făuritor al unei vieţi noi.

bâton *s.m.* băţ; baston; toiag ‖ *fig.* à ~s *rompus* fără şir, fără continuitate.

battant, -e I. *adj.* care bate ‖ *pluie* ~e ploaie torenţială/cu găleata; *tambour* ~ repede, de zor. **II.** *s.m.* **1.** limba clopotului. **2.** canat.

battement *s.m.* bătaie (a inimii, din aripi).

batterie *s.f.* **1.** *mil. muz.* baterie. **2.** veselă (de bucătărie). **3.** *pl. fig.* unelteri.

batteur, -euse I. *s.m.* treierător. **II.** *s.f.* batoză ‖ ~ *complexe* combină.

battre *vt.* **1.** a bate, a lovi, a izbi. **2.** a învinge, a câştiga, a triumfa ‖ *avoir des yeux battus* a fi încercănat; *battre à plate couture* a bate măr; *avoir l'air d'un chien battu* a fi umil.

baume *s.m.* balsam.

bavard, -e *adj., s.m.f.* vorbăreţ, guraliv.

bavardage *s.m.* vorbărie, flecăreală.

bavarder *vi.* a flecări, a trăncăni.

bave *s.f.* **1.** bale. **2.** *fig.* vorbe veninoase.

bavure *s.f. tehn.* bavură.

bazar *s.m.* bazar.

béant, -e *adj.* larg, deschis, căscat.

béatitude *s.f.* beatitudine.

beau (înainte de vocală **bel**) **belle** (*m. pl.* **-x**) **I.** *adj.* frumos; cuviincios; grozav ‖ *un ~ jour* într-o bună zi; *une belle peur* o frică straşnică; *il y a ~ temps que* e mult de când; *au ~ milieu* în mijlocul, în toiul. **II.** *s.m.* le ~ frumosul. **III.** *s.f.* **1.** partidă decisivă. **2.** *pl. en faire de belles* a face boroboaţe. **IV.** *adv.* avoir ~ + *inf.* în zadar; *tout* ~ (las-o) mai încet, nu te repezi; *de plus belle* din ce în ce mai mult; *l'échapper belle* a scăpa ca prin urechile acului.

beaucoup *adv.* (cu) mult ‖ *il s'en faut de* ~ nici pe departe.

beau-fils *s.m.* (*pl.* **beaux-fils**) **1.** fiu vitreg. **2.** ginere.

beau-frère *s.m.* (*pl.* **beaux-frères**) cumnat.

beau-père *s.m.* (*pl.* **beaux-pères**) **1.** socru. **2.** tată vitreg.

beauté *s.f.* frumuseţe.

beaux-arts *s.m. pl.* arte frumoase.

beaux-parents *s.m. pl.* **1.** socri. **2.** părinţi vitregi.

bec *s.m.* **1.** cioc, plisc. **2.** *fig.* plisc, gură; limbă ascuţită ‖ *ouvrir le* ~ a deschide gura; *se prendre de* ~, *avoir une prise de* ~ a se lua la harţă.

bécarre *s.m. muz.* becar.

bécasse *s.f.* sitar, becaţă.

bécassine *s.f.* **1.** sităruş, becaţină. **2.** *fam.* toantă, gâsculiţă.

bêche *s.f.* sapă.

bêcher *vt.* **1.** a săpa. **2.** *fig.* a săpa, a bârfi (pe cineva).

becqueter *vt.* a ciuguli.

bedeau *s.m.* paracliser.

bedonnant, -e *adj.* pântecos.

bée *adj. f.* căscată, larg deschisă ‖ *bouche* ~ gură căscată.

beffroi *s.m.* turn (în oraşele feudale).

bégaiement *s.m.* bâlbâire, gângăvire.

bégayer *vi.* a se bâlbâi, a gângăvi.

bègue *adj., s.m.* bâlbâit, gângav.

béguin *s.m.* **1.** scufiţă. **2.** *fig. fam.* scurtă pasiune, dragoste trecătoare.

beige *adj.* bej.

béjaune *s.m.* **1.** pui (de vrabie etc.). **2.** *fig.* naiv, cu caş la gură.

bêlement *s.m.* behăit.

bélier *s.m.* berbec.

bellâtre **I.** *adj.* cu pretenţii de frumuseţe. **II.** *s.m.f.* filfizon.

belle-fille *s.f.* **1.** noră. **2.** fiică vitregă.

belle-mère *s.f.* (*pl.* **belles-mères**) **1.** soacră. **2.** mamă vitregă.

belles-lettres *s.f. pl.* literatură, beletristică.

belle-soeur *s.f.* (*pl.* **belles-soeurs**) **1.** cumnată. **2.** soră vitregă.

belligérant, -e *adj., s.m.f.* beligerant.

belliqueux, -euse *adj.* războinic, belicos.

bénédiction *s.f.* binecuvântare.

bénéfice *s.m.* beneficiu.

bénéficiaire *adj., s.m.* beneficiar.

bénéficier *vi.* a beneficia.

bénignité *s.f.* **1.** blândeţe. **2.** (despre o boală) benignitate, lipsă de gravitate.

bénin, -igne *adj.* **1.** blând. **2.** *med.* benign.

bénir *vt.* a binecuvânta.

benoît, -e *adj.* **1.** binecuvântat, fericit. **2.** bun, indulgent. **3.** blând.

benzine *s.f.* chim. benzen.

béquille *s.f.* cârjă.

bercail *s.m.* (*pl. -s*) **1.** târlă, stână. **2.** *fig.* familie; casă părintească ‖ *revenir au ~* a se întoarce acasă.

berceau *s.m.* leagăn (și *fig.*).

bercement *s.m.* legănare.

bercer *vt., vr.* a (se) legăna (și *fig.*).

béret *s.m.* beretă, bască.

berge *s.f.* mal înalt (al unui râu).

berger, -ère **I.** *s.m.f.* păstor (și *fig.*), cioban. **II.** *s.f.* fotoliu.

bergerie *s.f.* **1.** stână. **2.** poezie pastorală.

berner *vt. fig.* a lua în bătaie de joc; a trage pe sfoară.

besace *s.f.* desagă.

besogne *s.f.* treabă, muncă ‖ *abattre de la ~* a munci din greu.

besoin *s.m.* **1.** nevoie. **2.** sărăcie.

bestialité *s.f.* bestialitate.

bestiole *s.f.* gânganie.

bétail *s.m.* vite.

bête¹ *adj.* prost.

bête² *s.f.* animal, bestie ‖ *~ de somme* vită de muncă; *c'est ma ~ noire fig.* este omul pe care-l urăsc, mi-e ca sarea în ochi.

bêtise *s.f.* **1.** prostie. **2.** fleac, nimic.

bétonner *vr.* a betona.

betterave *s.f.* sfeclă.

beurre *s.m.* unt ‖ *œil au ~ noir* ochi învinețit.

beurrer *vt.* a unge cu unt.

beuverie *s.f.* beție, chef.

bévue *s.f.* **1.** greșeală, eroare. **2.** gafă.

biais **I.** *s.m.* **1.** direcție piezișă, oblică. **2.** *fig.* ocol. **II.** *adj.* pieziș, oblic.

bibelot *s.m.* **1.** bibelou. **2.** fleac, obiect fără valoare.

biberon *s.m.* biberon.

bible *s.f.* biblie.

biblique *adj.* biblic.

bibliographe *s.m.* bibliograf.

bibliophile *s.m.* bibliofil.

bibliothécaire *s.m.* bibliotecar.

bibliothèque *s.f.* bibliotecă.

biche *s.f.* căprioară.

bicyclette *s.f.* bicicletă.

bielle *s.f.* bielă.

bien¹ *s.m.* **1.** bun, avut, avere. **2.** binele ‖ *ir. grand ~ lui fasse!* să-i fie de bine.

bien² *adv.* **1.** bine. **2.** foarte. **3.** mult (mai). **4.** aproape, aproximativ ‖ *se porter (aller) ~* a fi sănătos; *mener à ~* a duce la bun sfârșit; *~ des* mult, mulți; *~ mieux* cu mult mai bine; *~ plus* mult mai mult; *~ que* deși; *si ~ que* așa încât; *en tout ~ tout honneur* fără intenții necinstite.

bien-être *s.m.* bunăstare.

bienfaisance *s.f.* binefacere.

bienfaisant, -e *adj.* binefăcător, salutar.

bienfait *s.m.* binefacere.

bienfaiteur, -trice *s.m.f.* binefăcător.

bien-fondé *s.m. jur.* temei.

bienséance *s.f.* bună-cuviinţă.

bienséant, -e *adj.* cuviincios; corect.

bientôt *adv.* (în) curând; repede.

bienveillance *s.f.* bunăvoinţă.

bienveillant, -e *adj.* binevoitor.

bienvenu, -e *adj.* binevenit ‖ *soyez le ~* fiţi binevenit!

bière[1] *s.f.* bere.

bière[2] *s.f.* coşciug.

biffer *vt.* a bifa.

bifurcation *s.f.* bifurcare.

bigamie *s.f.* bigamie.

bigarrer *vt.* a împestriţa.

bigot, -e *adj.* bigot, habotnic.

bigoudi *s.m.* bigudiu.

bigre *interj.* Drace!

bigrement *adv. fam.* foarte; tare; grozav de.

bijou *s.m.* (*pl.* **-x**) bijuterie.

bijoutier *s.m.* bijutier.

bilan *s.m.* bilanţ.

bile *s.f.* 1. fiere, bilă. 2. *fig.* venin, sânge rău ‖ *se faire de la ~* a-şi face sânge rău.

bilieux, -euse *adj.* 1. bilios. 2. supărăcios; irascibil.

bilingue *adj.* bilingv.

billard *s.m.* biliard.

bille *s.f.* bilă.

billet *s.m.* bilet ‖ *~ d'avion* bilet de avion; *~ à ordre* cambie, bilet la ordin; *~ de banque* bancnotă.

billevesée *s.f.* fleac.

bimensuel, -elle *adj.* bilunar, bimensual.

biner *vt.* a prăşi.

binocle *s.m.* 1. lornion. 2. *pl.* ochelari.

binôme *s.m.* binom.

biographie *s.f.* biografie.

biologie *s.f.* biologie.

biologiste, biologue *s.m.* biolog.

bipède *adj., s.m.f.* biped.

biquet *s.m.* ied.

bis[1]**, -e** *adj.* brun-cenuşiu ‖ *pain ~* pâine neagră.

bis[2] *adv., interj.* bis, a doua oară.

bisaïeul, -e (*pl.* **-s**) *s.m.f.* străbunic.

biscornu, -e *adj.* 1. cu două coarne. 2. *fig.* ciudat, bizar.

biscotte *s.f.* pesmet.

biscuit *s.m.* 1. biscuit. 2. porţelan nesmălţuit.

bise *s.f.* 1. vânt de nord. 2. iarnă.

bismuth *s.m.* bismut.

bisser *vt.* a bisa.

bistouri *s.m.* bisturiu.

bistre *adj., s.m.* brun-închis.

bitume *s.m.* bitum.

bitumineux, -euse *adj.* bitumi-
nos.

bizarre *adj.* ciudat, bizar.

blafard, -e *adj.* palid, livid, fără
culoare.

blague *s.f.* 1. săculeț de tutun.
2. glumă, șotie ‖ ~ *à part* fără
glumă.

blaguer I. *vi.* a glumi; a spune
minciuni. II. *vt. fam.* a lua în
glumă/în bătaie de joc.

blaireau *s.m.* 1. bursuc. 2. pămă-
tuf (pentru ras).

blamable *adj.* blamabil, condam-
nabil.

blâme *s.m.* dezaprobare, blam.

blâmer *vt.* a dezaproba, a blama.

blanc, -che I. *adj.* alb (și *fig.*) ‖
gelée blanche chiciură; *donner
carte* ~ a da mână liberă; *s'en
tirer* ~ *comme neige* a ieși
basma curată. II. *s.m.* 1. alb. 2.
blanc (pe hârtie). 3. albituri ‖ ~
d'œuf albuș de ou; *geler à* ~ a
cădea brumă; *saigner à* ~ *fig.* a
stoarce și ultima picătură de
sânge; *cartouche à* ~ glonț orb.

blanc-bec *s.m.* (*pl.* **blancs-becs**)
țânc, puști, boboc.

blanchâtre *adj.* albicios.

blancheur *s.f.* albeață.

blanchir I. *vt.* 1. a înălbi. 2. a
spăla (rufe). 3. *fig.* a dezvinovăți

(pe cineva). II. *vi.* a albi, a
încărunți.

blanchissage *s.m.* spălatul rufe-
lor.

blanchisserie *s.f.* spălătorie.

blanchisseur, -euse *s.m.f.* spă-
lător(easă).

blaser I. *vt.* 1. a slăbi, a toci. 2.
fig. a blaza. II. *vr.* a se dezgusta,
a fi blazat.

blasphème *s.m.* hulire, blestem,
ocară.

blasphémer *vt., vi.* 1. a huli, a de-
făima cele sfinte. 2. a înjura.

blatte *s.f.* șvab; gândac de bucă-
tărie.

blé *s.m.* grâu ‖ *manger son* ~ *en
herbe* a-și cheltui dinainte
veniturile.

blême *adj.* palid, livid, alb la față.

blessant, -e *adj.* jignitor, umilitor.

blesser *vt.* 1. a răni. 2. (despre în-
călțăminte) a strânge, a supăra.
3. a ofensa, a jigni; a prăbuși.

blessure *s.f.* 1. rană. 2. *fig.* rană,
jignire.

bleu, -e I. *adj.* albastru ‖ *peur* ~*e*
frică grozavă; *colère* ~*e* furie.
II. *s.m.* 1. culoare albastră. 2. al-
băstreală. 3. vânătaie. 4. salo-
petă. 5. *fam.* recrut, boboc.

bleuâtre *adj.* albăstrui.

bleuir *vt., vi.* a (se) albăstri, a (se)
învineți.

blindage *s.m.* blindaj, blindare.

blinder *vt.* a blinda.

bloc *s.m.* **1.** bloc, stană. **2.** bloc, coaliție ‖ *en* – **a)** în totalitate, în total; **b)** cu grămada.

bloc(k)-notes *s.m.* (*pl.* **bloc(k)s-notes**) carnețel, bloc-notes.

blond, -e *adj., s.m.f.* blond.

bloquer *vt.* a bloca.

blottir (se) *vr.* a se ghemui.

blouse *s.f.* bluză.

blutoir *s.m.* sită, ciur.

boa *s.m.* (șarpe) boa.

bobard *s.m. fam.* minciună, gogoașă.

bobine *s.f.* **1.** mosor. **2.** bobină.

bobo *s.m. fam.* **1.** bubă. **2.** durere.

bocal *s.m.* borcan.

bock *s.m.* țap (de bere).

bœuf *s.m.* **1.** bou. **2.** carne de vacă.

bohème **I.** *s.m.* boem. **II.** *s.f.* boemă, viața de boem.

bohémien, -enne *adj., s.m.f.* țigan.

boire[1] **1.** *vt., vi.* a bea ‖ *ce n'est pas la mer à* – nu e cine știe ce greutate, ce filozofie; *qui a bu, boira* lupul își schimbă părul, dar năravul ba. **2.** *vt.* a suge, a absorbi.

boire[2] *s.m.* băut; băutură; v. **manger.**

bois *s.m.* **1.** lemn; lemne ‖ – *de chauffage* lemne de foc. **2.** pădure. **3.** *pl.* coarne de cerb.

boiser *vt.* **1.** a împăduri. **2.** a căptuși cu lemn.

boisson *s.f.* băutură ‖ *être pris de* – a fi băut.

boîte *s.f.* **1.** cutie ‖ – *aux lettres* cutie de scrisori. **2.** *arg.* magazin; instituție.

boiter *vi.* a șchiopăta.

boiteux, -euse *adj., s.m.f.* șchiop (și *fig.*).

bombance *s.f.* chef, ospăț.

bombardement *s.m.* bombardament.

bombarder *vt.* a bombarda.

bombe *s.f.* **1.** bombă. **2.** *pop.* chef, zaiafet.

bomber *vt., vi.* a (se) umfla, a (se) bomba.

bon, bonne **1.** *adj.* bun ‖ – *diable* băiat de treabă; *une* – *heure* un ceas întreg. **2.** *adv.* bine ‖ *il fait* – *e* plăcut (timpul); ~! bine. **3.** *loc. adv. pour de* – de-a binelea. **4.** *s.m.* partea, latura bună ‖ *il a du* – are părți bune.

bonbon *s.m.* bomboană.

bonbonne *s.f.* damigeană (de sticlă).

bonbonnière *s.f.* bomboniera.

bond *s.m.* salt, săritură ‖ *faire faux* – a încălca o promisiune; ~ *qualitatif* salt calitativ.

bonder *vt.* a înțesa, a ticsi.

bondir *vi.* a sări.

bonheur *s.m.* fericire ‖ *au petit ~* la întâmplare; *par ~* din fericire.

bonhomie *s.f.* bonomie, cumsecădenie.

bonhomme I. *s.m.* (*pl.* **bonshommes**) 1. bonom. 2. omuleţ ‖ *un petit ~* un băieţaş. II. *adj.* blând, blajin.

boni *s.m.* câştig, beneficiu.

bonification *s.f.* bonificare; bonificaţie.

boniment *s.m.* 1. reclamă neruşinată. 2. discurs emfatic, cu vorbe mari.

bonjour *s.m.* bună ziua ‖ *simple comme ~* simplu ca bună ziua.

bonne *s.f.* femeie de serviciu ‖ *~ à tout faire* femeie bună pentru orice însărcinare.

bonnement *adv.* cu bună-credinţă ‖ *tout ~* pur şi simplu.

bonnet *s.m.* bonetă ‖ *avoir la tête près du ~* a fi arţăgos; *c'est blanc et blanc ~* ce mi-e Rada baba, ce mi-e baba Rada; *gros ~* ştab, grangur.

bonsoir *s.m.* bună seara.

bonté *s.f.* bunătate.

bord *s.m.* 1. margine, chenar. 2. ţărm, mal. 3. bor (la pălărie). 4. *nav.* bord.

bordeaux I. *adj.* bordo. II. *s.m.* vin de Bordeaux.

bordereau *s.m.* borderou.

boussole *s.f.* busolă (şi *fig.*) ‖ *perdre la ~* a-şi pierde cumpătul.

bout *s.m.* 1. capăt, sfârşit. 2. bucăţică, fărâmă. 3. vârf (al degetului, nasului etc.) ‖ *joindre les deux ~s* a o duce de azi pe mâine; *savoir sur le ~ du doigt* a şti ca pe apă; *un ~ de femme* o femeie micuţă; *venir à ~ de qch.* a veni de hac, a o scoate la capăt; *être à ~ de forces* a fi sleit de puteri; *ça fait un ~ de chemin* e un drum destul de lung; *pousser à ~* a scoate din fire; *au ~ du compte* la urma urmei.

boute-en-train *s.m.* om de viaţă.

bouteille *s.f.* 1. sticlă. 2. butelie ‖ *c'est la ~ à l'encre* nici dracu nu-i dă de rost.

boutique *s.f.* prăvălie, dugheană ‖ *fond de ~* marfă fără căutare.

bouton *s.m.* 1. mugur. 2. buton, nasture. 3. coş (pe faţă).

boutonner *vt.* a încheia nasturii.

boutonnière *s.f.* butonieră.

boxe *s.f.* box.

boxer *vi.* a boxa.

boxeur *s.m.* boxer.

boyard *s.m.* boier.

boyau *s.m.* 1. maţ. 2. furtun. 3. loc îngust de trecere, tranşee.

boycottage *s.m.* boicot, boicotare.

bracelet *s.m.* brăţară ‖ ~*montre* ceas de mână.

braconnage *s.m.* braconaj.

brailler *vi.* a ţipa, a zbiera.

braire *vi.* (despre un măgar) a rage.

braiser *vt.* a fierbe înăbuşit.

brancard *s.m.* **1.** targă, brancardă. **2.** hulubă.

branchage *s.m.* **1.** ramurile unui copac. **2.** grămadă de crăci.

branche *s.f.* **1.** cracă, ramură (şi *fig.*). **2.** branşă ‖ *les* ~*s d'un compas* picioarele unui compas.

brancher *vt.* **1.** a branşa. **2.** a pune în priză.

brandir *vt.* a învârti în aer (sabia, biciul).

branlant, -e *adj.* care se clatină.

branle-bas *s.m. invar.* **1.** *mar.* pregătire de luptă (pe un vas). **2.** *fig.* dezordine, învălmăşeală.

branler *vt., vi.* a (se) clătina ‖ ~ *la tête* a da din cap (cu neîncredere); *fig.* ~ *dans le manche* a se clătina (într-o situaţie).

braquer *vt.* a îndrepta, a aţinti.

bras *s.m.* braţ (şi *fig.*) ‖ ~ *dessus,* ~ *dessous* braţ la braţ; *avoir qn. (qch.) sur les* ~ a avea pe cineva (ceva) în grijă/pe cap; *avoir le* ~ *long* a avea influenţă; *en* ~ *de chemise* fără haină; *à tour de* ~, *à* ~*raccourcis* cu toată puterea; *à* ~*-le-corps* de mijloc, de talie.

brasier *s.m.* jeratic.

brasse *s.f.* **1.** măsură de lungime (cât două braţe întinse). **2.** bras (stil de înot).

brasser *vt.* **1.** a face bere. **2.** a amesteca, a învârti ‖ *fig.* ~ *des affaires* a învârti afaceri; ~ *des intrigues* a unelti intrigi.

brave *adj., s.m.* **1.** viteaz, curajos, brav. **2.** de treabă ‖ ~ *homme* om cumsecade; *homme* ~ om curajos/brav.

brebis *s.f.* oaie.

brèche *s.f.* gaură, spărtură, breşă ‖ *réster sur la* ~ a rămâne la post; *battre en* ~ a ataca violent.

bredouillement *s.m.* bâlbâit, bâlbâire, îngăimare.

bredouiller *vi.* a (se) bâlbâi, a îngăima.

bref, brève I. *adj.* **1.** scurt. **2.** (ton) tăios. **II.** *adv.* pe scurt, în fine.

breloque *s.f.* brelóc, mărţişor.

breuvage *s.m.* băutură.

breveter *vt.* a breveta.

bréviaire *s.m.* breviar.

bribe *s.f.* **1.** fărâmătură (şi *fig.*). **2.** fărâmă, fragment.

bric-à-brac *s.m.* vechituri.

bricoler *vi. fam.* a bricola; a drege, a repara.

brider *vt.* a pune frâu, a înfrâna.

brièvement *adv.* pe scurt.

brièveté *s.f.* durată scurtă.

brigadier *s.m.* **1.** brigadier. **2.** *mil.* fruntaş. **3.** general de brigadă.

brigand *s.m.* tâlhar.

brigue *s.f.* intrigă, conspiraţie.

briguer *vt.* **1.** a căuta să obţină (prin stăruinţe, intrigi). **2.** a dori mult.

brillant, -e I. *adj.* strălucit; strălucitor. **II.** *s.m.* **1.** strălucire. **2.** briliant.

brillamment *adv.* strălucit.

brillantine *s.f.* briantină.

briller *vi.* a (stră)luci (şi *fig.*).

brin *s.m.* **1.** fir, pai. **2.** *fig.* (un) pic (de) || *faire un ~ de toilette* a se găti/a se aranja puţin; *un beau ~ de fille* o frumuseţe de fată.

brindille *s.f.* crenguţă.

brioche *s.f.* **1.** brioşă; cozonac. **2.** *fig. fam.* gafă; eroare.

brique I. *s.f.* cărămidă. **II.** *adj.* cărămiziu.

briquet *s.m.* brichetă.

brisant, -e I. *adj.* care sparge, brizant. **II.** *s.m.* stâncă la suprafaţa mării.

brise *s.f.* briză.

brise-glace *s.m. invar.* spărgător de gheaţă.

briser I. *vt.* **1.** a sparge, a rupe. **2.** *fig.* a birui, a zdrobi || *brisé de fatigue* rupt/frânt de oboseală.

II. *vi.* **1.** (despre valuri) a se lovi de un obstacol. **2.** a o rupe cu cineva || *brisons là!* să nu mai discutăm despre asta!

briseur *s.m.* spărgător.

broc *s.m.* cană; ulcior.

brocanter *vt., vi.* a face comerţ cu vechituri.

broche *s.f.* **1.** frigare. **2.** andrea. **3.** fus. **4.** broşă.

brocher *vt.* **1.** a ţese (cu aur, mătase). **2.** a broşa (o carte). **3.** *fam.* a face lucru de mântuială.

brochet *s.m.* ştiucă.

brochure *s.f.* broşură.

broderie *s.f.* broderie.

broiement *s.m.* fărâmiţare, pisare, zdrobire.

bromure *s.m.* bromură.

broncher *vi.* **1.** a se poticni (şi *fig.*). **2.** a (se) mişca din loc || *sans ~* fără a şovăi.

bronchite *s.f.* bronşită.

bronze *s.m.* bronz; lucru de artă în bronz.

bronzer *vt.* a pârli (pielea), a bronza.

brossage *s.m.* periere, periat.

brosser *vt.* **1.** a peria. **2.** a picta (în grabă), a schiţa.

brouette *s.f.* roabă.

brouhaha *s.m. fam.* hărmălaie, zarvă.

brouillage *s.m.* bruiaj.

brouillard *s.m.* ceață.

brouiller I. *vt., vr.* **1.** a (se) amesteca, a (se) încurca. **2.** a bruia. **3.** a se certa ‖ ~ *des œufs* a face jumări; *yeux brouillés de sommeil* ochi cârpiți de somn. **II.** *vr.* (despre vreme) a se strica.

brouillon, -onne I. *adj., s.m.f.* încurcă-lume. **II.** *s.m.* ciornă.

broyer *vt.* a zdrobi, a pisa ‖ ~ *du noir* a se lăsa cuprins de gânduri negre.

bru *s.f.* noră.

bruiner *vi.* a bura, a burnița.

bruire *vi.* a fâșâi, a foșni.

bruissement *s.m.* foșnet, freamăt.

bruit *s.m.* **1.** zgomot. **2.** zvon, veste ‖ *le* ~ *court* se zvonește.

brûle-pourpoint (à) *loc. adv.* brusc, pe neașteptate.

brûler I. *vt.* **1.** a arde. **2.** a ustura (despre ardei etc.). **II.** *vi. fig.* a arde (de dorință etc.) ‖ ~ *le pavé* a-i sfârâi călcâiele; ~ *la cervelle à qn.* a zbura creierii cuiva; ~ *la politesse à qn.* a părăsi brusc pe cineva.

brûlure *s.f.* arsură.

brun, -e *adj., s.m.f.* brun; brunet.

brusque *adj.* **1.** brusc. **2.** aspru.

brutaliser *vt.* a se purta grosolan, a brutaliza.

brutalité *s.f.* brutalitate.

bruyant, -e *adj.* zgomotos.

bruyamment *adv.* zgomotos.

bruyère *s.f.* bălării, mărăciniș.

buanderie *s.f.* spălătorie.

bûche *s.f.* buturugă.

bûcheron, -onne *s.m.f.* tăietor de lemne.

budget *s.m.* buget.

budgétaire *adj.* bugetar.

buisson *s.m.* tufiș, lăstăriș.

buissonnier, -ère *adj.* (despre animale) care stă în tufișuri ‖ *faire l'école buissonnière* a chiuli de la școală.

bulldozer, bull-dozer *s.m.* buldozer.

bulle *s.f.* **1.** bulă (de săpun, de aer). **2.** pecete. **3.** bulă (papală).

bulletin *s.m.* buletin.

bureau *s.m.* birou.

burlesque *adj.* burlesc.

busqué *adj.* încovoiat, strâmb ‖ *nez* ~ nas coroiat.

but *s.m.* **1.** scop, țel. **2.** *sport* gol ‖ *de* ~ *en blanc* brusc, direct.

buté, -e *adj.* îndărătnic, încăpățânat.

butte *s.f.* **1.** movilă. **2.** câmp de tragere ‖ *être en* ~ *à* a îndura, a fi expus la.

buvard *s.m.* sugativă.

buvette *s.f.* cârciumă, bufet (de băuturi).

buveur, -euse *adj., s.m.f.* băutor; bețiv.

C

ça *pron. fam.* asta ‖ *comme ~* aşa, astfel; *comme ci, comme ~* aşa şi aşa, potrivit; *~ y est* gata, s-a făcut, ai nimerit; *c'est ~* aşa este.

çà *adv.* aici ‖ *~ et là* ici şi colo.

cabale *s.f.* cabală.

cabine *s.f.* cabină.

câbler *vt.* a telegrafia (prin cablu submarin).

cabotin *s.m.* cabotin.

cabrer (se) *vr.* 1. a (se) cabra. 2. *fig.* a se oţărî.

cabriolet *s.m.* cabrioletă.

cacahuète *s.f.* arahidă.

cache-cache *s.m.* (joc) de-a v-aţi ascunselea.

cacher *vt., vr.* a (se) ascunde, a tăinui.

cachet *s.m.* 1. sigiliu, pecete. 2. onorar (pentru lecţii). 3. *fig.* originalitate, specific.

cacheter *vt.* 1. a pecetlui, a sigila. 2. a lipi, a închide (o scrisoare).

cachette *s.f.* ascunziş, ascunzătoare ‖ *en ~* pe ascuns.

cachot *s.m.* carceră, închisoare.

cacophonie *s.f.* cacofonie.

cadavérique *adj.* cadaveric.

cadeau *s.m.* dar, cadou.

cadenas *s.m.* lacăt.

cadence *s.f.* cadenţă ‖ *~ du travail* ritm de muncă.

cadet, -te I. *adj.* mai tânăr ‖ *c'est le ~ de mes soucis* de asta nici nu mă sinchisesc. **II.** *s.m.f.* mezin.

caduc, -uque *adj.* caduc, depăşit ‖ *mal ~* epilepsie.

cafard, -e *adj., s.m.f. fam.* 1. prefăcut, caiafă. 2. pârâtor, spion.

café *s.m.* 1. cafea. 2. cafenea.

café-concert *s.m.* (*pl.* **cafés-concerts**) varieteu, şantan.

cage *s.f.* 1. colivie. 2. cuşcă.

cagnotte *s.f.* puşculiţă.

cahier *s.m.* caiet; registru.

cahot *s.m.* 1. hop, zdruncinătură. 2. *fig.* piedică.

caillé I. *s.m.* cazeină, covăseală. **II.** *adj.* covăsit ‖ (*lait*) *~* lapte covăsit.

caillou *s.m.* (*pl.* **-x**) pietricică.

caisse *s.f.* 1. cutie, ladă. 2. casă (de bani, instituţie). 3. tobă ‖ *battre la grosse ~ fig.* a bate toba, a-şi face reclamă; *~ d'épargne* casă de economii.

caissier, -ère *s.m.f.* casier.

cajoler *vt.* **1.** a se pune bine (pe lângă cineva), a linguși. **2.** *fig.* a mângâia, a giuguli.

cal *s.m.* (*pl. -s*) *med.* calus.

calamité *s.f.* prăpăd, calamitate.

calcium *s.m.* calciu.

calculateur, -trice I. *adj.* **1.** calculator. **2.** *fig.* prevăzător, socotit. **II.** *s.f.* calculator de mici dimensiuni.

cale *s.f.* calǎ || *être à fond de ~* a fi pe drojdie.

calé, -e *adj. pop.* priceput, cunoscător || *~ en mathématiques* bun la matematică.

calembour *s.m.* joc de cuvinte, calambur.

calendrier *s.m.* calendar.

calepin *s.m.* carnet pentru însemnări.

calibre *s.m.* calibru (și *fig*).

calice *s.m.* **1.** caliciu. **2.** cupă, potir. || *fig. boire le ~ jusqu'à la lie* a bea din cupa amărăciunilor.

califourchon (à) *loc. adv.* călare (pe băț, pe scaun).

calligraphie *s.f.* caligrafie.

calmant, -e *adj., s.m.* calmant.

calme *adj., s.m.* calm, acalmie.

calmer *vt., vr.* a (se) potoli, a (se) liniști, a (se) calma.

calomniateur, -trice *adj., s.m.f.* calomniator.

calomnie *s.f.* bârfă, calomnie.

calorifère *adj., s.m.* calorifer.

calque *s.m.* **1.** calc. **2.** *fig.* copie, plagiat.

calquer *vt.* **1.** a copia cu hârtie de calc. **2.** *fig.* a imita întocmai.

calvaire *s.m.* calvar.

camaraderie *s.f.* camaraderie, tovărășie.

cambré, -e *adj.* încovoiat, arcuit || *taille ~e* talie sveltă, armonioasă.

cambriolage *s.m.* spargere (pentru furt).

camelot *s.m.* negustor cu marfă de duzină.

camomille *s.f.* mușețel, romaniță.

camouflage *s.m.* camuflaj, camuflare.

camoufler *vt., vr.* a (se) camufla.

camp *s.m.* **1.** tabără. **2.** lagăr || *le ~ de la paix et de la démocratie* lagărul păcii și al democrației.

campagnard, -e I. *s.m.* țăran, sătean. **II.** *adj.* țărănesc, câmpenesc.

campagne *s.f.* **1.** câmp, șes. **2.** țară, sat || *à la ~* la țară; *en rase ~* în câmp deschis; *battre la ~* a bate câmpii. **3.** campanie.

campement *s.m.* tabără, lagăr, campament.

camper I. *vi.* **1.** a poposi, a-și așeza tabăra. **2.** a locui temporar.

II. *vt.* **1.** a aşeza, a instala. **2.** *fig.* a părăsi ‖ ~ *là qn.* a pleca părăsind pe cineva. **III.** *vr.* a se proţăpi.

camus, -e *adj.* cu nasul turtit.

canaille I. *s.f.* canalie, nemernic. **2.** adunătură. **II.** *adj.* neruşinat, vulgar.

canaliser *vt.* a canaliza.

canapé *s.m.* canapea, divan.

canard *s.m.* **1.** raţă, răţoi. **2.** *fig.* jurnal/ziar de senzaţie. **3.** ştire falsă. **4.** notă falsă, ţipătoare.

cancre *s.m.* şcolar leneş.

candeur *s.f.* candoare.

candi *adj.* (zahăr) candel.

candidature *s.f.* candidatură.

candide *adj.* candid, nevinovat.

canevas *s.m.* canava (şi *fig.*).

caniculaire *adj.* dogoritor, canicular.

canif *s.m.* briceag.

canne *s.f.* **1.** trestie ‖ ~ *à sucre* trestie de zahăr. **2.** baston.

cannibale *adj., s.m.* canibal (şi *fig.*).

canoë *s.m.* canoe.

canon *s.m.* **1.** tun. **2.** ţeavă (de armă).

canot *s.m.* barcă.

canotage *s.m.* canotaj.

cantatrice *s.f.* cântăreaţă (de operă).

cantonade *s.f.* culise ‖ *parler à la* ~ a vorbi spre culise.

cantonner I. *vt., vi.* a încartirui, a cantona ‖ *rester cantonné chez soi* a nu se urni din casă. **II.** *vr.* a se închide, a se menţine ‖ *se ~ dans une prudente réserve* a se închide, a se izola într-o rezervă prudentă.

caoutchouc *s.m.* **1.** cauciuc. **2.** galoş.

cap *s.m.* cap, promontoriu ‖ *mettre le ~sur* (*av., nav.*) a se îndrepta spre.

capable *adj.* capabil.

capacité *s.f.* **1.** capacitate (a unui vas etc.) **2.** destoinicie, aptitudine, capacitate.

capitaine *s.m.* căpitan.

capital, -e I. *adj.* **1.** de frunte, de mare însemnătate. **2.** capital (pedeapsă, litere). **II.** *s.f.* **1.** capitală. **2.** majusculă.

capiteux, -euse *adj.* (despre băuturi) îmbătător, ameţitor.

capitulation *s.f.* **1.** capitulare. **2.** capitulaţie.

capituler *vi.* a capitula.

caporal *s.m.* caporal.

capote *s.f.* **1.** manta soldăţească. **2.** capotă (de maşină). **3.** pălărie de damă.

capoter *vi.* a capota, a se răsturna.

caprice *s.m.* capriciu.

capricieux, -euse *adj.* capricios.

captation *s.m.* captare (a unui izvor).

capter *vt.* a capta (şi *fig.*).

captif, -ive *adj., s.m.f.* captiv, prizonier.

capuchon *s.m.* capişon, glugă.

caquet *s.m.* 1. cotcodăcit. 2. *fig.* trăncăneală ‖ *fig. rabattre le ~ a* închide gura cuiva. 3. *pl.* bârfeli.

car[1] *conj.* căci.

car[2] *s.m.* autocar.

carabine *s.f.* carabină.

caractère *s.m.* 1. însuşire, caracter (şi de tipografie). 2. caracteristică.

caractériser *vt., vr.* a (se) caracteriza.

caractéristique I. *s.f.* caracteristică (şi de logaritm). II. *adj.* caracteristic.

carambolage *s.m.* carambol, ciocnire.

caramboler *vi.* a face carambol, a se ciocni.

carbonifère *adj.* carbonifer.

carbonisation *s.f.* carbonizare.

carboniser *vt.* a carboniza.

carburateur *s.m.* carburator.

carcasse *s.f.* 1. carcasă, schelet. 2. *fam.* corpul omenesc.

cardage *s.m.* dărăcit.

carder *vt.* a dărăci.

cardiaque *adj., s.m.f.* cardiac.

cardinal, -e *adj., s.m.* cardinal.

carème *s.m.* postul Paştelui.

carence *s.f.* lipsă, absenţă, carenţă.

caressant, -e *adj.* mângâietor.

caresse *s.f.* mângâiere.

caresser *vt.* 1. a mângâia. 2. *fig. ~ de vaines espérances* a nutri speranţe zadarnice.

cargaison *s.f.* încărcătură (a unei nave).

caricaturiste *s.m.* caricaturist.

carier *vt., vr.* a (se) caria.

carillon *s.m.* 1. clopote (acordate cu sunete diferite). 2. sunatul clopotelor. 3. *fig.* zarvă, hărmălaie.

carillonner *vi.* 1. a suna clopotele. 2. a face zgomot.

carlingue *s.f.* carlingă.

carnage *s.m.* măcel.

carnaval *s.m.* (*pl.* **-s**) carnaval.

carnivore *adj., s.m.f.* carnivor.

carotte *s.f.* morcov ‖ *tirer une ~ à qn.* a înşela pe cineva.

carpe *s.f.* carp.

carré, - *adj., s.m.* pătrat, careu.

carreau *s.m.* 1. pătrăţel. 2. lespede, dală. 3. geam, ochi (la ferestre).

carrefour *s.m.* răscruce.

carrément *adv.* fără ocoluri, verde, hotărât.

carrière *s.f.* 1. profesie, carieră. 2. arenă (pentru lupte etc.), manej. **3.** carieră (de piatră). **4.** carieră diplomatică ‖ *donner ~ à* a da frâu liber (mâniei etc.).

carrossable *adj.* carosabil.

carrosserie *s.f.* **1.** confecţionare de care, căruţe etc. **2.** caroserie.

carte *s.f.* **1.** hartă. **2.** carte (de joc, poştală, de vizită). **3.** bilet (de internare). **4.** lista de bucate (là restaurant).

carton *s.m.* **1.** carton. **2.** cutie (de pălării etc.).

cartonner *vt.* a cartona.

cartouche *s.f.* cartuş.

cartouchière *s.f.* cartuşieră.

cas *s.m.* **1.** întâmplare. **2.** caz (şi în gramatică) ‖ *le ~ éahéant* dacă va fi cazul; *en tout ~, dans tous les ~* în tot cazul.

casanier, -ère *adj., s.m.f.* căruia îi place să stea în casă, sedentar.

case *s.f.* **1.** colibă. **2.** despărţitură (în cutie, dulap etc.). **3.** căsuţă, pătrăţel.

caser **I.** *vt.* **1.** a caza. **2.** a procura o slujbă. **II.** *vr.* a se aranja.

caserne *s.f.* cazarmă.

casier *s.m.* cazier.

casino *s.m.* cazinou.

casquette *s.f.* şapcă.

cassant, -e *adj.* **1.** casant. **2.** *fig.* poruncitor şi aspru.

cassation *s.f.* casaţie ‖ *pourvoi en ~* recurs.

cassé, -e *adj.* **1.** spart (şi *fig.*). **2.** bătrân, infirm.

casse-cou *s.m.* **1.** loc primejdios. **2.** om imprudent, temerar.

casse-croûte *s.m.* masă frugală.

casser *vt., vi., vr.* **1.** a (se) sparge, a (se) zdrobi, a (se) sfărâma, a (se) rupe. **2.** a (se) casa (o sentinţă) ‖ *fig. ~ bras et jambes à qn.* a lua cuiva piuitul; *se ~ la tête* a-şi bate capul; *à tout ~* fără reţinere, năvalnic.

casserole *s.f.* cratiţă.

casuel, -elle **I.** *adj.* **1.** întâmplător. **2.** *gram.* cazual. **II.** *s.m.* venituri neprevăzute.

cataclysme *s.m.* cataclism.

catafalque *s.m.* catafalc.

cataloguer *vt.* a cataloga.

catarrhe *s.m.* catar.

catastrophe *s.f.* catastrofă.

catégorie *s.f.* categorie.

catégorique *adj.* categoric.

cathédrale *s.f.* catedrală.

catholique *adj., s.m.f.* catolic.

catimini (en) *loc. adv. fam.* pe ascuns.

cauchemar *s.m.* coşmar (şi *fig.*).

cause *s.f.* **1.** cauză, motiv. **2.** interes. **3.** proces ‖ *et pour ~* şi fără motiv; *être hors de ~* a nu fi cu nimic amestecat.

causer [1] *vt.* a pricinui, a cauza.

causer [2] *vi.* (**avec**) a sta de vorbă.

causerie *s.f.* convorbire intimă.

caution *s.f.* cauțiune ‖ *se porter ~ de a garanta pentru; sujet à ~* de puțină încredere.

cavalier, - ère I. *adj.* **1.** liber (în ținută), cutezător, îndrăzneț. **2.** brusc, de sus (ton, atitudine etc.). **II.** *s.m.* **1.** călăreț. **2.** cavalerist. **3.** cavaler. **4.** cal (la șah).

cave *s.f.* pivniță.

caveau *s.m.* cavou.

caviar *s.m.* icre negre.

cavité *s.f.* adâncitură, cavitate.

ce[1] *pron. dem.* (ceea) ce ‖ *n'est-ce pas?* nu? nu-i așa? *c'est selon* depinde; *c'est pourquoi* **a)** iată pentru ce; **b)** de aceea.

ce[2] (**cet** înainte de vocale și h aspirant), **cette** *adj. dem.* acest ‖ *ce matin* azi dimineață; *ce soir* diseară.

ceci *pron.* aceasta.

céder *vt.*, *vi.* a ceda ‖ *~ le pas* a da precădere.

cédille *s.f.* sedilă.

cèdre *s.m.* cedru.

ceinture *s.f.* **1.** cingătoare, brâu. **2.** centură.

cela *pron.* aceea, aceasta ‖ *c'est ~, c'est bien ~* așa este, adevărat.

célèbre *adj.* celebru.

célébrer *vt.* a sărbători, a preamări, a celebra.

céleri *s.m.* țelină.

céleste *adj.* ceresc.

célibataire *adj.* necăsătorit, celibatar.

celle *pron.* v. **celui**.

cellule *s.f.* celulă.

celluloïd(e) *s.m.* celuloid.

celui (*pl.* **ceux**), **celle** *pron.* acel ‖ *celui-ci* aceasta; *celui-là* acela.

cénacle *s.m.* asociație, grupă, cenaclu.

cendre *s.f.* **1.** cenușă ‖ *réduire en ~s* a preface în cenușă. **2.** *pl.* rămășițele pământești.

cendrier *s.m.* **1.** scrumieră. **2.** cenușar.

censeur *s.m.* cenzor.

cent *adj., s.m.* sută ‖ *~ pour ~* sută la sută; *je vous le donne en ~* pariez că nu ghicești.

centaine *s.f.* vreo sută, circa o sută.

centenaire *adj., s.m.* centenar.

centième I. *adj.* al sutelea. **II.** *s.m.* a suta parte, sutime.

centime *s.m.* centimă, ban.

centimètre *s.m.* centimetru.

central, -e I. *adj.* central. **II.** *s.f.* centrală (electrică, termică etc.) ‖ *~e hydro-électrique* hidrocentrală.

centre *s.m.* centru.

centupler *vt.* a însuti.

cep *s.m.* butuc de viță de vie.

cependant I. *conj.* totuși, cu toate acestea. **II.** *adv.* în acest timp, între timp.

céramique I. *adj.* ceramic. **II.** *s.f.* ceramică.

cerceau *s.m.* cerc.

cercueil *s.m.* sicriu.

céréale *adj., s.f.* cereal(ă).

cérémonie *s.f.* ceremonie.

cerf *s.m.* cerb.

cerf-volant *s.m.* (*pl.* **cerfs-volants**) 1. rădașcă. 2. zmeu (de hârtie).

cerise *s.f.* cireașă.

cerner *vt.* a împresura, a încercui ‖ *yeux cernés* ochi încercănați.

certain, -e I. *adj.* 1. oarecare, anumit. 2. sigur. **II.** *pron. nehot. pl.* unii, anumiți.

certainement *adv.* (de)sigur.

certifier *vt.* a certifica, a adeveri.

certitude *s.f.* siguranță, certitudine.

cerveau *s.m.* creier (ca organ în totalitatea lui)‖ *rhume de ~* guturai.

cervelas *s.m.* cârnat de porc.

ces *adj.* v. **ce**.

cessation *s.f.* încetare, contenire.

cesser *vt., vi.* a înceta.

cession *s.f.* cedare, cesiune.

c'est-à-dire *loc. conj.* adică.

chacal *s.m.* (*pl.* **-s**) șacal.

chacun, -e *pron.* fiecare.

chagrin *s.m.* mâhnire, amărăciune.

chagriner *vt., vr.* a (se) mâhni, a (se) amărî.

chahuter *vt., vi.* a face tărăboi, a fluiera (pe cineva).

chaîne *s.f.* 1. lanț. 2. înlănțuire, șir (al ideilor, evenimentelor) ‖ *travailler à la ~* a lucra pe bandă.

chair *s.f.* carne (și la fructe) ‖ *ni ~ ni poisson* nici cal, nici măgar.

chaire *s.f.* 1. catedră. 2. amvon.

chaise *s.f.* scaun.

châle *s.m.* șal.

chalet *s.m.* 1. căsuță de lemn (în Elveția), cabană. 2. vilă.

chaleur *s.f.* căldură (și *fig.*).

chaleureusement *adv.* călduros, cu căldură.

chaleureux, -euse *adj.* călduros.

chalutier *s.m.* 1. năvodar. 2. pescador.

chamailler *vt., vi., vr.* a (se) certa.

chambranle *s.m.* pervaz, chenar (la uși, ferestre).

chambre *s.f.* cameră, odaie.

chameau *s.m.* cămilă.

champ *s.m.* câmp (și *fig.*), câmpie ‖ *prendre la clé des ~s* a o lua la sănătoasa; *loc. adv. sur-le ~* îndată; *à tout bout de ~* necontenit.

champagne *s.m.* șampanie.

champêtre *adj.* câmpenesc.

champignon *s.m.* ciupercă.

champion *s.m.* 1. campion. 2. *fig.* apărător.

championnat *s.m.* campionat.

chance *s.f.* 1. noroc, şansă. 2. prilej, eventualitate. 3. *pl.* perspective, posibilităţi ‖ *bonne ~* succes! noroc! *courir sa ~* a-şi încerca norocul.

chanceler *vi.* 1. a se clătina. 2. *fig.* a şovăi.

chancellerie *s.f.* 1. cancelarie. 2. Ministerul Justiţiei (în Franţa).

chandail *s.m.* pulover, tricou.

chandelle *s.f.* 1. lumânare (de seu, de stearină). 2. ţurţure ‖ *le jeu n'en vaut pas la* ~ nu merită efortul: *brûler la ~ par les deux bouts* a face risipă.

change *s.m.* 1. schimb. 2. cursul de schimb. 3. birou de schimb ‖ *lettre de ~* poliţă; *donner le ~ à qn.* a înşela pe cineva; *prendre le ~* a se lăsa înşelat.

changeant, -e *adj.* schimbător.

changement *s.m.* schimbare.

changer I. *vt.* a schimba, a primeni. II. *vi.* (**de**) a se schimba, a-şi schimba.

chanson *s.f.* cântec ‖ ~ *de geste* epopee eroică; *~s que tout cela!* toate astea sunt fleacuri/mofturi!

chansonnette *s.f.* şansonetă.

chanter *vt.* a cânta ‖ *faire ~* a şantaja.

chanteur, -euse *adj., s.m.f.* cântăreţ ‖ *fig. maître ~* şantajist.

chantier *s.m.* şantier ‖ *avoir un ouvrage sur le ~* a avea ceva în lucru.

chanvre *s.m.* cânepă.

chaos *s.m.* haos (şi la *fig.*).

chapeau *s.m.* pălărie ‖ *coup de ~* salut.

chapelle *s.f.* capelă ‖ ~ *ardente* cameră mortuară.

chaperon *s.m.* 1. scufie. 2. guvernantă (care însoţeşte o fată tânără) ‖ *le petit ~ rouge* Scufiţa Roşie.

chapiteau *s.m.* capitel.

chapitre *s.m.* 1. capitol. 2. *bis.* adunare de canonici ‖ *avoir voix au ~* a avea dreptul să-şi spună părerea. 3. *fig.* subiect, problemă de discutat.

chaque *adj.* fiecare, oricine.

char *s.m.* 1. car. 2. tanc, car de luptă.

charabia *s.m.* bolboroseală, limbă de neînţeles.

charade *s.f.* şaradă.

charbon *s.m.* cărbune.

charbonnier, -ère I. *adj.* de (privitor la) cărbune. II. *s.m.f.* cărbunar.

charcuterie *s.f.* 1. mezelărie. 2. mezeluri.

charcutier, -ère *s.m.f.* cârnăţar.

chardon *s.m.* scaiete, ciulin.

charge *s.f.* **1.** încărcătură, greutate. **2.** sarcină, misiune. **3.** taxă. **4.** post, funcţie. **5.** şarjă, atac. **6.** acuzaţie, dovadă de vinovăţie ‖ *témoin à* ~ martorul acuzării.

chargé, -e *adj.* **I. 1.** greu. **2.** încărcat, copleşit ‖ *lettre chargée* scrisoare recomandată, scrisoare de valoare; *temps chargé* vreme închisă. **II.** *s.m. chargé de pouvoirs* împuternicit; *chargé d'affaires* însărcinat cu afaceri.

chariot *s.m.* **1.** car, căruţă. **2.** car (la maşina de scris).

charitable *adj.* milos, caritabil.

charité *s.f.* **1.** iubire de oameni, caritate. **2.** pomană.

charlatan *s.m.* şarlatan.

charmant, -e *adj.* drăguţ, încântător.

charme *s.m.* farmec, încântare, drăgălăşenie.

charmer *vt.* a fermeca, a încânta.

charmeur, -euse *adj., s.m.f.* **1.** vrăjitor. **2.** persoană încântătoare.

charnu, -e *adj.* cărnos.

charpentier *s.m.* dulgher.

charrette *s.f.* căruţă cu două roţi, şaretă.

charrue *s.f.* plug.

chasser *vt.* **1.** a vâna. **2.** *fig.* a goni, a alunga.

châssis *s.m.* **1.** pervaz, cercevea. **2.** şasiu.

chasteté *s.f.* puritate, castitate.

chat, -te *s.m.f.* cotoi, pisică ‖ *pas un* ~ nici ţipenie (de om); *acheter* ~ *en poche* a cumpăra pe nevăzute; *avoir un* ~ *dans la gorge* a fi răguşit; ~ *échaudé craint l'eau froide* cine s-a fript cu ciorbă suflă şi-n iaurt.

châtaigne *s.f.* castană.

châtain, -e *adj.* castaniu, şaten.

château *s.m.* castel.

châtier *vt.* **1.** a pedepsi. **2.** *fig.* a lucra cu grijă (stilul).

châtiment *s.m.* pedeapsă.

chatoyant, -e *adj.* sclipitor, lucios, care face ape.

chaud, -e I. *adj.* cald, înfierbântat ‖ *pleurer à* ~*es larmes* a plânge cu lacrimi amare; *têtes* ~*es* capete înfierbântate. **II.** *s.m.* căldură, cald. **III.** *adv.* cald.

chaudière *s.f.* **1.** căldare. **2.** cazan mare.

chaudronnier *s.m.* căldărar, cazangiu.

chauffage *s.m.* încălzire.

chauffer *vt., vi., vr.* a (se) încălzi.

chaumière *s.f.* colibă.

chaussée *s.f.* şosea.

chausser *vt., vi.* a încălţa, a veni bine pe picior.

chauve *adj.* chel, pleşuv.

chauvinisme *s.m.* şovinism.

chaux *s.f.* var ‖ ~ *vive* var nestins; ~ *éteinte* var stins.

chef *s.m.* şef, comandant, conducător ‖ ~*s d'accusation*, *d'inculpation* capete de acuzare; *de son* ~ (cu) de la sine (putere).

chef-d-oeuvre *s.m.* (*pl.* **chefs-d-oeuvre**) capodoperă.

chemin *s.m.* drum, cale (şi *fig.*) ‖ ~ *de fer* cale ferată.

cheminée *s.f.* 1. horn, coş. 2. cămin, vatră.

cheminot *s.m.* muncitor feroviar.

chemise *s.f.* 1. cămaşă. 2. înveliş, anvelopă.

chenapan *s.m.* şnapan, pungaş.

chêne *s.m.* stejar.

chèque *s.m.* cec.

cher, -ère *adj., adv.* scump, drag.

chercher *vt., vi.* a căuta, a se sili să.

chercheur, -euse *s.m.f.* căutător, cercetător.

chéri, -e *adj.* iubit, drag.

cherté *s.f.* scumpete.

chétif, -ive *adj.* firav, plăpând, slăbănog.

cheval *s.m.* cal ‖ *à* ~ călare; *monter à* ~ a călări.

chevalier *s.m.* cavaler ‖ ~ *d'industrie* pungaş, potlogar.

cheval-vapeur *s.m.* (*pl.* **chevaux-vapeur**) cal-putere.

chevelu, -e *adj.* păros.

chevet *s.m.* căpătâi.

cheville *s.f.* 1. gleznă. 2. cui, ţăruş ‖ ~ *ouvrière* a) cuiul oiştei; b) agentul principal, mobilul unei afaceri etc.

chèvre *s.f.* capră.

chez *prep.* (acasă) la.

chic *adj., s.m.* 1. şic. 2. *fam.* generos.

chicane *s.f.* 1. şicană, sâcâială. 2. *peior.* oamenii legii, justiţia.

chicorée *s.f.* cicoare.

chien, -ne *s.m.f.* 1. câine. 2. cocoş (la armă) ‖ *entre* ~ *et loup* pe înserate; *se regarder en* ~*s de faience* a se uita unul la altul gata să se sfâşie.

chiffon *s.m.* cârpă, petic.

chiffre *s.m.* 1. cifră. 2. sumă. 3. cifru.

chignon *s.m.* coc.

chimère *s.f.* himeră.

chimique *adj.* chimic.

chinois, -e **I.** *adj.* chinezesc. **II.** *s.m.f.* (cu *maj.*) chinez. **III.** *s.m.* limba chineză.

chiper *vt. fam.* a fura, a şterpeli.

chirurgien, -ne *s.m.f.* chirurg.

chlore *s.m.* clor.

chloroforme *s.m.* cloroform.

chocolat *s.m.* ciocolată.

chœur *s.m.* cor.

choir *vi.* a cădea.

choisir *vt.* a alege.

choix *s.m.* alegere ‖ *de* ~ ales, deosebit.

choléra *s.m.* holeră.

chômage *s.m.* şomaj.

chômeur, -euse *s.m.f.* şomer.

choquant, -e *adj. fig.* supărător, neplăcut, şocant.

chose *s.f.* lucru ‖ *quelque* ~ ceva; *autre* ~ altceva; *la* ~ *publique* statutul; *dites-lui bien des* ~*s* transmiteţi-i urări de bine.

chou *s.m.* (*pl.* **-x**) **1.** varză ‖ *ménager la chèvre et le* ~ a împăca şi capra şi varza; *cela ne vaut pas un trognon de* ~ nu face nici cât o ceapă degerată. **2.** (un fel de) prăjitură.

chrétien, -enne *adj., s.m.f.* creştin.

chronique I. *adj.* cronic. **II.** *s.f.* cronică.

chronologique *adj.* cronologic.

chronomètre *s.m.* cronometru.

chrysanthème *s.m.* crizantemă.

chuchoter *vt., vi.* a şopti, a şuşoti.

chut *interj.* sst! linişte!

chute *s.f.* **1.** cădere. **2.** *fig.* insucces ‖ ~ *du jour* amurg; ~ *d'eau* cascadă, cădere de apă.

ci *adv.* aici ‖ *cet homme-*~ omul acesta; *par-*~ par-là pe ici pe colo; ~*inclus* anexat; ~*joint* alăturat, anexat.

cible *s.f.* ţintă (şi *fig.*).

cicatriser *vt., vr.* a (se) cicatriza (şi *fig.*).

ci-contre *adv.* alături, pe pagina alăturată.

ci-dessous *adv.* mai jos, mai departe.

ci-dessus *adv.* mai sus, mai înainte.

ci-devant I. *adv.* mai înainte. **II.** *s.m.* fost nobil (pe timpul revoluţiei din 1789).

ciel *s.m.* (*pl.* **cieux** şi **ciels** 2, 3). **1.** cer. **2.** baldachin (la pat). **3.** *fig.* climă ‖ *remuer* ~ *et terre* a face pe dracu-n patru;

cierge *s.m.* lumânare de ceară.

cigale *s.f.* greiere.

cigare *s.m.* ţigară de foi, trabuc.

cigarette *s.f.* ţigară.

cigogne *s.f.* barză.

ci-inclus, -e *adj., adv.* inclus ca anexă (la o scrisoare).

ci-joint, -e *adj., adv.* alăturat, anexat (la o scrisoare).

cimetière *s.m.* cimitir.

cinéma *s.m.* cinema.

cingler *vt.* a biciui (şi *fig.*).

cinq *num.* cinci.

cinquantaine *num.* cam cincizeci ‖ *friser la* ~ a se apropia de cincizeci (de ani).

cinquante *adj.* cincizeci.

cinquième I. *num.* al cincilea. **II.** *s.m.* a cincea parte, cincime.

cirage *s.m.* **1.** cremă de ghete. **2.** văcsuit.

circonférence *s.f.* circumferință.

circonflexe *adj.* circumflex.

circonscription *s.f.* **1.** circumscripție. **2.** circumscriere.

circonspect, -e *adj.* prudent, circumspect.

circulaire I. *adj.* circular. **II.** *s.f.* circulară.

circulation *s.f.* circulație.

cire *s.f.* ceară (de albine, de sigiliu).

cirque *s.m.* circ.

ciseau *s.m.* **1.** daltă. **2.** *pl.* foarfece.

ciseler *vt.* **1.** a dăltui. **2.** a cizela.

citadelle *s.f.* citadelă, fortăreață (și *fig.*).

citation *s.f.* **1.** (pasaj) citat. **2.** citare (pe regiment etc.). **3.** *jur.* citație (la judecată).

cité *s.f.* **1.** cetate. **2.** oraș, centru.

citer *vt.* a cita (și *jur.*).

citerne *s.f.* cisternă.

citoyen, -enne *s.m.f.* cetățean.

citoyenneté *s.f.* cetățenie.

citronnier *s.m.* lămâi (pom).

civil, -e I. *adj.* **1.** civil. **2.** *fig.* politicos, civilizat. **II.** *s.m.* civil ‖ *en ~* (îmbrăcat) civil.

civilisateur, -trice *adj.* civilizator.

civilisation *s.f.* civilizație.

civiliser *vt.* a civiliza.

civique *adj.* cetățenesc, civic.

clair, -e I. *adj.* **1.** limpede, clar (și *fig.*). **2.** (despre culori) deschis. **II.** *s.m.* lumină ‖ *~ de lune* lumina lunii; *tirer qch. au ~* a se lămuri cu privire la ceva; *le plus ~ de* cea mai mare (o bună) parte din. **III.** *adv.* limpede, clar.

clairière *s.f.* luminiș.

clairvoyance *s.f.* clarviziune.

clairvoyant, -e *adj.* pătrunzător, clarvăzător.

clamer *vt.* a striga.

clandestin, -e *adj.* ascuns, tăinuit, clandestin.

claquer I. *vi.* **1.** a clănțăni. **2.** *pop.* a plesni, a muri. **II.** *vt.* **1.** a cârpi o palmă (cuiva). **2.** a aplauda (pe cineva). **3.** a trânti ‖ *~ la porte* a trânti ușa; *faire ~son fouet*, *fig. fam.* a face pe grozavul.

clarifier *vt.* a lămuri, a limpezi, a clarifica.

clarinette *s.f.* **1.** clarinet. **2.** clarinetist.

clarté *s.f.* **1.** limpezime, lumină. **2.** *fig.* claritate.

classe *s.f.* **1.** clasă (socială), categorie, rang. **2.** contingent, talent. **3.** grup de elevi de aceeași vârstă, oră de curs, sală de clasă.

4. categorie (gramaticală) ‖ *ces élèves commencent les classes à sept heure; c'est un compartiment de seconde classe; c'est un peintre de grande classe; faire la classe* a ține, a preda o lecție

classement *s.m.* **1.** clasare. **2.** clasificare. **3.** clasament.

classer *vt.* **1.** a clasa. **2.** a clasifica.

classification *s.f.* clasificație, clasificare.

classique *adj., s.m.* clasic.

clause *s.f.* clauză.

clef *s.f.* cheie (și *fig.*) ‖ *prendre la ~ des champs* a spăla putina.

clémence *s.f.* îndurare, milă, clemență.

clément, -e *adj.* îndurător, milos.

clerc *s.m.* **1.** contopist. **2.** secretar de avocat sau de notar. **3.** cărturar, savant. **4.** cleric.

clergé *s.m.* cler.

cliché *s.m.* clișeu (și *fig.*).

clientèle *s.f.* clientelă.

cligner *vt., vi.* a clipi ‖ *~ de l'œil* a face semn cu ochiul.

climat *s.m.* **1.** climă. **2.** climat (și *fig.*).

climatique *adj.* climat(er)ic.

clique *s.f.* clică, șleahtă.

cliquetis *s.m.* zăngănit.

clochard *s.m. pop.* vagabond.

cloche *s.f.* clopot.

cloison *s.f.* perete despărțitor.

cloisonner *vt.* a despărți prin pereți, a compartimenta.

cloître *s.m.* mănăstire.

clore *vt.* **1.** a închide, a împrejmui. **2.** *fig.* a încheia.

clos, -e I. *adj.* închis, împrejmuit ‖ *la session est close* sesiunea este închisă. **II.** *s.m.* loc împrejmuit.

clôturer *vf.* **1.** a împrejmui. **2.** a încheia (dezbateri, un cont etc.).

clou *s.m.* **1.** cui. **2.** *fig.* punct de atracție. **3.** buboi ‖ *river son ~ à qn.* a închide cuiva pliscul.

clouer *vt.* a prinde în cuie, a țintui.

clown *s.m.* clovn.

club *s.m.* club.

coaliser *vt., vr.* a (se) coaliza.

coalition *s.f.* coaliție.

coassement *s.m.* orăcăit.

cobaye *s.m.* cobai.

cocagne *s.f.* belșug ‖ *pays de ~* țara unde curge lapte și miere.

cocaïne *s.f.* cocaină.

cocarde *s.f.* cocardă.

cochon *s.m.* porc.

cocotier *s.m.* cocotier.

cocotte *s.f.* **1.** cratiță. **2.** cocotă, femeie de moravuri ușoare.

codifier *vt.* a codifica.

coefficient *s.m.* coeficient.

cœur *s.m.* **1.** inimă (şi la copac). **2.** *fig.* curaj ‖ *j'ai le ~ gros* sunt tare îngrijorat, amărât; *prendre qch. à ~* a pune tot interesul pentru ceva; *en avoir le ~ net* a se lămuri, a şti cum stau lucrurile; *par ~* pe dinafară; *à contre-~* în silă.

coexistence *s.f.* coexistenţă ‖ *~ pacifique* coexistenţă paşnică.

coexister *vi.* a coexista.

coffre *s.m.* cufăr, ladă.

coffre-fort *s.m.* (*pl.* **coffres-forts**) casă de bani.

cognac *s.m.* coniac.

cogner *vt.*, *vi.* a bate, a izbi.

cohabitation *s.f.* coabitare.

cohérence *s.f.* legătură, coerenţă.

cohésion *s.f.* coeziune.

coi, -te *adj.* liniştit, tăcut ‖ *se tenir ~* a nu sufla, a nu se clinti.

coiffer *vt.*, *vr.* **1.** a pieptăna. **2.** a pune pe cap (pălărie, şapcă etc.) ‖ *~sainte Catherine* a rămâne nemăritată până la vârsta de 25 de ani; *être né coiffé* a fi născut cu noroc.

coiffeur, -euse *s.m.f.* coafor.

coin *s.m.* **1.** colţ, ungher. **2.** pană (pentru despicat lemnele). **3.** *fig.* pecete ‖ *le ~ du feu* vatră, cămin; *du ~ de l'œil* cu coada ochiului.

coïncidence *s.f.* coincidenţă.

coing *s.m.* gutuie.

col *s.m.* **1.** guler ‖ *faux ~* guler tare. **2.** gât (de sticlă). **3.** trecătoare.

colère I. *s.f.* mânie, supărare. **II.** *adj.* mânios.

colique *s.f.* colică.

colis *s.m.* colet.

collaborateur, -trice *s.m.f.* colaborator, colaboraţionist.

collaborer *vi.* a colabora.

collant, -e *adj.* **1.** lipicios. **2.** strâns pe corp.

collation *s.f.* gustare (după-amiază).

colle *s.f.* **1.** clei. **2.** *fig. fam.* întrebare (chestiune) grea.

collectif, -ive *adj.*, *s.m.f.* colectiv.

collection *s.f.* colecţie.

collectionneur, -euse *s.m.f.* colecţionar.

collectivité *s.f.* colectivitate.

collège *s.m.* **1.** colegiu (grup). **2.** liceu.

collègue *s.m.* coleg.

coller *vt.* **1.** a (a)lipi. **2.** *fig. fam.* a încuia ‖ *se faire ~* a cădea (la un examen).

collet *s.m.* guler ‖ *~ monté fig.* om îngâmfat, scorţos; *prendre au ~* a lua de guler.

colline *s.f.* deal, colină.

collision *s.f.* ciocnire.

colloque *s.m.* colocviu.

colombe *s.f.* porumbel.

colonialisme *s.m.* colonialism.

colonie *s.f.* colonie, cuib (de omizi etc.).

coloniser *vt.* a coloniza.

colonne *s.f.* coloană.

colophane *s.f.* sacâz.

colorer *vt., vr.* a (se) colora (și *fig.*).

colorier *vt.* a colora (un desen).

coloris *s.m.* colorit.

colossal, -e *adj.* colosal.

colporteur, -euse *s.m.f.* 1. negustor ambulant. 2. *fig.* colportor.

colza *s.m.* rapiță.

coma *s.m.* comă.

combat *s.m.* luptă (și *fig.*).

combatif, -ive *adj.* combativ.

combien *adv.* cât; *depuis ~ de temps êtes-vous dans cette ville?* de cât timp sunteți în oraș?

combiner *vt.* a combina.

comble *s.m.* 1. acoperiș. 2. culme (și *fig.*) ‖ *le ~ du (malheur)* culmea (nenorocirii); *de fond en ~* în întregime, cu totul.

combler *vt.* 1. a umple (un șanț, o spărtură). 2. a împlini (o dorință). 3. a încărca, a copleși (cu daruri, onoruri) ‖ *vous me comblez* sunteți prea bun cu mine, mă copleșiți.

combustible *adj., s.m.* combustibil.

comédie *s.f.* comedie (și *fig.*).

comédien, -ne *s.m.f.* actor.

comète *s.f.* cometă.

comique *adj., s.m.* comic.

comité *s.m.* comitet.

commande *s.f.* comandă ‖ *fig. de ~* prefăcut, artificial.

commander I. *vt.* a comanda (o armată etc.). II. *vi.* a porunci, a ordona.

comme I. *adv.* 1. ca. 2. cât. 3. cum. 4. ca (și), precum ‖ *c'est tout ~* e tot aia, e același lucru. II. *conj.* 1. cum, fiindcă. 2. când, pe când ‖ *~ de juste* cum se cuvine; *~ quoi* drept care.

commémoration *s.f.* comemorare.

commémorer *vt.* a comemora.

commencement *s.m.* început.

commencer *vt., vi.* a începe.

comment *adv.* cum; de ce.

commentaire *s.m.* comentariu ‖ *se passer de ~* fără comentarii; *prêter aux ~s* a lăsa loc la comentarii, la vorbe.

commentateur, -trice *s.m.f.* comentator.

commenter *vt.* a tălmăci, a comenta.

commérage *s.m.* bârfire, clevetire.

commerçant, -e I. *s.m.f.* comerciant. II. *adj.* comercial.

commerce *s.m.* 1. comerț. 2. legătură.

commercial, -e *adj.* comercial.

commercialiser *vt.* a comercializa.

commettre I. *vt.* 1. a comite. 2. a compromite. 3. a însărcina cu, a pune în funcția de. II. *vr.* a se compromite cu, a se expune.

commissaire *s.m.* comisar.

commission *s.f.* 1. comisie. 2. îndatorire, serviciu. 3. comision.

commode I. *adj.* comod. II. *s.f.* comodă, scrin.

commodément *adv.* comod.

commun, -e I. *adj.* 1. obștesc, comun, public. 2. comun, obișnuit ‖ *lieu* ~ banalitate, truism. 3. grosolan. II. *s.m.* oameni obișnuiți ‖ *le ~ des hommes* majoritatea oamenilor.

communard, -e *s.m.f., adj.* comunard.

commune *s.f.* comună ‖ *(La) Commune de Paris* Comuna din Paris.

communément *adv.* de obicei, în general.

communicatif, -ive *adj.* 1. comunicativ. 2. (despre râs etc.) contagios.

communication *s.f.* 1. comunicare. 2. comunicație.

communiquer *vt., vi., vr.* a (se) comunica.

communisme *s.m.* comunism.

commutateur *s.m.* comutator, șaltăr.

commutation *s.f.* comutare.

compact, -e *adj.* compact.

compagnie *s.f.* 1. tovărășie, asociație, societate. 2. companie (de soldați) ‖ *fausser* ~ a pleca; a nu veni; *de* ~ împreună.

comparaison *s.f.* asemănare, comparație.

comparatif, -ive I. *adj.* de comparație, comparativ. II. *s.m.* comparativ, gradul comparativ.

comparer *vt.* a compara.

compartiment *s.m.* compartiment.

comparution *s.f.* înfățișare la judecată.

compassion *s.f.* milă, compătimire.

compatibilité *s.f.* compatibilitate.

compatible *adj.* compatibil.

compatir *vi.* a compătimi, a simți milă.

compatissant, -e *adj.* compătimitor, milos.

compensation *s.f.* 1. compensare. 2. compensație, despăgubire.

compétence *s.f.* competență.

compétition *s.f.* competiție, întrecere ‖ ~ *pacifique* întrecere pașnică.

compilateur, -trice *s.m.f.* compilator.

compilation *s.f.* compilație.

complaisance *s.f.* îndatorire, politețe, complezență.

complaisant, -e *adj.* îndatoritor, politicos, complezent.

complément *s.m.* **1.** *gram.* complement. **2.** completare.

complémentaire *adj.* complementar.

complet, -ète **I.** *adj.* complet. **II.** *s.m.* costum.

complication *s.f.* complicație.

complicité *s.f.* complicitate.

compliment *s.m.* compliment.

compliquer *vt.* a complica.

comploter *vt.* a complota.

comportement *s.m.* purtare, comportament, comportare.

composer **I.** *vt.*, *vr.* **1.** a compune, a alcătui. **2.** a aranja, a orândui. **II.** *vi.* a cădea la învoială ‖ ~ *avec sa conscience* a-și călca conștiința.

compositeur, -trice *s.m.f.* compozitor.

composition *s.f.* **1.** compunere. **2.** compoziție. **3.** învoială ‖ *de bonne* ~ cu care te poți înțelege.

compote *s.f.* compot.

compréhensible *adj.* *fig.* limpede, clar, de înțeles.

comprendre *vt.* **1.** a cuprinde. **2.** a înțelege ‖ *non compris* fără

a socoti, excluzând; *y compris* inclusiv.

compresse *s.f.* compresă.

comprimé **I.** *adj.* apăsat, comprimat. **II.** *s.m.* comprimat, tabletă.

compromettant, -e *adj.* compromițător.

compromettre *vt.*, *vr.* a (se) compromite.

comptabilité *s.f.* contabilitate.

comptable *adj.*, *s.m.* contabil.

comptant *adj.*, *s.m.* numerar ‖ *argent* ~ numerar, bani gheață; *payer au* ~ a plăti în numerar; *prendre pour argent* ~ *fig.* a lua drept bun.

compte *s.m.* socoteală, cont ‖ *arrêter un* ~ a încheia un cont; *à bon* ~ *fig.* ieftin; *mettre en ligne de* ~ a ține seama de; *se rendre* ~ *de* a-și da seama de; *en fin de* ~, *au bout du* ~ la urma urmelor.

compter **I.** *vt.* a socoti, a număra ‖ ~ *à son actif* a avea la activ; *à* ~ *de* începând de la (cu). **II.** *vi.* **1.** a conta, a se pune la socoteală. **2.** (**sur**) a conta, a se bizui, a-și pune nădejde. **3.** a-și propune, a avea de gând.

compte-rendu *s.m.* (*pl.* **comptes-rendus**) dare de seamă, recenzie.

compteur *s.m.* contor.

comptoir *s.m.* **1.** birou, casă (de comerț etc.). **2.** tejghea.

concentration *s.f.* concentrare, concentrație.

concentrer *vt.* **1.** a concentra. **2.** *fig.* a stăpâni.

concentrique *adj.* concentric.

conception *s.f.* **1.** concepție. **2.** zămislire, concepție.

concerner *vt. fig.* a fi în legătură cu, a privi ‖ *en ce qui concerne* în ceea ce privește, cu privire la.

concert *s.m.* **1.** concert. **2.** înțelegere, acord ‖ *loc. adv. de ~* de comun acord.

concerto *s.m.* concert (de pian, vioară etc.).

concession *s.f.* concesie.

concevoir *vt.* **1.** a concepe, a zămisli. **2.** a concepe, a înțelege ‖ *~ l'espoir* a spera, a nutri speranța.

concierge *s.m.f.* portar (la case).

conciliateur, -trice *adj., s.m.f.* împăciuitor.

conciliation *s.f.* împăcare, conciliere.

concision *s.f.* concentrare, concizie.

concitoyen, -enne *s.m.f.* concetățean.

concluant, -e *adj.* concludent.

conclure I. *vt.* **1.** a încheia (pace, afaceri). **2.** a trage concluzia, a conchide. **II.** *vi.* **(à)** a fi de părere, a opina.

conclusion *s.f.* **1.** încheiere (a păcii, a unui contract). **2.** concluzie.

concombre *s.m.* castravete.

concorder *vi.* a concorda, a se potrivi.

concours *s.m.* **1.** ajutor, sprijin, concurs. **2.** întrecere, concurs. **3.** coincidență, conjunctură. **4.** îmbulzeală.

concret, -ète *adj.* concret.

concrétiser *vt.* a concretiza.

concubinage *s.m.* concubinaj.

concurrence *s.f.* concurență.

concurrent, -e *s.m.f.* concurent.

condamnable *adj.* condamnabil.

condamnation *s.f.* condamnare ‖ *passer ~* a-și recunoaște vina.

condensateur *s.m.* condensator.

condensation *s.f.* condensare.

condescendance *s.f.* condescendență.

condisciple *s.m.* coleg de clasă.

conditionnel, -le I. *s.m.* condiţional (modul). **II.** *adj. fiziol.* condiţionat ‖ *reflexe ~* reflex condiţionat.

conditionner *vt.* a condiționa.

condoléances *s.f. pl.* condoleanțe.

conducteur, -trice I. *adj.* conducător. **II.** *s.m.f.* **1.** conducător. **2.** conductor.

conduire *vt., vi.* a mâna, a conduce.

conduit *s.m.* conductă, canal.

conduite *s.f.* **1.** conducere. **2.** purtare, conduită. **3.** conductă.

cône *s.m.* con.

confection *s.f.* **1.** confecţionare. **2.** confecţii (magazin de haine).

confectionner *vt.* a confecţiona.

confédération *s.f.* confederaţie ‖ *Confédération Générale du Travail (C.G.T.)* – Confederaţia Generală a Muncii.

conférence *s.f.* conferinţa ‖ *maître de ~s* conferenţiar (grad universitar).

confession *s.f.* mărturisire, spovedanie, confesiune.

confiance *s.f.* încredere.

confiant, -e *adj.* încrezător.

confidentiel, -elle *adj.* secret, confidenţial.

confier I. *vt.* a încredinţa. **II.** *vr.* a se încrede; a-şi deschide inima.

confire *vt.* **1.** a fierbe cu zahăr, a zaharisi. **2.** a face murături.

confirmation *s.f.* confirmare.

confirmer *vt.* a confirma.

confiscation *s.f.* confiscare.

confiserie *s.f.* cofetărie.

confiseur, -euse *s.m.f.* cofetar.

confisquer *vt.* a confisca.

confiture *s.f.* dulceaţă.

conflit *s.m.* conflict, ciocnire.

confluent *s.m.* confluenţă.

confondre *vt.* **1.** a încurca, a confunda, a amesteca **2.** a ruşina. **3.** a uimi, a ului. **4.** a copleşi.

conforme *adj.* conform.

confort *s.m.* confort.

confortable *adj.* confortabil.

confrère *s.m.* confrate, coleg.

confrontation *s.f.* confruntare.

confronter *vt.* a confrunta.

confus, -e *adj.* **1.** încurcat, confuz. **2.** ruşinat, tulburat.

congé *s.m.* **1.** concediu ‖ *jour de ~* zi liberă (în care nu se învaţă, nu se lucrează). **2.** concediere ‖ *donner ~ à qn.* a da afară din serviciu. **3.** rămas bun ‖ *prendre ~* a-şi lua rămas bun.

congédier *vt.* a concedia.

congeler *vt.* a congela, a îngheţa.

congestionner *vt., vr.* a (se) congestiona.

congratuler *vt.* a felicita.

congrès *s.m.* congres.

congru, -e *adj.* **1.** exact, precis. **2.** potrivit.

congrûment *adv.* potrivit, cuviincios.

conifère *adj., s.m.* conifer.

conique *adj.* conic.

conjonctif, -ive I. *adj.* **1.** conjunctiv. **2.** conjuncţional. **II.** *s. m.* conjunctiv. **III.** *s.f. anat.* conjunctiv.

conjonction *s.f.* conjuncție.

conjoncture *s.f.* concurs de împrejurări, conjunctură.

conjugaison *s.f.* conjugare.

conjuguer *vt., vr.* **1.** a (se) uni. **2.** a (se) conjuga.

connaissance *s.f.* cunoaștere, cunoștință ‖ *à ma* ~ după cât știu; *perdre* ~ a-și pierde cunoștința; *en pays de* ~ printre cunoștințe, într-un domeniu cunoscut.

connaisseur, -euse *s.m.f.* cunoscător.

connaître *vt.* **1.** a cunoaște. **2.** a avea relații. **3.** a ști. **4.** a se pricepe ‖ *s'y connaître...* **5.** a avea (succes) ‖ *cette pièce de théâtre a connu un grand succès* ‖ *je ne connais que ça* știu una și bună; *elle ne se connaît plus* nu se mai stăpânește.

connexion *s.f.* conexiune.

connivence *s.f.* complicitate, înțelegere.

conquérant, -e *adj., s.m.* cuceritor (și *fig.*).

conquérir *vt.* a cuceri (și *fig.*)

conquête *s.f.* cucerire (și *fig.*).

consciemment *adv.* (în mod) conștient.

conscience *s.f.* conștiință, cunoaștere.

consciencieusement *adv.* (în mod) conștiincios.

consciencieux, -euse *adj.* conștiincios.

conscient, -e *adj.* conștient.

conscription *s.f.* recrutare.

conscrit *s.m.* recrut.

consécration *s.f.* consacrare.

consécutif, -ive *adj.* consecutiv.

consécutivement *adv.* în șir, consecutiv.

conseil *s.m.* **1.** sfat, povață. **2.** consiliu ‖ ~ *populaire* sfat popular; *la nuit porte* ~ peste noapte vine gândul bun.

conseiller *vt.* a sfătui.

consentement *s.m.* consimțământ.

consentir *vt., vi.* a consimți, a se învoi.

conséquemment *adv.* consecvent cu, după, prin urmare.

conséquence *s.f.* **1.** urmare, consecință. **2.** însemnătate ‖ *tirer à* ~ a avea însemnătate; *en* ~ în consecință, prin urmare.

conservateur, -trice I. *adj.* care păstrează, întreține. **II.** *s.m.* **1.** administrator (de muzeu). **2.** *pol.* conservator.

conservation *s.f.* păstrare, conservare.

conservatoire I. *adj.* de întreținere, de conservare. **II.** *s.m.* conservator (școală),

conserve *s.f.* conservă.

considérable *adj.* considerabil.

considération *s.f.* **1.** considerare, cercetare, examinare, luare în seamă. **2.** motiv, considerent. **3.** considerație, respect, stimă ‖ *en ~ de* ținând seamă de, având în vedere. **4.** *pl.* considerații, reflecții.

consignation *s.f.* consignație, consemnare.

consigne *s.f.* **1.** ordin, consemn. **2.** consemnare (în cazarmă), a-rest. **3.** birou de bagaje (în gară).

consistance *s.f.* **1.** consistență. **2.** *fig.* putere, tărie.

consister *vi.* a se compune, a consta din.

consistant, -e *adj.* consistent.

consolateur, -trice *adj.*, *s.m.f.* (cel) care aduce mângâiere, consolare.

consolation *s.f.* consolare, mângâiere.

consolider *vt.*, *vr.* a (se) întări, a (se) consolida (și *fig.*).

consommateur, -trice *adj.*, *s.m.f.* consumator, client.

consommation *s.f.* **1.** consumare, consum. **2.** consumație (într-un restaurant etc.).

consommer I. *vt.* **1.** a cheltui, a consuma. **2.** a săvârși, a desăvârși. **II.** *vr.* **1.** a se consuma. **2.** a se coace încet.

consonne *s.f.* consoană.

conspiration *s.f.* conspirație.

conspirer *vi.* **1.** a conspira. **2.** a contribui la, a tinde la.

constance *s.f.* statornicie, constanță.

constatation *s.f.* constatare.

constater *vt.* a constata.

constellation *s.f.* constelație.

consterner *vt.* a consterna.

constituer *vt.*, *vr.* a (se) întocmi, a (se) alcătui, a (se) constitui.

constitutif, -ive *adj.* constitutiv.

constitution *s.f.* constituție (lege, structură a corpului).

constitutionnel, -le *adj.* constituțional.

constructeur *adj.*, *s.m.* constructor.

constructif, -ive *adj.* creator, constructiv.

construction *s.f.* **1.** construire. **2.** construcție, clădire.

construire *vt.* a construi.

consul *s.m.* consul.

consultatif, -ive *adj.* consultativ.

consultation *s.f.* **1.** consultație. **2.** consultare. **3.** consult.

consumer I. *vt.* a distruge, a arde, a nimici (despre foc). **II.** *vr.* a se istovi, a se consuma.

contagieux, -euse *adj.* molipsitor, contagios.

contagion *s.f.* molipsire.

contamination *s.f.* contaminare, infectare.

conte *s.m.* poveste, basm; nuvelă.

contemplatif, -ive *adj.* contemplativ.

contemplation *s.f.* contemplare, contemplație.

contempler *vt.* a contempla.

contemporain, -e *adj., s.m.f.* contemporan.

contenance *s.f.* **1.** capacitate, volum. **2.** întindere. **3.** atitudine, purtare || *perdre* ~ a se zăpăci, a-și pierde capul.

contenir *vt., vr.* **1.** a conține. **2.** a ține frâu, a se stăpâni.

content, -e *adj.* mulțumit.

contentement *s.m.* mulțumire.

contenu, -e I. *adj.* conținut. **2.** *fig.* reținut, înăbușit. **II.** *s.m.* conținut, capacitate.

conter *vt.* a povesti || *en* ~ *à qn., en* ~ *de belles, de fortes à qn.* *fig.* a tăia piroane, a se bărbieri; ~ *fleurette à qn.* a face curte cuiva.

contestation *s.f.* contestație.

conteste *s.f.* (în *expr.*) *sans* ~ incontestabil.

contester *vt.* a contesta.

conteur, -euse *s.m.f.* povestitor, nuvelist.

contexte *s.m.* context.

ontigu, -ë *adj.* alăturat, vecin.

continence *s.f.* castitate.

contingent, -e I. *adj.* eventual, posibil. **II.** *s.m.* contingent.

continu, -e *adj.* neîntrerupt, continuu.

continuateur, -trice *s.m.f.* continuator.

continuel, -elle *adj.* permanent, continuu.

continuer *vt., vi.* (**de, à**) *vr.* a urma, a (se) continua.

contour *s.m.* contur.

contracter *vt.* **1.** a contracta, a (re)strânge. **2.** a contracta, a căpăta.

contraction *s.f.* **1.** contractare, contracție. **2.** *gram.* contragere.

contractuel, -elle *adj.* contractual.

contradiction *s.f.* **1.** contrazicere. **2.** contradicție.

contradictoire *adj.* contradictoriu.

contraindre *vt.* a sili, a constrânge || *avoir l'air contraint* a părea stingherit.

contrainte *s.f.* **1.** constrângere, silire. **2.** stingherire.

contraire I. *adj.* **1.** contrar, potrivnic. **2.** dăunător. **II.** *loc. adv.* *au* ~ dimpotrivă. **III.** *s.m.* contrariu.

contrarier *vt.* a supăra, a nemulțumi, a contraria.

contrariété *s.f.* 1. neplăcere, contrarietate. 2. piedică, obstacol.

contraster *vi.* a contrasta.

contrat *s.m.* contract.

contravention *s.f.* contravenție.

contre I. *prep.* 1. în contra, împotriva. 2. lângă, de ‖ *s'écraser ~ le mur* a se zdrobi de zid. 3. aproape de, lângă ‖ *loc. adv. tout ~* aproape, lipit de; *par ~* în schimb, dimpotrivă. **II.** *s.m.* contrariul ‖ *le pour et le ~* pro și contra.

contre-attaque *s.f.* (*pl.* **contre-attaques**) contraatac.

contrebande *s.f.* contrabandă.

contrebandier *s.m.* contrabandist.

contrecarrer *vt.* a se opune.

contrecœur (à) *loc. adv.* v. **cœur**.

contrecoup *s.m.* repercusiune.

contredire *vt.*, *vr.* a (se) contrazice.

contrée *s.f.* ținut, meleag, regiune.

contrefaçon *s.f.* contrafacere.

contrefaire *vt.* 1. a contraface. 2. a imita. 3. a se preface, a simula.

contremaître *s.m.* contramaistru.

contremander *vt.* a contramanda.

contre-offensive *s.f.* (*pl.* **contre-offensives**) contraofensivă.

contre-révolution *s.f.* contrarevoluție.

contresens *s.m.* contrasens.

contretemps *s.m.* contratimp ‖ *à ~* în contratimp, la moment nepotrivit.

contribuer *vi.* a contribui.

contribution *s.f.* contribuție.

contrit, -e *adj.* amărât, ispășit.

contrôle *s.m.* control.

contrôler *vt.* a controla.

contrôleur, -euse *s.m.f.* controlor.

controverse *s.f.* controversă.

contumace *s.f.* contumacie ‖ *par ~* în contumacie.

contusion *s.f.* contuzie.

convaincant, -e *adj.* convingător.

convaincre *vt.*, *vr.* 1. a (se) convinge. 2. a (se) dovedi vinovat.

convalescence *s.f.* convalescență.

convalescent, -e *adj.* convalescent.

convenable *adj.* 1. potrivit, cuvenit, convenabil. 2. cuviincios.

convenir I. *vi.* (de) 1. a se învoi, a recunoaște. 2. a se potrivi, a conveni. **II.** *v. impers.* a se cădea.

convention *s.f.* învoială, înțelegere, convenție.

conventionnel, -elle *adj.* convențional.

convergence *s.f.* convergență.

conversation *s.f.* conversație, convorbire.

converser *vi.* a sta de vorbă.

convertir *vt.* a converti.

convertissement *s.m.* convertire, conversiune.

conviction *s.f.* convingere ‖ *pièce à ~, pièce de ~* corp delict.

convier *vt.* a invita, a îndemna.

convive *s.m.f.* comesean.

convocation *s.f.* chemare, convocare.

convoi *s.m.* **1.** convoi. **2.** tren.

convoiter *vt.* a râvni, a jindui.

covoitise *s.f.* poftă, lăcomie.

convulsion *s.f.* convulsie.

coopératif, -ive *adv.* cooperativ.

coopération *s.f.* **1.** cooperare. **2.** cooperație.

cooptation *s.f.* cooptare.

coopter *vt.* a coopta.

coordination *s.f.* coordonare.

coordonner *vt.* a coordona.

copain *s.m. fam.* prieten, tovarăș.

copie *s.f.* **1.** copie. **2.** lucrare scrisă.

copier *vt.* a copia.

copieux, -euse *adj.* îmbelşugat, bogat, copios.

coq *s.m.* **1.** cocoș ‖ *comme un ~ en pâte* ca în sânul lui Avram. **2.** bucătar (pe vapor).

coq-à-l'âne *s.m.* **1.** vorbire alandala, fără şir. **2.** confuzie.

coque *s.f.* **1.** găoace (de nucă, de ou) ‖ *œuf à la ~* ou fiert, moale. **2.** *nav.* carcasa vaporului.

coquelicot *s.m.* mac.

coqueluche *s.f.* **1.** tuse măgărească. **2.** *fig.* vedetă, persoană iubită.

coquet, -ette *adj.* cochet.

coquetterie *s.f.* cochetărie.

coquille *s.f.* **1.** scoică. **2.** coajă (de nucă, de ou). **3.** greşeală de tipar.

coquin, -e *adj., s.m.f.* ticălos, nemernic.

cor *s.m.* **1.** corn (de sunat) ‖ *à ~ et à cri* cu mare tămbălău, cu surle şi trâmbiţe. **2.** bătătură.

corail *s.m.* (*pl.* -aux) coral, mărgean.

corbeau *s.m.* corb.

corde *s.f.* **1.** frânghie, coardă ‖ *montrer la ~* a se roade (despre o haină). **2.** ştreang.

cordial, -e *adj.* din inimă, călduros, cordial.

cordialité *s.f.* căldură, cordialitate.

cordonnier, -ère *s.m.f.* cizmar.

corne *s.f.* **1.** corn. **2.** parte cornoasă (la copite). **3.** colţ.

corneille *s.f.* cioară.

corner I. *vi.* **1.** a suna din corn. **2.** a vâjâi. **II.** *vt.* **1.** a îndoi. **2.** *fig.* a trâmbiţa.

corniche *s.f.* cornişă.

cornichon *s.m.* **1.** castravete mic (de murat). **2.** *fig. fam.* nătăfleţ.

corolle *s.f.* corolă.

corporation *s.f.* corporaţie.

corporel, -elle *adj.* trupesc, corporal.

corps *s.m.* 1. trup. 2. corp (de clădiri, chimic, ceresc etc.) ‖ *prendre du* ~ a se îngrăşa; ~ *à* ~ corp la corp: *à* ~ *perdu* nebuneşte, fără speranţă.

corpulence *s.f.* corpolenţă.

corpulent, -e *adj.* corpolent.

correct, -e *adj.* corect.

correctionnel, -elle *adj.* de corecţie, corecţional.

corrélation *s.f.* corelaţie.

correspondance *s.f.* corespondenţă.

correspondant, -e I. *adj.* 1. corespunzător. 2. corespondent. **II.** *s.m.f.* corespondent.

correspondre *vi.* (**à, avec**) 1. a corespunde. 2. a fi în corespondenţă, a-şi scrie.

corridor *s.m.* coridor.

corriger *vt., vi.* 1. a îndrepta, a corecta. 2. a pedepsi.

corrompre *vt., vr.* a (se) strica, a (se) corupe.

corrupteur, -trice *adj., s.m.f.* corupător.

corruptible *adj.* coruptibil.

corruption *s.f.* 1. stricare, alterare. 2. corupţie. 3. corupere.

cortège *s.m.* alai, cortegiu.

corvée *s.f.* corvoadă, muncă în silă.

cosmétique *adj., s.m.f.* cosmetic.

cosmique *adj.* cosmic.

cosmographie *s.f.* cosmografie.

cosmopolite *adj., s.m.f.* cosmopolit.

cosse *s.f.* păstaie.

cossu, -e *adj.* înstărit, bogat.

costume *s.m.* costum.

costumer *vt., vr.* a (se) îmbrăca, a (se) costuma.

cote *s.f.* 1. parte, cotă parte. 2. cotă (în bibliotecă, pe hartă, la bursă etc.).

côte *s.f. anat., geogr.* coastă ‖ *tenir les* ~*s* a se strica de râs.

côté *s.m.* parte, latură ‖ *point de* ~ junghi; *à* ~ *de* alături de, lângă, *du* ~ *de* dinspre.

coteau *s.m.* 1. costişă, culme 2. podgorie.

côtelette *s.f.* costiţă, cotlet.

côtier, -ère *adj.* (despre navigaţie) de coastă.

cotisation *s.f.* 1. cotizaţie. 2. co tizare.

coton *s.m.* 1. bumbac. 2. vată *filer un mauvais* ~ a-i merg prost, a sta rău.

côtoyer *vt.* a merge de-a lungul.

cou *s.m.* gât ‖ *prendre ses jambe à son* ~ a o şterge.

couchant, -e I. *adj.* care se culc care apune. **II.** *s.m.* apus.

coucher[1] I. *vt.* **1.** a culca, a întinde ‖ ~ *sur le carreau* a omorî. **2.** a aşterne ‖ ~ *qch. par écrit* a aşterne pe hârtie; ~ *à la belle étoile* a se culca afară. II. *vi.* a se culca; a înnopta. III. *vr.* **1.** a se culca. **2.** a apune.

coucher[2] *s.m.* **1.** culcare. **2.** apus (de soare).

coucou *s.m.* **1.** cuc. **2.** ceas cu cuc.

coude *s.m.* cot (şi de râu, de burlan) ‖ *jouer des* ~*s* a-şi face loc cu coatele, a da din coate.

coudoiement *s.m.* înghiontire, atingere.

coudoyer *vt.* **1.** a izbi cu cotul. **2.** a se întâlni, a veni în contact cu cineva.

coudre *vt.* a coase.

coulant, -e *adj.* **1.** curgător. **2.** *fig.* (d. oameni) culant, darnic.

couler I. *vi.* **1.** a curge, a se scurge. **2.** a se scufunda. II. *vt.* **1.** a turna (un metal). **2.** a cufunda. **3.** a se strecura. III. *vr.* a se strecura ‖ *se la* ~ *douce* a huzuri, a o duce de minune.

couleur *s.f.* **1.** culoare. **2.** vopsea. **3.** aparenţă. **4.** *pl.* stindard, pavilion.

coulisse *s.f.* culisă (şi *fig.*) ‖ *faire les yeux en* ~ a face ochi dulci.

couloir *s.m.* culoar.

coup *s.m.* **1.** lovitură, izbitură, ghiont. **2.** rană. **3.** faptă, act. **4.** înghiţitură, duşcă ‖ *un* ~ *d'epaule, un* ~ *de main* o mână de ajutor; *porter un* ~ a da o lovitură; *sans* ~ *férir* fără luptă; *en venir aux* ~*s* a se lua la bătaie; ~ *de tête* nebunie, faptă necugetată; ~ *d'essai* încercare; ~ *de fusil* împuşcătură; ~ *d'œil* privire, ochire; *donner un* ~ *de téléphone/de fil* a telefona; ~ *de soleil* insolaţie; *d'un seul* ~ dintr-o dată; *en* ~ *de vent* ca o furtună; *après* ~ prea târziu; *sur le* ~ îndată; ~ *sur* ~ una după alta; *à* ~ *sûr* cu siguranţă; *tout à* ~ deodată; *tout d'un* ~ dintr-o dată.

coupable *adj.*, *s.m.f.* vinovat, culpabil.

coupe *s.f.* **1.** tăiere (a pădurii, a părului). **2.** croială. **3.** secţiune. **4.** cupă.

coupe-papier *s.m.* cuţit pentru tăiat foile de hârtie.

couper I. *vt.* **1.** a tăia ‖ ~ *court à* a termina cu, a pune capăt. **2.** a întrerupe. **3.** a croi. **4.** a subţia (un lichid). II. *vi.* a tăia, a scurta drumul. III. *vr. fam.* a se contrazice.

couple I. *s.m.* pereche, cuplu. II. *s.f.* pereche de obiecte, cuplă.

coupole *s.f.* cupolă.

coupon *s.m.* **1.** cupon. **2.** talon, recipisă.

coupure *s.f.* tăietură (şi *fig.*).

cour *s.f.* curte ‖ *faire la ~ à qn.* a face curte cuiva; *la ~ du roi Pétaud fig.* balamuc.

courage *s.m.* îndrăzneală, curaj ‖ *prendre son ~ à deux mains* a-şi lua inima în dinţi.

courageux, -euse *adj.* îndrăzneţ, curajos.

courant, -e *adj.* **1.** care aleargă. **2.** curgător. **3.** în curs, curent ‖ *le dix ~* în zece ale lunii curente. **4.** curent, obişnuit.

courbature *s.f.* curbatură.

courbe **I.** *adj.* curb. **II.** *s.f.* curbă.

courbure *s.f.* curbură.

courge *s.f.* dovleac.

courir **I.** *vi.* **1.** a alerga, a curge (d. rău). **2.** a hoinări, a se destrăbăla. **II.** *vt.* **1.** a alerga, a umbla după (şi *fig.*). **2.** a cutreiera, a frecventa. **3.** a se expune la ‖ *~ un danger* a se expune la o primejdie; *~ à toutes jambes* a fugi de-i sfârâie călcâiele; *~ deux lièvres à la fois* a alerga după doi iepuri; *être fort couru* a fi foarte căutat, foarte la modă.

couronne *s.f.* coroană, cunună.

couronnement *s.m.* încoronare, încununare.

couronner *vt.* **1.** a încorona, a încununa. **2.** a premia.

courrier *s.m.* **1.** curier. **2.** corespondenţă (scrisori) ‖ *dépouiller le ~* a deschide scrisorile sosite.

courroie *s.f.* curea.

courroux *s.m.* mânie.

cours *s.m.* curs ‖ *au ~ de* în timpul.

course *s.f.* **1.** cursă, goană, alergare. **2.** drum, alergătură.

court, -e **I.** *adj., adv.* scurt ‖ *être à ~ d'argent* a fi strâmtorat băneşte; *demeurer ~* a nu şti ce să răspundă. **II.** *s.m. par le plus ~* pe drumul cel mai scurt.

courtois, -e *adj.* politicos, curtenitor.

courtoisie *s.f.* curtenire, politeţe.

cousin, -e *s.m.f.* văr ‖ *~ germain* văr primar.

coussin *s.m.* pernă.

coût *s.m.* cost.

couteau *s.m.* cuţit.

coûter *vi.* a costa ‖ *coûte que coûte* cu orice preţ; *il m'en coûte de* nu mi-e deloc uşor să.

coûteux, -euse *adj.* costisitor.

coutume *s.f.* obicei ‖ *de ~* de obicei.

couture *s.f.* **1.** cusătură. **2.** croitorie ‖ *battre qn. à plate ~* a snopi pe cineva în bătaie; *sur toutes les ~s* pe toate feţele.

couturier, -ère *s.m.f.* croitor.

couvent *s.m.* mănăstire.

couver **I.** *vt.* **1.** a cloci (şi *fig.*) ‖ *~ qn. des yeux* a sorbi cu privirea.

2. *fig.* a urzi, a pune la cale. **II.** *vi.* a mocni.

couvercle *s.m.* capac.

couvert *s.m.* **1.** tacâm ‖ *donner le vivre et le ~* a da casă și masă. **2.** pretext ‖ *sous le ~ de* sub pretext că.

couverture *s.f.* plapumă, cuvertură.

couvrir I. *vt.* **1.** a acoperi (și *fig.*). **2.** a ascunde. **3.** a străbate (o distanță de). **4.** a compensa (o cheltuială). **II.** *vr.* a se acoperi.

crachat *s.m.* scuipat.

cracher *vt., vi.* a scuipa ‖ *c'est son père tout craché* e leit tată-său.

craie *s.f.* cretă.

craindre *vt.* a se teme.

crainte *s.f.* teamă.

craintif, -ive *adj.* sfios, temător.

crampe *s.f.* crampă, cârcel.

cran *s.m.* **1.** crestătură (pentru atârnat). **2.** *fam.* curaj. **3.** *fig.* treaptă, importanță.

crâne *s.m.* craniu.

crâner *vi.* a face pe grozavul, a sfida.

crapaud *s.m.* **1.** broască râioasă. **2.** *fam.* puști ‖ *avaler un ~* a face un lucru în silă.

crapule *s.f.* **1.** dezmăț, nemernic. **2.** desfrâu, nemernicie.

craquement *s.m.* trosnitură, pârâitură.

craquer *vi.* a trosni, a pârâi.

crasse I. *adj. f.* grosolană, crasă. **II.** *s.f.* **1.** jeg, murdărie (și *fig.*). **2.** mizerie. **3.** zgârcenie. **4.** *pop. fig.* glumă proastă.

cratère *s.m.* crater.

cravache *s.f.* cravașă.

cravate *s.f.* cravată.

crayon *s.m.* **1.** creion. **2.** desen în creion.

crayonner *vt.* a creiona, a schița.

créance *s.f.* **1.** crezare, încredere. **2.** creanță. **3.** acreditare.

créancier, -ère *s.m.f.* creditor.

créateur, -trice *adj., s.m.f.* creator.

création *s.f.* creație.

crèche *s.f.* **1.** creșă. **2.** iesle.

créditer *vt.* **1.** a credita. **2.** a acorda credit.

crédule *adj.* credul.

créer *vt.* a crea.

crématoire *s.m.* crematoriu.

crème *s.f.* **1.** smântână. **2.** cremă (și *fig.*) ‖ *~ fouettée* frișcă bătută.

crêpe I. *s.m.* **1.** crep. **2.** doliu. **II.** *s.f.* clătită.

crépir *vt.* a tencui.

crépitement *s.m.* pârâire, trosnitură.

crépiter *vi.* (despre mitralieră, vreascuri) a pârâi.

crépu, -e *adj.* creț.

crépuscule *s.m.* amurg.

crétin, -e *adj., s.m.f.* tâmpit, cretin.

creuser *vt:* **1.** a săpa, a scobi. **2.** *fig.* a adânci (un subiect).

creux, -euse I. *adj., adv.* scobit, găunos, gol ‖ *yeux* ~ ochi în fundul capului; *sonner* ~ a suna gol; *avoir le ventre* ~ a fi înfometat. **II.** *s.m.* gol, scobitură, cavitate.

crever I. *vt.* a rupe, a sparge. ‖ *cela crève les yeux* asta sare-n ochi. **II.** *vi.* a crăpa, a plesni ‖ *c'est à* ~ *de rire* să mori de râs (nu altceva).

cri *s.m.* strigăt.

criard, -e *adj.* țipător (și *fig.*).

cribler *vt.* **1.** a cerne. **2.** *fig.* a ciurui ‖ *criblé de dettes* plin de datorii.

crier *vt., vi.* a striga ‖ ~ *à tue-tête* a striga cât îl ține gura.

crime *s.m.* crimă.

criminel, -elle I. *adj.* criminal, penal. **II.** *s.m.f.* criminal.

crise *s.f.* criză.

crisper *vt., vr.* a (se) crispa.

cristal *s.m.* cristal.

cristallisation *s.f.* cristalizare.

cristalliser *vi., vr.* a (se) cristaliza.

critérium *s.m.* criteriu.

critique I. *adj., s.m.* critic. **II.** *s.f.* critică.

critiquer *vt.* a critica.

croasser *vi.* a croncăni.

crochet *s.m.* **1.** cârlig. **2.** igliță, croșetă. **3.** ocol ‖ *faire un* ~ a

face un ocol; *être àux* ~*s de qn.* a trăi pe spinarea cuiva.

crochu, -e *adj.* îndoit, coroiat.

crocodile *s.m.* crocodil.

croire *vt., vi., vr.* a crede, a socoti.

croisée *s.f.* **1.** fereastră. **2.** răspântie, încrucișare.

croiser *vt., vr.* **1.** a încrucișa. **2.** a întâlni.

croisement *s.m.* **1.** răscruce, răspântie. **2.** încrucișare (a două rase de animale).

croiseur *s.m.* crucișător.

croisière *s.f.* croazieră.

croissance *s.f.* creștere.

croissant *s.m.* **1.** semilună. **2.** corn.

croître *vi.* a crește, a se mări; a spori.

croix *s.f.* cruce.

croquer I. *vt., vi.* a ronțăi. **II.** *vt.* a schița (un desen).

croquis *s.m.* crochiu, schiță.

crosse *s.f.* **1.** pat (de pușcă). **2.** cârjă (episcopală). **3.** *sport* crosă.

crotte *s.f.* noroi, baligă.

crotter *vt., vr.* a (se) stropi cu noroi.

croupir *vi.* a putrezi, a se împuți (și *fig.*).

croûte *s.f.* coajă, scoarță ‖ *casser la* ~ a lua o gustare.

croyance *s.f.* credință.

croyant, -e *adj.* credincios.

cru[1] *s.m.* **1.** creștere. **2.** pământ, sol. **3.** produs al solului. **4.** pod-

gorie ‖ *vin du* ~ vin local. **5.** *fig.*
producție proprie ‖ *de son* ~ al
său personal.

cru², **-e** *adj.* **1.** crud. **2.** nepre-
lucrat, brut. **3.** *fig.* (despre
vorbe) îndrăzneț, deocheat.

cruauté *s.f.* cruzime.

cruche *s.f.* **1.** urcior. **2.** *pop.* nătărău.

crue *s.f.* creștere (a apelor, a
pomilor).

cruel, **-elle** *adj. fig.* crud, crunt.

cruellement *adv.* cu cruzime.

crypte *s.f.* criptă.

cube *s.m.*, *adj.* cub(ic).

cubique *adj.* cubic.

cueillir *vt.* **1.** a culege. **2.** *fam.* a
aresta.

cuiller, **cuillère** *s.f.* lingură.

cuir *s.m.* piele.

cuirassé, **-e** *adj.*, *s.m.* cuirasat.

cuire *vt.*, *vi.* a (se) coace, a (se)
fierbe ‖ *il l'en cuira fig.* o să-ți
muști degetele.

cuisant, **-e** *adj.* usturător, dureros
(și *fig.*).

cuisine *s.f.* bucătărie.

cuisiner *vt.* a găti.

cuisinier, **-ère I.** *s.m.f.* bucătar.
II. *s.f.* sobă de bucătărie, mașină
de gătit.

cuisse *s.f.* coapsă, pulpă.

cuit, **-e I.** *adj.* (despre produsele
alimentare) copt, gătit. **II.** *s.f.*
pop. beție, chef.

cuivre *s.m.* cupru, aramă.

culbuter *vt.*, *vi.* a (se) răsturna, a
(se) da de-a berbeleacul.

cul-de-sac *s.m.* (*pl.* **culs-de-sac**)
fundătură.

culminant, **-e** *adj.* culminant.

culotte *s.f.* **1.** pantaloni scurți.
2. chiloți.

culte *s.m.* cult.

cultivateur, **-trice** *s.m.f.* cultiva-
tor, agricultor.

cultiver *vt.* a cultiva.

culture *s.f.* cultură.

culturel, **-elle** *adj.* cultural.

cupide *adj.* lacom, hrăpăreț.

curateur, **-trice** *s.m.f.* curator.

cure *s.f.* **1.** cură. **2.** grijă, păs ‖ *il
n'en a* ~ nici nu se sinchisește.

curé *s.m.* preot, paroh.

cure-dent *s.m.* (*pl.* **cure-dents**)
scobitoare.

curieux, **-euse** *adj.* curios.

curiosité *s.f.* curiozitate.

cursif, **-ive** *adj.* cursiv.

cuvette *s.f.* lighean, chiuvetă.

cycle *s.m.* ciclu.

cyclique *adj.* ciclic.

cyclisme *s.m.* ciclism.

cycliste *s.m.* ciclist.

cygne *s.m.* lebădă.

cylindre *s.m.* cilindru.

cynique *adj.*, *s.m.f.* cinic.

cynisme *s.m.* cinism.

cyprès *s.m.* chiparos.

D

dactylographie *s.f.* dactilografie.

dada *s.m.* **1.** cal (în limbaj copilă-resc). **2.** *fig.* idee fixă ‖ *enfourcher son* ~ *fig.* a avea o idee fixă.

daigner *vt.* a binevoi, a găsi de cuviință.

daim *s.m. zool.* căprior.

dalle *s.f.* lespede.

dame I. *s.f.* doamnă. **II.** *interj.* de!

dame-jeanne *s.f.* (*pl.* **damesjeannes**) damigeană.

damner *vt.* a afurisi ‖ *être l'âme damnée de qn.* a urma pe cineva trup și suflet; *faire* ~ *qn. fig.* a chinui pe cineva.

dandiner *vt., vr.* (despre corp) a (se) clătina.

danger *s.m.* pericol, primejdie.

dangereux, -euse *adj.* periculos, primejdios.

dans *prep.* **1.** în. **2.** pe ‖ *courir* ~ *la rue* a alerga pe stradă. **3.** peste ‖ ~ *un mois* peste o lună. **4.** cam ‖ *il pèse* ~ *les soixante* cântărește cam șaizeci de kg.

danse *s.f.* **1.** joc, dans. **2.** *fig.* săpuneală, ceartă.

danser *vi.* a juca, a dansa.

danseur, -euse *s.m.f.* dansator.

danubien, -enne *adj.* dunărean.

darder *vt.* a străpunge (cu lancea, cu sulița, cu privirile).

date *s.f.* dată ‖ *de longue, de vieille* ~ de mult; *de fraîche* ~ de curând.

dater *vt., vi.* a data.

dattier *s.m.* curmal.

dauber *vt.* **1.** a bate cu pumnii. **2.** *fig.* a da în cineva, a batjocori.

dauphin *s.m.* delfin.

davantage *adv.* mai mult, în plus.

de *prep.* (**d', du, des**) **1.** de. **2.** din. **3.** de la. **4.** dintre. **5.** cu **6.** despre. **7.** să. **8.** se traduce prin genitiv.

dé[1] *s.m.* zar.

dé[2] *s.m.* degetar.

débâcle *s.f.* **1.** dezgheț. **2.** prăpăd, prăbușire.

déballage *s.m.* despachetare.

déballer *vt.* a despacheta.

débarbouiller *vt., vr.* a(-și) spăla fața.

débarquement *s.m.* debarcare.

débarquer *vt., vi.* a debarca.

débarras *s.m.* **1.** liberare, ușurare, scăpare. **2.** debara.

débarrasser *vt., vr.* a (se) libera, a (se) ușura, a scăpa.

débat *s.m.* **1.** neînțelegere, discuție. **2.** *pl.* dezbateri.

débattre I. *vt.* a dezbate. **II.** *vr.* a se zbate.

débauche *s.f.* desfrâu.

débaucher *vt.* **1.** *fig.* a împinge la desfrâu, a strica. **2.** a concedia (muncitorii, funcționarii).

débile *adj., s.m.* debil, plăpând, slab.

débit *s.m.* **1.** vânzare cu amănuntul. **2.** debit (magazin cu amănuntul). **3.** debit (de energie, al unei ape, verbal).

débiter *vt.* **1.** a vinde, a desface. **2.** a debita. **3.** *fig.* a înșira (vorbe).

débiteur, -trice *adj., s.m.f.* debitor.

déblayer *vt.* a netezi, a curăța.

déboire *s.m.* *înv.* amărăciune, decepție.

déboisement *s.m.* despădurire.

débonnaire *adj.* blajin; slab.

débordement *s.m.* **1.** revărsare. **2.** dezmăț. **3.** potop (de insulte etc.).

déborder I. *vt.* a depăși. **II.** *vi.* **1.** a se revărsa. **2.** a fi depășit.

débouché *s.m.* **1.** capăt, ieșire (a unui drum). **2.** debușeu.

déboucher I. *vt.* a destupa. **II.** *vi.* **1.** a ieși (dintr-un defileu etc.) **2.** (despre ape) a se vărsa.

débourser *vt.* a debursa, a cheltui.

debout *adv.* în picioare, (în) sus ‖ *contes à dormir* ~ povești, brașoave.

déboutonner I. *vr.* a-și descheia nasturii. **II.** *vt.* *fam.* a vorbi cu inima deschisă.

débrayer I. *vt.* *tehn.* a debreia. **II.** *vi.* *fig.* a înceta lucrul.

débridé, -e *adj.* fără frâu, nestăvilit.

débrider *vt.* a scoate frâul ‖ *sans* ~ fără întrerupere.

débris *s.m.* *pl.* **1.** dărâmături, ruine. **2.** firimituri.

débrouillard, -e *adj.* descurcăreț, răzbătător.

début *s.m.* **1.** început. **2.** debut ‖ *au* ~ la început.

débuter *vt.* a debuta.

deçà *adv., loc. prep.* dincoace ‖ ~ *et delà* dincoace și dincolo; *par-*~, *au-*~, *en* ~ dincoace.

décade *s.f.* decadă.

décadence *s.f.* decadență.

décalage *s.m.* decalaj, decalare.

décamper *vi.* **1.** a ridica tabăra. **2.** a o lua la sănătoasa.

décapitation *s.f.* decapitare.

décaver *vt.* a goli buzunarele cuiva (de bani), a decava.

décéder *vi.* a muri, a deceda.

déceler *vt.* a da la iveală, a destăinui.

décembre *s.m.* decembrie.

décemment *adv.* (în mod) decent, cuviincios.

décence *s.f.* decență, (bună-) cuviință.

décennie *s.f.* deceniu.

décent, -e *adj.* decent, cuviincios.

décentralisation *s.f.* descentralizare.

décentraliser *vt.* a descentraliza.

déception *s.f.* dezamăgire, deziluzie, decepție.

décerner *vt.* a decerna, a atribui.

décès *s.m.* deces.

décevant, -e *adj.* **1.** amăgitor. **2.** decepționant.

décevoir *vt.* a decepționa, a înșela (așteptările, speranțele).

déchaînement *s.m.* dezlănțuire.

déchaîner *vt., vr.* a (se) dezlănțui.

décharge *s.f.* **1.** descărcătură. **2.** descărcare (și *fig.*).

déchargement *s.m.* descărcare.

décharger *vt., vr.* a (se) descărca (și *fig.*).

décharner *vt.* **1.** a descărna, a scoate carnea de pe oase. **2.** *fig.* a slăbi.

déchausser *vt.* a descălța.

déchéance *s.f.* decădere; *jur.* pierdere a unui drept.

déchet *s.m.* deșeu.

déchiffrer *vt.* a descifra.

déchiqueter *vt.* a sfâșia, a tăia în bucăți.

déchirement *s.m.* **1.** sfâșiere. **2.** durere (fizică). **3.** *pl.* dezbinări, tulburări.

déchirer *vt., vr.* **1.** a (se) sfâșia. **2.** a (se) chinui. **3.** a (se) vorbi de rău, a (se) critica aspru.

déchoir *vi.* **1.** a decădea. **2.** a îmbătrâni, a-și pierde puterile.

décidé, -e *adj.* hotărât, decis.

décidément *adv.* hotărât, cu hotărâre.

décider **I.** *vt., vr.* a (se) hotărî. **II.** *vi.* (de) a dispune de.

décimal, -e *adj.* zecimal.

décimation *s.f.* decimare.

décimètre *s.m.* decimetru.

décisif, -ive *adj.* hotărâtor, decisiv.

décision *s.f.* hotărâre, decizie.

déclamation *s.f.* declamație.

déclamatoire *adj.* declamator.

déclamer *vt., vi.* a declama.

déclaration *s.f.* declarație.

déclarer **I.** *vt.* a declara. **II.** *vr.* **1.** a se declara, a se ivi, a izbucni (un incendiu etc.). **2.** a se declara, a lua atitudine.

déclassé, -e *adj., s.m.f.* declasat.

déclenchement *s.m.* declanșare.

déclin *s.m.* declin, decădere.

déclinaison *s.f.* **1.** declinare. **2.** *astron.* declinație.

décliner **I.** *vt.* **1.** a refuza. **2.** a declina. **3.** a spune, a enunța ‖ ~ son

nom a-şi spune numele. **II.** *vi.*
astron. a devia, a (se) abate.

décollage *s.m. av.* decolare.

décoller I. *vt.* a dezlipi. **II.** *vi.* **1.** a
decola. **2.** *pop.* a pleca.

décolleter *vt., vr.* a (se) decolta.

décolorer *vt., vr.* a (se) decolora.

décombres *s.m. pl.* dărâmături;
pietriş, moloz.

décommander *vt.* a decomanda,
a anula comanda.

décompléter *vt.* a descompleta.

décomposer *vt., vr.* a (se) des-
compune.

décomposition *s.f.* descompu-
nere.

décompte *s.m.* **1.** decont. **2.** *fig.*
dezamăgire.

décompter I. *vt.* a deconta. **II.** *vi.*
fig. a mai lăsa din.

déconcenter *vt.* a deconcerta, a
zăpăci.

déconfit, -e *adj. fam.* deconcertat,
încurcat.

décongestionner *vt.* a descon-
gestiona.

déconseiller *vt.* a sfătui (pe ci-
neva) să nu facă ceva.

déconsidération *s.f.* descon-
siderare.

déconvenue *s.f.* eşec, insucces.

décorateur, -trice *adj., s.m.f.*
decorator.

décoratif, -ive *adj.* decorativ.

décoration *s.f.* **1.** înfrumuseţare,
decorare. **2.** decoraţie. **3.** decor.

décorer *vt.* **1.** a decora, a împo-
dobi. **2.** a acorda o decoraţie, a
decora.

décortication *s.f.* decorticare.

découdre *vt.* **1.** a descoase. **2.** a sfâ-
şia (carnea) ‖ *en ~* a se încăiera.

découler *vi.* a decurge.

découplé, -e *adj.* bine legat (la
corp), vânjos.

découragement *s.m.* descurajare.

décourager *vt., vr.* a (se) descu-
raja.

décousu, -e I. *adj.* **1.** descusut.
2. *fig.* dezlânat. **II.** *s.m.* dezlâ-
nare.

découvert, -e *adj.* descoperit ‖
être à ~ a fi fără apărare.

découverte *s.f.* descoperire.

découvrir *vt., vr.* a (se) descoperi.

décrépir *vt.* a lua tencuiala.

décrépit, -e *adj.* decrepit, ramolit,
neputincios.

décret *s.m.* decret.

décrire *vt.* a descrie.

décrocher *vt.* **1.** a desprinde, a
ridica ‖ *~ le récepteur* a ridica
receptorul din furcă. **2.** *fig.* a
obţine, a câştiga ‖ *~ la timbale* a
reuşi, a ieşi învingător. **3.** *tehn.* a
decroşa.

décroissance *s.f.*, **décroissement**
s.m. descreştere, reducere.

décroître *vi.* a descreşte.

décrue *s.f.* descreştere (a apelor).

déçu, -e *adj.* decepţionat.

décupler *vt.* a înzeci.

dédaigner *vt.* a nu lua în seamă, a dispreţui.

dédaigneaux, -euse *adj.* dispreţuitor.

dédain *s.m.* dispreţ.

dédale *s.m.* labirint.

dèdans *adv., s.m.* înăuntru. ‖ *mettre qn.* ~ a trage pe sfoară.

dédicace *s.f.* dedicaţie.

dédier *vt.* a dedica.

dédire I. *vt.* a dezavua, a dezaproba. II. *vr.* a nu-şi ţine făgăduiala, a se dezice.

dédommagement *s.m.* despăgubire.

déduction *s.f.* 1. deducţie. 2. scădere.

déduire *vt.* 1. a deduce. 2. a scădea.

défaillance *s.f.* 1. *fig.* slăbiciune. 2. sincopă, leşin.

défaillir *vi.* 1. a leşina. 2. a lipsi.

défaire I. *vt.* 1. a desface. 2. a dezlega, a descoase. 3. a slăbi, a se usca (de boală). 4. a birui. II. *vr.* a se descotorosi, a scăpa.

défait, -e *adj.* palid, slăbit.

défaite *s.f.* înfrângere.

défaut *s.m.* cusur, defect, lipsă ‖ *faire* ~ a lipsi; *à* ~ *de* în lipsă de; *être en* ~ a nu fi în regulă.

défection *s.f.* defecţiune.

défectueux, -euse *adj.* defectuos.

défendre *vt., vr.* 1. a (se) apăra. 2. a (se) opri, a (se) interzice.

défense *s.f.* 1. apărare. 2. oprire, interzicere. 3. colţ (de elefant, de mistreţ etc).

défenseur *s.m.* apărător.

défensive *s.f.* defensivă.

déférence *s.f.* deferenţă, respect, consideraţie.

déférer I. *vt.* 1. a înainta, a deferi. 2. a conferi. II. *vi.* (à) a da ascultare.

déferler *vt.* (despre valuri) a se sparge cu zgomot.

défi *s.m.* sfidare.

défiance *s.f.* neîncredere.

défiant, -e *adj.* neîncrezător, bănuitor.

déficit *s.m.* deficit.

déficitaire *adj.* deficitar.

défigurer *vt.* a sluţi, a desfigura (şi *fig.*).

défilé *s.m.* 1. defileu. 2. defilare.

défini, -e *adj.* 1. hotărât. 2. definit.

définir *vt.* 1. a hotărî. 2. a defini.

définitif, -ive *adj.* definitiv.

définition *s.f.* definiţie.

défoncer *vt.* a desfunda (butoaie, drumuri).

déformation *s.f.* deformare, denaturare.

déformer *vt.*, *vr.* a (se) deforma.

défrayer *vt.* a suporta cheltuielile ‖ ~ *la conversation* a întreţine conversaţia; *être défrayé de tout* a fi scutit de orice cheltuială; ~ *la chronique* a face să se vorbească despre sine.

défrichage, **défrichement** *s.m.* deştelenire.

défriser *vt.* 1. a descreţi (părul). 2. *fig. pop.* a deceptiona.

défunt, -e *adj.*, *s.m.f.* răposat, defunct.

dégagement *s.m.* liberare, degajare.

dégager *vt.* 1. a dezlega, a elibera. 2. a degaja, a scoate. 3. a degaja, a emana. 4. a scoate (de la amanet).

dégât *s.m.* stricăciune, pagubă.

dégel *s.m.* dezgheţ.

dégeler *vt.*, *vi.* a (se) dezgheţa (şi *fig.*).

dégénération *s.f.* degenerare.

dégénérer *vi.* a degenera.

dégingandé, -e *adj. fam.* deşelat.

dégonfler I. *vt.* 1. a dezumfla. 2. a descărca, a uşura (sufletul). **II.** *vt. fam. fig.* a da înapoi, a se dezumfla.

dégourdi, -e *adj.*, *s.m.f. fig.* dezgheţat, isteţ.

dégourdir *vt.* a dezmorţi (şi *fig.*).

dégoût *s.m.* dezgust, scârbă.

dégoûtant, -e *adj.* dezgustător, scârbos.

dégoûter *vt.* a dezgusta.

dégradation *s.f.* 1. stricăciune. 2. *mil.* degradare. 3. *fig.* înjosire.

dégrader *vt.* 1. a aduce stricăciuni, a strica. 2. *mil.* a degrada. 3. *fig.* a înjosi.

dégrafer *vt.* a descheia copcile la haine.

dégraissage *s.m.* degresare, curăţare (de haine).

dégraisser *vt.* a degresa, a curăţa (haine).

degré *s.m.* 1. treaptă. 2. grad ‖ *par* ~*s* treptat.

dégrever *vt.* a degreva.

dégringolade *s.f.* 1. prăvălire, rostogolire. 2. *fam.* decădere.

dégriser *vt.*, *vr.* 1. a (se) trezi (din beţie). 2. *fig.* a (se) dezmetici.

dégrossir *vt.* 1. a subţia. 2. a ciopli (şi *fig.*).

déguenillé, -e *adj.*, *s.m.f.* zdrenţăros.

déguerpir *vt.* a o lua la sănătoasa.

déguisement *s.m.* 1. travestire, deghizare. 2. *fig.* prefacere, disimulare.

déguiser *vt.*, *vr.* 1. a (se) travesti, a (se) deghiza. 2. *fig.* a ascunde ‖ ~ *ses pensées* a-şi ascunde gândurile.

dehors I. *adv.* afară. II. *s.m.* înfățișare exterioară, exterior.

déjà *adv.* deja, încă de pe acum (de pe atunci).

déjeuner *s.m.* dejun, prânz.

délabrement *s.m.* dărăpănare, ruină.

délabrer *vt., vr.* a (se) strica, a (se) ruina (și *fig.*).

délacer *vt.* a desface șireturile.

délai *s.m.* răgaz, amânare.

délaisser *vt.* a lăsa în părăsire.

délasser *vt., vr.* a (se) ódihni, a (se) recrea.

délateur, -trice *adj., s.m.f.* delator, denunțător.

délation *s.f.* pâră, denunțare, delațiune.

délayer *vt.* a subția, a dilua.

délecter *vt.* a delecta, a fermeca.

délégation *s.f.* solie, delegație.

délester *vt., vr.* a(-și) arunca balastul, a (se) ușura.

délibération *s.f.* chibzuire, deliberare.

délibéré, -e *adj.* hotărât, chibzuit ‖ *de propos* ~ înadins.

délibérer *vt., vi.* a chibzui, a delibera.

délicat, -e *adj.* gingaș, grațios, delicat.

délice *s.m. sg., f. pl.* desfătare, deliciu.

délicieux, -euse *adj.* delicios, fermecător.

délié, -e *adj.* 1. mititel, subțire. 2. *fig.* subtil, fin.

délimiter *vt.* a delimita.

délinquant, -e *s.m.f.* delincvent.

délirant, -e *adj.* delirant.

délirer *vi.* a aiura, a delira.

délit *s.m.* delict ‖ *le corps du* ~ corpul delict.

délivrance *s.f.* 1. eliberare. 2. naștere.

délivrer *vt.* 1. a elibera, a scăpa. 2. a libera. 3. a asista o femeie la naștere.

déloyal, -e *adj.* nesincer, necinstit.

déloyauté *s.f.* nesinceritate; lipsă de cinste.

delta *s.m.* deltă.

démagogie *s.f.* demagogie.

démagogue *s.m.* demagog.

demain *adv.* mâine.

demander *vt.* 1. a cere. 2. a întreba.

demandeur, -eresse *s.m.f. jur.* reclamant.

démangeaison *s.f.* mâncărime (și *fig.*).

démanger *vi.* a avea mâncărime, a ustura ‖ *la langue lui démange* are mâncărime la limbă.

démarche *s.f.* 1. mers, umblet. 2. demers.

émarrer *vt.*, *vi.* a demara.

émasquer *vt.*, *vr.* a (se) demasca.

émêlé *s.m.* discuţie aprinsă, ceartă.

émêler *vt.* 1. a descurca. 2. *fig.* a lămuri ‖ *avoir qch. à ~ avec qn.* a avea ceva de împărţit cu cineva; *~ le vrai du faux* a lămuri, a distinge ce e adevărat şi ce nu.

émembrer *vt.*, *vr.* a dezmembra.

éménagement *s.m.* mutat, mutare.

éménager *vt.*, *vi.* a (**se**) muta.

émence *s.f.* nebunie, demenţă.

ment, -e *adj.*, *s.m.f.* nebun, dement.

menti *s.m.* dezminţire.

mentir *vt.*, *vr.* a (se) dezminţi.

mesuré, -e *adj.* nemăsurat, esfârşit.

meublé, -e *adj.* fără mobilă ‖ *am. bouche ~e* gură fără dinţi.

meure *s.f.* locuinţă; şedere ‖ *à ~* pentru mult timp, stabil; *mettre qn. en ~ de* a soma pe cineva să.

meurer *vi.* 1. a locui. 2. a rămâne.

mi, -e I. *adj.* jumătate. **II.** *s.m.* . jumătate, halbă. 2. *sport* mijocaş. **III.** *s.f.* 1. jumătate. 2. jumătate de oră.

demi-jour *s.m.* semiîntuneric.

démilitariser *vt.* a demilitariza.

demi-mot *s.m.* (în *expr.*) *à ~* cu cuvinte spuse pe jumătate.

démission *s.f.* demisie.

demi-tour *s.m.* (*pl.* **demi-tours**) jumătate, întoarcere.

démobilisation *s.f.* demobilizare.

démobiliser *vt.* a demobiliza.

démocratie *s.f.* democraţie.

démocratique *adj.* democraţie.

démocratiser *vt.* a democratiza.

démographie *s.f.* demografie.

demoiselle *s.f.* 1. domnişoară. 2. libelulă.

démolir *vt.* a dărâma, a nimici.

démolition *s.f.* dărâmare.

démonstratif, -ive *adj.* demonstrativ.

démonstration *s.f.* 1. demonstraţie. 2. demonstrare. 3. *fig.* dovadă, semn.

démonter I. *vt.* 1. a demonta. 2. *fig.* a buimăci, a deconcerta. 3. a da jos de pe cal ‖ *mer démontée* mare foarte agitată. **II.** *vr.* 1. a se demonta. 2. a-şi pierde cumpătul.

démontrer *vt.* a demonstra.

démoralisation *s.f.* demoralizare.

démoraliser *vt.*, *vr.* a (se) demoraliza.

démordre *vi.* 1. a da drumul (din dinţi). 2. *fig.* a ceda, a se dezice.

dénaturer *vt.* a denatura (şi *fig.*).

dénicher *vt.* 1. a lua din cuib. 2. *fig.* a da peste, a dibui, a descoperi.

dénier *vt.* a tăgădui.

dénigrement *s.m.* ponegrire, denigrare.

dénombrer *vt.* a face numărătoarea.

dénominateur *s.m.* numitor.

dénomination *s.f.* denumire.

dénommer *vt.* a denumi.

dénonciateur, -trice *s.m.f.* denunţător.

dénonciation *s.f.* denunţare.

dénoter *vt.* a vădi, a indica, a denota.

dénouement *s.m.* deznodământ.

dénouer *vt.* a deznoda, a dezlega, a desface.

denrée *s.f.* marfă, produs (alimentar).

densité *s.f.* densitate.

dent *s.f.* dinte, parte proeminentă a unui mecanism (ferăstrău) ‖ *dents de lait* dinţi de lapte; *manger à belles dents* a mânca cu poftă; *rire du bout des dents* a râde forţat; *déchirer quelqu'un à belles dents* a critica aspru pe cineva; *ne pas desserrer les dents* a nu scoate o vorbă; *fam. quand les poules auront des dents* niciodată; *dent de sagesse*

măsea de minte; *montrer le dents* a-şi arăta colţii.

dentelle *s.f.* dantelă.

dentifrice *adj.* de dinţi (apă pastă).

dentiste *s.m.f.* dentist.

denture *s.f.* dantură.

dénuder *vt.* a dezgoli, a despuia.

dénué, -e *adj.* lipsit de.

dénuement *s.m.* lipsă, sărăcie.

dépannage *adj.* depanare.

dépanner *vt.* a depana.

dépaqueter *vt.* a despacheta.

dépareiller *vt.* a desperechea, descompleta.

départ *s.m.* 1. plecare, start ‖ *êtr sur le ~, être sur son ~* a fi ga de plecare. 2. despărţire, sep rare.

département *s.m.* departament.

départir I. *vt.* a împărţi, a separ II. *vr.* a se dezice, a renunţa.

dépassement *s.m.* depăşire.

dépasser *vt.* a întrece, a depăşi *ça me dépasse* asta întrec închipuirea mea.

dépaysement *s.m.* înstrăinar dezorientare.

dépayser *vt.* 1. a dezrădăcin 2. *fig.* a dezorienta.

dépêcher I. *vt.* 1. a grăbi, a fa repede. 2. a trimite repede. 3. omorî. II. *vr.* a se grăbi.

dépeindre *vt.* a zugrăvi, a descrie

dépendance s.f. 1. dependență, 2. *pl.* clădiri anexe, dependințe.

dépendant, -e adj. dependent.

dépendre vi. a depinde.

dépens s.m. pl. cheltuieli ‖ *aux ~ de* pe socoteala, în detrimentul.

dépense s.f. cheltuială, pierdere de timp etc.).

dépenser vt. a cheltui.

dépensier, -ère adj. cheltuitor.

dépérir vi. a slăbi, a se ofili, a se răpădi.

dépeuplement s.m. depopulare.

dépeupler vt., vr. a (se) depopula.

dépister vt. a depista, a descoperi.

dépit s.m. ciudă, necaz ‖ *en ~ de* în ciuda.

déplacement s.m. deplasare.

déplacer vt. a deplasa.

déplaire vi. a displăcea ‖ *ne vous en déplaise* să nu vă fie cu supărare; *n'en déplaise à* în ciuda.

déplaisant, -e adj. neplăcut.

déplaisir s.m. neplăcere.

déplier vt. a dezdoi, a desface (iarul etc.)

dépliement s.m. desfășurare.

déplorable adj. jalnic, de plâns, deplorabil.

déplorer vt. a deplînge, a compătimi.

déployer vt. a desfășura, a întinde ‖ *rire à gorge déployée* a râde cu hohote.

dépolir vt. a lua lustrul.

déportation s.f. surghiun, deportare.

déposer I. vt. 1. a depune, a pune jos. 2. a depozita. 3. *fig.* a destitui. **II.** vi. *jur.* a depune.

déposition s.f. 1. destituire. 2. *jur.* depoziție.

déposséder vt. a deposeda.

dépôt s.m. 1. depozit. 2. depunere. 3. depou. 4. închisoare.

dépouille s.f. 1. piele năpârlită. 2. pradă ‖ *la ~ mortelle* rămășițele pământești.

dépouillement s.m. 1. despuiere. 2. cercetare, examinare.

dépouiller vt. 1. a jupui (pielea, scoarța). 2. a despuia, a prăda. 3. a despuia, a extrage ‖ *~ qn. de sa charge* a scoate pe cineva din serviciu; *~ toute honte* a nu mai avea nici o rușine; v. **courrier.**

dépourvu, -e adj. lipsit de ‖ *au ~* pe neașteptate, pe nepregătite.

dépravation s.f. dezmăț, depravare.

dépraver vt. a strica, a perverti.

dépréciation s.f. depreciere.

déprécier vt. a deprecia.

dépression s.f. 1. *geogr.* depresiune. 2. *fig.* deprimare.

déprimer *vt.* **1.** a lua puterile, a slăbi. **2.** *fig.* a deprima.

depuis I. *adv.* de atunci. **II.** *prep.* de (la) ‖ ~ *peu* de curând, nu de mult; ~ *longtemps* de mult; ~ *que* de când.

députation *s.f.* solie, deputăție.

député *s.m.* deputat.

déqualifier *vt.* a descalifica.

déraciner *vt.* a dezrădăcina.

déraillement *s.m.* deraiere.

déraisonnable *adj.* nesocotit, nesăbuit.

déraisonnablement *adv.* cu nesocotință.

déraisonner *vi.* a spune prăpăstii, a bate câmpii.

dérangement *s.m.* tulburare, deranjare, deranjament.

déranger *vt.*, *vr.* a (se) tulbura, a (se) deranja, a (se) strica.

déraper *vt.* a derapa.

dératiser *vt.* a deratiza.

déréglé, -e *adj.* **1.** neregulat. **2.** *fig.* desfrânat.

dérèglement *s.m.* **1.** neorânduială, neregulă. **2.** *fig.* desfrâu.

dérider *vt.* a descreți (fruntea), a înveseli.

dérision *s.f.* derâdere, deriziune ‖ *par* ~ în batjocură.

dérisoire *adj.* derizoriu.

dérivation *s.f.* derivare.

dérive *s.f.* derivă, abatere d drum ‖ *aller à la* ~ *fig.* a merg în voia soartei.

dériver I. *vt.* **1.** a deriva, a aba 2. *gram.* a deriva. **II.** *vi.* a deri (și *fig.*).

dernier, -ere *s.m.*, *s.m.f.* cel d ~ urmă, ultim ‖ *en* ~ *lieu* în sfârș la urmă; *l'année dernière* an trecut; *le* ~ *des hommes* om cel mai josnic.

dérober I. *vt.* **1.** a fura, a sust ge. **2.** a ascunde. **II.** *vr.* **1.** ascunde. **2.** a se sustrage, a feri.

dérogation *s.f.* derogare.

déroger *vi.* (à) *jur.* a deroga, a abate (de la lege etc.).

déroulement *s.m.* desfășura evoluție, mers.

dérouler *vt.*, *vr.* a (se) desfășu a (se) dezvolta.

déroutant, -e *adj.* derutant.

déroute *s.f.* derută, neorânduia învălmășeală.

derrière I. *adv.*, *prep.* în urmă spate ‖ *par* ~ prin spate; *devant* ~ anapoda. **II.** dosul, spatele.

dès *prep.* (chiar) de la, (încă ‖ ~ *demain* chiar de mâine *lors* de atunci; ~ *que* îndată îndată după ce.

désabuser *vt.*, *vi.* a dezamăgi, a (se) trezi la realitate.

désaffecter *vt.* a da altă destinaţie (unei clădiri), a dezafecta.

désagréable *adj.* neplăcut.

désagrégation *s.f.* dezagregare.

désagréger *vt.* a dezagrega.

désagrément *s.m.* neplăcere.

désaltérer I. *vt.* 1. a potoli setea. 2. a uda, a stropi. 3. *fig.* a potoli. II. *vr.* 1. a bea. 2. *fig.* a-şi potoli dorinţele.

désappointement *s.m.* dezamăgire.

désapprobation *s.f.* dezaprobare.

désapprouver *vt.* a dezaproba.

désarmement *s.m.* dezarmare.

désarmer *vt.*, *vi.* a dezarma (şi *fig.*).

désarroi *s.m.* harababură, zăpăceală.

désastre *s.m.* dezastru.

désastreux, -euse *adj.* dezastruos.

désavantageux, -euse *adj.* păgubitor, dezavantajos, dăunător.

désaveu *s.m.* tăgăduire, dezavuare, dezicere.

désavouer *vt.* 1. a tăgădui. 2. a dezaproba, a dezavua.

désaxé, -e *adj.* dezaxat (şi *fig.*).

descendance *s.f.* posteritate, descendenţă.

descendant, -e *adj.*, *s.m.f.* urmaş, descendent.

descendre I. *vi.* 1. a (se) coborî (şi *fig.*). 2. a descăleca ‖ ~ *à terre* a debarca. 3. a trage (la un hotel etc.) 4. a descinde, a se trage din II. *vt.* à da jos, a coborî.

descente *s.f.* 1. coborâre, lăsare în jos. 2. descindere ‖ ~ *de lit* covoraş la pat.

descriptif, -ive *adj.* descriptiv.

description *s.f.* descriere.

désemparer I. *vi.* a-şi părăsi locul. II. *vt.* 1. a strica. 2. *fig.* a descumpăni.

désenchantement *s.m.* dezamăgire.

désenchanter *vt.* a dezamăgi, a deceptiona.

désenfler *vt.* a dezumfla.

déséquilibrer *vt.* a dezechilibra (şi *fig.*).

désert, -e *adj.*, *s.m.* deşert, pustiu.

déserter *vt.*, *vi.* a părăsi, a dezerta.

déserteur *s.m.* dezertor.

désertion *s.f.* părăsire, dezertare.

désespérant, -e *adj.* care duce la disperare, care te face să disperi.

désespéré, -e *adj.* disperat, deznădăjduit.

désespoir *s.m.* disperare, deznădejde.

déshabiller *vt.*, *vr.* a (se) dezbrăca.

déshabituer *vt.*, *vr.* a (se) dez-
obișnui.

déshériter *vt.* a dezmoșteni.

déshonneur *s.m.* dezonoare,
rușine.

déshonorer *vt.*, *vr.* a (se) dezo-
nora, a se acoperi de ocară.

desideratum *s.m.* (*pl.* **-ta**) dezi-
derat.

désignation *s.f.* desemnare.

désigner *vt.* a desemna.

désillusion *s.f.* deziluzie, deza-
măgire.

désillusionner *vt.* a deziluziona.

désinfecter *vt.* a dezinfecta.

désinfection *s.f.* dezinfecție.

désintégrer *vt.* a dezintegra.

désintéressement *s.m.* dezinte-
resare.

désintoxication *s.f.* dezintoxi-
care.

désinvolte *adj.* dezinvolt, de-
gajat.

désinvolture *s.f.* dezinvoltură,
nestânjenire, degajare.

désir *s.m.* dorință.

désirable *adj.* dezirabil.

désirer *vt.* a dori.

désireux, -euse *adj.* doritor.

désobéissance *s.f.* neascultare,
nesupunere.

désobligeamment *adv.* fără
bunăvoință.

désobligeance *s.f.* lipsă de po-
litețe.

désobligeant, -e *adj.* neînda-
toritor, nepoliticos.

désœuvré, -e *adj.*, *s.m.f.* fără
ocupație, inactiv.

désœuvrement *s.m.* lipsă de
ocupație.

désolant, -e *adj.* trist, jalnic.

désoler I. *vt.* a pustii, a devasta.
II. *vt.*, *vr.* a (se) întrista, a (se)
dezola.

désordonné, -e *adj.* **1.** dezor-
donat. **2.** desfrânat.

désordre *s.m.* neorânduială,
dezordine.

désorienter *vt.*, *vr.* a (se)
dezorienta (și *fig.*).

désormais *adv.* de-acum înainte,
pe viitor.

despote *s.m.* despot.

despotique *adj.* despotic.

despotisme *s.m.* despotism.

dessaisir I. *vt.* a deposeda **II.** *vr.* a
se lepăda de, a renunța la.

dessécher *vt.*, *vr.* **1.** a (se) usca, a
(se) seca. **2.** a (se) ofili.

dessein *s.m.* **1.** scop. **2.** gând,
intenție ‖ *à ~* înadins.

dessert *s.m.* desert.

desservir *vt.* **1.** a strânge masa. **2.**
fig. a face un deserviciu (cuiva);
a deservi (pe cineva).

dessiller *vt.* a deschide (ochii) (şi *fig.*).

dessin *s.m.* desen.

dessinateur, -trice *s.m.f.* desenator.

dessiner *vt.* a desena.

dessous I. *adv.* dedesubt. II. *prep.* sub. III. *s.m.* 1. dedesubt, secret. 2. *pl.* lenjerie pentru femei ‖ *avoir le* ~ a suferi o înfrângere; *ci*-~ mai jos.

dessus 1. *adv.* deasupra, sus. 2. *s.m.* partea de sus ‖ *au-dessus*, *au-dessus de* deasupra, peste; *ci-dessus* mai sus (într-o scrisoare; *là-dessus* în această privinţă, pe deasupra, mai ales; *par dessus le marché* pe deasupra.

destinataire *s.m.* destinatar.

destination *s.f.* destinaţie.

destinée *s.f.* destin, soartă.

destituer *vt.* a destitui.

destitution *s.f.* destituire.

destructeur, -trice *adj.* distrugător.

destruction *s.f.* distrugere.

désuet, -ète *adj.* învechit, desuet.

désuétude *s.f.* învechire, ieşire din uz, desuetudine.

désunir *vt.* a dezbina, a învrăjbi.

détachement *s.m.* 1. detaşare, nepăsare. 2. detaşament.

détacher *vt.*, *vr.* 1. a desprinde, a dezlega. 2. *fig.* a detaşa. 3. *fig.* a

scoate în evidenţă (un cuvânt, o frază).

détail *s.m.* (*pl.* -s) amănunt.

détailler *vt.* 1. a tăia în bucăţi. 2. a vinde în detaliu. 3. *fig.* a detalia.

détective *s.m.* detectiv.

déteindre I. *vt.* a decolora II. *vi.* 1. a se decolora. 2. (**sur**) *fig.* a influenţa.

détendre *vt.*, *vr.* a destinde, a slăbi (ceea ce e întins).

détenir *vt.* 1. a deţine. 2. a ţine închis (un arestat).

détente *s.f.* destindere ‖ *être dur à la* ~ a fi zgârcit.

détenteur, -trice *adj.* deţinător.

détention *s.f.* deţinere, detenţiune.

détenu, -e *s.m.f.* deţiunt.

détérioration *s.f.* stricare, deteriorare.

détermination *s.f.* 1. determinare. 2. hotărâre.

déterminer *vt.*, *vr.* 1. a (se) hotărî. 2. a (se) determina.

déterrer *vt.* a dezgropa (şi *fig.*).

détestable *adj.* de nesuportat, detestabil.

détester *vt.* a urî.

détonation *s.f.* detunătură.

détoner *vi.* a detona.

détonner *vi.* a nu se potrivi, a distona.

détour *s.m.* **1.** cot, cotitură. **2.** ocol. **3.** tertip ‖ *sans ~s fig.* de-a dreptul.

détournement *s.m.* **1.** răpire, ademenire. **2.** delapidare, deturnare.

détourner *vt.* **1.** a abate. **2.** a ademeni. **3.** delapida, a deturna. **4.** *fig.* a denatura (înţelesul etc.).

détracter *vt.* a defăima.

détracteur, -trice *s.m.f.* defăimător.

détraquement *s.m.* detracare, scrânteală.

détraquer *vt.* **1.** a detracta, a strica. **2.** *fig.* a tulbura minţile.

détresse *s.f.* **1.** nenorocire, mizerie. **2.** strâmtorare, primejdie.

détritus *s.m.* rămăşiţă, deşeu.

détroit *s.m. geogr.* strâmtoare.

détromper *vt.* a arăta (cuiva) că se înşeală, a deschide ochii (cuiva).

détrôner *vt.* a detrona.

détruire *vt.* a distruge (şi *fig.*).

dette *s.f.* **1.** datorie (bănească). **2.** *fig.* îndatorire, obligaţie; *v.* **cribler.**

deuil *s.m.* doliu ‖ *faire son ~ d'une chose* a-şi lua adio de la ceva, a se lăsa păgubaş.

deux *num.* doi.

deuxième *num.* al doilea.

dévaliser *vt.* a jefui, a prăda.

dévaluer *vt.* a devaloriza.

devancement *s.m.* luare înainte, întrecere.

devancer *vt.* a întrece, a o lua înainte.

devancier, -ère **1.** *s.m.f.* înaintaş, precursor. **2.** *s.m. pl.* generaţia trecută, strămoşii.

devant *adv. prep., s.m.* înainte, (în) faţă ‖ *prendre les ~s* a o lua înainte (şi *fig.*); *aller au ~ de qn.* a ieşi în întâmpinarea cuiva; *v.* **ci.**

devanture *s.f.* vitrină, faţadă.

dévaster *vt.* a pustii, a devasta.

développement *s.m.* **1.** dezvoltare, desfăşurare. **2.** developare. **3.** dezvelire.

développer *vt., vr.* **1.** a (se) dezvolta, a (se) desfăşura. **2.** a (se) developa. **3.** a (se) dezveli.

devenir *vi.* a deveni, a se face.

dévergondage *s.m.* desfrâu, dezmăţ.

dévergonder *vr.* **(se)** a se desfrâna, a se dezmăţa.

déversement *s.m.* **1.** scurgere, revărsare. **2.** înclinare.

dévêtir *vt., vr.* a (se) dezbrăca.

déviation *s.f.* deviere, deviaţie.

dévider *vt.* **1.** a depăna. **2.** *fig.* descurca ‖ *~ un écheveau* descurca o afacere încurcată.

deviner *vt.* a ghici.

devinette *s.f.* ghicitoare.

devis *s.m.* deviz.

dévisager *vt.* a privi ţintă în faţă.

devise *s.f.* 1. deviză. 2. devize, valută.

dévisser *vt.* a deşuruba.

dévoiler *vt.* a dezvălui, a da la iveală.

devoir[1] *vt.* 1. a datora, a i se datora. 2. a trebui, a fi posibil, a avea intenţia ‖ *Tu me dois une somme d'argent. C'est le médecin à qui on doit ce vaccin.*

devoir[2] *s.m.* 1. datorie (morală). 2. temă (şcolară) ‖ *se mettre en ~ de* a se pregăti să. 3. *pl.* omagii, onoruri ‖ *rendre ses ~s à qn.* a prezenta omagiile sale cuiva.

dévorer *vt.* 1. a sfâşia. 2. a înghiţi, a mistui (şi *fig.*) ‖ *~ des yeux* a sorbi din ochi.

dévotion *s.f.* evlavie, pietate.

dévoué, -e *adj.* devotat.

dévouement *s.m.* devotament.

diable *s.m.* drac, diavol ‖ *un bon ~* un băiat de treabă; *pauvre ~* nenorocit, pârlit; *au ~ (vauvert)* la dracu-n praznic; *loger le ~ dans sa bourse* a nu avea nici o para chioară; *avoir le ~ au corps* a fi argint viu; *faire le ~ à quatre* a face un zgomot infernal; *c'est là le ~* aici e clenciul, nici dracu nu-i dă de rost; *à la ~* de mântuială.

diabolique *adj.* drăcesc, diabolic.

diadème *s.m.* diademă.

diagonal, -e I. *adj.* diagonal. II. *s.f.* diagonală.

diagramme *s.m.* diagramă, grafic.

dialecte *s.m.* dialect.

dialectique I. *adj.* dialectic. II. *s.f.* dialectică.

dialogue *s.m.* dialog.

dialoguer *vi.* a dialoga.

diamètre *s.m.* diametru.

diantre *interj.* la dracu! al dracului!

diapason *s.m.* diapazon.

diaphane *adj.* străveziu, diafan.

diaphragme *s.m.* diafragmă.

diapositive *s.f.* diapozitiv.

diarrhée *s.f.* diaree.

diatribe *s.f.* 1. diatribă, critică violentă. 2. pamflet.

dictateur *s.m.* dictator.

dictature *s.f.* dictatură.

dictée *s.f.* dictare.

dicter *vt.* a dicta.

diction *s.f.* dicţie.

dictionnaire *s.m.* dicţionar.

didactique I. *adj.* didactic. II. *s.f.* didactică.

diète *s.f.* dietă, regim.

dieu *s.m.* Dumnezeu; zeu, idol ‖ *~ m'en préserve, ~ m'en garde* ferească Dumnezeu; *jurer ses grands ~x* a se jura pe toţi sfinţii; *~ sait* cine ştie.

diffamation *s.f.* defăimare.

différemment *adv.* altfel, în mod diferit.

différence *s.f.* deosebire, diferență ‖ *à la ~ de* spre deosebire de; *à cette ~ près* cu deosebire că.

différenciation *s.f.* diferențiere.

différencier *vt., vr.* a (se) diferenția, a (se) deosebi.

différend *s.m.* diferend, neînțelegere.

différent, -e *adj.* diferit, deosebit.

différer **I.** *vt.* a amâna **II.** *vi.* **1.** a se deosebi. **2.** *fig.* a avea vederi deosebite.

difficile *adj.* **1.** greu, anevoios. **2.** greu de mulțumit, dificil.

difficulté *s.f.* **1.** dificultate, greutate. **2.** obiecție.

difficultueux, -euse *adj.* **1.** cusurgiu, dificil. **2.** anevoios.

difforme *adj.* diform.

difformité *s.f.* diformitate.

diffus, -e *adj.* împrăștiat, difuz.

diffusion *s.f.* difuzare, difuziune.

digérable *adj.* digerabil.

digestion *s.f.* digestie (și *fig.*).

digne *adj.* vrednic, demn.

dignement *adv.* **1.** (în mod) demn. **2.** după merit.

dignitaire *s.m.* demnitar.

dignité *s.f.* **1.** demnitate, gravitate. **2.** demnitate, funcție înaltă.

digression *s.f.* abatere de la subiect, digresiune.

digue *s.f.* dig, stăvilar.

dilapidateur, -trice *s.m.f.* delapidator.

dilapidation *s.f.* delapidare.

dilapider *vt.* a delapida.

dilatation *s.f.* dilatare.

dilater *vt.* a dilata.

dilemme *s.m.* dilemă.

dilettante *s.m.* amator, diletant.

diligemment *adv.* cu grijă, cu sârguință.

diligent, -e *adj.* **1.** prompt, zelos. **2.** grijuliu, silitor.

dilution *s.f.* diluare, diluție.

dimanche *s.m.* duminică.

dîme *s.f.* dijmă.

dimension *s.f.* dimensiune.

diminuer *vt., vi.* a (se) micșora, a (se) reduce.

diminutif, -ive *adj.* diminutiv.

diminution *s.f.* micșorare, reducere, scădere.

dindon *s.m.* curcan.

dîner **I.** *vi.* a cina, a prânzi **II.** *s.m.* **1.** cină, prânz. **2.** dineu.

diphtérie *s.f.* difterie.

diphtongue *s.f.* diftong.

diplomate *s.m.* diplomat.

diplomatie *s.f.* diplomație.

diplomatique *adj.* diplomatic.

diplôme *s.m.* diplomă.

diplômé, -e *adj.* diplomat.

dire[1] *vt., vi.* **1.** a zice, a spune. **2.** a dezvălui, a indica. **3.** a recita, a anunța. **4.** a exprima, a trăda ‖ *Disons-le!* să recunoaștem! *Que dis-je?* dar ce zic eu?; *C'est tout* ~ asta-i tot; *Pour ainsi* ~ ca să spun așa; *Avoir son mot à dire* a vrea să-ți exprimi părerea; *Vouloir* ~ a însemna; *Si le cœur vous en dit* dacă ai chef.

dire[2] *s.m.* afirmație.

direct, -e *adj.* drept, direct.

directeur, -trice *adj., s.m.f.* director, conducător.

direction *s.f.* direcție, conducere.

directive *s.f.* directivă.

dirigeant, -e *adj., s.m.f.* conducător.

diriger *vt.* **1.** a îndrepta. **2.** a conduce, a dirija.

discernement *s.m.* discernământ.

discerner *vt.* a deosebi, a discerne.

disciple *s.m.* discipol.

disciplinaire *adj.* disciplinar.

discipline *s.f.* disciplină.

discipliner *vt.* a disciplina.

discontinu, -e *adj.* discontinuu, cu întreruperi.

disconvenir *vi.* a nu conveni, a tăgădui.

discordance *s.f.* discordanță, nepotrivire.

discordant, -e *adj.* discordant, nepotrivit.

discorde *s.f.* discordie.

discours *s.m.* discurs.

discrédit *s.m.* discredit.

discréditer *s.m.* discredita.

discret, -ète *adj.* discret.

discrétion *s.f.* discreție ‖ *à* ~ la discreție.

discrimination *s.f.* discernământ, discriminare ‖ ~ *raciale* discriminare rasială.

disculper *vt.* a dezvinovăți.

discussion *s.f.* discuție.

discutable *adj.* discutabil.

discuter *vt.* a discuta.

disette *s.f.* lipsă, foamete.

disgrâce *s.f.* dizgrație.

disgracié, -e *adj.* **1.** dizgrațiat. **2.** *fig.* urât, defavorizat.

disgracieux, -euse *adj.* lipsit de grație, dizgrațios.

dislocation *s.f.* **1.** dezmembrare, dislocare. **2.** luxație.

disloquer *vt.* **1.** a disloca. **2.** a scrânti (brațul).

disparaître *vi.* a dispărea.

disparition *s.f.* dispariție.

dispendieux, -euse *adj.* foarte costisitor.

dispensaire *s.m.* dispensar.

dispense *s.f.* dispensă.

dispenser I. *vt.* **1.** a împărți, a distribui. **2.** a dispensa, a scuti. **II.** *vr.* a se sustrage, a se abține.

disperser *vt., vr.* **1.** a (se) împrăștia (și *fig.*). **2.** *fiz.* a (se) dispersa, a (se) descompune.

dispersion *s.f.* **1.** împrăștiere (și *fig.*). **2.** *fiz.* dispersie.

disponibilité *s.f.* disponibilitate.

dispos, -e *adj.* (bine) dispus, vioi.

disposer I. *vt.* a dispune, a aranja. **II.** *vi.* a dispune (de). **III.** *vr.* a se pregăti (de).

dispositif *s.m.* dispozitiv.

disposition *s.f.* **1.** dispoziție, hotărâre, aranjament. **2.** dispoziție, aptitudine.

disproportion *s.f.* disproporție.

dispute *s.f.* **1.** discuție, dezbatere. **2.** *sport* întrecere, dispută. **3.** ceartă.

disputer I. *vi.* **1.** a dezbate, a discuta. **2.** a se certa. **3.** a rivaliza. **II.** *vt.* a contesta (ceva). **III.** *vr.* **1.** a se certa. **2.** a-și disputa.

disqualifier *vt.* a descalifica.

disque *s.m.* disc (și în sport), placă.

dissection *s.f.* disecție, disecare.

dissemblable *adj.* neasemănător, deosebit.

disséminer *vt., vr.* a (se) răspândi, a (se) împrăștia.

dissension *s.f.* neînțelegere, disensiune.

dissentiment *s.m.* divergență, conflict.

disséquer *vr.* a diseca.

dissertation *s.f.* disertație.

dissimulation *s.f.* disimulare.

dissimuler *vt.* a disimula, a tăinui, a ascunde.

dissipateur, -trice *adj., s.m.f.* risipitor.

dissipation *s.f.* **1.** risipă, dezmăț. **2.** *fig.* neatenție.

dissiper *vt.* **1.** a risipi, a împrăștia. **2.** *fig.* a distrage.

dissociation *s.f.* disociere.

dissocier *vt.* a disocia.

dissolution *s.f.* **1.** descompunere. **2.** dizolvare. **3.** desfacere (a unui contract etc.) || ~ *des mœurs* destrăbălare.

dissolvant, -e *adj., s.m.* dizolvant.

dissonance *s.f.* disonanță.

dissonant, -e *adj.* disonant.

dissoudre *vt.* **1.** a dizolva (și *fig.*). **2.** a desface, a rupe (căsătoria etc.).

distance *s.f.* depărtare, distanță.

distant, -e *adj., s.m.f.* **1.** depărtat. **2.** *fig.* rece, rezervat, distant.

distillation *s.f.* distilare.

distinct, -e *adj.* deosebit, distinct.

distinctif, -ive *adj.* distinctiv.

distinction *s.f.* **1.** deosebire. **2.** *fig.* distincție.

distinguer *vt., vr.* a (se) deosebi, a (se) distinge.

istraction *s.f.* **1.** distracție, petrecere. **2.** *fig.* neatenție.

istraire *vt.* **1.** a distra. **2.** a distrage.

istrait, -e *adj.* distrat, neatent.

istribuer *vt.* a împărți, a distribui.

istributif, -ive *adj.* distributiv.

istribution *s.f.* împărțire, distribuție.

istrict *s.m.* județ, district.

ivagation *s.f.* **1.** abatere, deviere. **2.** rătăcire, divagație.

ivaguer *vi.* **1.** a se abate, a devia. **2.** a vorbi aiurea, a bate câmpii.

ivan *s.f.* divan.

ivergence *s.f.* divergență.

ivergent, -e *adj.* divergent.

ivers, -e *adj.* deosebit, divers.

iversion *s.f.* **1.** diversiune. **2.** distracție.

versité *s.f.* varietate, diversitate.

vertir *vt., vr.* a (se) distra.

vertissement *s.m.* petrecere, divertisment.

vidende *s.m.* **1.** dividend. **2.** *mat.* deîmpărțit.

vin, -e *adj.* divin, minunat.

vinateur, -trice *adj., s.m.f.* prezicător, ghicitor.

vination *s.f.* ghicire, prezicere.

viniser *vt.* a diviniza.

vinité *s.f.* divinitate.

diviser *vt., vr.* a (se) împărți, a (se) diviza, a (se) învrăjbi.

diviseur *s.m.* divizor, împărțitor.

divisibilité *s.f.* divizibilitate.

divisible *adj.* divizibil.

division *s.f.* **1.** împărțire, diviziune. **2.** *fig.* dezbinare. **3.** diviziune. **4.** *mil.* divizie, divizion.

divorce *s.m.* divorț.

divorcer *vi.* a divorța.

divulgation *s.f.* divulgare.

divulguer *vt.* a divulga.

dix *num.* zece.

dixième 1. *num.* al zecelea. **2.** *s.m.* zecime.

dizaine *s.f.* un număr/grup de (aproape) zece.

docile *adj.* ascultător, docil, blând.

docteur *s.m.* doctor.

doctoresse *s.f.* doctoriță.

doctrine *s.f.* doctrină.

documentaire *adj.* documentar.

dodo *s.m.* pătuț (în limbajul copiilor) ‖ *faire* ~ a face nani.

dodeliner I. *vt., vr.* a (se) legăna încetișor. **II.** *vi.* a clătina (capul).

dodu, -e *adj.* grăsuț.

dogmatique *adj.* dogmatic.

dogme *s.m.* dogmă.

doigt *s.m.* deget ‖ *être à deux* ~*s de* a fi la un pas de ; *avoir de l'esprit jusqu'au bout des* ~*s* a fi foarte spiritual; *un* ~ *de vin* puțin vin; v. **bout**.

doigté, doigter *s.m.* digitație.

doléance *s.f.* (folosit mai ales la *pl.*) doleanță, păs.

domaine *s.m.* domeniu (și *fig.*).

dôme *s.m.* dom.

domestique I. *adj.* de casă, domestic. II. *s.m.f.* slugă. III. *s.m.* servitorime, personal casnic.

domicile *s.m.* domiciliu.

dominant, -e *adj.* dominant.

dominateur, -trice *adj.* dominator.

domination *s.f.* dominație, stăpânire.

dominer I. *vt.*, *vi.* a domina, a stăpâni. II. *vr.* a se stăpâni.

dominical, -e *adj.* duminical.

dommage *s.m.* 1. pagubă, daună, stricăciune ‖ *c'est ~ !* păcat! 2. *jur.* *~-s-intérêts* despăgubiri.

dompter I. *vt.* a îmblânzi. II. *vt.*, *vr.* a (se) stăpâni.

dompteur, -euse *s.m.f.* îmblânzitor.

don *s.m.* dar (și *fig.*).

donateur, -trice *s.m.f.* donator.

donation *s.f.* donație.

donc *conj.* 1. deci, prin urmare. 2. oare ‖ *pourquoi ~ ?* de ce oare?; *allons ~ !* ei, asta e acum!; *taisez-vous ~ !* dar taci o dată! *dis donc!* (ia) ascultă!

donnée *s.f.* dată (într-o problemă, discuție).

donner *vt.*, *vi.*, *vr.* a (se) da, a (se) dărui ‖ *~ l'éveil* a da alarma; *la chasse à* a urmări pe; *n savoir ou ~ de la tête* a nu şti ce să faci; *s'en ~ cœur joie* se desfăta în voie; v. **fil.**

donneur *s.m.* donator ‖ *~ de san* donator de sânge.

dont *pron. rel.* 1. al (a, ai, ale cărui (cărei, căror). 2. despr care. 3. din care, de care.

dorénavant *adv.* de acum încolc pe viitor.

dorer *vt.* a auri ‖ *jeunesse dore* feciori de bani gata.

dorloter *vt.* a alinta, a răsfăța.

dormant, -e *adj.* (despre ap stătător.

dormir *vi.* a dormi (și *fig.*) ‖ *~ poings fermés* a dormi du bușlean.

dortoir *s.m.* dormitor comun (? internate, cazărmi etc.).

dorure *s.f.* poleială.

dos *s.m.* spate, dos, spinare ‖ *avoir bon ~* a fi cal de bătaie.

dosage *s.m.* dozare, dozaj.

dose *s.f.* doză.

doser *vt.* a doza.

dossier *s.m.* 1. spătar (la scaun 2. dosar.

dot *s.f.* zestre, dotă.

dotal, -e *adj.* de zestre, dotal.

douane *s.f.* vamă.

douanier, -ère I. *adj.* vamal. II. *s.m.* vameş.

double *adj., adv., s.m.* îndoit, dublu ‖ *le rendre au* ~ a o plăti cuiva cu vârf şi îndesat.

doubler *vt.* **1.** a îndoi, a dubla. **2.** a căptuşi. **3.** a ocoli, a întoarce (navigând etc.), (teatru) a dubla ‖ ~ *une classe* a rămâne repetent; ~ *le pas* a iuţi mersul.

doublure *s.f.* **1.** căptuşeală. **2.** dublură (teatru).

douceâtre *adj.* dulceag (ca gust).

doucement *adv.* **1.** încet, cu băgare de seamă. **2.** cu blândeţe.

doucereux, -euse *adj.* dulceag, mieros.

douceur *s.f.* **1.** dulceaţă. **2.** blândeţe. **3.** *pl.* **a)** dulciuri; **b)** vorbe dulci.

douche *s.f.* duş.

douer *vt.* a înzestra, a dota.

douillet, -te *adj.* **1.** moale (pat). **2.** delicat, plăpând ‖ *faire le* ~ a face pe delicatul.

douleur *s.f.* durere (şi *fig.*).

douloureusement *adv.* cu durere, (în mod) dureros.

douloureux, -euse *adj.* dureros (şi *fig.*).

doute *s.m.* **1.** îndoială. **2.** bănuială.

douter I. *vi.* (*de*) a se îndoi. II. *vr.* a bănui.

douteux, -euse *adj.* îndoielnic, neclar.

doux, douce *adj.* **1.** dulce. **2.** blând. **3.** lin (pantă).

douzaine *s.f.* **1.** duzină. **2.** vreo douăsprezece.

douze *num.* doisprezece.

douzième I. *num.* al doisprezecelea. II. *s.m.* a douăsprezecea parte.

doyen, -enne *s.m.f.* decan.

dragée *s.f.* **1.** bomboană. **2.** alică ‖ *avaler une* ~ *fig.* a înghiţi găluşca; *tenir la* ~ *haute* a lăsa greu, a face pe cineva să aştepte mult un lucru dorit.

draguer *vt.* a draga.

drainage *s.m.* drenare, drenaj.

dramatique *adj.* dramatic.

dramatiser *vt.* a dramatiza.

drame *s.m.* dramă.

drap *s.m.* **1.** postav. **2.** cearceaf ‖ *tailler en* ~ a tăia şi a spânzura; *être dans de beaux* ~*s* a fi la ananghie/la strâmtoare.

drapeau *s.m.* steag, drapel.

dressage *s.m.* dresaj, dresare.

dresser *vt., vr.* **1.** a (se) ridica. **2.** a (se) întocmi (un act). **3.** a dresa.

drogue *s.f.* **1.** drog. **2.** medicament.

droguer I. *vt.* a droga, a îndopa cu medicamente. II. *vi. fam.* a aştepta.

droguerie *s.f.* drogherie (comerţ şi magazin).

droit[1] *s.m.* **1.** drept. **2.** taxă ‖ *à bon ~* pe bună dreptate; *à qui de ~* la forurile în drept.

droit[2], **-e I.** *adj.* drept. **II.** *s.f.* dreaptă (mână, linie etc.). **III.** *adv.* drept ‖ *aller tout ~* a merge drept înainte.

drôle I. *adj.* **1.** caraghios, cu haz. **2.** năstruşnic, ciudat. **II.** *s.m.* caraghios, pişicher, pehlivan ‖ *ce n'est pas to.:jours ~ de* nu e totdeauna o plăcere să.

dru, -e *adj., adv.* **1.** des, stufos. **2.** vesel. **3.** puternic.

dû *s.m.* ceea ce se cuvine ‖ *réclamer son ~* a cere ceva ce ţi se cuvine.

dualité *s.f.* dualitate.

dubitatif, -ive *adj.* dubitativ.

duc *s.m.* duce.

duché *s.m.* ducat (teritoriu).

duel *s.m.* **1.** duel. **2.** (numărul) dual.

dûment *adv.* cum trebuie, în regulă.

dune *s.f.* dună.

dupe *s.f., adj.* păcălit, înşelat.

duperie *s.f.* înşelătorie, păcăleală.

duplicité *s.f.* făţărnicie, ipocrizie, duplicitate.

dur, -e *adj., adv.* **1.** tare (la pipăit). **2.** *fig.* aspru, sever. **3.** *fig.* greu, anevoios ‖ *tête ~e* om greu de cap; *avoir l'oreille ~e* a f tare de ureche; *coucher sur le ~e* a se culca pe pământul gol v. **détente.**

durabilité *s.f.* durabilitate.

durable *adj.* trainic, durabil.

durant *prep.* în timpul.

durcir *vt., vi., vr.* a (se) întări (se) înăspri.

durcissement *s.m.* întărire, înăs prire.

durée *s.f.* durată, răstimp.

durer *vi.* a dura, a ţine ‖ *ne pou voir ~ en place* a nu sta locului a nu avea astâmpăr.

dureté *s.f.* **1.** asprime. **2.** duritate

duvet *s.m.* puf.

dynamique I. *adj.* dinami **II.** *s.f.* dinamică.

dynamisme *s.m.* dinamism.

dynamite *s.f.* dinamită.

dynamo *s.f.* dinam.

dynastie *s.f.* dinastie.

dysenterie *s.f.* dizenterie.

E

eau *s.f.* apă ‖ ~ *courante* apă curgătoare; ~ *dormante,* ~ *tagnante,* ~ *morte* apă stătătoare; *nager entre deux* ~x a împăca şi capra şi varza; *suer sang et* ~ a da pe brânci muncind; *être tout en* ~ a fi numai o apă (tare înăduşit).

eau-de-vie *s.f.* rachiu, ţuică.

ébahir *vt.* a uimi, a înmărmuri.

ébahissement *s.m. fam.* uimire, buimăcire.

ébattre (s') *vr.* a se zbengui.

ébauche *s.f.* schiţă.

ébène *s.m.* abanos.

ébéniste *s.m.* ebenist.

éberluer *vt. fig.* a uimi, a înmărmuri.

éblouir *vt.* a lua ochii, a orbi (şi *fig.*).

éblouissant, -e *adj.* sclipitor, orbitor.

éblouissement *s.m.* **1.** întunecare a vederii, ameţeală. **2.** *fig.* uimire admirativă.

ébouler *vt., vr.* a (se) surpa.

ébouriffer *vt., vr.* a ciufuli.

ébranlement *s.m.* clătinare, zguduire (şi *fig.*).

ébranler *vt., vr.* **1.** a (se) clătina, a (se) zgudui, a (se) zdruncina (şi *fig.*). **2.** a (se) pune în mişcare.

ébrécher *vt.* a ştirbi, a face spărturi ‖ ~*sa fortune, sa réputation* a-şi compromite averea, reputaţia.

ébriété *s.f.* ebrietate.

ébruiter *vt., vr.* a divulga, a (se) răspândi (o ştire).

ébullition *s.f.* ebuliţie, fierbere, clocot (şi *fig.*).

écaille *s.f.* **1.** solz. **2.** carapace (de broască ţestoasă). **3.** valvă (de scoică).

écarlate *adj.* stacojiu.

écarquiller *vt.* a deschide larg, a îndepărta mult ‖ ~ *les yeux* a se zgâi.

écart *s.m.* **1.** distanţă, diferenţă, spaţiu, întoarcere bruscă ‖ *des écarts de conduite* deviere de comportare; *à l'écart de* în afară de; *la o parte de.*

ecarter *vt., vr.* **1.** a (se) depărta. **2.** a înlătura.

ecclésiastique *adj.* ecleziastic.

écervelé, -e *adj.* descreierat.

échafaud *s.m.* eşafod.

échafaudage *s.m.* **1.** eşafodaj, schelărie (şi *fig.*). **2.** *fig.* îngrămădire (de idei etc.).

échancrure *s.f.* răscroială.

échange *s.m.* schimb, troc.

échanger *vt.* a schimba, a face schimb.

échantillon *s.m.* mostră, eşantion.

échappement *s.m.* **1.** scăpare, ieşire. **2.** eşapament.

échapper I. *vi.* **1. (à)** scăpa de, a fugi, a evita. **2.** a scăpa, a nu fi înţeles, perceput. **II.** *vr.* a o şterge, a fugi, a evada.

écharpe *s.f.* eşarfă ‖ *en ~* peste umăr, în bandulieră; *bras en ~* braţ legat de gât.

échauder *vt.* a opări ‖ *~ les clients fig.* a înşela, a jupui clienţii; v. **chat.**

échauffement *s.m.* aprindere, înfierbântare (şi *fig.*).

échauffer *vt.*, *vr.* a (se) încălzi, a (se) înfierbânta (şi *fig*). ‖ *~ la bile à qn.* a supăra tare, a înfuria pe cineva.

échéance *s.f.* scadenţă, termen ‖ *à longue, à brève ~* pe termen lung, scurt.

échec *s.m.* nereuşită, eşec.

échecs *s.m. pl.* şah (jocul).

échelle *s.f.* scară (şi *fig.*).

échelonnement *s.m.* eşalonare.

échelonner *vt.* a eşalona.

écheveau *s.m.* scul ‖ *démêler l'~ d'une intrigue* a descurca iţele unei intrigi.

échevelé, -e *adj.* despletit, cu părul vâlvoi.

écheveler *vt.* a despleti, a zbârli.

échine *s.f.* spinare (şi *fig.*) ‖ *frotter l'~ à qn. fig.* a scărmăna pe cineva; *avoir l'~ ouple* a fi slugarnic.

échiquier *s.m.* tablă de şah.

écho *s.m.* ecou, răsunet.

échoir *vi.* **1.** a ajunge la scadenţă. **2.** a se întâmpla ‖ *le cas échéant* în cazul când, dacă este cazul.

échouer *vi.*, *vt.* a eşua, a se împotmoli (şi *fig.*).

éclabousser *vt.* **1.** a stropi cu noroi. **2.** *fig.* a orbi cu luxul, bogăţia.

éclair *s.m.* **1.** fulger. **2.** ecler (prăjitură).

éclairage *s.m.* luminare, luminat.

éclaircie *s.f.* **1.** înseninare. **2.** luminiş.

éclaircir *vt.*, *vr.* **1.** a (se) lumina, a (se) însenina. **2.** *fig.* a (se) lămuri, a limpezi. **3.** a subţia (un sos).

éclaircissement *s.m.* lămurire.

éclairer *vt.*, *vi.* a lumina (şi *fig.*).

éclaireur *s.m.* cercetaş.

éclat *s.m.* **1.** zgomot puternic, bubuit, detunătură ‖ *rire aux ~s* a râde cu hohote **2.** scandal, vâlvă. **3.** ciob, schijă. **4.** strălucire (şi *fig.*) ‖ *action d'~* faptă strălucită.

éclatant, -e *adj.* **1.** răsunător, bubuitor. **2.** strălucit, strălucitor (şi *fig.*). **3.** vădit, evident.

éclater *vi.* **1.** a se sparge, a exploda. **2.** a izbucni. **3.** a străluci ‖ *~ au grand jour* a deveni evident.

éclipse *s.m.* eclipsă.

éclore *vi.* **1.** a ieşi din ou. **2.** *fig.* a ieşi la iveală, a se naşte. **3.** a se deschide (mugurul, bobocul).

éclosion *s.f.* **1.** ieşire din ou. **2.** *fig.* naştere, apariţie. **3.** deschidere (la mugur, la boboc etc.).

écluse *s.f.* ecluză.

écœurant, -e *adj.* dezgustător, scârbos, greţos (şi *fig.*).

école *s.f.* şcoală.

écolier, -ère *s.m.f.* şcolar.

éconduire *vt.* a concedia, a respinge.

économie *s.f.* economie.

économique *adj.* economic.

économiser *vt.* a economisi.

écorce *s.f.* **1.** scoarţă, coajă. **2.** *fig.* aparenţă, înveliş.

écorcher *vt.* **1.** a jupui (şi *fig.*). **2.** a zgâria. **3.** *fig.* a stâlci (o limbă).

écorchure *s.f.* jupuitură, zgârietură.

écot *s.m.* **1.** buturugă. **2.** cotă-parte (dintr-o cheltuială colectivă.).

écoulement *s.m.* **1.** scurgere. **2.** vânzare, desfacere.

écouler I. *vt.* a vinde, a desface. **II.** *vr.* a (se) scurge.

écourter *vt.* a scurta, a reteza.

écoute *s.f.* ascultare ‖ *être aux ~s fig.* a trage cu urechea; *être à l'~* a asculta (o emisiune de) radio; *ne quittez pas l'~* rămâneţi la aparatul de radio.

écouter I. *vt.* a asculta. **II.** *vr.* a se îngriji exagerat de sănătate ‖ *~ parler* a se îmbăta cu propriile cuvinte.

écouteur, -euse 1. *s.m.f.* ascultător, (om) care ascultă. **2.** *s.m.* receptor (la telefon).

écran *s.m.* ecran.

écrasant, -e *adj.* zdrobitor, strivitor.

écrasement *s.m.* zdrobire, strivire, îmbulzeală, înghesuială.

écraser *vt., vr.* a (se) zdrobi, a (se) strivi (şi *fig.*), a (se) nimici.

écrémage *s.m.* smântânire.

écrémer *vt.* **1.** a smântâni. **2.** *fig.* a lua ce e mai bun.

écrevisse *s.f.* rac.

écrier (s') *vr.* a ţipa, a striga.

écrin *s.m.* cutie de bijuterii, sipet.

écrire *vt.* a scrie.

écrit *s.m.* înscris, act ‖ *par ~* în scris.

écriteau *s.m.* anunţ, tăbliţă (cu un anunţ).

écritoire *s.f.* mapă cu rechizite pentru scris.

écriture *s.f.* scriere.

écrivain *s.m.* scriitor.

écrouer *vi.* a închide (la închisoare).

écroulement *s.m.* prăvălire, prăbuşire.

écrouler (s') *vr.* a se prăvăli, a se prăbuşi.

écru, -e *adj.* neînălbit, neprelucrat.

écueil *s.m.* 1. stâncă (în apă). 2. *fig.* piedică, obstacol.

écuelle *s.f.* strachină.

écume *s.f.* 1. spumă. 2. *fig.* drojdie, pleavă.

écureuil *s.m.* veveriţă.

écurie *s.m.* grajd.

édenté, -e *adj.* ştirb.

édification *s.f.* construire.

édifice *s.m.* edificiu.

édifier *vt.* 1. a edifica, a clădi. 2. *fig.* a stabili, a întemeia. 3. *fig.* a informa, a lămuri.

édilité *s.f.* edilitate.

édit *s.m.* edict.

éditer *vt.* a edita.

éditeur, -trice *adj., s.m.* editor.

édition *s.f.* ediţie, editare ‖ *maison d'~* editură.

éditorial, -e **I.** *adj.* editorial. **II.** *s.m.* articol de fond.

éducateur, -trice *s.m.f.* educator.

éducatif, -ive *adj.* educativ.

éducation *s.f.* educaţie.

édulcorer *vt.* 1. a îndulci (un medicament). 2. *fig.* a atenua.

effacement *s.m.* 1. şters, ştergere. 2. estompare, dispariţie gradată.

effacer **I.** *vt.* a şterge (şi *fig.*). **II.** *vr. fig.* a se da la o parte.

effarement *s.m.* sperietură, spaimă.

effarer *vt.* a speria, a înspăimânta.

effaroucher *vt., vr.* a speria, a înspăimânta.

effectif, -ive **I.** *adj.* real, adevărat, efectiv. **II.** *s.m.* efectiv.

effectuer *vt., vr.* a îndeplini, a executa, a efectua.

effervescence *s.f.* efervescenţă, fierbere (şi *fig.*).

effervescent, -e *adj.* efervescent, în fierbere.

effet *s.m.* efect (de comerţ, militar) ‖ *en ~* în adevăr; *à cet ~* spre acest scop; *faire l' ~ de* a părea.

effeuillement *s.m.* desfrunzire.

effeuiller **I.** *vt.* a smulge frunzele, petalele. **II.** *vr.* a se desfrunzi, a se scutura.

efficace *adj.* cu efect, eficace.

efficacité *s.f.* eficacitate.

efficient, -e *adj.* eficient.

effilé, -e *adj.* lung și subțire.

effilocher *vt.* a destrăma.

efflanqué, -e *adj.* slăbănog, jigărit.

effleurer *vt.* a atinge ușor, în treacăt (și *fig.*).

efflorescent, -e *adj.* eflorescent.

effluve *s.m.* emanație, efluviu.

effondrement *s.m.* prăvălire, prăbușire.

effondrer *vt., vr.* a (se) prăvăli, a (se) nărui.

effort *s.m.* **1.** efort, sforțare, silință. **2.** hernie.

effraction *s.f.* spargere, efracție.

effrayant, -e *adj.* înspăimântător.

effrayer *vt., vr.* a (se) înspăimânta.

effréné, -e *adj.* nestăpânit, neînfrânat.

effriter I. *vt.* **1.** a secătui (pământul). **2.** a face să devină friabil. **II.** *vr.* **1.** a se secătui. **2.** a se sparge, a se fărâmița.

effroi *s.m.* groază.

effronté, -e *adj., s.m.f.* nerușinat, neobrăzat.

effrontément *adv.* cu nerușinare.

effronterie *s.f.* nerușinare, neobrăzare.

effroyable *adj.* înspăimântător.

effusion *s.f.* **1.** vărsare, revărsare. **2.** efuziune.

égal, -e I. *adj.* **1.** egal. **2.** constant, statornic. **II.** *s.m.* egal, seamăn.

égaler *vt.* a egala.

égalité *s.f.* egalitate, uniformitate.

égard *s.m.* atenție, considerație ‖ *eu ~ à* ținând seama de; *à l'~ de* cât despre, în ceea ce privește.

égarement *s.m.* rătăcire (și *fig.*).

égarer *vt., vr.* a (se) rătăci.

égayer *vt., vr.* a (se) înveseli.

égide *s.f.* scut, ocrotire.

église *s.f.* biserică.

égoïsme *s.m.* egoism.

égoïste *adj., s.m.f.* egoist.

égorger *vt.* **1.** a tăia beregata. **2.** a ucide, a măcelări. **3.** *fig.* a jupui.

égosiller (s') *vr.* a țipa cât te ține gura.

égout *s.m.* **1.** canal de scurgere a apelor murdare. **2.** uluca (la acoperiș). **3.** *fig.* mocirlă.

égratignure *s.f.* **1.** zgârietură. **2.** *fig.* înțepătură.

eh *interj.* ei!

éhonté, -e *adj.* nerușinat.

élaboration *s.f.* elaborare.

élaborer *vt.* a elabora.

élan *s.m.* avânt, elan.

élancer I. *vr.* a se arunca, a se avânta. **II.** *vi.* a înjunghia, a da junghiuri.

élargir *vt.* **1.** a lărgi. **2.** a elibera (un arestat).

élargissement *s.m.* **1.** lărgire. **2.** eliberare (a unui deţinut).

élasticité *s.f.* elasticitate.

élastique *adj., s.m.* elastic.

élection *s.f.* alegere.

électoral, -e *adj.* electoral.

électricien *adj., s.m.* electrician.

électricité *s.f.* electricitate.

électrique *adj.* electric.

électrocution *s.f.* electrocutare.

électrolyse *s.f.* electroliză.

électromoteur, -trice *adj., s.m.* electromotor.

électron *s.m.* electron.

élégamment *adv.* cu eleganţă.

élégance *s.f.* eleganţă.

élégiaque *adj.* elegiac.

élégie *s.f.* elegie.

élément *s.m.* element.

élémentaire *adj.* elementar.

éléphant *s.m.* elefant.

élevage *s.m.* creştere (a animalelor domestice).

élévateur **I.** *adj.* care ridică, ridicător. **II.** *s.m.* elevator.

élève *s.m.f.* elev.

élever *vt., vr.* **1.** a ridica. **2.** a înălţa. **3.** a creşte (animale, copii).

éleveur *s.m.* crescător de animale.

élimer *vt.* a roade, a toci, a uza.

élimination *s.f.* eliminare.

éliminer *vt.* a elimina.

élire *vt.* a alege.

élite *s.f.* elită ‖ *ouvrier d'~* muncitor fruntaş.

élixir *s.m.* elixir.

elle *pron.* ea.

ellipse *s.f.* elipsă.

elliptique *adj.* eliptic.

éloge *s.m.* laudă, elogiu.

élogieux, -euse, *adj.* elogios.

éloigné, -e *adj.* îndepărtat.

éloignement *s.m.* **1.** (în)depărtare. **2.** *fig.* antipatie, repulsie.

éloigner *vt.* a îndepărta, a da la o parte.

éloquemment *adv.* cu elocvenţă.

éloquence *s.f.* elocinţă.

élu, -e *adj., s.m.f.* ales.

élucider *vt.* a lămuri, a elucida.

éluder *vt. fig.* a eluda, a ocoli.

émail *s.m.* smalţ, email.

émancipation *s.f.* emancipare.

émaner *vt.* a emana.

emballage *s.m.* ambalare, ambalaj.

emballement *s.m.* aprindere, entuziasm.

emballer **I.** *vt.* a împacheta, a ambala. **II.** *vr.* **1.** a se ambala (motorul), a-şi lua avânt (calul). **2.** *fig.* a se aprinde, a lua vânt.

embarcation *s.f.* ambarcaţie.

embarcadère *s.m.* **1.** ambarcader. **2.** peron.

embarquement *s.m.* îmbarcare.

embarquer *vt., vr.* a (se) îmbarca ‖ *~ qn. dans une méchante* *affaire* a băga pe cineva în bucluc.

embarras *s.m.* **1.** îngrămădeală ‖ ~ *de voitures*. **2.** încurcătură, jenă, greutate ‖ *Avoir des* ~ *d'argent* a avea dificultăți bănești. **3.** necaz, neplăcere ‖ *créer des* ~ a crea necazuri. **4.** *fam.* aere ‖ *faire des* ~ a-şi da aere; *avoir l'*~ *du choix* a-i fi greu să aleagă.

embarrassant, -e *adj.* stânjenitor, jenant.

embarrasser *vt.* **1.** a împiedica, a jena. **2.** a pune în încurcătură. **3.** a încurca (o afacere).

embaucher *vt.* a tocmi (pentru muncă), a angaja.

embaumer I. *vt.* **1.** a înmiresma. **2.** a îmbălsăma. **II.** *vi.* a răspândi un parfum.

embellir I. *vt.* a înfrumuseța. **II.** *vi.* a deveni mai frumos.

embêtant, -e *adj.* plicticos.

embêtement *s.m.* **1.** plictiseală. **2.** neplăcere.

embêter I. *vt.* a plictisi, a sâcâi. **II.** *vr.* a se plictisi.

emblée (d') *loc. adv.* de la început, fără greutate, dintr-o dată.

embonpoint *s.m.* împlinire (la corp) ‖ *prendre de l'*~ a se îngrăşa.

embouchure *s.f.* **1.** vărsare (a unei ape într-alta), gură. **2.** muştiuc.

embouteillage *s.m.* **1.** îmbuteliere. **2.** îngrămădire (de vehicule).

embouteiller *vt.* **1.** a îmbutelia. **2.** a bloca circulația.

embraser *vt., vr.* a (se) aprinde (şi *fig.*).

embrassement *s.m.* îmbrăţişare.

embrasser *vt.* **1.** a îmbrăţişa (şi *fig.*). **2.** a săruta. **3.** *fig.* a cuprinde ‖ *qui trop embrasse, mal étreint* cine se ocupă de prea multe nu duce nimic la capăt.

embrasure *s.f.* pervaz (la uşă, fereastră).

embrayage *s.m.* ambreiaj.

embryon *s.m.* embrion.

embûche *s.f.* cursă, capcană.

embuscade *s.f.* ambuscadă.

émeraude *s.f.* smarald.

émerger *vi.* **1.** a se ivi la suprafață. **2.** *fig.* a ieşi la iveală.

émerveillement *s.m.* uimire.

émerveiller *vt., vr.* a (se) minuna.

émettre *vt.* **1.** a emite, a pune în circulație. **2.** a exprima, a emite.

émeute *s.f.* răscoală.

émiettement *s.m.* fărâmiţare.

émietter *vt.* a fărâmiţa.

émigrant, -e *s.m.f.* emigrant.

émigration *s.f.* emigrare, emigraţie.

émigrer *vi.* a emigra.

éminemment *adv.* eminamente, în cel mai înalt grad.

éminent, -e *adj.* eminent.

émissaire *adj., s.m.* emisar.

émission *s.f.* 1. emitere. 2. emisiune.

emmagasiner *vt.* a depozita, a înmagazina.

emmanchure *s.f.* răscroială (a mânecilor).

emménager *vi.* a se muta într-o locuinţă nouă.

emmener *vt.* a lua, a duce cu sine.

émoi *s.m.* nelinişte, emoţie.

émotif, -ive *adj.* emotiv.

émotion *s.f.* emoţie.

émotionner *vt.* a emoţiona.

émoulu, -e *adj.* ascuţit ‖ *frais ~* proaspăt ieşit din.

émousser *vt.* a toci (şi *fig.*).

émouvant, -e *adj.* mişcător, emoţionant.

émouvoir *vt. fig.* 1. a mişca, a tulbura. 2. a instiga, a aţâţa.

empailler *vt.* a împăia.

emparer (s') *vr.* **(de)** a pune stăpânire, a cuprinde.

empâter *vt.* 1. a umple de cocă. 2. a îndopa (o pasăre). 3. (despre limbă) a încleia, a împletici.

empêchement *s.m.* piedică, obstacol.

empêcher I. *vt.* a împiedica, a nu permite. II. *vr.* a se opri de la, a se abţine.

empereur *s.m.* împărat.

empeser *vt.* a scrobi.

emphase *s.f.* emfază.

empiétement *s.m.* încălcare.

empiéter *vi., vt.* a uzurpa, a încălca.

empiler *vt.* a face teanc, a îngrămădi.

empire *s.m.* 1. împărăţie, imperiu. 2. stăpânire, putere. 3. *fig.* influenţă, prestigiu.

empirer *vt., vi., vr.* a (se) înrăutăţi.

empirique *adj.* empiric.

emplacement *s.m.* loc, poziţie, amplasament.

emplette *s.f.* cumpărătură.

emplir *vt.* a umple.

emploi *s.m.* 1. întrebuinţare. 2. post, slujbă ‖ *faire double ~* a fi de prisos.

employé, -e *s.m.f.* funcţionar, impiegat.

employer *vt., vr.* a întrebuinţa, a folosi.

empoigner I. *vt.* 1. a pune mâna pe, a înhăţa. 2. *fam.* a aresta. II. *vr.* a se încăiera.

empoisonnement *s.m.* otrăvire.

empoisonner *vt., vr.* **1.** a otrăvi **2.** (şi *fig.*). a amărî, a dezgusta.

emporté, -e *adj.* iute la mânie, coleric.

emporter I. *vt.* **1.** a lua, a duce. **2.** a smulge. **3.** a aduce, a atrage după sine. **4.** a cuceri ‖ *l'~sur qn.* a avea superioritate asupra cuiva. **II.** *vr.* **1.** a se mânia. **2.** (despre cai) a-şi lua avânt.

empourprer *vt.* a înroşi.

empreindre *vt.* a întipări.

empreinte *s.f.* întipăritură, amprentă, urmă.

empressement *s.m.* atenţie, zel.

empresser (s') *vr.* **1.** a se grăbi, a fi zelos. **2.** a se arăta prevenitor, plin de atenţie.

emprisonnement *s.m.* întemniţare.

emprisonner *vt.* a întemniţa; a ţine închis.

emprunt *s.m.* (luare cu) împrumut.

emprunté, -e *adj.* **1.** împrumutat. **2.** artificial. **3.** stângaci, neîndemânatic.

emprunter *vt.* a lua cu împrumut, a împrumuta de la.

émulation *s.f.* întrecere, emulaţie.

en[1] *prep.* **1.** în. **2.** din, de. **3.** ca, în calitate de.

en[2] *adv.* de acolo.

en[3] *pron.* **1.** din. **2.** despre. **3.** al (acestuia, aceluia etc.). **4.** din

cauza ‖ *~ arriver à* a ajunge să; *~ être de* a face parte din; *c'~ est fait de* s-a isprăvit cu.

encadrer *vt.* a încadra.

encaissement *s.m.* încasare.

encaisser *vt.* a încasa (şi *fig.*).

encastiquer *vt.* a cerui (parchetul etc.).

enceindre *vt.* a înconjura, a încinge (şi cu un zid).

enceinte *s.f.* incintă, loc închis.

enceinte *adj. f.* însărcinată, gravidă.

encenser *vt.* a tămâia (şi *fig.*).

encerclement *s.m.* încercuire.

encercler *vt.* a încercui.

enchaîner *vt., vr.* a (se) înlănţui, a (se) lega (şi *fig.*).

enchantement *s.m.* **1.** descântec, farmec. **2.** încântare.

enchanter *vt.* **1.** a face farmece, a vrăji. **2.** a încânta, a fermeca.

enchère *s.f.* supralicitare, licitaţie.

enchérir I. *vt.* **1.** a scumpi. **2.** a supralicita. **II.** *vi.* **1.** a se scumpi. **2.** *fig.* (*sur*) a depăşi, a întrece.

enchevêtrer *vt., vr. fig.* a (se) încurca, a (se) încâlci.

enclin, -e *adj.* (*à*) înclinat, dispus (spre).

enclore *vt.* a îngrădi.

enclume *s.f.* nicovală.

encoignure *s.f.* **1.** colţ (între doi pereţi) **2.** colţar (mobilă).

encombrement *s.m.* îmbulzeală, îngrămădire (care împiedică trecerea).

encombrer *vt.* 1. a împiedica trecerea, a stânjeni circulaţia. 2. a umple până la refuz.

encontre (à l') *loc. prep.* în contra, împotriva ‖ *aller à l'~* a se împotrivi, a contrazice.

encore *adv.* încă ‖ *~ que* (cu *subj.*) deşi; *pas ~* încă nu, nu încă; *~ !* iarăşi!

encourageant, -e *adj.* încurajator.

encouragement *s.m.* încurajare.

encourager *vt.* a încuraja.

encrasser *vt., vr.* a (se) murdări (şi *fig.*).

encre *s.f.* cerneală.

encrier *s.m.* călimară.

encroûter **I.** *vt.* 1. a acoperi cu coajă, cu crustă. 2. a tencui. **II.** *vr.* a se acoperi cu coajă, cu crustă; *fig.* a se închista (în prejudecăţi, idei învechite etc.).

encyclopédie *s.f.* enciclopedie.

endetter *vt., vr.* a (se) îndatora.

endeuiller *vt.* a îndolia; a amărî.

endiablé, -e *adj.* îndrăcit.

endiguer *vt.* a stăvili.

endimancher *vt., vr.* a (se) îmbrăca în haine de sărbătoare.

endoctriner *vt.* a îndoctrina.

endommager *vt.* a păgubi, a strica.

endormir *vt., vr.* a adormi (şi *fig.*).

endosser *vt.* 1. a pune în spinare, a îmbrăca. 2. *fig.* a lua asupra-şi 3. a andosa.

endroit *s.m.* 1. loc. 2. faţă (a unei stofe) ‖ *par ~s* pe alocuri; *les gens de l'~* localnicii; *à l'~ de* în privinţa.

enduire *vt.* a unge.

enduit *s.m.* unsoare.

endurance *s.f.* rezistenţă (la oboseală, intemperii), răbdare.

endurant, -e *adj.* care îndură, răbdător.

endurcir *vt.* 1. a (se) întări. 2. *fig.* a (se) înăspri, a (se) înrăi.

énergie *s.f.* energie, forţă.

énergique *adj.* energic.

énervant, -e *adj.* supărător, enervant.

énerver *vt., vr.* a enerva, a supăra.

enfance *s.f.* copilărie ‖ *tomber en ~* a da în mintea copiilor.

enfant *s.m.f.* copil ‖ *bon ~* băiat de treabă.

enfantillage *s.m.* copilărie, neseriozitate.

enfer *s.m.* iad, infern.

enfermer *vt.* 1. a închide, a încuia. 2. a împrejmui. 3. a cuprinde, a conţine.

enfiévrer *vt.* 1. a da febră. 2. *fig.* a înfrigura, a pasiona.

enfilade *s.f.* șir.

enfin *adv.* în sfârșit.

enflammer I. *vt.* **1.** a da foc. **2.** a înflăcăra.

enfler I. *vt.* a umfla. **II.** *vi., vr.* a se umfla (și *fig.*).

enflure *s.f.* **1.** umflătură. **2.** *fig.* orgoliu, emfază.

enfoncer *vt., vr.* **1.** a (se) înfunda, a (se) înfige. **2.** a sparge (o ușă etc.) ‖ ~ *des portes ouvertes* a se lupta cu greutăți care nu există, a demonstra un lucru știut.

enfouir *vt.* a îngropa.

enfourner *vt.* **1.** a băga în cuptor. **2.** *pop.* a înfuleca.

enfreindre *vt.* a înfrânge (o regulă), a călca (o lege).

enfuir (s') *vr.* **1.** a fugi, a se îndepărta. **2.** a trece repede (timpul etc.).

engageant, -e *adj.* atrăgător, îmbietor.

engagement *s.m.* **1.** angajare. **2.** angajament ‖ *faire honneur à ses ~s* a-și îndeplini conștiincios angajamentele.

engager I. *vt.* **1.** a angaja. **2.** a îmbina. **3.** a începe. **4.** a amaneta ‖ ~ *sa foi, sa parole* a-și da cuvântul. **II.** *vr.* **1.** a se înrola (în armată). **2.** a se angaja, a-și lua angajamentul. **3.** a intra în ‖ *s'~ dans un bois* aintra într-o

pădure. **4.** a lua o atitudine politică.

engendrer *vt.* a da naștere.

engin *s.m.* sculă, mașină.

engloutir *vt.* a înghiți.

engorger *vt., vr.* a (se) astupa.

engouer (s') *vr.* **(de)** a se pasiona.

engourdir *vt.* a amorți, a înțepeni.

engourdissement *s.m.* înțepenire, amorțire.

engraisser I. *vt.* a îngrășa (animale, pământul). **II.** *vi.* a se îngrășa.

engrener I. *vt.* a angrena (și *fig.*). **II.** *vi., vr.* a se angrena.

engueuler *vt.* *pop.* a certa, a înjura.

enhardir *vt.* a da curaj, a face îndrăzneț.

énigmatique *adj.* enigmatic.

énigme *s.f.* enigmă ‖ *le mot de l'~* cheia, soluția enigmei.

enivrement *s.m.* îmbătare.

enivrer *vt., vr.* a (se) îmbăta.

enjamber I. *vt.* a trece (cu pasul) peste. **II.** *vi.* **1.** a merge cu pași mari. **2.** *fig.* a încăleca.

enjeu *s.m.* miză.

enjoué, -e *adj.* vesel, zglobiu.

enjouement *s.m.* haz, voie bună.

enlacer *vt.* **1.** a împleti. **2.** a îmbrățișa.

enlaidir *vr., vi.* a se urâți.

enlaidissement *s.m.* urâţire.

enlèvement *s.m.* 1. ridicare, luare. 2. răpire.

enlever *vt.* 1. a ridica. 2. a lua, a scoate. 3. a răpi, a fura. 4. a entuziasma.

enliser (s') *vr.* a se împotmoli.

ennemi, -e *adj., s.m.f.* duşman, inamic.

ennoblir *vt.* a înnobila (sufletul).

ennui *s.m.* 1. plictiseală, urât. 2. *pl.* supărare, necaz.

ennuyer *vt., vr.* a (se) plictisi.

ennuyeux, -euse *adj.* plictisitor, plicticós.

énonciation *s.f.* enunţare.

enorgueillir I. *vt.* a face să se mândrească. II. *vr.* a se mândri.

énorme *adj.* enorm, uriaş.

énormément *adv.* enorm.

énormité *s.f.* enormitate, absurditate.

enquérir (s') *vr.* (de) a cerceta, a se informa.

enquête *s.f.* cercetare, anchetă.

enraciner I. *vt.* a sădi. II. *vr.* a se înrădăcina.

enrager *vi.* a turba (şi *fig.*).

enrayer *vt.* 1. a pune piedică, a înfrâna (o roată). 2. *fig.* a stăvili, a opri.

enregistrement *s.m.* 1. înregistrare. 2. registratură.

enregistrer *vt.* a înregistra.

enrhumé, -e *adj.* răcit, cu guturai.

enrhumer (s') *vr.* a căpăta guturai.

enrichir *vt., vr.* a (se) îmbogăţi.

enrichissement *s.m.* îmbogăţire.

enrôlement *s.m.* înrolare.

enrôler *vt.* a înrola.

enrouement *s.m.* răguşeală.

enrouler *vt., vr.* a (se) încolăci, a (se) înfăşura.

ensabler *vt.* a acoperi cu nisip, a împotmoli în nisip.

ensanglanter *vt.* a însângera, a stropi cu sânge.

enseignant, -e *adj.* care predă, care învaţă || *corps* ~ corp didactic.

enseigne I. *s.f.* 1. firmă. 2. marcă, semn. 3. steag. II. *s.m.* sublocotenent de marină || *loger à la même* ~ a avea aceleaşi necazuri (ca şi altul); *à telle(s) ~(s) que* şi ca dovadă.

enseignement *s.m.* 1. învăţământ. 2. învăţătură, lecţie.

ensemble I. *adv.* împreună. II. *s.m.* 1. totalitate. 2. ansamblu.

ensemencement *s.m.* însămânţare.

ensemencer *vt.* a însămânţa.

ensevelir *vt.* 1. a înmormânta, a îngropa. 2. a ascunde.

ensoleillé, -e *adj.* însorit.

ensorcelant, -e *adj.* fermecător (și *fig.*).

ensorceler *vt.* a fermeca (și *fig.*).

ensuite *adv.* apoi, după aceea.

ensuivre (s') *vr.* a urma, a decurge, a rezulta.

entaille *s.f.* tăietură, crestătură.

entamer *vt.* 1. a începe (o pâine etc.). 2. a înfiripa, a începe (o discuție). 3. *fig.* a știrbi.

entassement *s.m.* 1. îngrămădire, înghesuire. 2. morman.

éntasser *vt.*, *vr.* a îngrămădi.

entendement *s.m.* înțelegere, inteligență.

entendre I. *vt.* 1. a auzi. 2. a înțelege ‖ *que Dieu vous entende!* să te-audă Dumnezeu! 3. a înțelege, a interpreta (un text scris). 4. a concepe ‖ *faites comme vous l'entendez!* fă așa cum crezi! 5. a pricepe (un ordin, o amenințare) ‖ *tu entends? entendez-vous?* pricepi? pricepeți? **II. (s')** *vr.* a se înțelege, a simpatiza cu..., a fi de acord, a se pricepe la... ‖ *il commence à s'y entendre en français.*

entente *s.f.* 1. înțelegere, interpretare. 2. pricepere, cunoaștere.

enterrement *s.m.* îngropare, înmormântare.

enterrer *vt.* a înmormânta (și *fig.*).

en-tête *s.m.* antet.

entêté, -e *adj.* încăpățânat.

entêtement *s.m.* 1. încăpățânare. 2. dârzenie.

entêter I. *vr.* a se încăpățâna, a se îndârji. **II.** *vt.* a ameți, a i se urca la cap (și *fig.*).

enthousiasme *s.m.* entuziasm.

enthousiasmer *vt.*, *vr.* a (se) entuziasma.

enthousiaste *adj.*, *s.m.f.* entuziast.

enticher I. *vt.* a insufla pasiune. **II.** *vr.* a prinde pasiune de.

entier, -ère *adj.*, *s.m.* întreg.

entièrement *adv.* în întregime.

entité *s.f.* entitate.

entonnoir *s.m.* pâlnie.

entorse *s.f.* entorsă, scrântitură.

entortiller *vt.* 1. a înfășura. 2. *fig.* a întortochia. 3. *fam.* a seduce, a suci mintea.

entourage *s.m.* anturaj, ambianță.

entourer *vt.* 1. a înconjura. 2. *fig.* a copleși.

entracte *s.m.* antract.

entraider (s') *vr.* a se ajuta (reciproc).

entrailles *s.f. pl.* măruntaie.

entrain *s.m.* vioiciune, bună dispoziție, antren.

entraînement *s.m.* 1. însuflețire, chemare. 2. antrenament.

entrave *s.f.* 1. piedică (la cai). 2. *fig.* greutate, obstacol.

entre *prep.* între.

entrebâillement *s.m.* crăpătură, deschizătură.

entrebâiller *vt.*, *vr.* a (se) întredeschide.

entrecôte *s.f.* antricot.

entrée *s.f.* 1. intrare. 2. antreu, vestibul. 3. *fig.* început.

entrefaites *s.f.* (în *expr.*) *sur ces ~* între timp.

entremettre (s') *vr.* a mijloci.

entremise *s.f.* mijlocire.

entrepôt *s.m.* antrepozit.

entreprenant, -e *adj.* întreprinzător, îndrăzneț.

entreprendre I. *vt.* 1. a întreprinde. 2. *fam.* a lua în primire, a-și bate joc de cineva. 3. a căuta să convingă. II. *vi.* (**sur**, **contre**) a uzurpa.

entrepreneur, -euse *s.m.f.* antreprenor.

entreprise *s.f.* 1. întreprindere. 2. antrepriză.

entrer I. *vi.* 1. a intra. 2. a încăpea. II. *vt.* a introduce, a băga.

entresol *s.m.* mezanin.

entretenir I. *vt.* a întreține. II. *vr.* a sta de vorbă, a se întreține.

entretien *s.m.* 1. întreținere. 2. convorbire.

entrevoir *vt.* a întrevedea.

entrevue *s.f.* întâlnire, întrevedere.

entrouvert, -e *adj.* întredeschis.

entrouvrir *vt.*, *vr.* a (se) întredeschide.

énumération *s.f.* înșirare, enumerare.

envahir *vt.* a invada, a năvăli.

envahissement *s.m.* invadare, năvălire.

enveloppe *s.f.* 1. înveliș. 2. plic. 3. anvelopă.

enveloppement *s.m.* învelire, înfășurare.

envelopper I. *vt.*, *vr.* a (se) înveli, a (se) înfășura. II. *vt. mil.* a învălui.

envenimer *vt.*, *vr.* a (se) învenina (și *fig.*).

envergure *s.f.* anvergură.

envers[1] *s.m.* dos (la o stofă) ‖ *à l'~* pe dos, alandala.

envers[2] *prep.* față de.

envi (à l'~) *loc. adv.* pe întrecute, care mai de care.

enviable *adj.* de invidiat.

envie *s.f.* 1. invidie. 2. dorință, poftă.

envier *vt.* a invidia.

envieux, -euse *adj.*, *s.m.f.* invidios.

environ *adv.* cam, aproape, aproximativ.

environnant, -e *adj.* înconjurător.

environner *vt.* a înconjura.

environs *s.m. pl.* împrejurimi.

envisager *vt. fig.* a lua în consideraţie, a examina.

envoi *s.m.* trimitere, transport.

envoler (s') *vr.* a-şi lua zborul.

envoûter *vt.* **1.** a deochia, a vrăji. **2.** *fig.* a subjuga.

envoyer *vt.* a trimite.

épais, -sse I. *adj.* **1.** des, stufos. **2.** gros. **3.** *fig.* grosolan. **II.** *s.m.* desime, grosime. **III.** *adv.* des.

épaisseur *s.f.* desime, grosime.

épancher I. *vt.* a turna încet. **II.** *vr.* a-şi descărca (sufletul, inima).

épanouir I. *vt.* a face să se deschidă (o floare). **II.** *vr.* a se deschide (şi *fig.*).

épanouissement *s.m.* **1.** înflorire (şi *fig.*). **2.** *fig.* veselie.

épargne *s.f.* economie ‖ *caisse d'* ~ casă de economii.

éparpiller *vt., vr.* a (se) împrăştia, a (se) risipi.

épatant, -e *adj. pop.* uimitor, uluitor.

épater *vt. pop.* a uimi, a ului.

épaule *s.f.* umăr ‖ *par-dessus l'*~ de mântuială; *regarder par-dessus l'* ~ a se uita cu dispreţ; *hausser les* ~s a da din umeri.

épaulette *s.f.* epolet.

épave *s.f.* epavă (şi *fig.*).

épée *s.f.* sabie ‖ *à la pointe de l'* ~ cu sila, cu greu; *coup d'* ~ *dans l'eau* silinţă zadarnică.

épellation *s.f.* silabisire.

éperdu, -e *adj.* buimăcit, înlemnit, împietrit (de emoţie).

éperonner *vt.* **1.** a da pinteni. **2.** *fig.* a îmboldi.

épervier *s.m.* uliu.

éphémère *adj.* de scurtă durată, efemer.

épi *s.m.* spic.

épice *s.f.* condiment, mirodenie ‖ *pain d'* ~ turtă dulce.

épicerie *s.f.* băcănie.

épidémie *s.f.* epidemie.

épiderme *s.m.* epidermă.

épier *vt.* a pândi.

épigramme *s.f.* epigramă.

épigraphie *s.f.* epigrafie.

épilepsie *s.f.* epilepsie.

épileptique *adj., s.m.f.* epileptic.

épilogue *s.m.* epilog.

épinard *s.m.* spanac.

épine *s.f.* spin, ghimpe (şi *fig.*) ‖ ~ *dorsale* şira spinării.

épineux, -euse *adj.* spinos (şi *fig.*).

épingle *s.f.* **1.** bold, ac cu gămălie. **2.** cârlig de rufe ‖ ~ *à cheveux* ac de păr; *tirer son* ~ *du jeu* a ieşi din încurcătură; *être tiré à quatre* ~s a fi scos ca din cutie.

épisode *s.m.* episod.

épisodique *adj.* episodic.

épithète *s.f.* epitet.

épître *s.f.* epistolă.

éplucher *vt.* **1.** a curăța (cartofi, fructe etc). **2.** *fig.* a cerceta minuțios (lipsurile).

éponge *s.f.* burete.

épopée *s.f.* epopee.

époque *s.f.* epocă.

épouser *vt.* **1.** a lua în căsătorie. **2.** *fig.* a îmbrățișa.

épousseter *vt.* a șterge praful.

épouvantable *adj.* înspăimântător.

épouvante *s.f.* spaimă.

épouvantier *vt.* a înspăimânta.

époux, -ouse *s.m.f.* soț.

éprendre (s') *vr.* a se îndrăgosti.

épreuve *s.f.* **1.** probă, încercare. **2.** *fig.* corectură (de tipografie). **3.** probă, examen școlar ‖ *à toute* ~ încercat, călit.

épris, -e *adj.* îndrăgostit.

éprouver *vt.* **1.** a încerca, a pune la încercare. **2.** a (re)simți.

éprouvette *s.f.* eprubetă.

épuisant, -e *adj.* istovitor.

épuisement *s.m.* istovire, sleire, epuizare, secătuire.

épuiser *vt.* a slei, a secătui, a epuiza, a istovi.

èpurer *vt.* a epura.

équateur *s.m.* ecuator.

équation *s.f.* ecuație.

équatorial, -e *adj.* ecuatorial.

équerre *s.f.* echer.

équestre *adj.* ecvestru.

équilibre *s.m.* cumpănă, echilibru.

équinoxe *s.m.* echinox.

équipage *s.m.* **1.** echipaj. **2.** trăsură. **3.** îmbrăcăminte ‖ *arriver en piteux* ~ a veni într-un hal fără de hal.

équipe *s.f.* **1.** echipă, colectiv. **2.** schimb (la uzină etc.).

équipement *s.m.* **1.** echipare. **2.** echipament.

équiper *vt., vr.* a (se) echipa.

équitable *adj.* drept, echitabil.

équitablement *adv.* în (mod) echitabil.

équité *s.f.* dreptate, echitate.

équivalence *s.f.* echivalență.

équivalent, -e *adj.* echivalent.

équivaloir *vi.* **(à)** a avea valoare egală, a echitala.

équivoque *adj., s.f.* echivoc.

ère *s.f.* eră.

ériger **I.** *vt.* a ridica, a înălța, a institui. **II.** *vr.* **(en)** a se erija, a se da drept.

ermitage *s.m.* **1.** schit. **2.** căsuță răzleață (la țară). **3.** loc retras.

érotique *adj.* erotic.

érosion *s.f.* eroziune.

errant, -e *adj.* rătăcitor.

errata *s.m.* erată.

errer *vi.* **1.** a rătăci. **2.** *fig.* a se înșela.

erreur *s.f.* greșeală, eroare.

erroné, -e *adj.* greșit, eronat.

éructer *vi.* a râgâi.

érudition *s.f.* erudiție.

éruptif, -ive *adj.* eruptiv.

éruption *s.f.* erupție.

ès *prep.* (din **en les**) în ‖ *docteur ~ lettres* doctor în litere.

escadrille *s.f.* escadrilă.

escalader *vt.* a se cățăra, a sări peste, a escalada.

escale *s.f.* escală.

escalier *s.m.* scară.

escalope *s.f.* escalop.

escapade *s.f.* escapadă, aventură.

escargot *s.m.* melc.

escarpé, -e *adj.* **1.** râpos, abrupt. **2.** *fig.* greu, anevoios.

escient *s.m.* (*loc. adv*) (în expr.) *à bon ~, à son ~* cu bună știință.

esclaffer (s') *vr.* a pufni în râs.

esclandre *s.m.* scandal.

esclave *s.m.f.* sclav, rob.

escompte *s.m.* scont.

escompter *vt.* a sconta (și *fig.*),

escorte *s.f.* escortă.

escorter *vt.* a escorta.

escrime *s.f.* scrimă.

escroquer *vt.* a escroca, a înșela, a pungăși.

escroquerie *s.f.* escrocherie, înșelătorie.

espace s.m. spațiu.

espagnol, -e I. *adj.* spaniol(esc). **II.1.** *s.m.f.* (cu *maj.*) spaniol. **II.2.** *s.m.* limba spaniolă.

espalier *s.m.* spalier.

espèce *s.f.* **1.** specie. **2.** fel, soi. **3.** *pl.* bani peșin.

espérer I. *vt.* a spera. **II.** *vi.* a avea speranță în.

espiègle *adj.* zglobiu, poznaș.

espionnage *s.m.* spionaj.

espoir *s.m.* speranță, nădejde.

esprit *s.m.* **1.** spirit, duh. **2.** înțeles, sens. **3.** aptitudine. **4.** tendință, concepție. **5.** spirit.

esquisse *s.f.* schiță.

esquisser *vt.* a schița.

esquiver I. *vt.* a ocoli (o greutate etc.). **II.** *vr.* a se eschiva, a se face nevăzut.

essai *s.m.* **1.** încercare. **2.** studiu, eseu.

essaim *s.m.* **1.** roi. **2.** *fig.* mulțime, grămadă.

essayer I. *vt.* **1.** a încerca. **2.** a proba (o haină). **II.** *vi.* (**de**) a încerca.

essence *s.f.* **1.** esență (și *fig.*). **2.** benzină.

essentiel, -elle *adj., s.m.* esențial.

essentiellement *adv.* prin esență.

essor *s.m.* avânt.

essoufflé, -e *adj.* gâfâind, cu sufletul la gură.

essouffler *vt.* a face să gâfâie.

essuie-main(s) *s.m.* prosop.

essuyer *vt.* **1.** a șterge. **2.** a încerca, a suferi, a îndura.

estafette *s.f.* ştafetă, curier.

estampe *s.f.* stampă.

estampille *s.f.* ştampilă.

estampiller *vt.* a ştampila.

esthète *s.m.* estet.

esthéticien, -enne *s.m.f.* estetician.

esthétique I. *adj.* estetic. **II.** *s.f.* estetică.

estimable *adj.* vrednic de stimă.

estimation *s.f.* preţuire, evaluare.

estime *s.f.* stimă.

estival, -e *adj.* văratic.

estomac *s.m.* stomac ‖ *sentir son ~ dans les talons* a nu mai putea de foame.

estompe *s.f.* tehn. estompă.

estomper *vt., vr.* a (se) estompa.

estrade *s.f.* estradă.

estropier *vt.* **1.** a schilodi. **2.** *fig.* a stâlci, a denatura.

estuaire *s.m.* estuar.

esturgeon *s.m. iht.* nisetru.

et *conj.* şi.

étable *s.f.* staul, grajd.

établi *s.m.* masă de lucru (a meseriaşului), banc.

établir *vt., vr.* a (se) stabili, a (se) aşeza.

établissement *s.m.* **1.** stabilire. **2.** aşezământ, instituţie, stabiliment.

étage *s.m.* etaj, cat.

étagère *s.f.* etajeră.

étain *s.m.* staniu, cositor.

étalage *s.m.* **1.** vitrină. **2.** tejghea. **3.** *fig.* paradă, etalare.

étaler I. *vt.* **1.** a expune. **2.** a întinde, a desface. **3.** a etala, a se lăuda cu. **II.** *vr.* a cădea, a se întinde.

étamer *vt.* a cositori, a spoi.

étamine *s.f.* **1.** etamină. **2.** strecurătoare.

étanche *adj.* etanş, perfect închis.

étang *s.m.* heleşteu.

étape *s.f.* etapă ‖ *brûler l'~* a nu se opri (într-un loc).

état *s.m.* **1.** stare. **2.** stat (cu *maj.*). **3.** profesie. **4.** pătură socială ‖ *être dans tous ses ~s* a fi foarte tulburat; *faire ~ de* a da însemnătate, a face caz de.

étau *s.m.* menghină.

été *s.m.* vară (anotimp).

éteindre *vt.* a stinge (şi *fig.*).

étendard *s.m.* stindard.

étendre *vt.* a întinde.

étendue *s.f.* întindere.

éternel, -elle *adj.* veşnic, etern.

éterniser I. *vt.* a eterniza; a tărăgăna. **II.** *vr.* a se eterniza, a se perpetua.

éternité *s.f.* veşnicie, eternitate.

éternuement *s.m.* strănut(at).

éternuer *vi.* a strănuta.

éther *s.m.* eter.

éthique I. *adj.* etic. **II.** *s.f.* etică, morală.

ethnique *adj.* etnic.

ethnographie *s.f.* etnografie.

étinceler *vi.* a scânteia, a sclipi.

étincelle *s.f.* scânteie (şi *fig.*).

étincellement *s.m.* scânteiere.

étiolement *s.m.* ofilire; lâncezire.

étioler *vt., vr.* a (se) ofili.

étiquette *s.f.* etichetă.

étirer *vt., vr.* a (se) întinde.

étoffe *s.f.* stofă (şi *fig.*).

étoile *s.f.* stea.

étoiler *vt.* a înstela.

étonnamment *adv.* uimitor, uluitor.

étonnant, -e *adj.* uimitor, uluitor.

étonnement *s.m.* mirare, uimire.

étonner *vt., vr.* a se mira, a (se) uimi.

étouffant, -e *adj.* înăbuşitor.

étouffement *s.m.* înăbuşeală, zăduf.

étouffer I. *vt.* a înăbuşi, a asfixia. II. *vi.* a se înăbuşi ‖ ~ *de rire* a se prăpădi de râs.

étouper *vt.* a astupa cu câlţi.

étourderie *s.f.* nesocotinţă, uşurinţă (în purtare).

étourdi, -e *adj., s.m.f.* nesocotit, distrat, zăpăcit ‖ *à l'~e* fără chibzuinţă.

étourdir I. *vt.* a năuci, a zăpăci. II. *vr.* a se distra pentru a uita.

étourdissement *s.m.* 1. ameţeală. 2. uluire.

étrange *adj.* ciudat, straniu.

étranger, -ère I. *adj., s.m.f.* străin. II. *s.m.* străinătate.

étrangeté *s.f.* ciudăţenie.

étranglement *s.m.* gâtuire, strangulare.

étrangler I. *vt.* 1. a strânge de gât, a sugruma. 2. *fig.* a opri, a înăbuşi. II. *vi.* a-şi pierde respiraţia, a se înăbuşi.

être[1] I. *vi.* 1. a fi ‖ *être malade* a fi bolnav; *c'est* formulă introductivă ‖ *c'est pour vous que je dis cela* vouă vă spun acest lucru. ‖ *il est* există. II. 1. verb auxiliar al verbelor intranzitive, la toate modurile şi timpurile compuse ‖ *il est parti.* 2. Auxiliar al verbelor reflexive ‖ *nous nous sommes bien amusés* ne-am distrat bine.

être[2] *s.m.* fiinţă; existenţă.

étreindre *vt.* 1. a strânge (şi *fig.*). 2. a îmbrăţişa.

étreinte *s.f.* 1. strângere. 2. îmbrăţişare.

étrenne *s.f.* 1. dar (de Anul Nou). 2. *fam.* saftea.

étrenner *vt.* 1. a face saftea. 2. a folosi pentru prima dată.

étrier *s.m.* 1. scară (la şa). 2. scăriţă (la ureche) ‖ *à franc* ~ în goana calului; *tenir l'* ~ *à qn.* a ajuta pe cineva să aibă o situaţie.

étriller *vt.* 1. a ţesăla. 2. *fig.* a scărmăna, a jumuli (de bani).

étriquer *vt.* a strâmta.

étroit, -e adj. strâmt, îngust ‖ à l'~ într-un loc îngust.

étude s.f. 1. studiu, învăţătură. 2. studiere. 3. birou (de notar). 4. clasă; sală de studiu (într-un internat şcolar).

étudiant, -e s.m.f. student.

étudier vt. a studia, a învăţa.

étui s.m. toc, cutie (pentru ochelari etc.).

étuve s.f. etuvă.

étymologie s.f. etimologie.

étymologique adj. etimologic.

euphémisme s.m. eufemism.

euphonie s.f. eufonie.

européen, -enne adj., s.m.f. (cu maj.) european.

eux pron. m. pl. ei.

évacuation s.f. evacuare.

évadé, -e adj., s.m.f. evadat.

évader (s') vr. a evada.

évaluation s.f. preţuire, evaluare.

évaluer vt. a preţui, a evalua.

évanouir (s') vr. 1. a leşina. 2. a dispărea.

évanouissement s.m. 1. leşin. 2. dispariţie.

évaporation s.f. evaporare.

évaporer I. vt. a evapora. **II.** vr. 1. a se evapora. 2. fig. a dispărea, a se risipi.

évaser vt. a lărgi.

évasif, -ive adj. evaziv, vag; imprecis.

évasion s.f. evadare.

éveil s.m. 1. trezire. 2. alarmă.

éveillé, -e adj. treaz, vioi.

éveiller vt., vr. a (se) trezi (şi fig.).

événement s.m. eveniment.

éventail s.m. (pl. -s) evantai.

éventualité s.f. eventualitate.

éventuel, -elle adj. eventual.

éventuellement adv. eventual.

évertuer (s') vr. a se sili, a se strădui.

évidence s.f. evidenţă.

évident, -e adj. (în mod) evident.

évidemment adv. evident.

évincer vt. a înlătura, a uzurpa.

éviter vt. a se feri de, a evita.

évocateur, -trice adj. evocator.

évocation s.f. evocare.

évoluer vi. a evolua.

évolution s.f. evoluţie.

évolutionnisme s.m. evoluţionism.

évoquer vt. a evoca.

exacerbation s.f. paroxism.

exarcerbé, -e adj. exacerbat, dus la paroxism.

exact, -e adj. exact, precis.

exactitude s.f. exactitate, precizie.

exagération s.f. exagerare.

exagérer vt. a exagera.

exaltation s.f. exaltare.

exalter vt., vr. a (se) exalta.

examen s.m. examen, examinare ‖ paser, subir un ~ a da un examen.

examinateur, -trice *adj., s.m.f.* examinator.

examiner *vt.* a examina, a cerceta.

exaspération *s.f.* **1.** exasperare. **2.** înrăutățire (a bolii etc.).

exaspérer *vt.* **1.** a exaspera. **2.** a înrăutăți (boala etc.)

exaucer *vt.* a împlini (o dorință).

excavateur *s.m.* excavator.

excaver *vt.* a excava, a săpa.

excédant, -e *adj.* **1.** care conține un excedent. **2.** *fig.* plicticos, obositor.

excédent *s.m.* prisos, excedent.

excéder *vt.* **1.** a întrece, a depăși. **2.** a plictisi.

excellemment *adv.* **1.** perfect. **2.** prin excelență.

excellence *s.f.* **1.** perfecțiune, superioritate. **2.** excelență (titlu).

excellent, -e *adj.* excelent.

exceller *vi.* a excela, a fi priceput.

excentrique *adj., s.m.f.* excentric.

excepté *adj., prep.* în afară de.

excepter *vt.* a excepta, a lăsa deoparte.

exception *s.f.* excepție, abatere ‖ *à l'~ de* în afară de; *à quelques ~s près* în afară de câteva excepții.

exceptionnel, -elle *adj.* excepțional, neobișnuit.

excès *s.m.* exces.

excessif, -ive *adj.* excesiv.

excessivement *adv.* (în mod) excesiv.

excitant, -e *adj.* excitant.

excitation *s.f.* excitare, excitație.

exciter *vt.* **1.** a excita. **2.** a ațâța, a stârni.

exclamatif, -ive *adj.* exclamativ.

exclamation *s.f.* exclamație ‖ *point d'~* semnul exclamării.

exclamer *vt.* a exclama.

exclure *vt.* a exclude, a îndepărta.

exclusif, -ive *adj.* exclusiv.

exclusion *s.f.* excludere.

excommunication *s.f.* excomunicare.

excommunier *vt.* a excomunica.

excrétion *s.f.* excreție.

excursion *s.f.* excursie.

excursioniste *s.m.f.* excursionist.

excusable *adj.* scuzabil.

excuse *s.f.* scuză, iertare.

excuser **I.** *vt.* a scuza, a ierta. **II.** *vr.* a se scuza.

exécrable *adj.* respingător, execrabil.

exécutant, -e *s.m.f.* executant, interpret.

exécuter *vt.* **1.** a îndeplini, a înfăptui. **2.** a interpreta, a executa. **3.** a executa, a urmări (un debitor). **4.** a executa, a omorî.

exécuteur, -trice *s.m.f.* executor ‖ *~ des hautes oeuvres* călău.

exécutif, -ive *adj.* executiv.

exécution *s.f.* **1.** îndeplinire, în-făptuire, executare. **2.** execuţie.

exemplaire *s.m.* exemplar.

exemple *s.m.* exemplu ‖ *à titre d'*~ ca exemplu: *par* ~ de exemplu; *par* ~ *!* asta e bună! extraor-dinar! *à l'*~ *de* urmând exemplul.

exempt, -e *adj.* scutit.

exercer I. *vt.* a îndeplini; a exer-cita, a practica. II. *vr.* a se exersa.

exercice *s.m.* exerciţiu, exercitare.

exhaler *vt.* **1.** a răspândi (miro-suri), a exala. **2.** a emite ‖ ~ *le dernier soupir* a-şi da sfârşitul.

exhibition *s.f.* exhibiţie, etalare.

exhorter *vt.* a îndemna.

exigeant, -e *adj.* pretenţios, exi-gent.

exigence *s.f.* exigenţă.

exiger *vt.* a cere, a pretinde.

exigu, -ë *adj.* mic, neîncăpător.

exil *s.m.* exil, surghiun.

exilé, -e *adj., s.m.f.* exilat.

exiler *vt., vr.* a exila.

existence *s.f.* existenţă.

exister *vi.* a exista.

exorbitant, -e *adj.* exorbitant, ex-cesiv.

exotique *adj.* exotic.

exotisme *s.m.* exotism.

expansible *adj.* expansibil.

expansif, -ive *adj.* expansiv.

expansion *s.f.* expansiune.

expatrier *vt., vr.* a (se) expatria.

expectative *s.f.* expectativă.

expédient *s.m.* tertip, expedient.

expédier *vt.* **1.** a expedia. **2.** a efectua în grabă.

expéditeur, -trice *s.m.f.* expe-ditor, trimiţător.

expéditif, -ive *adj.* îndemânatic şi iute, expeditiv.

expédition *s.f.* expediere, expediţie.

expérience *s.f.* experienţă.

expérimental, -e *adj.* experi-mental.

expert, -e *adj.* cunoscător, expert.

expertise *s.f.* expertiză.

expiation *s.f.* ispăşire, expiere.

expiration *s.f.* expirare.

expirer I. *vt.* a expira (aerul). II. *vi.* **1.** a-şi da duhul, a se stinge. **2.** a expira (un termen, contract).

explicable *adj.* explicabil.

explication *s.f.* explicaţie, lămurire.

explicite *adj.* explicit, limpede.

explicitement *adv.* în mod ex-plicit.

expliquer *vt.* a explica, a lămuri.

exploit *s.m.* **1.** ispravă, faptă stră-lucită. **2.** somaţie (prin portărel).

exploitation *s.f.* exploatare.

exploiter *vt.* a exploata.

exploiteur, -euse *adj., s.m.f.* ex-ploatator ‖ *les classes exploi-teuses* clasele exploatatoare.

exploration *s.f.* explorare.

exploser *vt.* a exploda.

explosible *adj.* explozibil.

explosif, -ive *adj., s.m.* exploziv.

explosion *s.f.* explozie.

exportation *s.f.* exportare, export.

exporter *vt.* a exporta.

exposé *s.m.* dare de seamă, expunere, expozeu.

exposer *vt.* a expune.

exposition *s.f.* 1. expunere. 2. expoziție.

exprès, -esse **I.** *adj.* lămurit, limpede. **II.** *adv.* dinadins.

express *s.m.* (tren) expres, rapid.

expressément *adv.* în mod expres, lămurit.

expressif, -ive *adj.* expresiv.

expression *s.f.* expresie.

exprimer *vt.* 1. a exprima. 2. a stoarce.

expropriation *s.f.* expropriere.

expulser *vt.* a expulza.

expulsion *s.f.* expulzare.

exquis, -e *adj.* 1. delicios. 2. delicat, distins.

extase *s.f.* extaz.

extasier (s') *vr.* a se extazia, a cădea în extaz.

extensible *adj.* extensibil.

extensif, -ive *adj.* extensiv.

extension *s.f.* extindere, extensiune.

exténuation *s.f.* istovire, extenuare.

extérieur, -e *adj., s.m.* exterior, extern.

extermination *s.f.* exterminare, nimicire.

externat *s.m.* externat.

externe *adj., s.m.* extern.

extincteur, -trice **I.** *adj.* care stinge. **II.** *s.m.* stingător.

extinction *s.f.* 1. stingere. 2. *fig.* stârpire, lichidare. 3. pierdere (a vocii).

extirpation *s.f.* extirpare, stârpire.

extorquer *vt.* a extorca.

extra *s.m. invar.* acțiune, fapt, lucru neobișnuit.

extraction *s.f.* 1. extragere. 2. extracție. 3. *fig.* origine.

extrader *vt.* a extrăda.

extradition *s.f.* extrădare.

extraire *vt.* a extrage.

extrait *s.m.* extras.

extraordinaire *adj.* extraordinar.

extravagance *s.f.* extravaganță, ciudățenie.

extravagant, -e *adj.* extravagant, ciudat.

extrême **I.** *adj.* extrem, excesiv. **II.** *s.m.* extremă.

extrêmement *adv.* extrem de.

extrémiste *s.m.f., adj.* extremist.

extrémité *s.f.* extremitate.

extrinsèque *adj.* extrinsec.

exubérance *s.f.* 1. belșug. 2. exuberanță, bucurie zgomotoasă.

exubérant, -e *adj.* 1. îmbelșugat. 2. exuberant.

F

fable *s.f.* **1.** fabulă. **2.** *fig.* neade-
văr, scornire. **3.** *fam.* obiect de
batjocură ‖ *être la ~ du quartier*
a ajunge de ocară în cartier.

fabrication *s.f.* fabricare, fabri-
cație.

fabriquer *vt.* **1.** a fabrica. **2.** *fig.* a
face.

fabuleux, -euse *adj.* fabulos (și
fig.).

fabuliste *s.m.* fabulist.

façade *s.f.* **1.** fațadă. **2.** *fig.* apa-
rență.

face *s.f.* față.

facétieux, -euse *adj., s.m.f.* glu-
meț, poznaș.

facette *s.f.* fațetă.

fâcher *vt., vr.* a (se) supăra ‖ *se ~
tout rouge* a se face foc (de
necaz).

fâcherie *s.f.* ceartă, neînțelegere,
necaz.

fâcheux, -euse **I.** *adj.* supărător,
neplăcut. **II.** *s.m.* (om) pisălog.

facial, -e *adj.* facial.

facile *adj.* **1.** lesne, ușor. **2.** *fig.*
înțelegător, cu care te poți
înțelege.

facilité *s.f.* ușurință.

faciliter *vt.* a ușura, a înlesni.

façon *s.f.* **1.** fel, chip. **2.** model,
fason. **3.** *pl.* mofturi, fasoane ‖
de toute ~ în orice caz; *de ~ que*
astfel încât.

façonner *vt.* **1.** a da o formă, a
fasona. **2.** *fig.* a depinde.

facteur *s.m.* factor (poștal, mate-
matic etc.).

faction *s.f.* **1.** gardă. **2.** clică,
gașcă.

factionnaire *s.m.* santinelă.

facture *s.f.* **1.** factură. **2.** execuție,
calitate.

facultatif, -ive *adj.* facultativ.

facultativement *adv.* în mod
facultativ.

faculté *s.f.* facultate.

fade *adj.* fad, anost, searbăd.

fadeur *s.f.* lipsă de gust.

fagot *s.m.* vreasc ‖ *débiter (con-
ter) des ~s* a trăncăni verzi și
uscate.

faible **I.** *adj.* **1.** slab, debil. **2.** mic,
redus. **II.** *s.m.* **1.** parte slabă,
lipsă. **2.** slăbiciune (pentru
cineva, ceva). **3.** (om) slab.

faiblesse *s.f.* **1.** slăbiciune (și *fig.*).
2. leșin.

faiblir *vi.* **1.** a slăbi. **2.** a se muia, a scădea (curajul, vântul etc.).

faïence *s.f.* faianţă.

failli, -e *s.m.f., adj.* falit.

faillir *vi.* **1.** a fi gata să, a fi cât pe-aci să. **2.** *înv.* a greşi. **3.** a da faliment. **4.** a lipsi, a nu face ‖ ~ *a son devoir* a-şi călca datoria.

faillite *s.f.* faliment (şi *fig.*) ‖ *faire* ~ a da faliment.

faim *s.f.* **1.** foame (şi *fig.*). **2.** foamete.

fainéant, -e *adj., s.m.f.* leneş, trântor.

faire I. *vt.* **1.** a face, a construi, a înălţa ‖ *faire un garage.* **2.** a scrie, a realiza, a edita ‖ *faire un livre.* **3.** a confecţiona, a executa, a fabrica ‖ *c'est une compagnie qui fait une voiture en dix jours.* **4.** a pregăti, a asezona ‖ *faire une salade.* **5.** a crea ‖ *Dieu a fait le monde en six jours* Dumnezeu a creat lumea în şase zile. II. *vi.* a face ‖ *il lit mieux que je ne le faisais à son âge* cite_te mai bine decât citeam eu la vârsta lui. III. *vr.* a se forma, a se transforma ‖ *cette fillette se fait* această fată se transformă. IV. (în *expr.*) *impers.* ‖ *il fait chaud, froid, frais* etc. V. (în *locuţiuni*) ‖ *avoir fort à faire* a fi foarte ocupat; *faire*

part a anunţa; *faire tort* a dăuna; *faire son âge* a-şi arăta vârsta; *faire de son mieux* a-şi da toată silinţa.

faire-part *s.m.* înştiinţare (de naştere, căsătorie etc.).

faisable *adj.* realizabil, care se poate îndeplini.

faisan *s.m.* fazan.

faisceau *s.m.* **1.** mănunchi, fascicul. **2.** piramidă (de arme).

fait I. *s.m.* fapt. II. *adj.* făcut ‖ *être sûr de son* ~ a fi sigur de sine, de dreptatea sa; *prendre* ~ *et cause pour qn.* a lua, a ţine parte cuiva; *dire à qn. son* ~ a i-o spune verde sau de la obraz; *si* ~ *ba* da.

falaise *s.f.* faleză, ţărm abrupt.

fallacieux, -euse *adj.* înşelător, amăgitor.

falloir *v. impers.* a trebui ‖ *s'en* ~ a lipsi.

falot[1] *s.m.* lanternă portativă.

falot[2] *-e adj.* **1.** caraghios. **2.** şters.

falsificateur, -trice *adj., s.m.f.* falsificator.

falsification *s.f.* falsificare.

famé, -e *adj.* cunoscut ca, cu reputaţie ‖ *bien* ~, *mal* ~ cu reputaţie bună, rea.

fameux, -euse *adj.* faimos, renumit.

familial, -e *adj.* de familie.

familiariser *vt., vr.* a (se) obişnui, a (se) deprinde, a (se) familiariza.

familiarité *s.f.* familiaritate.

familier, -ère I. *adj.* familiar, obişnuit. II. *s.m.* apropiat, intim.

famille *s.f.* familie.

famine *s.f.* foamete.

fanatique *adj., s.m.f.* fanatic.

fanatiquement *adv.* cu fanatism.

fanatisme *s.m.* fanatism.

faner *vt., vr.* a (se) ofili.

fanfare *s.f.* fanfară.

fanfaron, -onne *adj.* fanfaron, lăudăros.

fange *s.f.* noroi, mocirlă (şi *fig.*).

fantaisie *s.f.* 1. fantezie, închipuire, 2. capriciu ǁ *se passer une* ~ a-şi permite un capriciu.

fantastique I. *adj.* fantastic. II. *s.m.* genul fantastic.

fantôme *s.m.* fantomă.

farceur, -euse *adj.* farsor, poznaş.

farcir *vt.* 1. (despre mâncăruri) a umple cu carne. 2. *fig.* a încărca cu citate etc.

fard *s.m.* fard.

fardeau *s.m.* greutate, povară.

farder I. *vt., vr.* a (se) farda. II. *vt. fig.* a înfrumuseţa, a deghiza ǁ ~ *la vérité* a înfrumuseţa adevărul.

farine *s.f.* făină ǁ *de (la) même* ~ de aceeaşi teapă.

farouche *adj.* 1. sălbatic. 2. crud. 3. nesociabil.

fascicule *s.m.* fascicul.

fascinant, -e *adj.* fascinant, fermecător.

fasciner *vt.* a fascina.

faste *s.m.* fast, pompă.

fastidieux, -euse *adj.* anost, plictisitor.

fastueux, -euse *adj.* pompos, fastuos.

fat *adj., s.m.* înfumurat, cu pretenţii, nerod.

fatal, -e *adj.* fatal.

fatalité *s.f.* fatalitate.

fatidique *adj.* fatidic, profetic.

fatigant, -e *adj.* obositor.

fatigue *s.f.* oboseală, obosire.

fatras *s.m.* talmeş-balmeş, harababură.

faubourg *s.m.* cartier periferic.

fauchage *s.m.* cosit.

faucher *vt.* 1. a cosi. 2. a secera. ǁ *être fauché* a nu avea un ban.

faucille *s.f.* seceră.

faucon *s.m.* şoim.

faufiler I. *vt.* a însăila. II. *vr.* a se strecura.

faune I. *s.m.* faun. II. *s.f.* faună.

faussaire *s.m.* falsificator.

fausser *vt.* 1. a falsifica. 2. a strâmba, a strica. 3. a viola, a călca ǁ ~ *sa parole* a-şi încălca cuvântul.

fausseté *s.f.* **1.** falsitate. **2.** *fig.* minciună.

faute *s.f.* greşeală ‖ ~ *d'impression* greşeală de tipar; ~ *de* în (din) lipsă de; *sans* ~ negreşit.

fauteuil *s.m.* fotoliu.

fauve **I.** *adj.* **1.** roşcat. **2.** sălbatic. **II.** *s.m.* **1.** culoarea roşcată. **2.** fiară sălbatică.

faux *s.f.* coasă.

faux, fausse **I.** *adj., adv.* **1.** fals. adevărat, mincinos. **2.** echivoc. **3.** greşit, nejust ‖ *fausse situation* situaţie echivocă; *fausse alerte* spaimă fără motiv; *fausse clé* şperaclu; ~ *bruit* zvon; *faire fausse route* a se rătăci, a greşi (şi *fig.*); *s'inscrire en* ~ a nega, a tăgădui, a se înscrie în fals. **II.** *s.m.* fals.

faveur *s.m.* **1.** favoare ‖ *à la* ~ *de* mulţumită. **2.** panglică îngustă.

favorable *adj.* prielnic, favorabil.

favori, -ite **I.** *adj., s.m.f.* favorit. **II.** *s.m.* favorit, barbetă.

favoriser *vt.* a favoriza, a ocroti.

favoritisme *s.m.* favoritism.

fébrile *adj.* înfrigurat (şi *fig.*), febril.

fébrilement *adv.* cu înfrigurare.

fécond, -e *adj.* rodnic, spornic, fecund (şi *fig.*).

féconder *vt.* a fecunda.

fécondité *s.f.* rodnicie, fecunditate.

fédération *s.f.* federaţie.

fée *s.f.* zână.

féerie *s.f.* feerie.

féerique *adj.* feeric.

feindre *vt.* a se preface, a simula.

feinte *s.f.* **1.** prefăcătorie, artificiu. **2.** *sport* fentă.

fêler *vt.* a crăpa (un vas) ‖ *voix fêlée* voce răguşită.

félicitation *s.f.* felicitare.

félicité *s.f.* mulţumire desăvârşită.

féliciter *vt.* a felicita.

félin, -e *adj.* felin.

félonie *s.f.* trădare, perfidie.

femelle *s.f.* femelă.

féminin, -e *adj., s.m.f.* feminin.

femme *s.f.* **1.** femeie ‖ ~ *de charge* îngrijitoare; *maîtresse* ~ femeie energică. **2.** soţie, nevastă ‖ *prendre* ~ a se însura.

fenaison *s.f.* cosit (de fân).

fendre **I.** *vt.* **1.** a despica, a crăpa. **2.** a spinteca (aerul, apa). **3.** *fig.* a rupe ‖ ~ *le cœur* a sfâşia inima; ~ *la foule* a-şi face drum prin mulţime; *geler à pierre* ~ a da un ger de crapă pietrele. **II.** *vr. pop.* a plăti, a cheltui.

fenêtre *s.f.* fereastră.

fenouil *s.m.* mărar.

fente *s.f.* **1.** crăpătură. **2.** fandare.

féodal, -e *adj., s.m.* feudal.

féodalité *s.f.* feudalitate.

fer *s.m.* **1.** fier. **2.** sabie, pumnal. **3.** *pl.* lanţuri, cătuşe ‖ ~ *à cheval* potcoavă; *mettre aux* ~s a pune cătuşele.

ferblantier *s.m.* tinichigiu.

férié, -e *adj.* de sărbătoare.

fermage *s.m.* arendă.

ferme[1] *adj., adv.* **1.** tare, solid ‖ *la terre* ~ uscatul (spre deosebire de ape). **2.** neclintit, ferm.

ferme[2] *s.f.* **1.** ferm. **2.** arendă.

fermement *adv.* cu fermitate.

ferment *s.m.* ferment.

fermentation *s.f.* **1.** fermentare. **2.** *fig.* fierbere, frământare.

fermenter *vi.* **1.** a fermenta. **2.** *fig.* a fierbe, a se frământa, a se agita.

fermer **I.** *vt.* **1.** a închide. **2.** a îngrădi. **3.** a opri, sfârşi (o discuţie). **II.** *vi.* a închide.

fermeté *s.f.* tărie (morală), hotă-râre, fermitate.

fermeture *s.f.* **1.** închizătoare, în-cuietoare. **2.** închidere.

fermier, -ère *s.m.f.* arendaş.

féroce *adj.* feroce.

férocité *s.f.* ferocitate, cruzime, sălbăticie.

ferraille *s.f.* fiare vechi.

ferré, -e *adj.* **1.** ferecat (şi *fig.*). **2.** potcovit. **3.** cu ţinte ‖ *chemin* ~ drum pietruit; *voie* ~e cale ferată. **4.** *fig.* tare ‖ *être* ~ *sur un sujet* a cunoaşte bine un subiect, o chestiune.

ferronnerie *s.f.* obiecte de fier; fierărie; feronerie.

ferroviaire *adj.* feroviar.

ferrugineux, -euse *adj.* feru-ginos.

fertile *adj.* bogat, fertil.

fertiliser *vt.* a fertiliza, a face rodnic.

fertilité *s.f.* fertilitate, rodnicie.

féru, -e *adj.* **1.** lovit, rănit. **2.** în-drăgostit de, pasionat de ‖ ~ *d'amour* amorezat lulea.

férule *s.f.* vargă, nuia ‖ *être sous la* ~ *de qn.* a asculta de cineva.

fervent, -e *adj.* fervent, pasionat.

ferveur *s.f.* fervoare, ardoare, pasiune.

fesse *s.f.* fesă, bucă.

fesser *vt.* a bate la spate.

festin *s.m.* ospăţ, banchet.

festival (*pl.* -s) *s.m.* festival.

fête *s.f.* **1.** sărbătoare, serbare ‖ *faire* ~ *à qn.* a întâmpina cu bucurie pe cineva; *faire la* ~ a o ţine tot într-o petrecere. **2.** ziua numelui, onomastica.

fétiche *s.m.* fetiş.

fétide *adj.* fetid, dezgustător.

feu[1] *s.m.* **1.** foc. **2.** incendiu. **3.** lu-mină, semnal luminos. **4.** strălu-cire, scânteiere (a unui diamant

etc.). **5.** foc de armă, descărcă-
tură. **6.** înflăcărare. **7.** cămin, va-
tră ‖ *prendre ~ fig.* a se aprinde
(de mânie); *jeter ~ et flamme* a
se mânia grozav.

feu[2], **-e** *adj.* răposat.

feuillage *s.m.* frunziș.

feuille *s.f.* **1.** foaie. **2.** frunză.
3. petală.

feuilleter *vt.* a răsfoi.

feuilleton *s.m.* foileton.

feutre *s.m.* **1.** fetru, pâslă. **2.** pă-
lărie de fetru.

février *s.m.* februarie.

fi *interj.* ptiu (exprimând scârba,
disprețul) ‖ *faire ~ de* a dis-
prețui.

fiacre *s.m.* birjă.

fiançailles *s.f. pl.* logodnă.

fiancer *vt., vr.* a (se) logodi.

fibre *s.f.* fibră.

fibreux, -euse *adj.* fibros.

ficeler *vt.* a lega (cu sfoară) ‖ *mal
ficelé* îmbrăcat fără gust,
neglijent.

ficelle *s.f.* **1.** sfoară. **2.** truc, șme-
cherie. **3.** *fam.* șmecher.

fiche *s.f.* **1.** fișă. **2.** fisă.

ficher I. *vt.* **1.** a înfige. **2.** a pune,
a trânti ‖ *~ par terre* a trânti la
pământ; *~ à la porte* a da pe ușă
afară; *~ le camp* a o șterge;
fichez-moi la paix! lasă-mă (în
pace)! **II.** *vr. fam.* a nu se sin-

chisi, a-și bate joc ‖ *se ~ de tout*
a-și bate joc de toate; *je m'en
fiche* puțin îmi pasă.

fichier *s.m.* fișier.

fichtre *interj.* drace!

fichu[1] *s.m.* broboadă, fișiu.

fichu[2], **-e** *adj. pop.* rău, urât; de
calitate proastă ‖ *il est ~* s-a
isprăvit cu el; *mal ~* prost
îmbrăcat.

fictif, -ive *adj.* imaginar, fictiv.

fiction *s.f.* închipuire, ficțiune.

fidèle *adj.* credincios, fidel.

fidélité *s.f.* **1.** fidelitate, devota-
ment. **2.** exactitate.

fief *s.m.* fief; feudă.

fiel *s.m.* **1.** fiere. **2.** *fig.* amără-
ciune.

fier[1] *vr.* (à) a se încrede, a se
bizui.

fier[2], **-ère** *adj.* **1.** mândru. **2.** mă-
reț, îndrăzneț. **3.** strașnic ‖ *un ~
coquin* un ticălos fără pereche.

fierté *s.f.* mândrie.

fièvre *s.f.* febră, friguri (și *fig.*).

fiévreusement *adv.* febril, agitat.

fiévreux, -euse *adj.* **1.** care pro-
voacă sau are friguri. **2.** *fig.*
înfrigurat, agitat.

figer *vt.* a încheaga, a congela; a se
împietri.

figue *s.f.* smochină.

figurant, -e *s.m.f.* figurant.

figuration *s.f.* figurație.

FIG 134

figure *s.f.* 1. față, obraz. 2. figură.
3. *fig.* atitudine.

figurer I. *vt.*, *vr.* a(-și) închipui,
a(-și) reprezenta. II. *vi.* a se afla,
a figura.

figurine *s.f.* figurină, statuetă.

fil *s.m.* 1. fir de ață. 2. sârmă.
3. tăiș, ascuțiș. 4. *fig.* șir; fir.

filament *s.m.* filament.

filasse *s.f.* fuior, caier.

filature *s.f.* 1. filatură. 2. *fig.* ur-
mărire (a unui suspect).

file *s.f.* șir, rând ‖ *chef de* ~ cap de
rând; șef de promoție; *en* ~
indienne, *à la* ~ unul după altul.

filer I. *vt* 1. a toarce. 2. a răsuci.
3. a fila, a urmări. II. *vi.* 1. a o
șterge, a alerga. 2. a fila, a fu-
mega.

filet *s.m.* 1. fileu, plasă. 2. *fig.* un
firicel, un pic (de apă, de voce).
3. mușchi.

filiation *s.f.* filiație.

filière *s.f.* filieră.

fille *s.f.* 1. fiică, fată. 2. prostituată.

fillette *s.f.* fetiță, fetișcană.

filleul, -e *s.m.f.* fin, fină.

film *s.m.* film.

filmer *vt.* a filma.

filon *s.m.* filon.

filou *s.m.* pungaș, escroc.

fils *s.m.* fiu ‖ ~ *à papa* fecior de
bani gata.

filtrage *s.m.* filtrare.

fin[1] *s.f.* 1. sfârșit, capăt. 2. scop,
gând ‖ *en venir à ses* ~ a-și
atinge scopul.

fin[2]**, -e** *adj.* 1. (și *s.m.*) subțire (și
fig.), fin. 2. (despre ploaie)
mărunt. 3. excelent. 4. delicat.
5. abil, șiret ‖ ~*e lame*, spadasin
de valoare; ~*e fleur* tot ce e mai
ales, floarea; *partie* ~ petrecere
(cu femei).

finance *s.f.* 1. finanțe. 2. *pl.* mij-
loace financiare; bani; finanțe.

financer *vt.* a finanța.

financier, -ère *adj.*, *s.m.f.* finan-
ciar.

finaud, -e *adj.*, *s.m.f.* șiret, șme-
cher.

finesse *s.f.* 1. finețe. 2. șiretenie.

finir I. *vt.* a termina, a isprăvi.
II. *vi.* 1. a (se) termina, a înceta.
2. *fig.* a sfârși ‖ *à n'en plus* ~
fără sfârșit.

finissage *s.m.* finisaj.

fiole *s.f.* fiolă.

firmament *s.m.* firmament.

firme *s.f.* firmă.

fisc *s.m.* fisc.

fiscal, -e *adj.* fiscal.

fiscalité *s.f.* fiscalitate.

fissure *s.f.* fisură, crăpătură, spăr-
tură ușoară.

fixation *s.f.* fixare, stabilire.

fixe *adj.* fix, nemișcat, neclintit.

fixement *adv.* fix, ațintit.

fixer *vt.* **1.** a fixa. **2.** a înţepeni, a stabili. **3.** a aţinti.

fixité *s.f.* fixitate.

flacon *s.m.* flacon.

fla-fla *s.m. invar. pop.* ostentaţie.

flagorner *vt.* a linguşi în mod servil.

flagornerie *s.f.* linguşire.

flagorneur, -euse *s.m.f.* linguşitor servil.

flagrant, -e *adj.* flagrant, vădit.

flair *s.m.* **1.** adulmecare, miros fin. **2.** fler, perspicacitate.

flairer *vt.* a adulmeca, a mirosi (şi *fig.*).

flambeau *s.m.* **1.** torţă, făclie. **2.** lumânare.

flamber **I.** *vt.* a flamba, a trece prin flacără. **II.** *vi.* a arde (cu flacără) ‖ *être flambé fig.* a fi ruinat.

flamboiement *s.m.* scânteiere, strălucire.

flamboyant, -e *adj.* strălucitor, sclipitor.

flamboyer *vi.* **1.** a sclipi, a străluci. **2.** a arde cu flacără mare.

flamme *s.f.* **1.** flacără. **2.** *fig.* pasiune, dragoste.

flanc *s.m.* **1.** partea corpului de la coaste la şolduri. **2.** pântecele mamei. **3.** latură, coastă, flanc ‖ *tirer au* ~ a trage chiulul; *prêter le* ~ *à* a da prilej la, a se expune.

flancher *vi. pop.* a renunţa, a ceda.

flanelle *s.f.* flanelă.

flâner *vi.* a hoinări, a umbla razna.

flânerie *s.f.* hoinăreală.

flâneur, -euse *s.m.f.* hoinar.

flanquer *vt.* a trânti, a azvârli ‖ ~ *à la porte* a da afară pe uşă; ~ *un soufflet* a cârpi o palmă.

flaque *s.f.* băltoacă.

flasque *adj.* fleşcăit, moale.

flatter **I.** *vt.* **1.** a flata, a măguli. **2.** a mângâia (cu mâna). **3.** a desfăta. **II.** *vr.* **1.** a-şi face iluzii. **2.** a se lăuda.

flatterie *s.f.* linguşire.

flatteur, -euse *adj., s.m. f.* măgulitor.

flatteusement *adv.* linguşitor.

fléau *s.m.* **1.** flagel, nenorocire. **2.** îmblăciu. **3.** braţ (de balanţă).

flèche *s.f.* săgeată, v. **décocher.**

fléchir **I.** *vt.* **1.** a îndoi. **2.** a muia inima, a înduioşa. **II.** *vi.* **1.** a se îndoi. **2.** *fig.* a se supune.

flegmatique *adj.* flegmatic.

flegmatiquement *adv.* (în mod) flegmatic.

flegme *s.m.* **1.** flegmă. **2.** *fig.* sânge rece.

flegmon *s.m.* v. **phlegmon.**

flétrir[1] **I.** *vt.* **1.** a ofili (şi *fig.*). **2.** a slăbi, a schimba. **II.** *vr.* a se ofili.

flétrir[2] *vt.* **1.** a dezonora, a pângări. **2.** (despre condamnați) a însemna cu fierul roșu.

fleur *s.f.* **1.** floare (și *fig.*). **2.** *fig.* strălucire **3.** (*in expr.*) *à ~ de* în dreptul, la nivelul; *yeux à ~ de tête* ochi bulbucați; *avoir les nerfs à ~ de peau* a fi foarte supărăcios.

fleurir **1.** *vt.* a împodobi cu flori. **2.** *vi.* a înflori (și *fig.*).

fleuve *s.m.* fluviu.

flexible *adj.* flexibil.

flexion *s.f.* flexiune (și *gram.*), îndoire, aplecare.

flibustier *s.m.* pirat (și *fig.*).

flirter *vi.* a flirta, a cocheta.

flocon *s.m.* **1.** smoc. **2.** fulg (de zăpadă).

floraison *s.f.* înflorire.

flore *s.f.* floră.

florissant, -e *adj.* înfloritor.

flot *s.m.* **1.** val. **2.** flux. v. **flottage**.

flotte *s.f.* flotă.

flotter *vi.* **1.** a pluti. **2.** a fâlfâi. **3.** *fig.* a șovăi.

flou, -e *adj., s.m.* (despre contururi etc.) vaporos, pierdut.

flouer *vt. fam.* a escroca.

fluctuation *s.f.* **1.** fluctuație. **2.** *fig.* nehotărâre.

fluet, -ette *adj.* plăpând, subțirel.

fluide *adj., s.m.* fluid.

flûte *s.f.* **1.** flaut, fluier. **2.** flautist. **3.** franzelă || *~ de Pan* nai.

fluvial, -e *adj.* fluvial.

flux *s.m.* flux (și *fig.*).

foi *s.f.* **1.** credință. **2.** încredere, crezare. **3.** cuvânt dat, făgăduială || *de bonne ~* cu bună credință; *profession de ~* mărturisire de credință; *ma ~, par ma ~, sur ~!* zău, pe legea mea!

foie *s.m.* ficat.

foire *s.f.* iarmaroc, târg.

fois *s.f.* dată, oară || *cette ~ ci* de data aceasta, de rândul acesta; *pour une ~* de data asta; *une ~ pour toutes* o dată pentru totdeauna; *à la ~* în același timp; *une ~ que* o dată ce; *trois ~ cinq* de trei ori cinci.

foisonner *vi.* **1.** a fi din belșug. **2.** a se înmulți. **3.** a se întinde, a se lăți.

fol *adj.* v. **fou.**

folâtre *adj.* nebunatic, zglobiu, jucăuș.

folâtrer *vi.* a zburda.

folie *s.f.* **1.** nebunie. **2.** năzbâtie. **3.** manie, pasiune || *~ des grandeurs* grandomanie; *à la ~* nebunește, la nebunie.

folklore *s.m.* folclor.

folle *adj.* v. **fou.**

foncé, -e *adj.* (despre culori) închis, întunecat.

foncer I. *vi.* **(sur)** a se repezi la, spre. **II.** *vt.* **1.** a pune fund. **2.** a închide la culoare.

foncier, -ère I. *adj.* **1.** funciar. **2.** temeinic, fundamental. **II.** *s.m.* impozit funciar.

fonction *s.f.* **1.** funcție, slujbă. **2.** întrebuințare.

fonctionnaire *s.m.* funcționar.

fonctionnement *s.m.* funcționare.

fonctionner *vi.* a funcționa.

fond *s.m.* **1.** fund. **2.** temei, temelie. **3.** fond ‖ *le fin* ~ străfund; *à* ~ temeinic. v. **comble.**

fondamental, -e *adj.* fundamental.

fondateur, -trice *s.m.f.* fondator, întemeietor.

fondation *s.f.* **1.** temelie, fundație. **2.** întemeiere. **3.** așezământ, fundație.

fondé, -e I. *adj.* **1.** întemeiat, fundat. **2.** autorizat. **II.** *s.m.* (în *expr.*) ~ *de pouvoir* împuternicit, procurist.

fondrière *s.f.* **1.** șanț, groapă. **2.** teren mlăștinos.

fontaine *s.f.* fântână.

fonte *s.f.* **1.** topire, turnare. **2.** fontă, tuci.

forain, -e I. *adj.* **1.** din afară, străin. **2.** de bâlci. **II.** *s.m.* **1.** vânzător ambulant la iarmaroc. **2.** comediant.

forçat *s.m.* ocnaș.

force I. *s.f.* **1.** putere, forță, tărie. **2.** *fig.* iscusință, talent ‖ ~ *m'est de* sunt silit să; *de* ~ *par* ~, *de vive* ~ cu sila; *à* ~ *de* cu ajutorul. **II.** *adv.* mult ‖ ~ *gens* un mare număr de oameni.

forcément *adv.* cu necesitate, prin forța lucrurilor.

forcené, -e *adj.* ieșit din minți, turbat.

forcer *vt.* **1.** a sili, a constrânge, a forța. **2.** a sparge. **3.** *fig.* a călca, a trece peste ‖ ~ *la consigne* a nu ține seama de consemn; ~ *le respect* a impune respect; *travaux forcés* muncă silnică.

forer *vt.* a fora, a găuri.

forestier, -ère *adj.* forestier. ‖ *rideaux* ~s perdele forestiere de protecție; *garde* ~ pădurar.

forêt *s.f.* pădure.

forfait[1] *s.m.* nelegiuire, crimă.

forfait[2] *s.m.* (contract de) antrepriză, învoială.

forge *s.f.* **1.** forjă. **2.** potcovărie.

forger *vt.* **1.** *tehn.* a forja. **2.** a făuri. **3.** a născoci (o știre). **4.** a falsifica (acte etc.).

forgeron *s.m.* fierar.

formaliser (se) *vr.* a se supăra; a se formaliza.

formaliste *adj., s.m.f.* formalist.

formalité *s.f.* formalitate.

formation *s.f.* formație.

forme *s.f.* **1.** formă, înfățișare. **2.** aparență. **3.** manieră, fel de a fi.

formel, -elle *adj.* **1.** răspicat, hotărât ‖ *ordre* ~ ordin categoric. **2.** formal.

formellement *adv.* hotărât, categoric.

former *vt., vr.* a (se) forma ‖ ~ *des vœux pour qn.* a dori cuiva tot binele; ~ *un dessein* a alcătui un plan.

formidable *adj.* formidabil.

formulaire *s.m.* formular.

formule *s.f.* formulă.

formuler *vt.* a formula.

fort, -e I. *adj.* **1.** tare, puternic. **2.** mare. **3.** solid. **4.** întărit. **5.** greu, dificil ‖ *esprit* ~ liber-cugetător; *c'est trop* ~ asta e prea de tot; *à plus* ~*e raison* cu atât mai mult. **II.** *s.m.* **1.** fort. **2.** punctul tare, ceea ce știe mai bine. **3.** toi. **III.** *adv.* mult, foarte ‖ ~ *bien,* ~ *mal* foarte bine, foarte rău.

forteresse *s.f.* fortăreață.

fortification *s.f.* fortificație.

fortifier *vt., vr.* a (se) întări, a (se) fortifica.

fortuit, -e *adj.* fortuit, întâmplător.

fortune *s.f.* **1.** noroc, izbândă. **2.** soartă, fatalitate. **3.** bogăție ‖ *bonne* ~ aventură galantă.

fosse *s.f.* **1.** groapă. **2.** mormânt. **3.** carieră. **4.** *anat.* fosă, cavitate.

fossé *s.m.* șanț.

fossile I. *s.m.* fosilă **II.** *adj.* fosil.

fossoyeur *s.m.* gropar.

fou, fol, folle *adj., s.m.f. (pl.* **fous, folles) 1.** nebun. **2.** excesiv ‖ c'est à en devenir ~ să înnebunești nu altceva.

foudre *s.f.* trăsnet.

foudroyer *vt.* a trăsni (și *fig.*).

fouet *s.m.* **1.** bici. **2.** *fig.* stimulent.

fouetter *vt.* a lovi cu biciul, a biciui, a lovi ‖ *avoir d'autres chats à* ~ a avea cu totul alte griji (pe cap).

fougère *s.f.* ferigă.

fougue *s.f. fig.* înflăcărare, ardoare, impetuozitate.

fougueux, -euse *adj.* cu avânt, înflăcărat.

fouille *s.f.* **1.** *arheol., geol.* săpătură, cercetare. **2.** percheziție (a unei persoane).

fouiller I. *vt.* **1.** *arheol., geol.* a face săpături. **2.** a percheziționa. **3.** *fig.* a face cercetări, a aprofunda. **II.** *vi.* a răscoli, a scotoci.

foulard *s.m.* fular.

foule *s.f.* **1.** mulțime. **2.** adunătură ‖ *en* ~ cu duiumul.

fouler *vt.* **1.** a călca, a strivi. **2.** a luxa. **3.** *fig.* a călca în picioare, a dispreţui ‖ *ne pas se ~ la rate (fam.)* a nu se omorî cu firea, a nu-şi da osteneala.

four *s.m.* **1.** cuptor. **2.** *fig.* cădere, insucces (al unei producţii literare).

fourbe **I.** *adj., s.m.* înşelător, perfid. **II.** *s.f.* şiretenie.

fourche *s.f.* furcă.

fourcher *vt.* a se bifurca, a se despărţi în două ‖ *fig. la langue lui a fourché* a spus altceva decât ce voia să spună.

fourchette *s.f.* furculiţă.

fourgon *s.m.* **1.** fourgon. **2.** vătrai.

fourmi *s.f.* furnică.

fourmilière *s.f.* furnicar.

fourmillement *s.m.* furnicătură.

fourmiller *vi.* **1.** a mişuna. **2.** a simţi furnicături.

fournaise *s.f.* **1.** cuptor mare. **2.** foc viu.

fourneau *s.m.* sobă ‖ *haut ~* furnal.

fournée *s.f.* **1.** cuptor plin (de pâine). **2.** promoţie.

fournir **I.** *vt.* **1.** a procura, a furniza. **2.** a livra. **II.** *vi.* a avea grilă de ‖ *~ des renseignements* a procura, a da informaţii; *~ des preuves* a aduce dovezi; *magasin bien fourni* magazin bine aprovizionat.

fournisseur *s.m.* furnizor.

fourniture *s.f.* furnitură.

fourrage *s.m.* nutreţ, furaj.

fourrager **I.** *vt.* a strica, a pustii. **II.** *vi.* **1.** a strânge nutreţ. **2.** a scormoni.

fourragère *adj. f.* furajeră.

fourreau *s.m.* teacă.

fourrer *vt.* **1.** a vârî, a băga. **2.** a căptuşi cu blană.

fourrier *s.m.* furier.

fourrure *s.f.* blană.

foyer *s.m.* **1.** cămin. **2.** focar. **3.** foaier. **4.** *fig.* centru.

fracas *s.m.* **1.** huruit, muget, bubuit. **2.** *fig.* tumult, zarvă.

fracasser *vt.* a sparge în cioburi, a face ţăndări, a rupe.

fraction *s.f.* **1.** frângere, rupere. **2.** fracţiune. **3.** fracţie.

fracturer *vt.* **1.** a fractura. **2.** a sparge.

fragile *adj.* fragil.

fragilité *s.f.* **1.** fragilitate, şubrezenie. **2.** nestatornicie.

fragmentaire *adj.* fragmentar.

fragmentation *s.f.* fragmentare.

fragmenter *vt.* a fragmenta.

fraîchement *adv.* **1.** la răcoare. **2.** *fig.* recent, proaspăt. **3.** *fam.* fără amabilitate, cu răceală.

fraîcheur *s.f.* **1.** răcoare. **2.** prospeţime, frăgezime.

frais[1] *s.m. pl.* speze, cheltuieli ‖ *~ de justice* cheltuieli de judecată; *faux ~* mici cheltuieli neprevăzute; *faire les ~ de la conversation* a susține o conversație.

frais[2], **fraîche** I. *adj.* **1.** răcoros. **2.** fraged, proaspăt. **3.** recent. II. *adv.* **1.** răcoros. **2.** de curând || *il fait ~* e răcoare. III. *s.m.f.* răcoare || *prendre le ~* a ieși la aer curat; *à la fraîche* pe răcoare.

fraise[1] *s.f.* **1.** fragă, căpșună. **2.** guler plisat.

fraise[2] *s.f.* freză (unealtă).

framboise *s.f.* zmeură.

franc[1] *s.m.* franc (monedă).

franc[2], **franche** *adj.* **1.** deschis, sincer. **2.** liber.

français, -e I. *adj.* francez, franțuzesc. II. *s.m.f.* (cu *maj.*) francez. III. *s.m.* limba franceză.

franchir *vt.* **1.** a trece peste, a sări peste. **2.** *fig.* a învinge (greutăți, obstacole).

franchise *s.f.* **1.** sinceritate. **2.** libertate, scutire.

frange *s.f.* ciucure, franj.

frappe *s.f.* batere (a monedei, la mașina de scris etc.) || *faute de ~* greșeală la dactilografiere.

frapper I. *vt.* **1.** a lovi, a bate. **2.** a uimi, a surprinde. **3.** (despre băuturi alcoolice) a răci, a frapa. II. *vi.* a bate la. III. *vr.* a se emoționa, a se înfricoșa.

fraternel, -elle *adj.* frățesc, fratern.

fraterniser *vi.* a fraterniza.

fraternité *s.f.* frăție, fraternitate.

fraude *s.f.* fraudă, înșelăciune || *en ~* în mod fraudulos.

frauder *vt., vi.* a frauda, a comite fraude.

frauduleux, -euse *adj.* fraudulos.

frayer I. *vt.* a deschide (un drum). II. *vi.* a fi în raporturi, a se aduna cu. III. *vr.* a-și deschide.

frayeur *s.f.* groază, spaimă.

fredonnement *s.m.* fredonare.

frein *s.m.* **1.** frâu. **2.** frână || *ronger son ~* a crăpa de necaz.

freiner *vt.* a frâna.

frelater *vt.* a falsifica (băuturi), a contraface.

frêle *adj.* fragil, plăpând.

freluquet *s.m.* tânăr flușturatic, filfizon.

frémir *vi.* **1.** a se îngrozi, a se cutremura. **2.** a fremăta, a tresări.

frémissement *s.m.* **1.** fior. **2.** freamăt.

frêne *s.m.* frasin.

frénésie *s.f.* frenezie.

frénétique *adj.* frenetic.

fréquemment *adv.* deseori, frecvent.

fréquence *s.f.* frecvență.

fréquent, -e *adj.* des, repetat, frecvent.

fréquentation *s.f.* frecventare.

fréquenter *vt.* a frecventa.

frère *s.m.* frate.

fresque *s.f.* frescă.

fréter *vt.* a închiria un vas.

frétillant, -e *adj.* neastâmpărat, vioi.

frétiller *vi.* a nu avea astâmpăr, a se zbate.

friabilité *s.f.* friabilitate.

friand, -e *adj.* **1.** pofticios, ahtiat. **2.** apetisant.

friandise *s.f.* **1.** poftă pentru mâncăruri fine. **2.** *pl.* dulciuri, zaharicale.

friche *s.f.* pârloagă || *en* ~ paragină.

friction *s.f.* **1.** frecare. **2.** fricțiune.

frictionner *vt.* a fricționa.

frigorifère *s.m.* frigorifer.

frileux, -euse *adj.* (despre persoane) friguros.

frimas *s.m.* chiciură.

friper *vt.* a mototoli.

fripier, -ère *s.m.f.* negustor de vechituri.

fripon, -onne *s.m.f.* pungaş, şarlatan, potlogar.

frire *vt., vi.* a (se) prăji.

friser I. *vt.* **1.** a ondula, a încreţi (părul). **2.** a atinge uşor în trecere || ~ *le ridicule* a atinge ridicolul. **3.** a fi aproape de || ~ *la soixantaine* a fi aproape de şaizeci de ani. **II.** *vi.* a fi creţ. || ~ *naturellement* a avea părul creţ natural.

frisson *s.m.* fior (şi *fig.*), frison.

frissonner *vi.* **1.** a avea frisoane. **2.** a se înfiora.

frivole *adj.* frivol.

frivolité *s.f.* frivolitate.

froid, -e I. *adj.* rece (şi *fig.*). **II.** *s.m.* frig, răceală, răcoare || *la guerre* ~e războiul rece; *prendre* ~ a răci; *être en* ~ *avec qn.* a fi certat cu cineva. **III.** *adv.* rece, frig || *il fait* ~ este frig.

froideur *s.f.* răceală, reţinere.

froissement *s.m.* **1.** mototolire. **2.** *fig.* jignire.

froisser *vt., vr.* **1.** a (se) mototoli. **2.** a (se) ofensa.

frôlement *s.m.* atingere uşoară.

frôler *vt.* a atinge uşor, în trecere.

fromage *s.m.* brânză.

froment *s.m.* grâu.

froncement *s.m.* încreţire.

froncer *vt.* a încreţi || ~ *sourcils* a încreţi sau a încrunta sprâncenele.

frondeur I. *s.m.* **1.** soldat înarmat cu praştie. **2.** partizan al Frondei. **II.** *adj.* critic, opozant.

front *s.m.* **1.** frunte. **2.** cap, faţă. **3.** front. **4.** neruşinare, îndrăzneală || *de* ~ în faţă, împreună.

frontière *s.f.* graniţă, frontieră.

frontispice *s.m.* frontispiciu.

frottement *s.m.* **1.** frecare. **2.** contact (cu lumea etc.)

frotter I. *vt.* **1.** a freca. **2.** a fricţiona || ~ *les oreilles* a trage de urechi pe cineva. **II.** *vr.* a se freca, a veni în contact.

fructifère *adj.* fructifer.

fructification *s.f.* fructificare.

fructifier *vi.* a fructifica, a spori.

frugal, -e *adj.* cumpătat, sobru.

frugalité *s.f.* frugalitate, cumpătare.

fruit *s.m.* 1. fruct, rod. 2. folos, urmare, rezultat.

fruitier, -ère I. *adj.* fructifer. II. *s.m.f.* 1. fructifer. 2. brânzar (în unele regiuni din Franța). III. *s.m.* loc unde se păstrează fructele.

frustration *s.f.* frustrare, păgubire.

frustrer *vt.* a frustra, a păgubi.

fugitif, -ive *adj., s.m.f.* fugar, fugitiv.

fugue *s.f.* 1. *muz.* fugă. 2. *fig.* escapadă.

fuir I. *vt.* a se feri de, a evita. II. *vi.* 1. a fugi. 2. a curge (butoiul etc.).

fuite *s.f.* 1. fugă, alergare ‖ *prendre la* ~ a o lua la fugă. 2. scurgere (de lichid, de gaz etc.). 3. fisură. 4. tertip ‖ *user de ~s* a umbla cu șoalda.

fulminer *vi.* 1. a explode. 2. a izbucni în amenințări.

fumée *s.f.* 1. fum (și *fig.*). 2. mahmureală (de băutură). 3. *fig.* deșertăciune.

fumer I. *vt.* 1. a fuma. 2. a afuma. II. *vi.* 1. a scoate fum. 2. (despre câmpii) a scoate aburi.

fumeux, -euse *adj.* 1. fumegător. 2. amețitor. 3. *fig.* nelămurit, obscur.

fumier *s.m.* bălegar, îngrășământ.

fumoir *s.m.* 1. afumătorie. 2. fumoar.

funèbre *adj.* funebru.

funérailles *s.f. pl.* funeralii.

funeste *adj.* funest.

funiculaire *adj., s.m.* funicular.

furet *s.m.* 1. (specie de) dihor. 2. *fig.* persoană iscoditoare.

furibond, -e *adj.* furibund, plin de mânie.

furie *s.f.* 1. furie, mânie. 2. femeie rea. 3. ardoare, impetuozitate.

furoncle *s.m.* furuncul.

furonculose *s.f.* furunculoză.

furtif, -ive *adj.* furiș.

fusain *s.m.* 1. cărbune vegetal. 2. desen făcut cu acest cărbune.

fusée *s.f.* 1. rachetă ‖ ~ *cosmique* rachetă cosmică. 2. fir răsucit pe fus. 3. fus orar.

fuselage *s.m.* fuzelaj.

fusil *s.m.* 1. pușcă. 2. cremene, amnar.

fusiller *vt.* a împușca, a executa prin împușcare.

fusion *s.f.* 1. topire. 2. fuziune, reunire.

fusionner *vi.* a fuziona.

futile *adj.* 1. fără însemnătate. 2. ușuratic, frivol.

futur, -e I. *adj.* viitor. II. *s.m. gram.* (timpul) viitor.

G

gabardine *s.f.* 1. gabardină. 2. impermeabil.

gâcher *vt.* 1. *fig.* a irosi, a strica. 2. a stinge (var). 3. *fig.* a lucra de mântuială ‖ ~ *le métier* a lucra pe un preţ de nimic, a strica preţul.

gâchette *s.f.* trăgaci.

gâcheur, -euse *s.m.f.* care lucrează de mântuială, cârpaci.

gâchis *s.m.* 1. mortar. 2. *fig.* talmeş-balmeş, încurcătură.

gaffer I. *vt.* a agăţa cu gafa. II. *vi. fam.* a face o gafă.

gage *s.m.* 1. amanet, gaj. 2. *fig.* semn, dovadă. 3. *pl.* leafă (a personalului de serviciu) ‖ *être aux ~s de qn.* a fi în serviciul sau în solda cuiva.

gageure *s.f.* prinsoare, rămăşag.

gagnant, -e *adj., s.m.f.* câştigător.

gagne-pain *s.m.* invar. 1. mijloc de existenţă, post. 2. sprijin (al familiei).

gagner I. *vt.* 1. a câştiga, a dobândi. 2. a sosi, a ajunge până la ‖ *~ le large* a ajunge în larg; a da bir cu fugiţii. 3. a merita ‖ *il l'a bien gagné* a meritat-o, aşa-i

trebuie. II. *vi.* 1. a se răspândi. 2. a se îmbunătăţi. III. *vr.* 1. a se câştiga. 2. (despre o boală) a se lua.

gai, -e *adj.* 1. vesel. 2. puţin ameţit de băutură.

gaieté *s.f.* veselie ‖ *de ~ de cœur* de bunăvoie, dinadins.

gaillard, -e I. *adj.* 1. vioi, vesel. 2. voinic. 3. slobod. II. *s.m.f.* voinic.

gain *s.m.* câştig ‖ *âpre au ~* lacom de câştig.

gaine *s.f.* 1. teacă, toc. 2. corset elastic.

gala *s.m.* gală.

galant, -e I. *adj.* galant, curtenitor. II. *s.m.* îndrăgostit; amant.

galamment *adv.* galant.

gale *s.f.* 1. râie. 2. *fam.* persoană răutăcioasă, viperă.

galère *s.f.* 1. galeră. 2. *pl.* condamnare la galere, muncă silnică.

galetas *s.m.* 1. mansardă. 2. locuinţă sărăcăcioasă.

galette *s.f.* 1. plăcintă. 2. *pop.* bani.

galeux, -euse *adj., s.m.f.* râios.

galimatias *s.m.* **1.** vorbire confuză, bălmăjeală. **2.** încurcătură.

gallicisme *s.m.* galicism.

galoche *s.f.* sabot ‖ *menton en ~* bărbie ascuțită.

galoper *vi.* a galopa.

galopin *s.m.* puști obraznic.

galvanisateur *adj., s.m.* galvanizator.

galvanisation *s.f.* galvanizare.

galvaniser *vt.* **1.** a galvaniza. **2.** *fig.* a stimula, a înviora.

gambader *vi.* a țopăi.

gamelle *s.f.* gamelă.

gamin, -e I. *adj.* ștrengar, zburdalnic. **II.** *s.m.f.* puști.

gaminerie *s.f.* ștrengărie, copilărie.

gamme *s.f.* gamă.

gangrène *s.f.* gangrenă.

gant *s.m.* mănușă ‖ *aller comme un ~* a veni ca turnat.

garage *s.m.* **1.** garaj. **2.** garare.

garant, -e 1. *s.m.f., adj.* garant ‖ *se porter ~ de* a garanta. **2.** *s.m.* garanție.

garantie *s.f.* garanție.

garantir *vt.* **1.** a garanta. **2.** a apăra, a ocroti.

garçon *s.m.* **1.** băiat. **2.** holtei ‖ *rester ~* a rămâne neînsurat. **3.** chelner, ospătar. **4.** lucrător, calfă.

garçonnière *s.f.* garsonieră.

garde[1] *s.f.* **1.** pază. **2.** gardă ‖ *prendre ~* a fi atent, a lua seama; *être sur ses ~s* a se feri, a nu avea încredere; *être au ~ à vous* a sta drepți.

garde[2] *s.m.* paznic, gardian, supraveghetor.

garde-fou *s.m.* (*pl.* **garde-fous**) balustradă, parapet.

garde-frontière *s.m.* (*pl.* **gardes-frontières**) grănicer.

garde-malade *s.m.f.* (*pl.* **gardes-malades**) infirmier.

garder I. *vt.* **1.** a păzi, a supraveghea ‖ *garder un malade.* **2.** a păstra ‖ *garder quelqu'un au déjeuner.* **3.** a feri ‖ *que Dieu vous garde!* să vă ferească Dumnezeu! **4.** a avea grijă ‖ *le chien garde la maison.* **II.** *vr.* **1.** a se feri, a se păzi ‖ *gardez-vous!* feriți-vă! **2.** a nu avea încredere ‖ *se garder des flatteurs.* **III.** *vt.* **1.** a păstra ‖ *garder la copie d'un document.* **2.** a rezerva, a păstra ‖ *garder un peu de gâteau pour un enfant.* **3.** a ține ‖ *garder la tête froide* a-și păstra sângele rece. **4.** a păstra, a ține ‖ *garder un secret.* **5.** a rămâne într-o stare ‖ *garder son sérieux.* **6.** *ce malade garde la chambre* acest bolnav nu iese din casă; *garder le lit* a nu se da jos din pat. **IV.** *vi.* a evita, a se feri.

garde-robe *s.f.* (*pl.* **garde-robes**) garderobă.

gardien, -enne I. *s.m.f.* gardian ‖ (*sport*) ~ *de but* portar. II. *adj.* păzitor ‖ *ange* ~ înger păzitor.

gare[1] *s.f.* gară.

gare[2] *interj.* la o parte! fereşte! păzea!.

garer I. *vt.* a gara. II. *vr.* a se adăposti, a se feri.

gargariser (se) *vr.* 1. a-şi clăti gura. 2. *fam.* a se desfăta.

garnement *s.m.* derbedeu, netrebnic.

garnir I. *vt.* (**de**) 1. a înzestra. 2. a garnisi, a împodobi. II. *vr.* a se umple.

garnison *s.f.* garnizoană.

garrotter *vt.* a lega strâns.

gars *s.m. fam.* băiat, flăcău.

gaspillage *s.m.* risipă, irosire.

gaspiller *vt.* a risipi, a irosi.

gastrite *s.f.* gastrită.

gâteau *s.m.* prăjitură.

gâter *vt.* 1. a strica. 2. a răsfăţa ‖ ~ *le métier* a strica preţul de lucru.

gauche I. *adj.* 1. stâng. 2. *fig.* stângaci, neîndemânatic. II. *s.f.* stânga (şi în politică).

gauchement *adv.* cu stângăcie.

gaucher, -ère *s.m.f., adj.* stângaci.

gaucherie *s.f. fam.* stângăcie.

gaufrage *s.m.* gofraj.

gaver *vt., vr.* a (se) îndopa (şi *fig.*).

gaz-oil *s.m.* motorină.

gaze *s.f.* ţesătură fină, voal de mătase sau bumbac.

gazelle *s.f.* gazelă.

gazette *s.f.* 1. gazetă. 2. *fig.* vorbăreţ.

gazeux, -euse *adj.* gazos ‖ *eau* ~*euse* sifon.

gazouillement *s.m.* 1. ciripit. 2. susur, murmur. 3. gângurit.

gazouiller *vi.* 1. a ciripi. 2. (despre râuri) a murmura. 3. a gânguri.

géant, -e *adj., s.m.f.* uriaş.

geignant, -e *adj.* care se văicăreşte, se tânguie mereu.

geindre *vi.* 1. a scânci, a geme. 2. *fam.* a se tângui.

gel *s.m.* îngheţ, ger.

gélatine *s.f.* gelatină.

gelée *s.f.* 1. îngheţ, ger. 2. răcituri. 3. jeleu.

geler I. *vt.* a face să îngheţe. II. *vi.* a îngheţa. III. *v. impers.* a fi ger, a îngheţa.

gémir *vi.* a geme.

gémissement *s.m.* geamăt, tânguire.

gemme I. *s.f.* piatră preţioasă. II. *adj.* împodobit cu geme.

gênant, -e *adj.* jenant, supărător.

gencive *s.f.* gingie.

gendarme *s.m.* jandarm.

gendre *s.m.* ginere.

gêne *s.f.* 1. jenă. 2. strâmtorare, lipsă de bani.

généalogie *s.f.* genealogie.

généalogique *adj.* genealogic.

gêner *vt.* a jena, a chinui.

général, -e *adj.* general.

généralisation *s.f.* generalizare.

généraliser *vt., vr.* a (se) generaliza.

générateur, -trice *adj., s.m.f.* generator.

génération *s.f.* 1. generaţie. 2. generare.

généreux, -euse *adj.* 1. generos. 2. curajos. 3. rodnic.

générosité *s.f.* 1. generozitate. 2. *pl.* daruri, binefaceri.

genèse *s.f.* geneză.

génétique I. *adj.* genetic. II. *s.f.* genetică.

génial, -e *adj.* genial.

génie *s.m.* 1. geniu. 2. spirit, duh. 3. *mil.* geniu.

génisse *s.f.* juncă.

génitif *s.m.* genitiv.

genou (*pl.* **-x**) *s.m.* genunchi.

genre *s.m.* 1. gen, neam. 2. fel, mod. 3. gust. 4. *gram.* gen.

gens *s.m.f. pl.* oameni, lume ‖ ~ de robe magistraţi; ~ de lettres scriitori; ~ d'épée militari.

gentil, -ille *adj.* îndatoritor, gentil, drăgălaş.

gentilesse *s.f.* gentileţe, amabilitate; drăgălăşenie.

gentiment *adv.* gentil, drăguţ.

génuflexion *s.f.* 1. îngenunchiere. 2. *fig.* linguşire.

géographie *s.f.* geografie.

géographique *adj.* geografic.

geôle *s.f.* temniţă.

géologique *adj.* geologic.

géométrie *s.f.* geometrie.

gérant, -e *s.m.f.* gerant, administrator.

gerbage *s.m.* ridicarea snopilor (de pe câmp).

gerbe *s.f.* 1. snop. 2. jerbă.

gercer *vt., vi.* a crăpa.

gerçure *s.f.* crăpătură (pe piele, pe scoarţa arborilor etc.).

gérer *vt.* a conduce, a administra.

germain, -e *adj.* (în expr.) *cousin* ~, *cousine* ~e văr (vară) primar(ă); *frères* ~s fraţi buni.

germe *s.m.* germene (şi *fig.*).

germer *vi.* a încolţi.

gésier *s.m.* pipotă.

gésir *vi.* 1. a zăcea. 2. a consista. 3. a se afla ‖ *ci* ~ *gât* aici odihneşte.

gestation *s.f.* gestaţie.

geste *s.m.* gest.

gesticulation *s.f.* 1. gesticulaţie. 2. gesticulare.

gesticuler *vi.* a gesticula.

gestion *s.f.* gestiune ‖ ~ *autonome* autoadministrare.

gestionnaire I. *adj.* de gestiune. II. *s.m.* gestionar.

gibecière *s.f.* tolbă (de vânător, scamator).

gibler *s.m.* vânat ‖ *fig.* ~ *de potence* răufăcător.

giboulée *s.f.* ploaie scurtă însoţită adeseori de zăpadă, grindină.

gifler *vt.* a pălmui.

gigantesque *adj.* gigantic.

gigot *s.m.* jigou.

gilet *s.m.* vestă, jiletcă.

girafe *s.f.* girafă.

giratoire *adj.* rotitor.

girouette *s.f.* morişcă de vânt.

gisement *s.m.* zăcământ.

givre *s.m.* chiciură, promoroacă.

givré, -e *adj.* acoperit cu chiciură.

glabre *adj.* spân.

glace *s.f.* **1.** gheaţă. **2.** îngheţată. **3.** oglindă. **4.** geam mobil (la un vehicul).

glacer *vt.* **1.** a face să îngheţe, a îngheţa. **2.** a glasa.

glacière *s.f.* **1.** gheţar, răcitor. **2.** *fig.* loc foarte rece.

glaçon *s.m.* sloi de gheaţă (şi *fig.*).

glaïeul *s.m.* gladiolă.

glaise *s.f.* lut, humă.

gland *s.m.* **1.** ghindă. **2.** ciucure.

glaner *vt.* a spicui (şi *fig.*).

glaneur, -euse *s.m.f.* spicuitor (şi *fig.*).

glapir *vi.* **1.** a chelălăi, a hămăi. **2.** *fig.* a ţipa.

glissade *s.f.* alunecare, derdeluş.

glissement *s.m.* (a)lunecare.

glisser **I.** *vi.* **1.** a aluneca. **2.** a înainta uşor. **3.** *fig.* a trece repede peste (o chestiune). **II.** *vt.* a strecura ceva cuiva ‖ ~ *un mot à l'oreille de qn.* a strecura câteva vorbe la urechea cuiva. **III.** *vr.* a se strecura.

globe *s.m.* glob.

globule *s.m.* globulă.

gloire *s.f.* glorie.

glorieux, -euse *adj.* **1.** glorios. **2.** vanitos, orgolios.

glorification *s.f.* glorificare.

glorifier *vt., vr.* a (se) glorifica.

gloser **1.** *vt.* a explica, a tălmăci. **2.** *vi.* (**sur**) a critica.

glossaire *s.m.* glosar.

glousser *vi.* a cotcodăci.

glouton, -onne *adj.* lacom, mâncăcios.

gloutennerie *s.f.* lăcomie animalică, voracitate.

glu *s.f.* **1.** clei de prins păsări. **2.** *fig.* momeală, ademenire.

gluant, -e *adj.* **1.** lipicios, vâscos. **2.** *fig.* tenace.

glucose *s.m.* glucoză.

glycérine *s.f.* glicerină.

gober *vt.* **1.** a înghiţi pe nerăsuflate. **2.** *fig.* a crede orice.

goguenard, -e *adj., s.m.f.* batjocoritor, ironic.

goguette *s.f. fam.* **1.** glumă. **2.** chef, petrecere ‖ *être en* ~ a fi cu chef.

goinfre *s.m.* mâncău, găman.

goitre *s.m.* gușă.

goitreux, -euse *adj., s.m.f.* gușat.

golfe *s.m.* golf (de mare.).

gomme *s.f.* gumă ‖ *fig. la haute ~* filfizonii.

gond *s.m.* țâțână ‖ *sortir des ~s* a-și ieși din țâțâni, din răbdări.

gondole *s.f.* gondolă.

gonflement *s.m.* umflare.

gonfler *vt., vr.* a (se) umfla (și *fig.*) ‖ *gonflé d'orgueil* umflat în pene.

gorge *s.f.* **1.** gât, gâtlej, beregată. **2.** sâni. **3.** *geogr.* chei ‖ *rendre ~* a vomita; *fig.* a fi nevoit să înapoieze ce-a luat; *rire à ~ déployée* a se tăvăli de râs; *faire des ~s chaudes* a-și bate joc.

gorgée *s.f.* înghițitură, dușcă.

gorger **I.** *vt.* **1.** a îndopa (și *fig.*). **2.** a umple. **II.** *vr.* a se îndopa.

gorille *s.m.* gorilă

gosier *s.m.* gâtlej.

gosse *s.m.f.* copil, puști.

gouailler *vt., vr. fam.* a-și bate joc, a zeflemisi.

gouailleur, -euse *adj., s.m.f. fam.* zeflemitor, batjocoritor.

goudron *s.m.* gudron, catran.

gouffre *s.m.* **1.** prăpastie. **2.** vâltoare.

goujat *s.m.* bădăran, mojic.

goulot *s.m.* gât (de sticlă).

goulu, - *adj.* lacom.

goulûment *adv.* cu lăcomie.

gourd, -e *adj.* amorțit.

gourde **I.** *s.f.* ploscă. **II.** *s.f., adj. pop.* nătărău, nătăfleț.

gourmandise *s.f.* **1.** lăcomie. **2.** mâncare fină.

gourmé, -e *adj.* bățos, scorțos.

gourmet *s.m.* cunoscător rafinat în ale mâncării și băuturii.

gousset *s.m.* buzunar la vestă ‖ *avoir le ~ vide* a-i sufla vântul prin buzunare.

goût *s.m.* gust (și *fig.*).

goûter¹ **I.** *vt.* **1.** a gusta. **2.** a prețui. **3.** a se bucura de. **II.** *vi.* a gusta (din).

goûter² *s.m.* gustare (de după-amiază).

goutte **I.** *s.f.* picătură. **II.** *adv.* deloc ‖ *on n'y voit ~* nu se vede deloc.

goutter *vi.* a lăsa să picure.

gouttière *s.f.* jgheab la acoperiș, streașină.

gouvernail (*pl.* **-s**) *s.m.* cârmă.

gouvernement *s.m.* guvern, guvernare.

gouverner *vt.* **1.** a guverna. **2.** a crește (un copil).

gouverneur *s.m.* **1.** guvernator. **2.** preceptor.

grâce *s.f.* **1.** favoare. **2.** îndurare. **3.** drăgălășenie, grație. **4.** grațiere ‖ *de bonne (de mauvaise)* ~ cu plăcere (în silă); *de* ~ vă rog, vă implor; ~ *à* mulțumită.

gracier *vt.* a grația.

gracieux, -euse *adj.* **1.** grațios, drăgălaș. **2.** amabilă. **3.** gratuit ‖ *à titre* ~ gratuit.

gradation *s.f.* gradație.

grade *s.m.* grad, treaptă.

gradé, -e *adj., s.m.f. mil.* sub-ofițer.

gradin *s.m.* graden.

graduation *s.f.* gradare.

graduel, -elle *adj.* gradat, treptat.

graduer *vt.* **1.** a grada (un tub etc.). **2.** *fig.* a grada, a doza.

grain *s.m.* **1.** grăunte. **2.** bob, boabă. **3.** *pl.* grâne. **4.** aversă.

graine *s.f.* sămânța ‖ *fig. mauvaise* ~ poamă rea.

graissage *s.m.* gresaj, ungere.

graisse *s.f.* **1.** grăsime. **2.** untură. **3.** unsoare.

graisser *vt.* a unge ‖ *fig.* ~ *la patte* a mitui.

graisseux, -euse *adj.* unsuros, cu pete de grăsime.

grammaire *s.f.* gramatică.

grammairien, -enne *s.m.f.* gramatic, specialist în gramatică.

gramme *s.m.* gram.

grand, -e I. *adj.* **1.** mare, înalt, puternic ‖ *un grand homme.* **2.** care a crescut ‖ *une grande fille* o fată care a crescut. **3.** mare (în raport cu altcineva) ‖ *avoir un grand nez* a avea nas mare. **4.** mare (ca dimensiune), întins ‖ *une grande forêt* o pădure întinsă. **5.** intens ‖ *faire un grand froid* e tare frig; **6.** considerabil ‖ *sur une grande échelle* la scară mare. **II.** *adv. grand ouvert* larg deschis ‖ *voir les choses en grand* a vedea lucrurile în mare; *il est grand temps* e și timpul.

grandeur *s.f.* **1.** mărime. **2.** măreție. **3.** mărie (titlu). **4.** *pl.* ono-ruri ‖ *du haut de sa* ~ de sus, cu mândrie.

grandiose *adj.* grandios.

grandir I. *vt., vi.* a (se) mări, a crește. **II.** *vt.* **1.** a mări. **2.** *fig.* a amplifica.

grand-mère *s.f.* (*pl.* **grand-mères**) bunică.

grands-parents *s.m. pl.* bunici.

grand-père *s.m.* (*pl.* **grands-pères**) bunic.

grange *s.f.* hambar, șură.

granule *s.m.* granulă.

granuleux, -euse *adj.* granulos.

graphique *adj., s.m.* grafic.

grappe *s.f.* **1.** ciorchine. **2.** legă-tură (de ceapă etc.).

gras, -se I. *adj.* **1.** gras. **2.** unsu-ros. **3.** *fig.* piperat (anecdote etc.) ‖ *faire la ~ matinée* a se scula dimineaţa târziu. **II.** *s.m.* partea grasă (la carne) ‖ *faire ~ a* mânca carne.

gratification *s.f.* gratificaţie.

gratifier *vt.* a gratifica.

gratitude *s.f.* recunoştinţă.

gratte-ciel *s.m.* zgârie-nori.

gratter I. *vt.* **1.** a scărpina. **2.** a răzui. **3.** a bate încet. **4.** *fig.* a ciupi, a face ciubuc. **II.** *vr.* a se scărpina.

gratuit, -e *adj.* gratuit.

gratuité *s.f.* gratuitate.

grave *adj.* grav.

graver *vt., vr.* a (se) întipări, a (se) grava.

graveur *s.m.* gravor.

gravier *s.m.* prundiş, pietriş.

gravir *vt., vi.* a urca (cu greutate).

gravitation *s.f.* gravitaţie.

gravité *s.f. fig.* gravitate, seriozitate.

graviter *vi.* a gravita.

gravure *s.f.* gravură.

gré *s.m.* voie, plac, capriciu ‖ *agir à son ~* a acţiona după plac; *savoir bon ~ à qn.* a fi recunoscător cuiva; *de ~ ou de force, bon ~ mal ~* cu sau fără voie.

grec, -que II *adj.* grecesc. **II.** *s. m.f.* (cu *maj.*) grec. **III.** *s.m.* (limba) greacă.

gredin, -e *adj.* ticălos, nemernic.

greffage *s.m.* **1.** altoire. **2.** grefare.

greffe[1] *s.m.* grefă (de tribunal).

greffe[2] *s.f.* **1.** altoire. **2.** *med.* grefă.

greffer *vt.* **1.** a altoi. **2.** a grefa.

grêle *s.f.* **1.** grindină, piatră. **2.** *fig.* ploaie.

grêler I. *v. impers.* a cădea grindină. **II.** *vt.* a strica, a prăpădi.

grelot *s.m.* clopoţel.

grelottant, -e *adj.* rebegit de frig.

grenade *s.f.* **1.** grenadă. **2.** rodie.

grenier *s.m.* **1.** pod. **2.** hambar. **3.** grânar.

grenouille *s.f.* broască.

grenu, -e *adj.* grăunţos, grunjos.

grés *s.m.* gresie.

grésil *s.m.* măzăriche.

grésillement *s.m.* târâit de greier.

grève *s.f.* grevă.

gréviste *s.m.f.* grevist.

grief *s.m.* plângere, (cap de) acuzaţie.

grièvement *adv.* grav.

griffe *s.f.* gheară.

griffer *vt.* **1.** a zgâria. **2.** a apuca cu ghearele.

griffonner *vt.* **1.** a scrie neciteţ. **2.** a compune în grabă. **3.** a desena la repezeală.

grignoter *vt.* **1.** a ronţăi. **2.** *fig. fam.* a distruge încetul cu încetul.

gril *s.m.* grătar ‖ *fam. être sur le ~* a) a sta pe jeratic; b) a fi neliniştit.

grillade *s.f.* **1.** friptură la grătar. **2.** frigare.

grillage *s.m.* **1.** grilaj. **2.** frigare.

grille *s.f.* grilaj.

griller[1] *vt.* **1.** a închide cu gratii. **2.** a băga la închisoare.

griller[2] I. *vt.* **1.** a frige la grătar. **2.** a prăji (cafea etc.) II. *vi.* **1.** *fig.* a muri de căldură. **2.** *fig.* a arde de nerăbdare.

grillon *s.m.* greier.

grimace *s.f.* strâmbătură, grimasă.

grimpant, -e *adj.* agăţător, căţă-rător.

grimpeur, -euse *adj.* căţărător.

grincement *s.m.* **1.** scrâşnire. **2.** scârţâit.

grincer *vi.* **1.** a scrâşni. **2.** a scârţâi.

grincheux, -euse *adj., s.m.f.* supărăcios, morăcănos.

gringalet *s.m.* pirpiriu.

grippe *s.f.* gripă || *prendre qn. en ~* a avea antipatie faţă de cineva.

gris, -e *adj.* **1.** cenuşiu, gri. **2.** (despre vreme) întunecat şi rece. **3.** *fig.* cu chef.

griser *vt., vr.* **1.** a (se) îmbăta, a (se) chercheli. **2.** *fig.* a (se) ameţi (de succese etc.).

griserie *s.f.* ameţeală, beţie uşoară.

grison, -onne I. *adj.* încărunţit. II. *s.m.* măgar.

grisonnement *s.m.* încărunţire.

grisonner *vi.* a încărunţi.

grivois, -e *adj., s.m.f. fig.* îndrăzneţ, licenţios.

grivoiserie *s.f.* gest sau cuvânt îndrăzneţ.

grogner *vi.* **1.** a grohăi. **2.** *fig.* a mârâi, a mormăi, a bombăni.

grognon *adj., s.m.* **1.** care grohăie. **2.** *fig.* ursuz.

grommeler *vi., vt.* a mormăi, a bombăni.

grondement *s.m.* **1.** mârâit, mormăit. **2.** bubuit, vuiet.

gronder I. *vi.* **1.** a mârâi, a mormăi. **2.** a bubui, a vui. II. *vt.* a mustra, a dojeni.

gronderie *s.f.* ceartă, mustrare.

gros, -osse I. *adj.* **1.** gros, grosolan. **2.** mare, important. **3.** (despre femei) însărcinată, grea. || *jouer ~ jeu* a risca mult la joc; *~ de conséquences* putând avea urmări însemnate. II. *s.m.* **1.** persoană corpolentă. **2.** persoană importantă. III. *adv.* mult || *commerce en ~* comerţ cu ridicata, angro; *coûter ~* a costa bani grei.

groseille *s.f.* coacăză.

grossesse *s.f.* sarcină, graviditate.

grosseur *s.f.* **1.** grosime. **2.** umflătură, tumoare.

grossier, -ère *adj.* **1.** grosolan, din topor. **2.** *fig.* mojic, grosolan.

grossièreté *s.f.* grosolănie, bădărănie.

grossir I. *vt.* **1.** a îngroşa. **2.** a mări. **3.** *fig.* a exagera. II. *vi.* a se îngroşa, a se îngrăşa, a se umfla.

grossissement *s.m.* îngroşare, mărire.

grotesque *adj., s.m.* grotesc.

grotte *s.f.* peşteră, grotă.

grouiller I. *vi.* a (se) foi, a colcăi, a mişuna. **II.** *vr. pop.* a se grăbi.

groupe *s.m.* grupă, grup, mulţime.

groupement *s.m.* grupare.

grouper *vt., vr.* a (se) grupa.

grue *s.f.* **1.** cocor. **2.** macara. **3.** femeie de moravuri uşoare ‖ *faire le pied de* ~ a aştepta mult şi bine.

gué *s.m.* vad.

guenille *s.f.* zdreanţă; *pl.* haine vechi.

guenon *s.f.* **1.** maimuţă. **2.** *fig.* femeie foarte urâtă.

guêpe *s.f.* viespe.

guépier *s.m.* viespar (şi *fig.*).

guère *adv.* deloc.

guéridon *s.m.* gheridon.

guérir *vt., vi.* a (se) vindeca.

guérison *s.f.* vindecare.

guérissable *adj.* vindecabil.

guerre *s.f.* război ‖ *nom de* ~ nume conspirativ.

guerrier, -ère I. *adj.* de război, războinic. **II.** *s.m.* războinic, luptător.

guerroyer *vi.* a se război.

guet *s.m.* pândă.

guet-apens *s.m.* (*pl.* **guets-apens**) cursă, ambuscadă.

guetter *vt.* a pândi.

gueule *s.f.* **1.** bot, gură (de animal, de tun etc.). **2.** *pop.* plisc, fleancă. **3.** *pop.* mutră.

gueuler *vi. fam.* a ţipa, a zbiera.

gueux, -euse *adj., s.m.f.* **1.** sărman, calic. **2.** nemernic, ticălos.

gui *s.m.* vâsc.

guichet *s.m.* ghişeu.

guide I. *s.m.* călăuză, ghid. **II.** *s.f.* hăţ.

guider *vt., vr.* a (se) călăuzi, a (se) conduce.

guigne *s.f.* **1.** un fel de cireaşă. **2.** ghinion.

guignol *s.m.* teatru de păpuşi.

guillemet *s.m.* (folosit mai ales la *pl.*) ghilimele.

guindé, -e *adj.* **1.** afectat, nenatural. **2.** emfatic, bombastic.

guirlande *s.f.* ghirlandă.

guise *s.f.* fel, chip ‖ *à sa* ~ după bunul său plac; *en* ~ *de* cu drept, în chip de.

guitare *s.f.* chitară.

gustatif, -ive *adj.* gustativ.

guttural, -e, *adj.* gutural.

gymnase *s.m.* gimnaziu.

gymnastique *s.f.* gimnastică.

gynécologie *s.f.* ginecologie.

gypse *s.m.* ghips.

H

habile *adj.* **1.** abil, îndemânatic, priceput. **2.** iscusit, destoinic, șiret.

habileté *s.f.* îndemânare, dexteritate, talent.

habiliter *vt. jur.* a abilita, a conferi dreptul de a face ceva.

habillement *s.m.f.* **1.** îmbrăcare. **2.** îmbrăcăminte. **3.** costumație

habiller I. *vt.* **1.** a îmbrăca. **2.** a sta (bine sau rău). **3.** *fig.* a acoperi, a ascunde. **II.** *vr.* a se îmbrăca.

habit *s.m.* **1.** *înv.* costum bărbătesc. **2.** *pl.* îmbrăcăminte.

habitable *adj.* locuibil.

habitant, -e *s.m.f.* locuitor.

habitation *s.f.* locuire, locuință, domiciliu, reședință.

habiter *vt., vi.* a locui.

habitude *s.f.* **1.** obicei, tradiție. **2.** obișnuință ‖ *d'~* de obicei.

habituel, -elle *adj.* obișnuit.

habituer *vt., vr.* a (se) obișnui.

hâbleur, euse *adj., s.m.f.* vorbăreț, flecar.

hachage, hachement *s.m.* tăiere, ciopârțeală.

hache *s.f.* topor, secure, bardă.

hacher *vt.* **1.** a toca, a ciopârți. **2.** a distruge, a nimici.

hachette *s.f.* secure mică, toporișcă.

hachis *s.m.* tocătură (de carne).

hachoir *s.m.* **1.** masă pentru tocatul cărnii. **2.** tocător, satâr.

hachure *s.f.* hașurare.

hagard, -e *adj.* **1.** tulburat, îngrozit, speriat. **2.** aspru.

haie (vive) *s.f.* **1.** gard viu, împrejmuire. **2.** rând, cordon (de poliție).

haillon *s.m.* zdreanță.

haine *s.f.* ură ‖ *avoir en ~* a urî.

haineusement *adv.* dușmănos, cu ură.

haineux, -euse *adj.* dușmănos.

haïr *vt.* a urî, a dușmăni.

haïssable *adj.* demn de ură.

hâle *s.m.* dogoare, arșiță, vânt uscat.

hâlé, -e *adj.* bronzat, pârlit de soare.

haleine *s.f.* răsuflare, respirație ‖ *travail de longue ~* lucrare de mari proporții; *tout d'une ~* dintr-o dată, fără întrerupere.

hâler *vt.* **1.** a bronza, a înnegri, a pârli. **2.** a usca.

haleter *vi.* a gâfâi.

halle *s.f.* hală.

hallucination *s.f.* halucinație, nălucire.

halte I. *s.f.* haltă, oprire. **II.** *interj.* oprește! stai!

haltérophile *s.m.* halterofil.

hameau *s.m.* cătun.

hameçon *s.m.* cârligul undiței ‖ *mordre à l'~* a se lăsa ademenit.

hampe *s.f.* coadă (de drapel, de pensulă etc.).

hanche *s.f.* șold.

hanneton *s.m.* **1.** cărăbuș. **2.** *fig.* zăpăcit.

hanter *vt.* **1.** a frecventa, a vizita des. **2.** a obseda.

hantise *s.f.* **1.** *fig.* obsesie. **2.** frecventare.

happer *vt.* a înșfăca, a apuca, a înhăța.

harangue *s.f.* **1.** cuvântare. **2.** *fam.* predică, discurs plictisitor.

haranguer *vt.* a adresa o cuvântare.

haras *s.m.* crescătorie de cai de rasă.

harasser *vt.* a extenua, a obosi foarte mult.

harceler *vt.* a hărțui, a obosi.

hardes *s.f. pl.* zdrențe, boarfe.

hardi, -e *adj.* **1.** îndrăzneț. **2.** obraznic, nerușinat.

hardiesse *s.f.* **1.** îndrăzneală. **2.** obrăznicie, nerușinare.

hardiment *adv.* **1.** cu îndrăzneală. **2.** cu nerușinare. **3.** direct.

hareng *s.m.* scrumbie, hering.

hargneux, -euse *adj.* arțăgos ursuz.

haricot *s.m.* fasole.

harmonie *s.f.* **1.** *muz.* armonie **2.** *fig.* înțelegere.

harmonieux, -euse *adj.* armoniós, melodios.

harmoniser I. *vt.* a armoniza **II.** *vr.* a se potrivi.

harnachement *s.m.* **1.** harnașa ment. **2.** înhămare. **3.** *fig.* împo poțonare.

harnais *s.m.* hamuri ‖ *cheval de cal de trăsură; blanchir sous l ~ (harnois)* a îmbătrâni într-profesie.

harpagon *s.m.* zgârcit, avar.

harpe *s.f.* harpă.

harponner *vt.* **1.** a prinde c harponul. **2.** a opri, a înșfăca.

hasard *s.m.* hazard, întâmplare noroc ‖ *au ~* la întâmplare; *pa ~ din* întâmplare; *jeu de ~* jo de noroc.

hasarder I. *vt.* a risca, a încerc **II.** *vi.* a se expune la. **III.** *vr.* se hazarda, a se aventura.

hasardeux, -euse *adj.* riscan periculos.

155

hase *s.f.* iepuroaică.

hâte *s.f.* grabă ‖ *à la ~, en ~* în grabă.

hâter *vt.; vr.* a (se) grăbi.

hâtif, -ive *adj.* precoce, timpuriu, precipitat.

hausse *s.f.* urcare, creștere (a prețurilor, a acțiunilor).

haussement *s.m.* urcare, ridicare ‖ *~ d'épaules* ridicare din umeri.

hausser I. *vt.* a înălța, a ridica ‖ *~ la voix* a ridica vocea. **II.** *vi.* a crește, a se ridica.

haut, -e I. *adj.* **1.** înalt. **2.** (despre mare) agitat. **3.** de sus, superior. **4.** (despre voce) tare, puternic. **5.** arogant. **II.** *s.m.* înălțime ‖ *traiteur de ~ en bas* a trata cu aroganță. **III.** *adv.* **1.** sus. **2.** tare ‖ *parler ~* a vorbi tare.

hautain, -e *adj.* semeț, arogant, trufaș.

hautbois *s.m.* **1.** oboi. **2.** oboist.

haut-de-forme *s.m.* joben.

hautement *adv.* **1.** pe față, deschis, răspicat. **2.** cu mândrie.

hauteur *s.f.* **1.** înălțime. **2.** colină, deal. **3.** *fig.* trufie, aroganță.

haut-parleur (*pl.* **haut-parleurs**) *s.m.* difuzor.

hâve *adj.* livid, foarte slăbit.

havre *s.m.* port.

havresac *s.m.* traistă, raniță.

hebdomadaire I. *adj.* săptămânal. **II.** *s.m.* jurnal, revistă care apare săptămânal.

hebdomadairement *adv.* săptămânal.

hébergement *s.m.* găzduire.

héberger *vt.* a găzdui.

hébéter *vt.* a năuci.

hébétude *s.f.* năucire, îndobitocire.

hébraïque *adj.* ebraic.

hébreu I. *adj.* ebraic. **II.** *s.m.* **1.** limba ebraică. **2.** *fig.* ceva de neînțeles.

hécatombe *s.f.* masacru, dezastru.

hectare *s.m.* hectar.

hégémonie *s.f.* hegemonie, supremație.

hein *interj.* ce? hai?

hélas *interj.* vai!

héler *vt.* a chema, a striga.

hélice *s.f.* elice.

hélicoptère *s.m.* helicopter.

héliogravure *s.f.* heliogravură.

hélium *s.m.* heliu.

hellène *adj.* elen, grec.

hemisphère *s.m.* emisferă.

hémorragie *s.f.* hemoragie.

hennir *vi.* a necheza.

hennissement *s.m.* nechezat.

hépatique *adj.* hepatic.

herbacé, -e *adj.* erbaceu, ierbos.

herbage *s.m.* **1.** păşune. **2.** ier-buri.

herbe *s.f.* iarbă ‖ *mauvaise herbe* buruiană; *fig.* nemernic, ticălos; *fig. en ~* în faşă.

herbier *s.m.* ierbar.

herboriser *vt.* a strânge plante pentru cercetări.

herculéen, -enne *adj.* herculean.

hère *s.m. fam.* nenorocit ‖ *un pauvre ~* un biet om.

héréditaire *adj.* ereditar.

hérédité *s.f.* ereditate.

hérésie *s.f.* erezie.

hérétique *adj.* eretic.

hérissment *s.m.* zbârlire.

hérisser I. *vt.* **1.** a zbârli. **2.** a um-ple. **II.** *vr.* **1.** a se zbârli. **2.** *fig.* a se irita.

hérisson *s.m.* **1.** arici. **2.** *fig.* om posac.

hériter *vt.* a moşteni.

héritier, -ère *s.m.f.* moştenitor.

hermétique *adj.* ermetic.

hermine *s.f.* hermină.

hernie *s.f.* hernie.

héroïne *s.f.* eroină.

héroïque *adj.* eroic.

héroïsme *s.m.* eroism.

héron *s.m.* bâtlan.

héros *s.m.* erou.

herse *s.f.* grapă.

hésitant, -e *adj.* şovăitor.

hésitation *s.f.* ezitare, şovăială.

hésiter *vi.* a ezita, a şovăi.

hétéroclite *adj.* heteroclit.

hétérogène *adj.* eterogen.

hêtre *s.m.* fag.

heure *s.f.* **1.** oră ‖ *une journée de travail a huit heures* o zi de lucru are opt ore. **2.** ceas ‖ *l'heure légale d'été* ora legală de vară. **3.** distanţă în timp ‖ *Ploieşti se trouve à une heure de Bucarest* Ploieşti se află la o oră distanţă de Bucureşti. **4.** moment, durată ‖ *à la radio on passe les nouvelles de dernière heure.* **5.** unitate de lucru ‖ *trois heures de travail, de classe, de paye...* loc. adv. *à l'heure qu'il est* în prezent; *à toute heure* oricând; *sur l'heure* pe loc; *tout à l'heure* imediat; *à la bonne heure!* perfect! minunat!

heureux, -euse *adj., s.m.* **1.** fe-ricit. **2.** norocos. **3.** favorabil.

heurt *s.m.* lovitură, zguduitură.

heurter I. *vt.* **1.** a lovi, a izbi **2.** *fig.* a supăra, a răni. **II.** *vi.* bate la o poartă. **III.** *vr.* **1.** a se ciocni, a se izbi. **2.** *fig.* a se ciocni, a se contraria.

hexagone *s.m.* hexagon.

hibernation *s.f.* hibernare, ier-nare.

hiberner *vi.* a hiberna, a ierna.

hibou *s.m.* bufniţă.

hideur *s.f.* hidoşenie.

hideux, -euse *adj.* hidos, înfiorător.

hier *adv.* ieri.

hiérarchie *s.f.* ierarhie.

hiérarchique *adj.* ierarhic.

hilare *adj.* vesel, înveselitor.

hilarité *s.f.* ilaritate.

hindou, -e *adj., s.m.f.* hindus, indian.

hippique *adj.* hipic.

hippisme *s.m.* hipism.

hippopotame *s.m.* hipopotam.

hirondelle *s.f.* rândunică.

hirsute *adj.* 1. zbârlit. 2. *fig.* ursuz, grosolan.

hisser *vt.* a ridica, a înălţa.

histoire *s.f.* 1. istorie. 2. povestire, basm. 3. *fam.* moft, încurcătură.

historien *s.m.* istoric.

historiographe *s.m.* istoriograf.

historique *adj., s.m.* istoric.

hiver *s.m.* iarnă.

hiverner *vi.* a hiberna, a ierna.

hobereau *s.m.* 1. şoimuleţ. 2. *fig.* nobil de ţară.

hochement *s.m.* clătinare.

hocher *vt.* a scutura, a clătina ‖ ~ *la tête* a da din cap.

hochet *s.m.* 1. jucărioară. 2. *fig.* fleac.

holà I. *interj.* stai! hei! II. *s.m.* (în *expr.*) *mettre le* ~ a face ordine.

homélie *s.f.* predică (şi *fig.*).

homéopathie *s.f.* homeopatie.

homérique *adj.* homeric.

homicide I. *s.m.* 1. omucidere, crimă. 2. criminal, asasin. II. *adj.* ucigător.

hommage *s.m.* omagiu.

homme *s.m.* 1. om. 2. bărbat. 3. soţ ‖ ~ *de lettres* literat; ~ *d'Etat* om de stat.

homogène *adj.* omogen.

homogénéité *s.f.* omogenitate.

homologation *s.f.* omologare.

homologuer *vt.* a omologa.

homonyme *adj., s.m.* omonim.

honnête *adj.* onest, cinstit.

honnêteté *s.f.* 1. onestitate, cinste. 2. curtoazie, politeţe.

honneur *s.m.* 1. onoare. 2. cinste, virtute. 3. glorie, faimă. 4. *pl.* onoruri ‖ *faire* ~ *à sa signature* a-şi ţine angajamentul.

honnir *vt.* a dezonora, a acoperi de ruşine.

honorabilité *s.f.* cinste, onorabilitate.

honorable *adj.* onorabil, demn de cinste.

honorer *vt.* a onora, a cinsti.

honorifique *adj.* onorific.

honte *s.f.* ruşine, dezonoare, umilire.

honteux, -euse *adj.* ruşinos, ruşinat.

hôpital *s.m.* spital.

hoquet *s.m.* sughiţ.

horaire I. *adj.* pe ore, orar.
II. *s.m.* mersul trenurilor.

horizon *s.m.* orizont (şi *fig.*).

horizontal, -e I. *adj.* orizontal.
II. *s.f.* orizontală.

horloge *s.f.* orologiu.

horloger *s.m.* ceasornicar.

horlogerie *s.f.* ceasornicărie.

hormis *prep.* cu excepţia, afară de.

horreur *s.f.* **1.** oroare, groază.
2. scârbă, ură. **3.** *pl.* grozăvii,
atrocităţi. **4.** *fam.* urâţenie, per-
soană urâtă.

horible *adj.* oribil, înfiorător.

horripiler *vt.* **1.** a înfiora. **2.** *fig.* a
scoate din răbdări.

hors *prep.* **1.** afară. **2.** în afară de
|| ~ *de doute* fără îndoială; ~
d'ici afară!; ~ *ligne* excepţional;
être ~ *de soi* a fi foarte tulburat,
agitat.

hors-d'œuvre *s.m. invar.* **1.** di-
gresiune. **2.** aperitiv, gustare.

horticole *adj.* horticol, de gră-
dinărie.

horticulture *s.f.* horticultură.

hospice *s.m.* ospiciu, azil.

hospitalier, -ère *adj.* ospitalier,
primitor.

hospitaliser *vt.* a spitaliza, a
primi în spital.

hospitalité *s.f.* ospitalitate.

hostile *adj.* ostil, duşmănos.

hostilité *s.f.* ostilitate, duşmănie.

hôte, hôtesse *s.m.f.* **1.** gazdă.
2. musafir, oaspete. **3.** hangiu.

hôtel *s.m.* **1.** hotel. **2.** palat, casă
mare || ~ *de ville* primărie.

hôtelier, -ière *s.m.f.* hotelier, han-
giu.

hôtellerie *s.f.* pensiune, han.

hotte *s.f.* coş de răchită; hotă.

houblon *s.m.* hămei.

houer *vt.* a săpa (cu cazmaua).

houille *s.f.* huilă, cărbune || ~
blanche energie electrică pro-
dusă de căderi de apă.

houilleur *s.m.* miner.

houle *s.f.* hulă.

houleux, -euse *adj.* vijelios,
furtunos (şi *fig.*).

houppe *s.f.* **1.** smoc, moţ, şuviţă.
2. ciucure.

hourra I. *interj.* ura! **II.** *s.m.* (fo-
losit mai ales la *pl.*) urale.

housse *s.f.* husă.

houx *s.m. bot.* ilice.

hublot *s.m.* ferestruică (la va-
poare, avioane).

huche *s.f.* căpistere, copaie pen-
tru frământat pâinea.

huée *s.f.* huiduială.

huer I. *vt.* a huidui. **II.** *vi.* (despre
bufniţe) a ţipa.

huile *s.f.* **1.** ulei, untdelemn.
2. esenţă, parfum || *faire tache*

d'~ a se mări pe nesimţite; *jeter de l'~sur le feu* a arunca paie peste foc; *~ de foie de morue* untură de peşte.

huiler *vt.* a unge, a freca cu ulei.

huileux, -euse *adj.* uleios, unsuros.

huilier *s.m.* fabricant sau negustor de ulei; suport pentru untdelemn şi oţet.

huissier *s.m.* 1. uşier, aprod. 2. portărel.

huit *num.* opt.

huitaine *s.f.* 1. opt zile. 2. vreo opt.

huitième I. *num.* al optulea. II. *s.m.* optime.

huître *s.f.* 1. stridie. 2. *fig.* prestănac, nătărău.

hulotte *s.f.* cucuvea.

hululer *vi.* v. ululer.

humain, -e 1. *adj.* uman, omenesc. 2. *s.m.pl.* oamenii, muritorii.

humanisme *s.m.* umanism.

humanitaire *adj.* umanitar.

humanité *s.f.* 1. umanitate, omenire. 2. omenie, blândeţe. 3. *pl.* clasele superioare de liceu (în Franţa).

humble *adj.* 1. umil, modest. 2. *fig.* de jos.

humectation *s.f.* umezire.

humecter *vt.*, *vr.* a (se) umezi || *pop. s'~ le gosier* a bea.

humer *vt.* a sorbi.

humeur *s.f.* 1. dispoziţie, predispoziţie naturală a unei persoane. 2. caracter || *être de bonne (mauvaise) humeur* a fi bine (prost) dispus. 3. iritare, mânie || *il a chassé son ami dans un moment d'humeur.*

humide I. *adj.* umed. II. *s.m.* umiditate.

humidification *s.f.* umezire.

humidifier *vt.* a umezi.

humidité *s.f.* umiditate.

humiliant, -e *adj.* umilitor, înjositor.

humiliation *s.f.* umilire, înjosire.

humilier *vt.*, *vr.* a (se) umili, a (se) înjosi.

humilité *s.f.* umilinţă, modestie.

humoriste *s.m.* umorist.

humoristique *adj.* umoristic.

humour *s.m.* humor.

hune *s.f. mar.* gabie.

huppe *s.f.* 1. moţ. 2. *zool.* pupăză.

huppé, -e *adj.* 1. cu moţ, moţat. 2. *fam.* important, cu vază.

hurlement *s.m.* urlat, urlet.

hurler I. *vi.* a urla. II. *vt.* a profera.

hurluberlu *s.m.* zăpăcit, descreierat.

hussard *s.m.* husar.

hutte *s.f.* colibă.

hybride *s.m., adj.* hibrid.

hydraulique **I.** *adj.* hidraulic.
II. *s.f.* hidraulică.

hydrogène *s.m.* hidrogen.

hydromel *s.m.* hidromel.

hydrophobe *adj.* hidrofob.

hydrothérapie *s.f.* hidroterapie

hyène *s.f.* hienă.

hygiène *s.f.* igienă.

hygiénique *adj.* igienic.

hygiéniste *s.m.f. med.* igienist.

hymen, hyménée *s.m.* căsătorie, unire.

hymne *s.m.* imn.

hyperbole *s.f.* hiperbolă, exagerare.

hyperbolique *adj.* hiperbolic, exagerat.

hypertension *s.f.* hipertensiune.

hypetrophie *s.f.* hipertrofie.

hypnose *s.f.* hipnoză.

hypnotique *adj.* hipnotic.

hypnotiser *vt.* a hipnotiza.

hypnotiseur *s.m.* hipnotizator.

hypnotisme *s.m.* hipnotism.

hypocondriaque *s.m.f., adj.* ipohondru.

hypocondrie *s.f.* ipohondrie.

hypocrisie *s.f.* ipocrizie.

hypocrite *s.m.f., adj.* ipocrit.

hypostase *s.f.* ipostază.

hypotension *s.f.* hipotensiune.

hypoténuse *s.f.* ipotenuză.

hypothéquer *vt.* a ipoteca.

hypothèse *s.f.* ipoteză.

hypothétique *adj.* ipotetic.

hystérie *s.f.* isterie.

hystérique *adj., s.m.f.* isteric.

I

ïambe *s.m.* iamb.
ichtyologie *s.f.* ihtiologie.
ici *adv.* aici.
icône *s.f.* icoană.
ictère *s.m.* icter.
idéal, -e *adj., s.m.* ideal.
idéalement *adv.* (în mod) ideal.
idéaliser *vt.* a idealiza.
idée *s.f.* idee.
identification *s.f.* identificare.
identifier *vt., vr.* a (se) identifica.
identique *adj.* identic.
identité *s.f.* identitate.
idéologie *s.f.* ideologie.
idéologique *adj.* ideologic.
idéologue *s.m.* ideolog.
idiomatique *adj.* idiomatic.
idiome *s.m.* idiom.
idiot, -e *adj., s.m.f.* idiot.
idolâtre *adj., s.m.f.* idolatru.
idolâtrer *vt.* a idolatriza.
idolâtrie *s.f.* idolatrie.
idole *s.f.* idol.
idylle *s.f.* idilă.
idyllique *adj.* idilic.
ignare *adj., s.m.f.* neinstruit, ignorant.
ignition *s.f. tehn.* ardere.
ignoble *adj.* josnic, infam.

ignominie *s.f.* 1. nemernicie, mârşăvie. 2. afront, ruşine.
ignominieux, -euse *adj.* ruşinos, infam.
ignorance *s.f.* ignoranţă.
ignorant, -e *adj., s.m.f.* ignorant, neinstruit.
ignorer *vt.* a ignora, a nu cunoaşte.
il *pron.* el.
île *s.f.* insulă.
illégal, -e *adj.* ilegal.
illégalement *adv.* (în mod) ilegal.
illégalité *s.f.* ilegalitate.
illégitime *adj.* 1. nelegitim. 2. nedrept, nejustificat.
illettré, -e *adj., s.m.f.* analfabet, neştiutor de carte.
illicite *adj.* ilicit.
illimité, -e *adj.* nelimitat, nesfârşit.
illisible *adj.* ilizibil, neciteţ.
illogique *adj.* nelogic.
illogiquement *adv.* în chip nelogic.
illuminé, -e *adj.* iluminat, inspirat, vizionar.
illuminer *vt.* a lumina (şi *fig.*).
ilusion *s.f.* iluzie, amăgire.

illusionner *vt.*, *vr.* a (se) amăgi, a (se) înşela.

illusoire *adj.* iluzoriu.

illustration *s.f.* ilustraţie.

illustre *adj.* ilustru, renumit.

illustrer I. *vt.* a ilustra. **II.** *vr.* a se ilustra, a se distinge.

ilôt *s.m.* insuliţă.

image *s.f.* **1.** imagine. **2.** figură, chip. **3.** desen, poză. **4.** icoană.

imagé, -e *adj.* (despre stil) bogat în imagini.

imaginable *adj.* imaginabil.

imaginaire *adj.* imaginar, închipuit.

imaginatif, -ive *adj.* imaginativ.

imagination *s.f.* imaginaţie, închipuire.

imaginer I. *vt.* a imagina, a crede. **II.** *vr.* a-şi imagina, a-şi închipui.

imbatable *adj.* de neînvins.

imbécile *adj.* netot, imbecil.

imbécillité *s.f.* imbecilitate.

imberbe *adj.* **1.** spân, fără barbă, imberb. **2.** *fig.* (persoană) foarte tânăr.

imbiber *vt.*, *vr.* a (se) îmbiba.

imbu, -e *adj.* pătruns, plin.

imbuvable *adj.* de nebăut.

imitable *adj.* imitabil.

imitateur, -trice *adj.*, *s.m.f.* imitator.

imitation *s.f.* imitare, imitaţie.

imiter *vt.* a imita.

immaculé, -e *adj.* imaculat.

immangeable *adj.* de nemâncat.

immanquable *adj.* fatal.

immatériel, -elle *adj.* imaterial.

immatriculer *vt.* a înmatricula.

immédiat, -e *adj.* **1.** imediat. **2.** nemijlocit.

immense *adj.* imens, nesfârşit, foarte mare.

immensément *adv.* imens, peste măsură de.

immensité *s.f.* imensitate.

immerger *vt.* a scufunda în apă.

immérité, -e *adj.* nemeritat.

immersion *s.f.* scufundare, imersiune.*

immeuble *adj.*, *s.m.* imobil.

immigrant, -e *adj.*, *s.m.f.* imigrant.

immigration *s.f.* imigraţie.

immigrer *vi.* a imigra.

imminence *s.f.* iminenţă.

imminent, -e *adj.* iminent.

immiscer *vt.*, *vr.* a (se) amesteca.

immixtion *s.f.* imixtiune, amestec.

immobile *adj.* **1.** imobil, nemişcat. **2.** *fig.* ferm, de neînduplecat.

immobilier, -ère *adj.* imobilar.

immobilisation *s.f.* imobilizare.

immobiliser *vt.* a imobiliza.

immobilité *s.f.* imobilitate.

immodéré, -e *adj.* nemoderat, exagerat.

immodérément *adv.* excesiv, peste măsură.

immodeste *adj.* **1.** lipsit de modestie, arogant. **2.** necuviincios.

immodestie *s.f.* **1.** aroganță. **2.** necuviință.

immoler I. *vt.* **1.** a jertfi (şi *fig.*). **2.** a omorî, a masacra. **II.** *vr.* a se jertfi.

immonde *adj.* **1.** murdar, impur. **2.** *fig.* josnic, mârşav, dezgustător.

immoralité *s.f.* imoralitate, destrăbălare.

immortaliser *vt.* a imortaliza.

immortalité *s.f.* nemurire.

immortel, -elle I. *adj.* nemuritor. **II.** *s.m. fam.* membru al Academiei Franceze. **III.** *s.f. bot.* siminoc.

immuable *adj.* imuabil, de neschimbat.

immunisation *s.f.* imunizare.

immuniser *vt.* a imuniza.

immunité *s.f.* **1.** imunitate. **2.** scutire de impozite.

impair, -e I. *adj.* fără soț, impar. **II.** *s.m. fam.* gafă, stângăcie.

impardonnable *adj.* de neiertat.

imparfait, -e I. *adj.* imperfect, nedesăvârşit. **II.** *s.m.* (timpul) imperfect.

impartageable *adj.* care nu se poate împărți.

impartial, -e *adj.* imparțial, nepărtinitor.

impartiellement *adv.* (în mod) imparțial.

impasse *s.f.* **1.** fundătură. **2.** *fig.* impas, încurcătură.

impassibilité *s.f.* impasibilitate, indiferență, nepăsare.

impassiblement *adv.* (în mod) impasibil, cu nepăsare.

impatiemment *adv.* cu nerăbdare.

impatience *s.f.* nerăbdare.

impatient, -e *adj.* nerăbdător.

impatienter I. *vt.* a scoate din sărite. **II.** *vr.* a-şi pierde răbdarea, a se impacienta.

impayable *adj.* **1.** de neprețuit, fără preț. **2.** *fam.* caraghios, comic.

impeccable *adj.* impecabil, fără defect.

impénétrable *adj.* de nepătruns (şi *fig.*).

impénitent, -e *adj.* nepocăit, perseverent în greşeală.

impératif, -ive I. *adj.* imperativ, poruncitor. **II.** *s.m.* (modul) imperativ.

impératrice *s.f.* împărăteasă.

imperceptible *adj.* imperceptibil.

imperceptiblement *adv.* (în mod) imperceptibil.

imperfection *s.f.* imperfecțiune.

impérial, -e I. *adj.* imperial, împărătesc. **II.** *s.f.* imperială (la un vehicul).

impérialisme *s.m.* imperialism.

impérialiste *adj., s.m.f.* imperialist.

impérieux, -euse *adj.* **1.** poruncitor. **2.** imperios.

impérissable *adj.* nepieritor.

imperméabilité *s.f.* impermeabilitate.

imperméable *adj., s.m.* impermeabil.

impersonnel, -elle *adj.* impersonal.

impertinence *s.f.* impertinență, obrăznicie.

impertinent, -e *adj.* obraznic, impertinent.

imperturbable *adj.* imperturbabil, neclintit.

impétueux, -euse *adj.* impetuos, năvalnic.

impétuosité *s.f.* impetuozitate, violență.

impie *adj., s.m.f.* nelegiuit, necredincios.

impiété *s.f.* nelegiuire.

impitoyable *adj.* nemilos, fără cruțare.

implacable *adj.* implacabil, neînduplecat.

implanter I. *vt.* **1.** a planta, a sădi. **2.** a stabili, a introduce. **II.** *vr.* a se stabili.

implication *s.f.* implicație, implicare.

implicite *adj.* implicit.

impliquer *vt.* a implica.

imploration *s.f.* implorare.

implorer *vt.* a implora.

impoli, -e I. *adj.* nepoliticos. **II.** *s.m.f.* bădăran, mojic.

impoliment *adv.* (în mod) nepoliticos.

impolitesse *s.f.* nepolitețe, mojicie.

impondérable *adj.* imponderabil (și *fig.*).

impopularité *s.f.* nepopularitate.

importance *s.f.* **1.** importanță. **2.** influență, vază. **3.** trufie. ‖ *d'~* considerabil, foarte mult.

important, -e I. *adj.* **1.** important, însemnat. **2.** încrezut, trufaș. **II.** *s.m.* (lucru) important.

importateur, -trice *adj., s.m.f.* importator.

importation *s.f.* import.

importer[1] *vt.* a importa.

importer[2] *v. impers.* a avea importanță ‖ *peu importe, n'importe* n-are nici o importanță, nu contează.

importun, -e *adj., s.m.f.* plictisitor, supărător.

importuner *vt.* a stingheri, a incomoda.

imposable *adj.* impozabil.

imposer I. *vt.* **1.** a impune, a sili. **2.** a supune la plata impozitului. **II.** *vi.* (în *expr.*) *en* ~ a impune, a inspira respect. **III.** *vr.* **1.** a se impune. **2.** a se obliga, a lua asupra-și.

imposition *s.f.* impunere.

impossibilité *s.f.* imposibilitate.

impossible *adj.*, *s.m.f.* imposibil(ul).

imposteur *s.m.* impostor, șarlatan.

imposture *s.f.* impostură, înșelătorie.

impôt *s.m.* impozit.

impoténce *s.f.* impotență, neputință.

impraticable *adj.* impracticabil, desfundat.

imprécation *s.f.* imprecație, blestem.

imprécision *s.f.* imprecizie.

imprégner *vt.* a impregna, a îmbiba.

imprescriptible *adj.* imprescriptibil.

impression *s.f.* **1.** tipărire, întipărire. **2.** *fig.* impresie.

impressionnant, -e *adj.* impresionant.

impressionner I. *vt.* a impresiona. II. *vr.* a se impresiona, a fi mișcat.

imprévisible *adj.* imprevizibil.

imprévision *s.f.* lipsă de prevedere.

imprévoyance *s.f.* neprevedere.

imprévoyant, -e *adj.* neprevăzător.

imprévu, -e *adj.* neprevăzut.

imprimé I. *adj.* tipărit, imprimat. **II.** *s.m.* tipăritură, imprimat.

imprimer *vt.* **1.** a imprima, a tipări. **2.** *fig.* a insufla, a inspira.

imprimerie *s.f.* tipografie, imprimerie.

imprimeur *s.m.* tipograf.

improbable *adj.* care nu e probabil, improbabil.

improductif, -ive *adj.* neproductiv.

improductivité *s.f.* neproductivitate.

impromptu I. *adj. invar.* negătit. **II.** *adv.* pe loc, fără pregătire. **III.** *s.m.* improvizație muzicală sau literară.

impropre *adj.* nepotrivit; impropriu.

improprement *adv.* (în mod) impropriu, greșit.

improvisateur, -trice *s.m.f.* improvizator.

improvisation *s.f.* improvizare, improvizație.

improviser *vt.*, *vi.* a improviza.

improviste (à l'~) *adv.* pe neașteptate.

imprudemment *adv.* (în mod) imprudent.

imprudence *s.f.* imprudenţă.

imprudent, -e *adj.* imprudent.

impudemment *adv.* (în mod) neruşinat.

impudence *s.f.* obrăznicie, neruşinare.

impudent, -e *adj.* neruşinat.

impudeur *s.m.* lipsă de pudoare.

impudicité *s.f.* **1.** desfrâu. **2.** faptă, vorbă desfrânată.

impudique *adj.* impudic.

impudiquement *adv.* (în mod) impudic.

impuissance *s.f.* neputinţă.

impuissant, -e *adj.* neputincios.

impulsif, -ive *adj.* impulsiv.

impulsion *s.f.* impuls, imbold.

impunément *adv.* fără pedeapsă.

impuni, -e *adj.* nepedepsit.

impunité *s.f.* nepedepsire.

impur, -e *adj.* **1.** impur, murdar. **2.** desfrânat.

impureté *s.f.* **1.** impuritate, murdărie. **2.** desfrâu.

imputation *s.f.* **1.** reproş, mustrare. **2.** imputare, imputaţie.

inabordable *adj.* inabordabil, inaccesibil.

inaccessible *adj.* inaccesibil.

inaccoutumé, -e *adj.* neobişnuit.

inachevé, -e *adj.* neterminat.

inactif, -ive *adj.* inactiv, leneş.

inaction *s.f.* lipsă de activitate.

inadmissible *adj.* inadmisibil.

inadvertance *s.f.* inadvertenţă, greşeală.

inaliénable *adj.* inalienabil.

inaltéré, -e *adj.* nealterat, nestricat.

inamovible, -e *adj.* neînsufleţit.

inanité *s.f.* zadărnicie.

inanition *s.f.* inaniţie.

inapaisable *adj.* care nu poate fi potolit.

inapaisé, -e *adj.* nepotolit.

inappliqué, -e *adj.* fără aptitudini, lipsit de talent.

inappréciable *adj.* de mare valoare.

inaptitude *s.f.* inaptitudine, nepricepere.

inarticulé, -e *adj.* nearticulat.

inassouvi, -e *adj.* nesăturat.

inattaquable *adj.* inatacabil.

inattendu, -e *adj.* neaşteptat.

inattentif, -ive *adj.* neatent.

inaugural, -e *adj.* inaugural, de deschidere.

inauguration *s.f.* inaugurare.

inaugurer *vt.* a inaugura.

inavouable *adj.* de nemărturisit.

incadescence *s.f.* **1.** incandescenţă. **2.** *fig.* înflăcărare.

incapable *adj., s.m.f.* incapabil, neputincios.

incapacité *s.f.* incapacitate, neputinţă.

incarcération *s.f.* întemnițare.

incarcérer *vt.* a întemnița.

incarnation *s.f.* încarnare, personificare.

incartade *s.f.* 1. jignire. 2. nesăbuință.

incassable *adj.* incasabil.

incendiaire *adj.* 1. incendiar. 2. *fig.* răzvrătitor, instigator.

incendie *s.m.* incendiu, foc.

incendier *vt.* a incendia, a da foc.

incertain, -e *adj.* nesigur, schimbător.

incertitude *s.f.* nesiguranța, îndoială.

incessamment *adv.* imediat, fără întârziere.

incessant, -e *adj.* neîncetat, fără sfârșit.

inceste *s.m.* incest.

incestueux, -euse *adj.* incestuos.

incidemment *adv.* incidental, din întâmplare.

incident *s.m.* incident.

incinération *s.f.* incinerare.

incinérer *vt.* a incinera.

inciser *vt.* a face o incizie.

incisif, -ive *adj.* incisiv, tăios.

incision *s.f.* incizie.

incitation *s.f.* incitație, instigare.

inciter *vt.* a incita, a instiga.

incivilité *s.f.* mojicie.

inclémence *s.f.* neîndurare, severitate, asprime.

inclinaison *s.f.* înclinare, înclinație.

inclination *s.f.* 1. înclinare. 2. predispoziție, aptitudine, atracție.

incliner I. *vt.* a înclina. II. *vi.* 1. a se înclina, a se îndoi. 2. a avea înclinare (pentru), a avea vocație.

inclure *vt.* a include.

inclus, -e *adj.* inclus.

inclusif, -ive *adj.* inclusiv.

inclusion *s.f.* includere, cuprindere.

incorrigible *adj.* incorigibil.

incognito I. *adv.* incognito. II. *s.m.* secret.

incohérence *s.f.* incoerență.

incohérent, -e *adj.* incoerent.

incohésion *s.f.* lipsă de coeziune.

incomber *vi.* a incumba, a(-i) reveni.

incombustible *adj.* necombustibil, care nu arde.

incommensurable *adj.* necomensurabil.

incommode *adj.* incomod.

incommodément *adv.* incomod, supărător.

incommoder *vt.* a incomoda, a stânjeni.

incomparable *adj.* incomparabil, fără pereche.

incomparabilité *s.f.* incomparabilitate.

incompatible *adj.* incompatibil.

incompétence *s.f.* incompetență.

incompétent, -e *adj.* incompetent.

incomplet, -ère *adj.* incomplet.

incompréhensible *adj.* de neînțeles.

incompris, -e *adj.* neînțeles.

inconcevable *adj.* 1. de neconceput, surprinzător. 2. ciudat.

inconduite *s.f.* comportare rea, urâtă.

incongru, -e *adj.* necuviincios.

incongruité *s.f.* necuviință.

incongrûment *adv.* (în mod) necuviincios.

inconnu, -e I. *adj., s.m.f.* necunoscut. II. *s.f. mat.* necunoscută.

inconsciemment *adv.* (în mod) inconștient.

inconscience *s.f.* inconștiență.

inconséquemment *adv.* (în mod) inconsecvent.

inconséquence *s.f.* inconsecvență.

inconsidéré, -e *adj.* nesocotit.

inconsistance *s.f.* inconsistență (și *fig.*).

inconsolable *adj.* inconsolabil, nemângâiat.

inconstance *s.f.* nestatornicie.

inconstant, -e *adj.* inconstant, nestatornic.

incontestable *adj.* incontestabil, de netăgăduit.

incontesté, -e *adj.* necontestat, netăgăduit.

incontinence *s.f. med.* incontinență, nestăpânire.

inconvenance *s.f.* necuviință.

inconvenant, -e *adj.* necuviincios.

inconvénient *s.m.* inconvenient, neajuns.

incorporation *s.f.* încorporare.

incorporer *vt.* a încorpora.

incorrect, -e *adj.* incorect, necinstit.

incorrectement *adv.* (în mod) incorect.

incorrigible *adj.* incorigibil.

incorruptible *adj., s.m.f.* incoruptibil.

incrédule I. *adj.* neîncrezător. II. *s.m.* necredincios.

incrédulité *s.f.* 1. necredință 2. neîncredere.

incrimination *s.f.* incriminare, învinuire.

incriminer *vt.* a incrimina, învinui.

incroyable *adj.* de necrezut.

incroyablement *adv.* de necrezut.

incroyant, -e *adj.* necredincios.

incrustation *s.f.* încrustare.

incruster *vt., vr.* a (se) încrusta.

incubation *s.f.* 1. clocire. 2. incubație.

inculpation *s.f.* inculpare, acuzare

inculpé, -e *adj., s.m.f.* inculpat.

inculper *vt.* a inculpa.

inculquer *vt.* a inculca, a întipări ceva în mintea cuiva.

inculte *adj.* **1.** neîngrijit, necultivat. **2.** incult, neinstruit.

inculture *s.f.* incultură.

incurable *adj.* incurabil, nevindecabil.

incurie *s.f.* incurie, nepăsare, neglijență.

incursion *s.f.* incursiune.

indécemment *adv.* (în mod) indecent.

indécence *s.f.* indecență, necuviință.

indécent, -e *adj.* indecent, necuviincios.

indéchiffrable *adj.* indescifrabil, de neînțeles.

indécis, -e *adj.* **1.** nehotărât. **2.** indecis, nesigur. **3.** vag.

indécision *s.f.* nehotărâre.

indécrottable *adj.* **1.** care nu se poate curăța (de noroi). **2.** *fig.* incorigibil.

indéfini, -e *adj.* indefinit, nedefinit, nehotărât.

indéfinissable *adj.* care nu poate fi definit, imprecis, nelămurit.

indélébile *adj.* indelebil, de neșters.

indélicat, -e *adj.* nedelicat.

indélicatesse *s.f.* indelicatețe.

indemne *adj.* neatins, fără pagubă.

indemnisation *s.f.* indemnizație.

indemniser *vt.* a indemniza, a despăgubi.

indéniable *adj.* incontestabil, de netăgăduit.

indépendamment *adv.* **1.** (în mod) independent. **2.** în afară de.

indépendance *s.f.* independență, neatârnare.

indépendant, -e *adj.* independent.

indescriptible *adj.* indescriptibil.

indésirable *adj.* indezirabil, nedorit.

indestructible *adj.* indestructibil.

indéterminable *adj.* indeterminabil.

indétermination *s.f.* nehotărâre, nedeterminare.

indéterminé, -e *adj.* nehotărât.

index *s.m.* **1.** indice. **2.** index. **3.** degetul arătător.

indicateur, -trice *adj., s.m.f.* indicator.

indicatif, -ive I. *adj.* care indică. **II.** *s.m.* (modul) indicativ.

indication *s.f.* **1.** indicare. **2.** indicație, îndrumare.

indice *s.m.* **1.** indiciu, semn. **2.** *mat.* indice.

indicible *adj.* inexprimabil, indicibil.

indiciblement *adv.* nespus (de).

indifféremment *adv.* indiferent.

indifférence *s.f.* indiferenţă, ne-
păsare.

indifférent, -e *adj.* indiferent,
nepăsător.

indigence *s.f.* lipsă, sărăcie (şi *fig.*).

indigène *adj., s.m.f.* indigen, băş-
tinaş.

indigent, -e *adj., s.m.f.* sărac,
nevoiaş.

indigeste *adj.* 1. indigest. 2. *fig.*
confuz, greoi.

indigestion *s.f.* indigestie.

indignation *s.f.* indignare.

indigne *adj.* nedemn, nevrednic.

indignement *adv.* (în mod) ne-
demn.

indigner *vt., vr.* a (se) indigna.

indignité *s.f.* nedemnitate, ticăloşie.

indiquer *vt.* a indica, a arăta.

indirect, -e *adj.* indirect.

indirectement *adv.* (în mod)
indirect.

indiscipline *s.f.* indisciplină.

indiscret, -ète *adj.* indiscret.

indiscrètement *adv.* (în mod) in-
discret.

indiscrétion *s.f.* indiscreţie.

indiscutable *adj.* indiscutabil.

indiscutablement *adv.* (în mod)
indiscutabil.

indispensable *adj.* indispensabil.

indispensablement *adv.* (în
mod) indispensabil.

indisponible *adj.* indisponibil.

indisposé, -e *adj.* 1. indispus,
supărat. 2. bolnav.

indisposition *s.f.* indispoziţie.

indissoluble *adj.* indisolubil.

indissolublement *adv.* (în mod)
indisolubil.

indistinct, -e *adj.* nelămurit, in-
distinct.

indistinctement *adv.* (în mod)
neclar.

individu *s.m.* individ.

individualiser *vt.* a individualiza.

individualisme *s.m.* individualism.

individualiste *adj., s.m.f.* indi-
vidualist.

individualité *s.f.* individualitate.

individuel, -elle *adj.* individual.

individuellement *adv.* (în mod)
individual.

indivis, -e *adj. jur.* indiviz, în
indiviziune.

indivisible *adj.* indivizibil.

indivisiblement *adv.* indivizibil.

indivision *s.f.* indiviziune.

indocilement *adv.* nesupus.

indolence *s.f.* indolenţă, nepăsare.

indomptable *adj.* de neîmblânzit.

indu, -e **I.** *adj.* 1. nepotrivit.
2. nedatorat. **II.** *s.m.* ceea ce nu
este datorat.

indubitable *adj.* neîndoios.

inducteur *s.m.* inductor.

inductif, -ive *adj.* inductiv.

induction *s.f.* inducție.

induire *vt.* **1.** a induce. **2.** a îndemna. **3.** a conchide.

îndulgence *s.f.* indulgență.

indulgent, -e *adj.* indulgent.

indûment *adv.* pe nedrept, nepotrivit.

industrialiser *vt.* a industrializa.

industrie *s.f.* **1.** industrie. **2.** profesie, meserie. **3.** iscusință, îndemânare.

industriel, -elle I. *adj.* industrial. **II.** *s.m.* industriaș.

industrieux, -euse *adj.* iscusit, harnic.

inébranlable *adj.* neclintit.

ineffable *adj.* care nu poate fi exprimat, inefabil.

ineffaçable *adj.* de neșters, de neuitat.

inefficace *adj.* ineficace.

inefficacité *s.f.* ineficacitate.

inégalement *adv.* (în mod) inegal.

inégalité *s.f.* inegalitate.

inélégamment *adv.* fără eleganță.

inélégance *s.f.* lipsă de eleganță.

inéluctable *adj.* ineluctabil, inevitabil.

inénarrable *adj.* care nu se poate povesti.

inepte *adj.* prost, neghiob, inept.

inépuisable *adj.* inepuizabil.

inéquitable *adj.* nedrept.

inerte *adj.* inert.

inertie *s.f.* **1.** inerție. **2.** *fig.* nepăsare, indolență.

inespéré, -e *adj.* nesperat.

inestimable *adj.* de neprețuit.

inévitable *adj.* inevitabil.

inexact, -e *adj.* inexact.

inexactitude *s.f.* inexactitate.

inexcusable *adj.* de neiertat.

inexécutable *adj.* care nu poate fi executat.

inexistant, -e *adj.* inexistent.

inexistence *s.f.* inexistență.

inexorable *adj.* inexorabil, neînduplecat.

inexpérimenté, -e *adj.* neexperimentat.

inexplicable *adj.* inexplicabil.

inexploité, -e *adj.* neexploatat.

inexplorable *adj.* neexplorabil.

inexpressif, -ive *adj.* inexpresiv.

inexprimable *adj.* inexprimabil.

inexpugnable *adj.* inexpugnabil.

infaillibilité *s.f.* infailibilitate.

infaillible *adj.* infailibil.

infâme *adj., s.m.f.* **1.** infam, josnic, nemernic. **2.** murdar.

infamie *s.f.* infamie, ticăloșie, josnicie.

infanticide *adj., s.m.* infanticid.

infantile *adj.* infantil.

infarctus *s.m.* infarct.

infatigable *adj.* neobosit.

infatuation *s.f.* infatuare, înfumurare.

infécond, -e *adj.* steril, nerodnic.

infécondité *s.f.* sterilitate, nefecunditate.

infecter *vt.* a infecta.

infectieux, -euse *adj.* infecţios.

infection *s.f.* infecţie.

inférieur, -e *adj., s.m.f.* inferior.

infériorité *s.f.* inferioritate.

infertile *adj.* nefertil, neroditor, sterp.

infertilité *s.f.* nefertilitate, nerodnicie.

infester *vt.* **1.** a abunda, a devasta. **2.** *med.* a infesta.

infidèle **I.** *adj.* **1.** infidel, necredincios. **2.** necinstit. **3.** inexact, greşit. **II.** *s.m.* necredincios, păgân.

infidélité *s.f.* **1.** infidelitate, necredinţă. **2.** necinstit. **3.** inexactitate.

infiltration *s.f.* infiltrare, pătrundere.

infiltrer (s') *vr.* a se infiltra, a pătrunde.

infime *adj.* infim.

infiniment *adv.* la infinit, foarte, extrem de.

infinité *s.f.* infinitate.

infinitif, -ive **I.** *adj.* infinitival. **II.** *s.m.* (modul) infinitiv.

infirmation *s.f.* infirmare.

infirmer *vt.* a infirma.

infirmerie *s.f.* infirmerie.

infirmier, -ière *s.m.f.* infirmier.

infirmité *s.f.* infirmitate.

inflammable *adj.* inflamabil (şi *fig.*).

inflammation *s.f.* inflamare.

inflammatoire *adj.* inflamator.

inflammé, -e *adj.* **1.** inflamat. **2.** înflăcărat.

inflation *s.f.* inflaţie.

infléchir **I.** *vt.* a îndoi, a înclina. **II.** *vr.* a se îndoi, a se curba.

inflexibilité *s.f.* inflexibilitate (şi *fig.*).

inflexible *adj.* inflexibil (şi *fig.*).

inflexion *s.f.* **1.** inflexiune. **2.** îndoire.

infliger **I.** *vt.* a aplica (o pedeapsă). **II.** *vr.* a-şi impune.

influençable *adj.* influenţabil.

influence *s.f.* **1.** influenţă, înrâurire. **2.** vază, autoritate.

influencer *vt.* a influenţa, a înrâuri.

influer *vi.* a influenţa, a înrâuri.

informateur, -trice *s.m.f.* informator.

information *s.f.* informaţie.

informe *adj.* **1.** inform, fără formă. **2.** diform.

informer *vt., vr.* a (se) informa.

infortune *s.f.* nenorocire, ghinion; *pl.* necazuri.

infortuné, -e *adj., s.m.f.* nenorocit, nefericit.

infracteur *s.m.* infractor.

infraction *s.f.* infracțiune.

infranchissable *adj.* de netrecut.

infructueux, -euse *adj.* **1.** sterp, neroditor. **2.** *fig.* zadarnic.

infus, -e *adj.* înnăscut.

infuser *vt.* **1.** a face o infuzie. **2.** *fig.* a introduce, a comunica.

infusion *s.f.* infuzie.

ingénier (s') *vr.* a se strădui.

ingénieur *s.m.* inginer.

ingénieux, -euse *adj.* ingenios, priceput, iscusit.

ingéniosité *s.f.* ingeniozitate.

ingénu, -e I. *adj.* ingenuu, naiv. **II.** *s.m.f.* ingenuu.

ingénuité *s.f.* ingenuitate, nevinovăție.

ingérence *s.f.* ingerință.

ingérer I. *vt.* a ingera. **II.** *vr.* a se amesteca (în treburile altuia).

ingratitude *s.f.* ingratitudine, nerecunoștință.

ingrédient *s.m.* ingredient.

inguérissable *adj.* nevindecabil, incurabil.

ingurgitation *s.f.* înghițire.

ingurgiter *vt.* a înghiți.

inhabile *adj.* neîndemânatic, neiscusit.

inhabileté *s.f.* neîndemânare.

inhabitable *adj.* nelocuibil.

inhabité, -e *adj.* nelocuit.

inhalation *s.f.* inhalație, inhalare.

inhaler *vt.* a inhala.

inhérent, -e *adj.* inerent.

inhibition *s.f.* **1.** inhibare. **2.** inhibiție.

inhospitalier, -ère *adj.* neospitalier.

inhumain, -e *adj.* inuman.

inhumanité *s.f.* neomenie, cruzime.

inhumation *s.f.* înhumare.

inhumer *vt.* înhuma.

inimaginable *adj.* de neînchipuit, uimitor.

inimitable *adj.* de neimitat, inimitabil.

inimitié *s.f.* dușmănie, ură.

inintelligible *adj.* de neînțeles, obscur.

ininterrompu, -e *adj.* neîntrerupt.

iniquité *s.f.* nedreptate.

initial, -e (*m. pl.* -s) **I.** *adj.* inițial. **II.** *s.f.* inițială.

initiateur, -trice *s.m.f.* inițiator.

initiation *s.f.* inițiere, introducere.

initiative *s.f.* inițiativă.

initier *vt., vr.* a (se) inișia.

injecter I. *vt.* a injecta. **II.** *vr.* a se injecta, a se congestiona.

injecteur *s.m. tehn.* injector.

injection *s.f.* injecție, injectare.

injonction *s.f.* injoncțiune, ordin.

injure *s.f.* **1.** injurie, insultă, înjurătură. **2.** vătămare, pagubă.

injurier *vt.* a insulta, a înjura.

injurieux, -euse *adj.* injurios, jignitor.

injuste *adj.* injust, nedrept.

injustice *s.f.* injustiție, nedreptate.

injustifiable *adj.* nejustificabil.

inlassable *adj.* neobosit.

inné, -e *adj.* înnăscut.

innocent, -e **I.** *adj.* **1.** inocent, nevinovat. **2.** *fig.* curat, naiv, sincer. **3.** neprimejdios. **II.** *s.m.f.* **1.** nevinovat. **2.** naiv, prostănac.

innocenter *vt.* a declara (pe cineva) nevinovat.

innommable *adj.* **1.** care nu poate fi numit. **2.** *fig.* josnic, dezgustător.

innombrable *adj.* nenumărat.

innovateur, -trice *s.m.f.* inovator.

innovation *s.f.* inovație.

innover *vi.* inova.

inoculation *s.f.* inoculare.

inoculer *vt.* inocula.

inoffensif, -ive *adj.* inofensiv.

inondation *s.f.* inundație, inundare.

inonder *vt.* a inunda.

inopérable *adj.* care nu poate fi operat.

inopiné, -e *adj.* inopinat, neprevăzut.

inopportun, -e *adj.* **1.** inoportun, nepotrivit. **2.** *fig.* supărător, neplăcut.

inorganique *adj.* anorganic.

inoubliable *adj.* de neuitat.

inouï, -e *adj.* nemaiauzit, nemaipomenit.

inqualifiable *adj.* incalificabil, nedemn, mârșav.

inquiet, -ète *adj.* neliniștit, îngrijorat.

inquiétant, -e *adj.* neliniștitor, îngrijorător.

inquiéter **I.** *vt.* **1.** a neliniști. **2.** a hărțui, a chinui. **II.** *vr.* a se neliniști, a se îngrijora.

inquiétude *s.f.* neliniște, îngrijorare.

inquisition *s.f.* inchiziție.

insaisissable *adj.* **1.** insesizabil, care nu poate fi înțeles. **2.** *jur.* care nu poate fi sechestrat.

insalubre *adj.* insalubru, nesănătos.

insalubrité *adj.* insalubritate.

insanité *s.f.* nebunie, nerozie.

insatiabilité *s.f.* lăcomie.

insatiable *adj.* nesățios, lacom.

inscription *s.f.* inscripție, înscriere.

inscrire *vt.*, *vr.* a (se) înscrie.

insecte *s.m.* insectă.

insécurité *s.f.* lipsă de siguranță, de securitate.

insensé, -e *adj.*, *s.m.f.* nebun, smintit.

insensibilité *s.f.* insensibilitate, nepăsare, indiferență.

insensible *adj.* **1.** insensibil, nepăsător. **2.** imperceptibil.

inséparable *adj.* inseparabil, de nedespărţit.

insérer *vt.* a insera, a băga.

insertion *s.f.* **1.** inserare. **2.** inserţie.

insidieux, -euse *adj.* insidios, perfid, şiret.

insigne I. *adj.* însemnat, deosebit. **II.** *s.m.* insignă, semn.

insignifiant, -e *adj.* insinuant.

insinuation *s.f.* insinuare.

insinuer I. *vt.* a insinua. **II.** *vr.* a se insinua, a se introduce.

insipide *adj.* **1.** insipid, fără gust. **2.** *fig.* searbăd, anost.

insistance *s.f.* insistenţă, stăruinţă.

insister *vt.* a insista, a stărui.

insociable *adj.* nesociabil.

insolation *s.f.* insolaţie.

insolemment *adv.* cu neruşinare, (în mod) impertinent.

insolence *s.f.* insolenţă, obrăznicie.

insolent, -e *adj., s.m.f.* insolent, obraznic.

insolite *adj.* neobişnuit, nepotrivit.

insoluble *adj.* **1.** insolubil. **2.** de nerezolvat.

insolvable *adj.* insolvabil.

insondable *adj.* insondabil, de nepătruns.

insouciance *s.f.* nepăsare, indiferenţă.

insouciant, -e *adj.* nepăsător, indiferent.

insoumis, -e *adj., s.m.f.* nesupus.

insoumission *s.f.* nesupunere.

insoupçonnable *adj.* care nu poate fi bănuit.

insoutenable *adj.* care nu poate fi susţinut.

inspecter *vt.* a inspecta.

inspecteur, -trice *s.m.f.* inspector.

inspection *s.f.* inspecţie, inspectare.

inspiration *s.f.* inspiraţie.

inspirer I. *vt.* **1.** a inspira, a trage aer în plămâni. **2.** *fig.* a inspira, a insufla. **II.** *vr.* a se inspira.

instabilité *s.f.* instabilitate.

instable *adj.* instabil, nestatornic.

installation *s.f.* **1.** instalaţie. **2.** instalare.

installer *vt., vr.* a (se) instala.

instamment *adv.* insistent, stăruitor.

instance *s.f.* **1.** stăruinţă, insistenţă.

instant *s.m.* clipă, moment || *à l'~* pe loc, imediat.

instantané, -e *adj., s.m.* instantaneu.

instaurer *vt.* a instaura.

instigateur, -trice *s.m.f.* instigator, aţâţător.

instigation *s.f.* instigare, aţâţare.

instiguer *vt.* a instiga, a aţâţa.

instinctif, -ive *adj.* instinctiv.

instituer *vt.* a institui, a înfiinţa.

instituteur, -trice *s.m.f.* învăţător, institutor.

institution *s.f.* instituţie, instruire.

instructeur *adj., s.m.f.* instructor.

instructif, -ive *adj.* instructiv.

instruction *s.f.* **1.** instruire, instrucţie. **2.** învăţământ. **3.** *jur.* instrucţie. **4.** *pl.* instrucţiuni, directive.

instruire *vt.* **1.** a instrui, a învăţa. **2.** a informa. **3.** *jur.* a instrui (un proces).

instruit, -e *adj.* **1.** învăţat. **2.** prevenit, înştiinţat.

instrumental, -e *adj.* instrumental.

instrumentiste *s.m.* instrumentist.

insu *s.m.* necunoştinţă, ignoranţă ‖ *à l'~ de* fără ştirea.

insubordination *s.f.* insubordonare, neascultare.

insubordonné, -e *adj.* neascultător.

insuccès *s.m.* insucces, eşec.

insuffisamment *adv.* insuficient, neîndestulător.

insuffisance *s.f.* insuficienţă, lipsă, neîndestulare, incapacitate.

insuffisant, -e *adj.* insuficient, neîndestulător.

insuffler *vt.* a insufla (şi *fig.*).

insulaire *adj., s.m.f.* insular.

insulte *s.f.* insultă, jignire.

insupportable *adj.* insuportabil.

insurgé, -e *adj., s.m.f.* răzvrătit, răsculat.

insurger (s') *vr.* a se răzvrăti, a se răscula.

insurmontable *adj.* de netrecut.

insurrection *s.f.* insurecţie, răscoală.

intangibile *adj.* intangibil, de neatins.

intarissable *adj.* **1.** nesecat. **2.** *fig.* inepuizabil.

intégration *s.f.* integrare, înglobare.

intègre *adj.* integru, cinstit.

intégrer *vt.* a integra, a îngloda.

intellectuel, -elle *adj., s.m.f.* intelectual.

intelligemment *adv.* (în mod) inteligent, cu pricepere.

intelligence *s.f.* **1.** inteligenţă, isteţime. **2.** pricepere, înţelegere. **3.** înţelegere, acord, armonie.

intelligible *adj.* inteligibil, clar.

intempérance *s.f.* exces, necumpătare.

intempérant, -e *adj.* necumpătat, excesiv.

intempestivement *adv.* (în mod) intempestiv, pe neaşteptate.

intenable *adj.* de neţinut.

intendance *s.f.* intendenţă.

intensif, -ive *adj.* intensiv.

intensifier *vt.* a intensifica, a mări.

intensité *s.f.* intensitate.

intensivement *adv.* intensiv, cu putere.

intenter *vt.* a intenta.

intention *s.f.* intenție, gând.

intentionné, -e *adj.* intenționat, cu intenție ‖ *bien ~* bine intenționat.

intercaler *vt.* a intercala.

intercéder *vt.* a interveni pentru cineva.

intercepter *vt.* a intercepta.

interception *s.f.* interceptare.

interdépendance *s.f.* interdependență.

interdiction *s.f.* interdicție, oprire, interzicere.

interdire *vt.* 1. a interzice, a opri. 2. a surprinde, a uimi.

interdit, -e *adj., s.m.f.* interzis.

intéresser *vt.* a interesa.

intérêt *s.m.* 1. interes. 2. dobândă.

interférence *s.f. fiz.* interferență.

intérieur, -e I. *adj.* intern, interior, lăturalnic. **II.** *s.m.* interiorul ‖ *Ministère de l'~* (cu *maj.*) Ministerul de Interne.

intérimaire *adj.* interimar, provizoriu.

interjection *s.f.* interjecție.

interlocuteur, -trice *s.m.f.* interlocutor.

interlope *adj.* interlop.

interloquer *vt. fam.* a uimi, a surprinde, a zăpăci.

intermède *s.m.* intermezzo, divertisment.

intermédiaire I. *adj.* intermediar. **II.** *s.m.* 1. intermediar, mijlocitor. 2. mijlocire ‖ *par l'~* prin intermediul.

interminable *adj.* interminabil, nesfârșit.

intermittence *s.f.* intermitență.

intermittent, -e *adj.* intermitent.

international, -e I. *adj.* internațional. **II.** 1. *s.m. sport* internațional. 2. *s.f. pol.* Internaționala.

internationaliste *adj., s.m.f.* internaționalist.

interne I. *adj.* intern, interior. **II.** *s.m.* intern.

internement *s.m.* internare.

interner *vt.* a interna.

interpellation *s.f.* interpelare.

interpeller *vt.* a interpela.

interpoler *vt.* interpola.

interposer 1. *vt.* a interpune, a așeza între. 2. *vr.* a se interpune, a mijloci.

interprétatif, -ive *adj.* interpretativ.

interprétation *s.f.* interpretare.

interprète *s.m.f.* interpret.

interpréter *vt.* a interpreta.

interrogateur, -trice I. *adj.* întrebător. **II.** *s.m.f.* examinator.

interrogatif, -ive *adj.* interogativ, întrebător.

interrogation *s.f.* întrebare, interogare.

interrogatoire *s.m.* interogatoriu.

interroger *vt.* a interoga, a întreba, a examina.

interrompre *vt., vr.* a (se) întrerupe, a (se) opri.

interrupteur, -trice I. *adj., s.m.f.* întrerupător. **II.** *s.m. tehn.* întrerupător.

interruption *s.f.* întrerupere, oprire.

intersection *s.f.* intersecție, întretăiere.

interurbain, -e *adj.* interurban.

intervalle *s.m.* interval, răstimp.

intervenir *vi.* a interveni.

intervention *s.f.* intervenție.

interview *s.f.* interviu.

interviewer *vt.* a lua un interviu.

intime I. *adj.* intim, interior. **II.** *s.m.* intim, apropiat.

intimement *adv.* (în mod) intim.

intimmer *vt.* **1.** a notifica cu autoritate. **2.** a chema în judecată.

intimidation *s.f.* intimidare.

intimider *vt.* a intimida.

intimité *s.f.* intimitate.

intitulé, -e *adj.* intitulat.

intituler *vt., vr.* a (se) intitula.

intolérable *adj.* intolerabil, de nesuportat.

intolérance *s.f.* intoleranță, dușmănie.

intonation *s.f.* intonare.

intoxication *s.f.* intoxicație, intoxicare.

intoxiquer *vt., vr.* a (se) intoxica.

intraduisible *adj.* intraductibil.

intraitable *adj.* **1.** neînduplecat, încăpățânat. **2.** ursuz. **3.** care nu se poate trata.

intransigeance *s.f.* intransigență.

intransigeant, -e *adj.* intransigent.

intransmissible *adj.* netransmisibil.

intrépide *adj.* intrepid, cutezător, curajos.

intrépidité *s.f.* intrepiditate, curaj, îndrăzneală.

intrigue *s.f.* intrigă, uneltire.

intriguer I. *vi.* a unelti, a umbla cu intrigi. **II.** *vt.* a intriga, a da de gândit.

intrinsèque *adj.* intrinsec, lăuntric.

introductif, -ive *adj.* introductiv.

introduction *s.f.* introducere.

introduire *vt., vr.* a (se) introduce.

introspection *s.f.* introspecție.

introuvable *adj.* de negăsit.

intuitif, -ive *adj.* intuitiv.

intuition *s.f.* intuiție.

inusable *adj.* care nu se uzează, durabil.

inusité, -e *adj.* inuzitat.

inutile *adj.* inutil, nefolositor.

inutilisable *adj.* inutilizabil.

inutilité *s.f.* inutilitate.

invaincu, -e *adj.* neînvins.

invalide *adj., s.m.f.* invalid.

invalider *vt.* a invalida, a declara nul.

invalidité *s.f.* **1.** invaliditate. **2.** *jur.* nulitate.

invariable *adj.* invariabil, neschimbător.

invasion *s.f.* invazie, năvălire.

invective *s.f.* invectivă, ocară, injurie.

invendable *adj.* care nu se poate vinde.

invendu, -e *adj.* nevândut.

inventaire *s.m.* inventar.

inventer *vt.* a inventa, a născoci.

inventeur, -trice *s.m.f.* inventator.

inventif, -ive *adj.* inventiv, ingenios.

invention *s.f.* **1.** invenție. **2.** minciună, născocire.

inventorier *vt.* a inventaria, a face inventarul.

inverse *adj., s.m.* invers, contrariu, opus.

inversion *s.f.* inversiune, inversare.

invertir *vt.* a inversa, a răsturna ordinea.

investigateur, -trice *adj., s.m.f.* investigator, cercetător.

investigation *s.f.* investigație, cercetare.

investissement *s.m.* asediere.

invétéré, -e *adj.* inveterat.

invétérer *vr.* a se învechi.

invincibilité *s.f.* invincibilitate.

invincible *adj.* invincibil, de neînvins.

inviolabilité *s.f.* inviolabilitate.

invisible *adj.* invizibil.

invitation *s.f.* invitație.

invité, -e *adj., s.m.f.* invitat, musafir.

inviter *vt., vr.* a (se) invita, a (se) pofti.

invocation *s.f.* invocare, invocație.

invoquer *vt.* **1.** a invoca. **2.** a chema (în ajutor).

invraisemblable *adj.* de necrezut.

invraisemblance *s.f.* neverosimilitate.

invulnérabilité *s.f.* invulnerabilitate.

invulnérable *adj.* invulnerabil.

iode *s.m.* iod.

iodé, -e *adj.* iodat, cu iod.

irascibilité *s.f.* irascibilitate.

irascible *adj.* irascibil, arțăgos.

irisation *s.f.* irizare.

ironique *adj.* ironic.

irraisonnable *adj.* irațional, fără judecată.

irraisonné, -e *adj.* negândit, nechibzuit.

irrationnel, -elle *adj.* irațional.

irréalisable *adj.* nerealizabil.

irréconciliable *adj.* ireconciliabil, de neîmpăcat.

irréductible *adj.* ireductibil.

irréfléchi, -e *adj.* negândit, nechibzuit.

irréfutable *adj.* de necombătut, irefutabil.

irrégularité *s.f.* neregularitate.

irrégulier, -ère *adj.* neregulat.

irrégulièrement *adv.* neregulat.

irréligieux, -euse *adj.* necredincios.

irrémédiable *adj.* iremediabil, fără leac.

irréparable *adj.* ireparabil.

irrépréhensible *adj.* corect.

irréprochable *adj.* ireproșabil, fără cusur.

irrésistible *adj.* irezistibil.

irrésolu, -e *adj.* nehotărât.

irrésolument *adv.* cu nehotărâre.

irrésolution *s.f.* nehotărâre.

irrespectueux, -euse *adj.* nerespectuos.

irrespirable *adj.* irespirabil, sufocant.

irresponsabilité *s.f.* iresponsabilitate.

irresponsable *adj.* iresponsabil.

irreverence *s.f.* necuviință, lipsă de respect.

irrévérencieux, -euse *adj.* nerespectuos, necuviincios.

irrévocable *adj.* irevocabil.

irrigateur *s.m.* irigator.

irrigation *s.f.* irigație, irigare.

irriguer *vt.* a iriga.

irritable *adj.* iritabil, irascibil.

irritation *s.f.* iritare, iritație.

irriter *vt., vr.* a (se) irita

irruption *s.f.* irupție, izbucnire, năvălire.

isocèle *adj.* isoscel.

isolement *s.m.* izolare, singurătate.

isolément *adv.* (în mod) izolant, separat.

isoler *vt., vr.* a (se) izola

isotope *adj., s.m.* izotop.

issu, -e *adj.* provenit, ieșit din.

issue *s.f.* 1. ieșire. 2. *fig.* rezultat, sfârșit.

isthme *s.m.* istm.

italien, -enne I. *adj.* italienesc. II. 1. *s.m.f.* (cu *maj.*) italian. 2. *s.m.* limba italiană.

itinéraire *s.m.* itinerar.

ivoire *s.m.* fildeș.

ivre *adj.* beat.

ivresse *s.f.* 1. beție. 2. *fig.* entuziasm, îmbătare.

ivrogne *adj., s.m.* bețiv.

J

jabot *s.m.* **1.** gușă (la păsări). **2.** jabou.

jaboter *vt., vi. pop.* a flecări.

jacasser *vi.* **1.** a cârâi (despre cotofană). **2.** *fig.* a flecări.

jachère *s.f.* pârloagă.

jacinthe *s.f.* zambilă.

jacquerie *s.f.* răscoală țărănească.

jade *s.m.* jad.

jadis *adv.* altădată, odinioară.

jaillir *vi.* a țâșni, a izvorî.

jaillissement *s.m.* țâșnire.

jalonner *vi.* a jalona.

jalouser *vt.* a fi gelos, a invidia.

jalousie *s.f.* **1.** gelozie. **2.** jaluzea.

jaloux, -ouse *adj.* **1.** gelos, invidios. **2.** *fig.* dornic.

jamais *adv.* **1.** niciodată. **2.** vreodată, cândva ‖ *à ~* pentru totdeauna.

jambe *s.f.* **1.** gambă. **2.** picior.

jambière *s.f.* jambieră.

janvier *s.m.* ianuarie.

japper *vi.* a chelălăi, a lătra.

jaquette *s.f.* jachetă.

jardin *s.m.* grădină.

jardiner *vi.* a grădinări.

jardinier, -ère I. *s.m.f.* grădinar. **II.** *adj.* de grădină, grădinăresc.

jarre *s.f.* ulcior.

jarret *s.m.* articulația genunchiului.

jarretière *s.f.* jartieră.

jars *s.m.* gâscan.

jaser *vi.* **1.** a flecări. **2.** a bârfi, a cleveti.

jasmin *s.m.* iasomie.

jauger *vt.* **1.** a măsura capacitatea unui vas. **2.** *fig.* a aprecia, a evalua pe cineva.

jaunâtre *adj.* gălbui.

jaune I. *adj.* galben. **II.** *s.m.* galben, culoarea galbenă ‖ *~ d'œuf* gălbenuș (de ou). **III.** *adv.* (în *expr.*) *rire ~* a râde fără poftă.

jaunisse *s.f.* gălbinare.

javelot *s.m.* suliță.

jazz *s.m.* jaz.

je *pron.* eu.

jérémiade *s.f.* tânguială, văicăreală.

jet *s.m.* **1.** țâșnitură. **2.** aruncătură ‖ *fig. du premier ~* de prima dată; *d'un seul ~* dintr-o dată, fără șovăieli.

jetée *s.f.* dig, zăgaz.

jeter I. *vt.* **1.** a arunca, a lansa ‖ *jeter une pierre à l'eau* a arunca o piatră în apă. **2.** a se debarasa ‖ *jeter des papiers à la corbeille.* **3.** a risipi ‖ *jeter l'argent par les fenêtres* a arunca banii pe fereastră. **4.** a pune cu neglijență ‖ *jeter un vêtement sur les épaules.* **5.** a pune bazele, a construi ‖ *jeter les fondements.* **6.** a răspândi, a semăna ‖ *jeter le trouble* a tulbura. **7.** a profera ‖ *jeter un cri.* **II.** *vr.* **1.** a se arunca, a cădea ‖ *se jeter à genoux* a cădea în genunchi. **2.** a îmbrățișa ‖ *se jeter dans les bras de quelqu'un.* **3.** a se vărsa ‖ *L'Olt se jette dans le Danube* Oltul se varsă în Dunăre.

jeu *s.m.* **1.** joc. **2.** sală de joc. **3.** jucărie. **4.** fleac. **5.** *fig.* glumă ‖ *se piquer au ~* a se încăpățâna; *avoir beau ~* a fi în condiții favorabile, a-i conveni.

jeudi *s.m.* joi.

jeun (à) *loc. adv.* pe nemâncate.

jeune *adj., s.m.f.* tânăr.

jeûne *s.m.* post.

jeûner *vi.* a nu mânca, a posti.

jeunesse *s.f.* **1.** tinerețe. **2.** tineret.

joaillerie *s.f.* **1.** magazin de bijuterii. **2.** giuvaer, bijuterie.

joaillier, -ère I. *adj.* de giuvaergiu. **II.** *s.m.f.* giuvaergiu, bijutier.

jockey *s.m.* jocheu.

joie *s.f.* **1.** bucurie, veselie. **2.** *pl.* plăceri.

joindre *vt.* a împreuna, a uni; a adăuga.

joint, -e I. *adj.* împreunat, unit. **II.** *s.m.* **1.** încheietură. **2.** crăpătură.

jointure *s.f.* încheietură.

joli, -e *adj.* **1.** drăguț, nostim, amuzant. **2.** considerabil.

joliment *adv.* **1.** frumușel, drăguț. **2.** *fam.* mult, foarte.

jonc *s.m.* stuf, papură, trestie.

jonchement *s.m.* presărare.

joncher *vt.* **1.** presăra (flori, crengi). **2.** a așterne, a acoperi.

jonction *s.f.* joncțiune, împreunare, unire.

jongler *vi.* a jongla.

jongleur *s.m.* jongler.

joue *s.f.* obraz, falcă.

jouer I. *vi.* **1.** a se juca. **2.** a cânta (la un instrument). **3.** a se învârti. **II.** *vt.* **1.** a se preface. **2.** a risca. **3.** a juca. **4.** a înșela (pe cineva). **III.** *vr.* **1.** a-și bate joc. **2.** a se juca, a se distra.

jouet *s.m.* **1.** jucărie. **2.** *fig.* batjocură, obiect de batjocura.

joueur, -euse I. *s.m.f.* **1.** jucător. **2.** jucător de cărți, cartofor. **3.** persoană care cântă la un instrument. **II.** *adj.* jucăuș.

joufflu, -e *adj.* dolofan.

183 JUR

joug *s.m.* jug.

jouir *vi.* 1. a se folosi, a se bucura. 2. *fig.* a poseda, a se bucura de.

jouissance *s.f.* 1. plăcere. 2. posesiune, stăpânire.

jouisseur, -euse *s.m.f.* petrecăreţ.

jour *s.m.* 1. zi. 2. lumină. 3. *pl.* viaţă. 4. *fig.* aspect ‖ *d'un ~ à l'autre* de pe o zi pe alta; *du ~ au lendemain* fără întârziere; *vivre au ~ le ~* a trăi de pe o zi pe alta; *mettre au ~* a da pe faţă.

journal *s.m.* jurnal, ziar, gazetă.

journalier, -ère I. *adj.* zilnic. II. *s.m.* zilier.

journaliste *s.m.* gazetar, ziarist.

journée *s.f.* 1. zi. 2. salariul pe o zi, diurnă. 3. munca pe o zi.

journellement *adv.* zilnic.

jouter *vi.* a se lupta, a rivaliza (cu cineva).

jouvenceau *s.m. fam.* tinerel, băieţandru.

jovialité *s.f.* jovialitate, veselie.

joyau *s.m.* bijuterie, giuvaer.

joyeux, -euse *adj.* vesel, voios.

jubilaire *adj.* jubiliar.

jubilation *s.f.* bucurie, veselie mare.

jubilé *s.m.* jubileu.

jubiler *vi.* a jubila.

jucher *vi.* a (se) cocoţa.

judiciaire *adj.* judiciar.

judicieusement *adv.* (în mod) judicios.

judicieux, -euse *adj.* judicios.

juge *s.m.* judecător.

jugement *s.m.* 1. judecată, raţionament. 2. *jur.* hotărâre judecătorească.

juger I. *vt.* 1. a judeca. 2. a judeca, a raţiona. 3. a crede. 4. a-şi închipui. II. *vi.* (de) a aprecia, a hotărî. III. *vr.* a se considera, a se crede.

juguler *vt.* 1. a jugula, a sugruma, a gâtui. 2. *fig.* a plictisi, a chinui. 3. a stoarce.

juif, -ive I. *s.m.f.* (cu *maj.*) evreu. II. *adj.* evreiesc.

juillet *s.m.* iulie.

juin *s.m.* iunie.

jumeau, -elle *adj., s.m.f.* geamăn.

jumelles *s.f. pl.* binoclu.

jument *s.f.* iapă.

jungle *s.f.* junglă.

jupe *s.f.* fustă.

jupon *s.m.* 1. jupon. 2. femeie sau fată.

juré, -e I. *adj.* 1. jurat. 2. declarat ‖ *ennemi ~* duşman declarat. II. *s.m.* jurat.

jurement *s.m.* 1. jurământ. 2. înjurătură.

jurer I. *vt.* a jura. II. *vi.* 1. a înjura. 2. *fig.* a distona.

juridiction *s.f.* jurisdicţie.

juridique *adj.* juridic.

jurisconsulte *s.m.* jurisconsult.

jurisprudence *s.f. jur.* jurisprudență.

juriste *s.m.* jurist.

juron *s.m.* înjurătură.

jury *s.m.* juriu.

jus *s.m.* suc, zeamă.

jusque *prep.* până (la).

juste I. *adj.* **1.** just, drept. **2.** întemeiat, îndreptățit. **3.** exact. **4.** (despre o haină) strâmt. **II.** *s.m.* **1.** om înțelept, drept.

2. ceea ce este just. **III.** *adv.* exact, corect, cum trebuie ‖ *fam.* *comme de ~* cum se cuvine.

justesse *s.f.* justețe, exactitate.

justice *s.f.* justiție, dreptate.

justifier *vt., vr.* a (se) justifica.

justification *s.f.* justificare, dovadă.

jute *s.m.* iută.

juteux, -euse *adj.* zemos.

juvénile *adj.* juvenil.

juxtaposer *vt.* a juxtapune.

juxtaposition *s.f.* juxtapunere.

K

kangourou, kangurou *s.m. zool.* cangur.

kayac *s.m.* caiac.

képi *s.m.* chipiu.

kermesse *s.f.* chermesă, petre-cere.

khan *s.m.* han (tătăresc).

kilo, kilogramme *s.m.* kilogram.

kilométrage *s.m.* kilometraj.

kilomètre *s.m.* kilometru.

kilométrer *vt.* a kilometra.

kilométrique *adj.* kilometric.

kilowatt *s.m.* kilowatt.

kimono *s.m.* chimono.

kiosque *s.m.* chioșc.

klaxon *s.m.* claxon.

krach *s.m.* prăbușirea cursului valorilor sau mărfurilor la bursă.

kraft *s.m.* hârtie de ambalaj.

kyrielle *s.f. fig.* șir. ‖ *une ~ d'injures* o ploaie de înjurături.

kyste *s.m. med.* chist.

L

la I. *art. hot. f.* ‖ ~ *table* masa.
II. *pron.* pe ea, o.

là *adv.* 1. acolo. 2. *fig.* acest
punct, astfel ‖ *s'en tenir* ~ a se
opri aici.

labeur *s.m.* trudă.

laboratoire *s.m.* laborator.

laborieux, -euse *adj.* 1. muncitor,
harnic. 2. laborios, îndelungat,
care necesită încordare.

labour *s.m.* 1. arătură. 2. ogor arat.

labourer *vt.* 1. a ara. 2. a brăzda.

laboureur *s.m.* plugar.

labyrinthe *s.m.* labirint.

lac *s.m.* lac.

lacer *vt.* a lega cu șireturi.

lacérer *vt.* a sfâșia, a rupe.

lacet *s.m.* 1. șiret, șnur. 2. *fig.* laț,
cursă ‖ *route en* ~ drum în
serpentină.

lâchage *s.m.* părăsire, abando-
nare.

lâche I. *adj.* 1. slab, neîncordat.
2. moale, leneș. 3. *fig.* laș, fri-
cos. II. *s.m.* laș.

lâcher *vt.* 1. a desface, a da
drumul. 2. a scăpa, a lăsa să-i
scape. 3. a părăsi ‖ ~ *pied* a fugi;
~ *prise* a da drumul.

lâchement *adv.* 1. moale, fără
vlagă. 2. cu frică, (în mod)
laș.

lâcheté *s.f.* lașitate.

lacis *s.m.* rețea de fire.

laconique *adj.* laconic, concis,
succint.

lacté, -e *adj.* ca laptele ‖ *Voie* ~*e*
Calea lactee.

lactique *adj. chim.* lactic.

lacune *s.f.* lacună, gol, lipsă.

lacustre *adj.* lacustru.

ladrerie *s.f.* 1. zgârcenie. 2. *înv.*
lepră.

lai, -e *adj., s.m.f.* laic, mirean.

laid, -e *adj.* urât, slut.

laideron *s.m.f.* fată sau femeie
foarte urâtă.

laideur *s.f.* urâțenie, slutenie.

laine *s.f.* 1. lână. 2. îmbrăcăminte
din lână.

laineux, -euse *adj.* lânos, ca lâna.

laïque *adj., s.m.f.* laic, mirean,
lumesc.

laisse *s.f.* zgardă ‖ *fig. mener en* ~
a duce de nas.

laisser *vt.* 1. a lăsa, a uita. 2. a
părăsi ‖ *c'est à prendre ou à* ~
nu e pe tocmeală.

laissez-passer *s.m.* permis de trecere.

lait *s.m.* lapte.

laiterie *s.f.* lăptărie.

laiteux, -euse *adj.* lăptos.

laitier, -ère I. *adj.* cu lapte, de lapte. **II.** *s.m.f.* lăptar.

lambeau *s.m.* **1.** petec de stofă, zdreanţă. **2.** bucată, fâşie de carne. **3.** *fig.* rest, rămăşiţă.

lambris *s.m.* **1.** lambriu. **2.** tencuială (în pod).

lame *s.f.* **1.** lamă. **2.** tăiş. **3.** val, talaz.

lamentable *adj.* lamentabil, vrednic de plâns, rău, mizerabil.

lamentation *s.f.* tânguire, văicăreală.

lamenter (se) *vr.* a se lamenta, a se tângui.

laminer *vt.* a lamina.

lampe *s.f.* lampă.

lançage *s.m.* v. **lancement.**

lance *s.f.* lance.

lancement *s.m.* lansare, aruncare.

lancer I. *vt.* **1.** a arunca cu putere. **2.** a lansa. **3.** *fig.* a lansa, a face cunoscut. **II.** *vr.* a se lansa, a se introduce (în lume).

lancier *s.m.* lăncier.

lancinant, -e *adj.* zvâcnitor.

lanciner *vi.* a se manifesta prin zvâcnituri.

landau *s.m.* landou.

langage *s.m.* limbă, grai, limbaj.

lange *s.m.* scutec, faşă.

langoureux, -euse *adj.* languros, galeş.

langouste *s.f.* langustă.

langue *s.f.* **1.** *anat.* limbă. **2.** limbă, grai ‖ *avoir la ~ bien pendue* a fi bun de gură; *mauvaise ~* gură rea, bârfitor.

langueur *s.f.* lâncezeală, moleşeală.

languir *vi.* lâncezi.

languissant, -e *adj.* **1.** care lâncezeşte, letargic, apatic. **2.** galeş, languros.

lanière *s.f.* curea.

lanterne *s.f.* lanternă, felinar ‖ *mettre à la ~* a spânzura.

lapidaire *adj.* lapidar, concis.

lapidation *s.f.* lapidare, ucidere cu pietre.

lapin *s.m.* iepure (de casă).

laquais *s.m.* lacheu.

laque *s.f.* lac.

laquer *vt.* a lăcui.

larcin *s.m.* **1.** mic furt. **2.** obiect furat. **3.** plagiat.

lard *s.m.* slănină.

larder *vt.* **1.** a împăna (şi *fig.*). **2.** *fig.* a străpunge. **3.** *fig.* a înţepa cu cuvinte, expresii jignitoare. **4.** *fig.* a împestriţa.

large I. *adj.* **1.** larg, mare. **2.** *fig.* bogat, îmbelşugat. **3.** larg, generos. **II.** *s.m.* **1.** lărgime, lățime. **2.** largul mării. **III.** *adv.* în mare.

largement *adv.* din plin, cu generozitate.

largesse *s.f.* dărnicie, larghețe.

largeur *s.f.* lățime, lărgime (și *fig.*).

larme *s.f.* **1.** lacrimă. **2.** picătură.

larmoyant, -e *adj.* plângăreț.

larmoyer *vi.* a plânge.

larron, -onnesse *s.m.f.* hoț.

larve *s.f.* larvă.

laryngite *s.f.* laringită.

larynx *s.m.* laringe.

las, lasse *adj.* **1.** obosit. **2.** *fig.* plictisit, sătul.

lasser *vt.* a (se) obosi, a (se) plictisi.

lassitude *s.f.* **1.** oboseală. **2.** *fig.* dezgust.

latent, -e *adj.* latent.

latéral, -e *adj.* lateral, lăturalnic.

latitude *s.f.* **1.** *geogr.* latitudine. **2.** *fig.* latitudine; libertate deplină.

lauréat, -e *adj. s.m.f.* laureat.

laurier *s.m.* **1.** laur, dafin. **2.** *pl. fig.* glorie, lauri.

lavable *adj.* lavabil.

lavallière *s.f.* lavalieră.

lavande *s.f.* levănțică, lavandă.

lavandière *s.f.* spălătoreasă.

lave *s.f.* lavă.

lavement *s.m.* **1.** spălare, spălat. **2.** *pl.* spălături intestinale.

laver *vt., vr.* a (se) spăla (și *fig.*).

lavette *s.f.* cârpă de șters vasele, spălător.

laveur, -euse *s.m.f.* spălător, spălătoreasă.

lavoir *s.m.* spălătorie publică.

layette *s.f.* lenjerie pentru un nou-născut.

lazaret *s.m.* lazaret, spital.

le I. *art. hot. m.* ‖ ~ *chemin* drumul. **II.** *pron.* pe el, îl.

léché, -e *adj.* **1.** lins. **2.** prea meșteșugit ‖ *ours mal* ~ *fig.* necioplit, prost crescut.

lécher *vt.* **1.** a linge. **2.** a meșteșugi prea mult.

leçon *s.f.* **1.** lecție. **2.** învățătură, învățământ.

lecteur, -trice *s.m.f.* **1.** cititor, **2.** lector.

lecture *s.f.* lectură.

légalement *adv.* (în mod) legal.

légalisation *s.f.* legalizare.

légaliser *vt.* a legaliza.

légalité *s.f.* legalitate.

légataire *s.m.* legatar.

légation *s.f.* legație.

légendaire *adj.* legendar.

légende *s.f.* legendă.

léger, -ère *adj.* **1.** ușor. **2.** frugal. **3.** vioi, sprinten. **4.** *fig.* superficial. **5.** ușuratic.

légèreté *s.f.* **1.** ușurință. **2.** sprinteneală. **3.** nesocotința, purtare ușuratică.

légiférer *vi.* a legifera.

légion *s.f.* 1. legiune. 2. *fig.* mulțime, număr mare.

législateur, -trice *s.m.f., adj.* legislator.

législatif, -ive *adj.* legislativ.

législation *s.f.* legislație, legiuire.

législature *s.f.* legislatură.

légitimation *s.f. jur.* legitimare.

légitime *adj.* 1. legitim. 2. legal, justificat.

légitimer *vt.* 1. a legitima; a recunoaște un copil. 2. a justifica, a îndreptăți.

legs *s.m. jur.* legat, dispoziție testamentară.

léguer *vt.* 1. *jur.* a lega, a lăsa prin testament. 2. *fig.* a transmite.

légume I. *s.m.* legumă. II. *s.f. pop.* (în *expr.*) *grosse* ~ grangur, ștab.

légumineux, -euse *adj., s.f.* leguminos.

leitmotiv (*pl.* -**e**) *s.m.* 1. laitmotiv. 2. idee călăuzitoare.

lendemain *s.m.* 1. ziua de mâine, ziua următoare. 2. *fig.* urmare, consecință.

lénitif, -ive *adj., s.m.* om blând, împăciuitor.

lent, -e *adj.* lent, încet, domol.

lenteur *s.f.* 1. încetineală. 2. *fig.* greutate (de înțelegere).

lentille *s.f.* 1. lentilă. 2. linte.

lèpre *s.f.* lepră.

lépreux, -euse *adj., s.m.f* lepros.

léproserie *s.f.* leprozerie.

lequel, laquelle (*pl.* **lesquels, lesquelles**) *pron. rel.* care.

les I. *art. hot.* ‖ ~ *hommes* oamenii. II. *pron.* pe ei, pe ele, îi, le.

léser *vt.* a leza, a vătăma.

lésine *s.f.* zgârcenie, calicie.

lésiner *vi.* a se zgârci.

lésion *s.f.* leziune.

lessivage *s.m.* spălare cu leșie.

lessive *s.f.* 1. leșie. 2. rufe spălate cu leșie ‖ *faire la* ~ a spăla rufe.

lessiver *vt.* a spăla cu leșie.

lest *s.m.* lest.

leste *adj.* 1. ușor, vioi, sprinten. 2. *fig.* îndemânatic. 3. *fig.* deocheat, slobod ‖ *propos* ~*s* cuvinte deocheate.

lestement *adv.* sprinten, iute.

léthargie *s.f.* letargie, amorțeală.

léthargique *adj.* letargic.

lettre *s.f.* 1. literă, caracter tipografic. 2. scrisoare. 3. *pl.* literatură.

lettré, -e *adj., s.m.f.* instruit, titrat.

leur I. *adj., pron. pos.* (al) lor. II. *pron. pers.* le.

leurre *s.m.* momeală, atracție.

levain *s.m.* 1. dospeală, plămădeală. 2. *fig.* sămânță, sâmbure ‖

~ *de discorde* sâmbure de discordie.

levant I. *s.m.* răsărit. **II.** *adj. m.* care răsare.

levée *s.f.* **1.** ridicare. **2.** (despre taxe, impozite) percepere, strângere. **3.** levată (la jocul de cărți). **4.** dig. **5.** șosea.

lever I. *vt.* **1.** a ridica, a înălța. **2.** a înrola. **3.** a răscula. **4.** a strânge, a percepe (impozitele). **5.** a înlătura, a scoate ‖ ~ *un obstacle* a înlătura o piedică; ~ *le masque* a scoate masca; ~ *les épaules* a da din umeri. **II.** *vr.* **1.** a se ridica, a se scula. **2.** a răsări (soarele) ‖ *le jour se lève* se face ziuă. **III.** *vi.* a răsări, a crește, a dospi.

lever *s.m.* **1.** sculare. **2.** ridicare. **3.** răsărit.

levier *s.m.* pârghie.

lèvre *s.f.* buză.

lévrier *s.m.* ogar.

levure *s.m.* drojdie de bere.

lexique *s.m.* **1.** lexic. **2.** lexicon.

lézard *s.m.* șopârlă.

lézarder I. *vt.* a face crăpături. **II.** *vi. fig.* **1.** a hoinări. **2.** a lenevi. **III.** *vr.* a se crăpa.

liaison *s.f.* **1.** legătură. **2.** *fig.* legătură de dragoste.

liane *s.f. bot.* liană.

liant, -e I. *adj.* **1.** mlădios, flexibil, maleabil. **2.** *fig.* blând, prietenos, sociabil. **II.** *s.m.* **1.** elasticitate. **2.** suplețe. **3.** *fig.* amabilitate, blândețe.

liasse *s.f.* teanc (de hârtie).

libelle *s.m.* pamflet

libellule *s.f.* libelulă

libéral, -e I. *adj., s.m.f.* liberal. **II.** *adj.* generos, darnic.

libéralisme *s.m.* liberalism.

libéralité *s.f.* **1.** liberalitate, lipsă de prejudecăți. **2.** dărnicie.

libérateur, -trice *adj., s.m.f.* eliberator.

libération *s.f.* eliberare.

libérer *vt., vr.* a (se) libera, a (se) elibera.

liberté *s.f.* libertate.

libertinage *s.m.* libertinaj; desfrâu, destrăbălare.

libraire *s.m.* librar.

librairie *s.f.* librărie.

libre *adj.* **1.** liber **2.** deocheat, deșănțat.

libre-échange *s.m.* schimb liber.

licence *s.f.* **1.** licență, titlu universitar. **2.** lipsă de respect pentru cutume, norme. **3.** autorizație dată unui inventator de a exploata un brevet de invenție. **4.** destrăbălare, necuviință.

licencié, -e *s.m.f.* **1.** licențiat. **2.** concediat

licencier *vt.* a concendia.

licencieusement *adv.* (în mod) destrăbalat, indecent.

licencieux, -euse *adj.* licențios, impudic, indecent, imoral.

lichen *s.m.* licheni (la *pl.*).

licitation *s.f.* licitație.

liciter *vt.* a licita.

lie *s.f.* drojdie (și *fig.*).

liège *s.m.* plută.

lien *s.m.* legătură. **2.** lanț.

lier *vt., vr.* a (se) lega, a (se) uni.

lierre *s.m. bot.* iederă.

lieu *s.m.* **1.** loc, ținut, țară. **2.** *fig.* rang. **3.** ereditate, descendență ‖ *mauvais ~* casă de desfrâu; *~ commun* banalitate, clișeu; *~ d'aisance* closet; *tenir ~ de* a ține loc de; *avoir ~ de se plaindre* a avea motiv de a se plânge; *donner ~* a da prilej; *en premier ~* în primul rând; *au ~ que* în timp ce.

lieu *s.f.* leghe.

lieutenant *s.m.* locotenent.

lièvre *s.m.* iepure.

ligature *s.f.* ligatură.

lige *adj.* devotat, fidel.

ligne *s.f.* **1.** linie **2.** rând. **3.** undiță.

lignée *s.f.* neam, familie, descendență.

ligner *vt.* a linia.

lignite *s.m.* lignit.

ligoter *vt.* a lega fedeleș.

ligue *s.f.* ligă.

lilas I. *s.m.* liliac. **II.** *adj.* liliachiu.

limaçon *s.m.* melc ‖ *escalier en ~* scară în spirală.

limaille *s.f.* pilitură.

lime *s.f.* pilă.

limer *vt.* **1.** a pili. **2.** *fig.* a șlefui, a modela.

limitatif, -ive *adj.* limitativ.

limitation *s.f.* limitare.

limite *s.f.* limită, hotar, margine.

limiter *vt., vr.* a (se) mărgini, a (se) limita.

limitrophe *adj.* limitrof, învecinat, mărginaș.

limoger *vt.* a dizgrația, a demite dintr-o funcție.

limonade *s.f.* limonadă.

limoneux, -euse *adj.* plin cu nămol, noroios.

limousine *s.f.* (limuzină, automobil.

limpide *adj.* **1.** limpede, clar, transparent. **2.** *fig.* deschis, sincer.

limpidité *s.f.* limpezime, claritate.

lin *s.m.* in, pânză de in.

linceul *s.m.* giulgiu, lințoliu.

linéaire *adj.* liniar.

linge *s.m.* rufă, albitură, lenjerie.

lingerie *s.f.* lenjerie.

lingot *s.m.* lingou, bloc de metal.

linguiste *s.m.* lingvist.

linguistique *adj., s.f.* lingvistic(ă).

linotte *s.f.* (în *expr.*) *tête de ~* zăpăcit.

linotype *s.f.* linotip.

linotypiste *s.m.* linotipist.

lion, -onne *s.m.f.* leu, leoaică.

lionceau *s.m.* pui de leu.

lippu, -e *adj.* buzat, cu buze groase.

liquéfié, -e *adj.* lichefiat.

liquéfier *vt., vr.* a (se) lichefia.

liqueur *s.f.* lichior.

liquidation *s.f.* lichidare.

liquide *adj., s.m.* lichid.

liquider *vt.* **1.** a lichida, a pune capăt, a termina **2.** *arg.* a ucide.

lire *vt.* a citi.

lis, lys *s.m.* crin.

lisible *adj.* lizibil, citeț.

lisière *s.f.* lizieră, margine.

lisse *adj.* neted și lucios.

lisser *vt.* a netezi.

liste *s.f.* listă.

lit *s.m.* **I. 1.** pat (mobila) ‖ *un lit pour deux personnes* pat dublu. **2.** așternut, covor ‖ *un lit de foin, d'herbe* covor de plante. **3.** întindere, strat ‖ *un lit de sable* strat de nisip. **4.** căsătorie ‖ *enfant du premier lit* copil din prima căsătorie. **5.** *expr. comme on fait son lit on se couche* cum îți vei așterne, așa vei dormi; *il*

est sur son lit de mort e pe moarte. **II.** albia unui râu.

litanies *s.f. pl.* **1.** litanie, discurs lung, monoton și plictisitor. **2.** litanii, rugăciuni catolice.

literie *s.f.* așternut de pat.

lithographie *s.f.* litografie.

litière *s.f.* **1.** paie, așternut de paie. **2.** litieră, lectică.

litige *s.m.* *jur.* litigiu, diferend, neînțelegere.

litigieux, -euse *adj.* litigios.

litre *s.m.* litru.

littéraire *adj.* literar.

littéralement *adv.* literalmente, efectiv.

littérature *s.f.* literatură.

littoral, -e I. *adj.* de lângă țărm. **II.** *s.m.* litoral, țărmul mării.

liturgie *s.f.* liturgie.

liturgique *adj.* liturgic.

livide *adj.* livid, vânăt, învinețit.

lividité *s.f.* lividitate, paloare.

livrable *adj.* livrabil.

livraison *s.f.* **1.** livrare, predare. **2.** fascicul (dintr-o lucrare care apare treptat).

livre¹ *s.m.* carte.

livre² *s.f.* **1.** livră (unitate de măsură de cca 1/2 kg). **2.** monedă veche franceză.

livrée *s.f.* **1.** livrea. **2.** servitorime.

livrer I. *vt.* **1.** a livra, a preda, a furniza. **2.** a da pe mâna cuiva.

3. a da, a angaja. **4.** a lăsa, a abandona. **II.** *vr.* **1.** a se lăsa pradă, a se deda. **2.** a se consacra.

lobe *s.m.* lob.

localement *adv.* local.

localisation *s.f.* localizare.

localiser *vt., vr.* a (se) localiza.

localité *s.f.* localitate.

locataire *s.m.* locatar, chiriaș.

location *s.f.* locație, închiriere.

locomotive *s.f.* locomotivă.

locution *s.f.* locuțiune, expresie.

logarithme *s.m.* logaritm.

loge *s.f.* **1.** colibă. **2.** cabană de pădurar. **3.** loja portarului. **4.** lojă la teatru.

logement *s.m.* locuință.

loger I. *vi.* a locui, a ședea, a sta. **II.** *vt.* **1.** a găzdui. **2.** a așeza. **3.** *fig.* a băga, a vârî. **4.** a da cu chirie (apartamente, camere).

logeur, -euse *s.m.f.* persoană care dă cu chirie camere mobilate.

logicien, -enne *s.m.f.* logician.

logique I. *s.f.* logică. **II.** *adj.* logic.

logis *s.m.* locuință.

loi *s.f.* lege, regulă, normă.

loin *adv.* departe.

lointain, -e I. *adj., s.m.* îndepărtat. **II.** *s.m.* depărtare.

loisir *s.m.* răgaz, timp liber ‖ *à ~* pe îndelete.

lombago *s.m.* v. **lumbago.**

lombaire *adj.* lombar.

long, longue I. *adj.* **1.** lung. **2.** îndelungat. **3.** *fig.* încet ‖ *être ~ a* fi încet; *avoir les bras longs* a fi puternic. **II.** *s.m.* lungime ‖ *fig. en savoir ~* a ști multe (lucruri); *de ~ en large* în lung și în lat; *à la longue* în cele din urmă, la urma urmelor.

longer *vt.* **1.** a merge de-a lungul. **2.** a se întinde de-a lungul.

longévité *s.f.* longevitate, viață lungă.

longitude *s.f.* longitudine.

longitudinal, -e *adj.* longitudinal.

longtemps *adv.* vreme îndelungată, mult timp.

longuement *adv.* **1.** în amănunt. **2.** mult timp.

longueur *s.f.* **1.** lungime. **2.** durată. **3.** *fig.* încetineală, tărăgăneală.

lopin *s.m.* bucată.

loquace *adj.* limbut, vorbăreț, locvace.

loquacité *s.f.* limbuție, locvacitate.

loque *s.f.* zdreanță.

loquet *s.m.* clanță.

lorgner *vt.* **1.** a privi pe furiș cu coada ochiului. **2.** a privi insistent o femeie; **3.** *fig.* a aspira, a râvni (la).

lorgnon *s.m.* lornion, monoclu.

lors *adv.* atunci || *dès* ~ de atunci; *depuis* ~ din acel moment.

lorsque *conj.* când.

lot *s.m.* 1. parte, lot. 2. loz.

loti, -e *adj. fig.* favorizat || *bien* ~ favorizat; *mal* ~ persecutat.

lotion *s.f.* 1. loțiune. 2. spălare, spălătură.

lotir *vt.* 1. a împărți în loturi. 2. a tria, a alege.

lotissement *s.m.* împărțire în loturi.

louable *adj.* lăudabil, vrednic de laude.

louage *s.m.* 1. închiriere, închiriat. 2. chirie.

louange *s.f.* laudă.

louche[1] **I.** *adj.* 1. sașiu, chiorâș, cruciș. 2. *fig.* echivoc, ambiguu. **II.** *s.m.* suspect.

louche[2] *s.f.* polonic.

loucher *vi.* a privi cruciș.

loucheur, -euse *s.m.f.* (om) sașiu.

louer[1] *vt., vr.* a (se) lăuda.

louer[2] *vt.* a închiria.

loueur, -euse *adj.* 1. persoană care închiriază. 2. *fig.* lingușitor.

loup *s.m.* lup.

loupe *s.f.* 1. lupă. 2. tumoare, excrescență. 3. *fig.* lenevie.

lourd, -e *adj.* greu, greoi.

lourdement *adv.* 1. greu, greoi. 2. grosolan, grobian.

lourderie, lourdise *s.f.* grosolănie, mojicie.

lourdeur *s.f.* greutate.

louve *s.f.* lupoaică.

louvoyer *vi.* 1. *mar.* a manevra. 2. *fig.* a merge pe căi ocolite.

loyal, -e *adj.* loial, leal, fidel.

loyauté *s.f.* loialitate, sinceritate, fidelitate.

loyer *s.m.* chirie.

lubie *s.f.* capriciu, toană.

lubricité *s.f.* lubricitate.

lubrification *s.f.* lubrifiere.

lubrique *adj.* lubric, venal.

lucide *adj.* lucid, limpede.

lucidité *s.f.* luciditate.

luciole *s.f.* licurici.

lucratif, -ive *adj.* lucrativ, rentabil, profitabil.

lueur *s.f.* lumină slabă, licărire.

luge *s.f.* săniuță.

lugubre *adj.* lugubru, sumbru.

lui *pron.* lui || ~ *-même* el însuși.

luire *vi.* 1. a luci. 2. a străluci. 3. a licări.

luisant, -e **I.** *adj.* lucios. **II.** *s.m.* luciu, lustru.

lumbago *s.m.* lumbago.

lumière *s.f.* 1. lumină, lumina zilei. 2. lămurire, deslușire (intelectuală). 3. inteligență, 4. persoană cu mari merite || *la philosophie des* ~*s* iluminismul.

lumineux, -euse *adj.* **1.** luminos. **2.** *fig.* luminat, inteligent. **3.** *fig.* clar, limpede.

lunaire *adj.* lunar, al lunii.

lunatique **I.** *adj.* capricios, schimbător. **II.** *s.m.f.* lunatic.

lundi *s.m.* luni.

lune *s.f.* **1.** lună ‖ *pleine* ~ lună plină. **2.** *fig.* capriciu, toană ‖ *avoir des ~s* a avea toane; ~ *de miel* lună de miere.

lunette *s.f.* **1.** lunetă, ochean. **2.** *pl.* ochelari.

lustre *s.m.* **1.** lustru, luciu, strălucire. **2.** lustră, lampă de plafon. **3.** *fig.* strălucire. **4.** perioadă de cinci ani.

lustrer *vt.* a lustrui.

luthier *s.m. muz.* fabricant, negustor de instrumente cu coarde.

lutin *s.m.* **1.** spirit, spiriduş. **2.** *fig.* persoană vioaie, zburdalnică; drăcuşor.

lutte *s.f.* **1.** luptă. **2.** *fig.* dispută, controversă ‖ *de haute* ~ prin luptă grea.

lutter *vi.* a lupta.

lutteur *s.m.* luptător.

luxation *s.f.* luxaţie, luxare, scrântitură.

luxe *s.m.* lux.

luxer *vt.* a luxa, a scrânti.

luxueux, -euse *adj.* luxos, de lux.

luxure *s.f.* luxură, desfrâu.

luzèrne *s.f.* lucernă.

lycée *s.m.* liceu.

lycéen, -enne *s.m.f.* licean.

lymphatique *adj.* limfatic.

lynchage *s.m.* linşaj, linşare.

lynx *s.m. zool.* râs.

lyre *s.f.* liră.

lyrique *adj.* liric.

lyrisme *s.m.* **1.** lirism. **2.** *fig.* entuziasm, căldură.

lys *s.m.* v. **lis**.

M

ma *v.* mon

macabre *adj.* macabru.

macadam *s.m.* (*constr.*) macadam, drum pavat cu pietriş şi gudron.

macaroni *s.m.* macaroană, macaroane.

macédoine *s.f.* 1. ghiveci (de legume). 2. salată de fructe. 3. *fig.* amestec.

macération *s.f.* macerare.

macérer *vt.* a macera.

mâcher *vt.* a mesteca.

machinal, -e *adj.* maşinal, automat.

machination *s.f.* maşinaţie, uneltire.

machine *s.f.* maşină.

mâchoire *s.f.* falcă.

mâchonner *vt.* 1. a mesteca încet, a molfăi. 2. a mormăi.

maçon *s.m.* 1. zidar. 2. *peior.* meseriaş prost, cârpaci. 3. mason.

maçonnerie *s.f.* 1. zidărie. 2. masonerie.

madame *s.f.* doamnă.

mademoiselle *s.f.* domnişoară.

madré, -e *adj.* şiret, viclean.

madrigal *s.m.* madrigal.

magasin *s.m.* magazin, prăvălie.

magasinage *s.m.* magazinaj, înmagazinare.

magazine *s.m.* revistă ilustrată, magazin.

mage *s.m.* mag, ghicitor, astrolog.

magicien, -enne *s.m.f.* magician, vrăjitor.

magique *adj.* magic (şi *fig.*)

magistral, -e *adj.* magistral.

magistrature *s.f.* magistratură.

magnanime *adj.* mărinimos.

magnanimement *adv.* cu mărinimie, generozitate.

magnanimité *s.f.* mărinimie.

magnésie *s.f.* magneziu.

magnétique *adj.* magnetic.

magnétiser *vt.* a magnetiza (şi *fig.*).

magnétisme *s.m.* magnetism.

magnétophone *s.m.* magnetofon.

magnificence *s.f.* 1. măreţie. 2. generozitate.

magnifique *adj.* 1. magnific, minunat, falnic. 2. generos.

maigre I. *adj.* 1. slab. 2. sărac, sărăcăcios. 3. fără carne, de post. II. *s.m.* 1. slabă. 2. mâncare de post ‖ *faire* ~ a mânca de post

maigreur *s.f.* slăbiciune.

maigrir *vi.*, *vt.* a slăbi.

maille *s.f.* **1.** ochi (de plasă, de ţe-
sătură). **2.** za. **3.** monedă veche
‖ *n'avoir ni sou ni* ~ a nu avea
o para chioară; *avoir* ~ *à partir*
a se certa.

maillon *s.m.* verigă, ochi.

maillot *s.m.* **1.** tricou, maiou.
2. scutec, faşă. **3.** pruncie.

main *s.f.* **1.** mână ‖ *large comme
la main* de mici dimensiuni.
2. ajutor ‖ *il a trouvé une main
secourable* a găsi un ajutor bun.
3. mână (la jocul de cărţi) ‖ *(în
expr.) avoir une belle main* a fi
în mână ‖ *avoir la main légère*
a fi delicat; *a pleines mains* din
belşug; *en venir aux mains* a se
lua la bătaie; *en main propre*
personal; *battre des mains* a
aplauda; *mettre la main à la
pâte* a munci; *main de maître*
mână de maestru; *en un tour de
main* foarte repede.

main-d'œuvre *s.f.* mână de lucru.

maint, -e *adj.* mai mulţi.

maintenant *adv.* acum, în prezent.

maintenir **I.** *vt.* **1.** a menţine, a
păstra. **2.** *fig.* a susţine, a
afirma. **II.** *vr.* a se menţine.

maintien *s.m.* **1.** menţinere. **2.** ţi-
nută, atitudine.

maire *s.m.* primar.

mairie *s.f.* primărie.

mais *conj.* dar, însă, ci ‖ ~ *si* ba da.

maïs *s.m.* porumb.

maison *s.f.* **1.** casă. **2.** familie,
neam. **3.** întreprindere.

maisonnat, -e *adj.* **1.** care sună urât
la ureche. **2.** *fig.* necuviincios.

maître **I.** *s.m.* **1.** stăpân. **2.** maes-
tru **3.** maistru. **4.** avocat **5.** pro-
fesor, dascăl. **II.** *adj.* **1.** iscusit,
energic. **2.** principal.

maîtresse **I.** *s.f.* **1.** stăpână. **2.** a-
mantă, ibovnică. **3.** învăţătoare,
profesoară. **II.** *adj.* **1.** principa-
lă. **2.** iscusită, energică.

maîtrise *s.f.* **1.** stăpânire, autori-
tate. **2.** stăpânire de sine.

maîtriser *vt.*, *vr.* a (se) stăpâni, a
(se) înfrunta.

majesté *s.f.* maiestate, măreţie.

majestueux, -euse *adj.* măreţ,
maiestos.

majeur, -e *adj.* **1.** mai mare, ma-
jor. **2.** major (ca vârstă). **3.** în-
semnat.

majorer *vt.* a majora, a urca, a
mări.

majorité *s.f.* **1.** majorat. **2.** majo-
ritate.

majuscule *adj.*, *s.f.* majusculă.

mal[1] *s.m.* **1.** rău. **2.** durere. **3.** boa-
lă. **4.** necaz. **5.** sămânţă, neno-
rocire. **6.** muncă, străduinţă ‖ *se
donner du* ~ a se strădui.

mal² *adv.* rău ‖ *être ~ à l'aise* a fi indispus, a nu fi la largul său; *~ à propos* nepotrivit; *se trouver ~* a-i veni rău.

mal³, -e *adj.* rău, funest ‖ *bon gré ~ gré* de voie de nevoie.

malade *adj.*, *s.m.f.* bolnav.

maladie *s.f.* 1. boală 2. *fig.* patimă, pasiune.

maladresse *s.f.* 1. stângăcie. 2. gafă.

maladroit, -e *adj.* stângaci, neîndemânatic.

malaise *s.m.* 1. indispoziție. 2. nevoie, strâmtoare. 3. neliniște.

malaisé, -e *adj.* 1. greu, dificil, neplăcut. 2. strâmtorat.

malaisément *adv.* cu greu, anevoie.

malandrin *s.m.* bandit, hoț, pungaș.

malaria *s.f.* malarie.

malchance *s.f.* nenoroc, ghinion.

mâle I. *adj.* 1. bărbătesc. 2. *fig.* energic. II. *s.m.* mascul.

malédiction *s.f.* 1. blestem. 2. *fig.* nenorocire, fatalitate.

maléfique *adj.* malefic.

malencontreux, -euse *adj.* neplăcut, supărător.

malentendu *s.f.* neînțelegere.

malfaçon *s.m.* execuție greșită.

malfaisant, -e *adj.* dăunător, vătămător.

malfaiteur, -trice *s.m.f.* răufăcător.

malfamé, -e *adj.* cu reputație proastă.

malgré *prep.* 1. în ciuda, cu toate acestea. 2. (*în expr.*) *~ toi* fără voia ta.

malheur *s.m.* nenorocire, necaz, ghinion ‖ *par ~* din nenorocire.

malheureusement *adv.* din nenorocire.

malhonnêteté *s.f.* 1. necinste. 2. necuviință, mojicie.

malice *s.f.* 1. malițiozitate, răutate. 2. glumă răutăcioasă.

malicieux, -euse *adj.* malițios, răutăcios.

malignité *s.f.* 1. răutate. 2. influență primejdioasă.

malin, -igne, I. *adj.* 1. răutăcios. 2. malign, primejdios, 3. șiret, viclean. 4. greu, dificil. II. *s.m.* 1. șiret, viclean. 2. diavol.

malingre *adj.* plăpând.

malintentionné, -e *adj.*, *s.m.f.* rău intenționat.

malle *s.f.* cufăr, ladă.

malléable *adj.* maleabil.

malmener *vt.* 1. a se purta rău cu, a brutaliza 2. a înfrânge.

malotru, -e *adj.*, *s.m.f.* 1. pocit, urât. 2. mitocan, bădăran.

malpropre *adj.* 1. murdar. 2. *fig.* imoral. 3. necinstit.

malsain, -e *adj.* I. nesănătos. 2. *fig.* dăunător, periculos.

malséance *s.f.* necuviință.

malséant -e *adj.* necuviincios.

malt *s.m.* malț.

maltraiter *vt.* a maltrata.

malveillance *s.f.* rea-voință.

malveillant, -e *adj., s.m.f.* răuvoitor.

malversation *s.f. jur.* deturnare, delapidare de fonduri.

maman *s.f.* mamă, mămică.

mamelle *s.f.* mamelă.

mammifère *adj., s.m.* mamifer.

mammouth *s.m.* mamut.

manche[1] *s.m.* coadă (de unealtă), mâner ‖ *branler au (dans le)* ~ *fig.* a se clătina (într-o situație, în slujbă).

manche[2] *s.f.* **1.** mânecă. **2.** manșă, partidă (la joc) ‖ *avoir qn. dans la* ~ a avea pe cineva la degetul mic; *c'est une autre paire de* ~s asta-i altă poveste.

manchot, -e *adj., s.m.f.* ciung.

mandarine *s.f.* mandarină.

mandat *s.m.* mandat ‖ ~ *d'arrêt* mandat de arestare.

mandataire *s.m. jur.* mandatar, prepus.

mander *vt.* **1.** a încunoștința prin scrisoare. **2.** a solicita prezența cuiva. **3.** a porunci.

mandibule *s.f.* mandibulă, falcă.

mandoline *s.f.* mandolină.

mandragore *s.f.* mătrăgună.

manège *s.m.* **1.** manej. **2.** *fig.* purtare vicleană, uneltire.

manette *s.f.* manetă.

manganèse *s.m.* mangan.

mangeable *adj.* comestibil.

manger I. *vt.* a mânca ‖ ~ *des yeux* a sorbi din ochi. **II.** *s.m.* mâncare ‖ *perdre le boire et le* ~ a-și pierde tihna.

maniable *adj.* **1.** ușor de mânuit. **2.** *fig.* mlădios.

maniaque *adj., s.m.f.* maniac.

manie *s.f.* manie.

maniement *s.m.* mânuire.

manier *vt.* a mânui.

manière *s.f.* **1.** manieră, chip, fel. **2.** *pl.* maniere, comportament ales ‖ *de* ~ *que* astfel încât; *de* ~ *à* ca să.

manifestation *s.f.* manifestare, manifestație.

manifester I. *vt.* a manifesta. **II.** *vr.* a se manifesta, a se face cunoscut.

manigance *s.f.* vicleșug, tertip, intrigă.

manipuler *vt.* **1.** a manipula. **2.** a face afaceri necinstite.

manivelle *s.f.* manivelă.

manne *s.f.* **1.** mană cerească. **2.** mâncare ieftină și spornică.

mannequin *s.m.* manechin.

manœuvre I. *s.f.* **1.** manevră, manevrare. **2.** *mar.* pilotare. **3.** *fig.*

intrigă, uneltire. **II.** *s.m.* salahor, muncitor necalificat.

manœuvrer I. *vt.* **1.** a manevra. **2.** a cârmui, a pilota. **II.** *vi.* **1.** a manevra. **2.** *fig.* a unelti, a intriga.

manoir *s.m.* **1.** conac. **2.** *ist.* castel feudal.

manomètre *s.m.* manometru.

manque *s.m.* **1.** lipsă. **2.** *fig.* meteahnă, cusur.

manqué, -e *adj.* neizbutit, ratat.

manquement *s.m.* *fig.* nerespectare, încălcare.

manquer I. *vi.* **1.** a greşi. **2.** a nu reuşi, a nu izbuti. **3.** a uita. **4.** a aluneca. **5.** a fi pe punctul să, a fi cât pe aci să. **6.** ~ (*de*) a duce lipsă de, a nu avea, **7.** *impers.* a lipsi. **II.** *vt.* **1.** a scăpa, a pierde. **2.** a nu nimeri. **3.** a nu reuşi, a nu realiza. **4.** a cârpi, a executa prost.

mansarde *s.f.* mansardă.

mansardé, -e *adj.* mansardat.

mansuétude *s.f.* blândeţe, indulgenţă.

manteau *s.m.* **1.** palton, mantou. **2.** manta. **3.** *fig.* acoperământ. **4.** *fig.* mantie, mască, înfăţişare ‖ *sous le* ~ clandestin.

manuel, -elle I. *adj.* manual, de mână. **II.** *s.m.* manual (şcolar).

manuscrit, -e *adj., s.m.* manuscris.

manutention *s.f.* **1.** administrare, gestiune. **2.** *mil.* manutanţă.

mappemonde *s.f.* mapamond.

maquereau *s.m.* scrumbie albastră.

maquette *s.f.* machetă.

maquillage *s.m.* machiaj, fardare.

maquiller I. *vt.* **1.** a machia, a farda. **2.** *fig.* a falsifica, a denatura. **II.** *vr.* a se farda, a se machia.

maquisard, -e *s.m.f.* luptător în mişcarea de rezistenţă franceză.

maraîcher, -ère I. *adj.* de zarzavaturi. **II.** *s.m.* zarzavagiu, cultivator de zarzavaturi.

marais *s.m.* **1.** mlaştină. **2.** grădină de zarzavat.

marâtre *s.f.* mamă vitregă, maşteră.

maraudeur, -euse *s.m.f.* hoţ (de fructe, de legume etc.).

marbre *s.m.* **1.** marmură. **2.** obiect, statuie de marmură.

mare *s.m.* drojdie, zaţ.

marcassin *s.m.* pui de mistreţ.

marchand, -e I. *s.m.f.* negustor. **II.** *adj.* comercial.

marchander I. *vt., vr.* **1.** a (se) tocmi. **2.** a drămui, a acorda cu zgârcenie. **II.** *vi.* a ezita.

marche *s.f.* **1.** mers. **2.** marş. **3.** drum. **4.** treaptă (a unei scări fixe).

marché *s.m.* **1.** piaţă, târg. **2.** *fig.* afaceri, târg. **3.** cumpărătură, târguri. **4.** convenţie, înţelegere ‖ *bon* ~ ieftin; *par-dessus le* ~ pe deasupra; *être quitte a bon* ~ a scăpa ieftin.

marchepied *s.m.* **1.** scară dublă. **2.** trepte la o estradă. **3.** scara (unui vehicul). **4.** *fig.* trambulină, proptea.

marcher I. *vi.* **1.** a merge, a înainta. **2.** *fig.* a funcţiona. **3.** *fam.* a se prinde, a consimţi. **II.** *s.m.* mers.

marcheur, -euse *adj., s.m.f.* bun la drum, rezistent la mers, mărşăluitor.

marcotter *vt.* a butăşi.

mardi *s.m.* marţi.

mare *s.f.* baltă, băltoacă.

marécage *s.m.* mlaştină, teren mlăştinos.

marécageaux, -euse *adj.* mlăştinos.

maréchal *s.m.* mareşal ‖ ~ *(ferrant)* potcovar; ~ *des logis* sergent de cavalerie.

marée *s.f.* **1.** maree ‖ ~ *montante* flux; ~ *descendante* reflux. **2.** peşte de mare, proaspăt.

marelle *s.f.* **1.** şotron. **2.** ţintar.

margarine *s.f.* margarină.

marge *s.f.* margine.

marguerite *s.f. bot.* margaretă.

mari *s.m.* soţ, bărbat.

mariage *s.m.* **1.** căsătorie. **2.** *fig.* unire.

marié, -e *adj., s.m.f.* căsătorit.

marier I. *vt.* **1.** a căsători. **2.** *fig.* a uni, a împerechea. **3.** a potrivi. **II.** *vr.* a se căsători.

marinade *s.f. cul.* marinată.

marine *s.f.* **1.** marină. **2.** pictură cu peisaj maritim.

mariner *vt., vi.* a marina (carnea, peştele).

marionnette *s.f.* marionetă, păpuşă (şi *fig.*).

marital, -e *adj.* marital.

maritime *adj.* maritim.

marivaudage *s.m.* limbaj galant, subtil.

marjolaine *s.f. bot.* măghiran.

marmelade *s.f.* marmeladă ‖ *avoir la figure en* ~ a avea faţă plină de vânătăi.

marmite *s.f.* oală ‖ *faire bouillir, faire aller la* ~ a ţine casa, a da bani în casă.

marmiton *s.m.* rândaş de bucătărie.

marmonner *vt.* a murmura printre dinţi, a bombăni.

marmoréen, -ne *adj.* **1.** marmorean, ca marmura. **2.** *fig.* rece, glacial.

marnière *s.f.* carieră, groapă de marnă.

maroquin *s.m.* marochin.

maroquinerie *s.f.* marochinărie.

marotte *s.f.* **1.** marotă, idee fixă. **2.** sceptru de nebun, de bufon de curte.

marquage *s.m.* marcaj, însemnare.

marquant, -e *adj.* marcant, însemnat, cu vază.

marqué, -e *adj.* **1.** pronunțat, accentuat. **2.** însemnat. ciupit. **3.** înfierat.

marquer I. *vt.* **1.** a însemna, **2.** a arăta, a dovedi. **3.** a înfiera. **4.** a hotărî, a fixa. **II.** *vi.* a se distinge.

marqueter *vt.* **1.** a împestrița. **2.** a lucra marchetărie.

marqueterie *s.f.* marchetărie.

marquis, -e *s.m.f. ist.* marchiz.

marquise *s.f.* **1.** v. **marquis**. **2.** *constr.* marchiză (la intrarea într-o casă).

marraine *s.f.* nașa (la botez).

marri, -e *adj.* supărat.

marron I. *s.m.* **1.** castană. **2.** pocnitoare. **II.** *adj. invar.* cafeniu.

marronnier *s.m.* castan.

mars *s.m.* martie.

marteau *s.m.* **1.** ciocan. **2.** *anat.* ciocănaș, os în urechea internă.

marteler *vt.* **1.** a ciocăni. **2.** a accentua asupra fiecărui sunet, a fiecărei silabe.

marxisme *s.m.* marxism ‖ *~léninisme* marxism-leninism.

mas *s.m.* căsuță la țară, fermă (în sudul Franței).

mascarade *s.f.* mascaradă (și *fig.*).

mascotte *s.f. fam.* mascotă, talisman.

masculin, -e *adj.* **1.** masculin, bărbătesc. **2.** *gram.* genul masculin.

masculinité *s.f.* masculinitate, bărbăție, virilitate.

masque *s.m.* **1.** mască. **2.** persoană mascată. **3.** *fig.* figură, expresie.

masquer *vt., vr.* a (se) masca.

massacrer *vt.* a masacra, a măcelări.

massage *s.m.* masaj.

masse *s.f.* masă, grămadă, mulțime; *pl.* popor.

masser *vt.* a masa, a freca.

masseur, -euse *s.m.f.* masor.

massif, -ive I. *adj.* **1.** masiv, greu. **2.** *fin.* grosolan, greoi. **II.** *s.m.* masiv.

massiveté *s.f.* masivitate.

massue *s.f.* măciucă ‖ *coup de ~* lovitură de măciucă (și *fig.*).

mastication *s.f.* mestecarc.

mastiquer *vt.* a mesteca.

mastodonte *s.m.* **1.** mastodont. **2.** *fig.* namilă, matahală.

masure *s.f.* colibă, dărăpănătură.

mat¹ *s.m., adj.* mat ‖ *faire qn. échec et ~* a face șah-mat pe cineva.

mat², -e *adj.* **1.** mat, fără lustru. **2.** surd, fără rezonanță.

mât *s.m.* catarg.

match *s.m.* meci.

matelas *s.m.* saltea.

mater *vt.* 1. a face şah-mat. 2. *fig.* a îmblânzi pe cineva, a-l supune.

matérialisation *s.f.* materializare.

matérialiser *vt.* a materializa.

matérialiste *adj., s.m.f.* materialist.

matériaux *s.m. pl.* 1. materiale (de construcţie). 2. *fig.* materiale (necesare pentru o lucrare).

matériel, -elle I. *adj.* 1. material. 2. *fig.* greu, greoi. 3. trupesc. **II.** *s.m.* material.

maternel, -elle *adj.* 1. matern. 2. dinspre mamă ‖ *oncle* ~ unchi dinspre mamă.

maternité *s.f.* maternitate.

mathématicien, -enne *s.m.f.* matematician.

mathématique I. *adj.* 1. matematic. 2. *fig.* riguros, exact. **II.** *s.f. pl.* matematică.

matière *s.f.* 1. materie, substanţă. 2. *fig.* chestiune, subiect, problemă. 3. *fig.* cauză, motiv, prilej.

matin I. *s.m.* dimineaţă. **II.** *adv.* devreme, de dimineaţă.

mâtin *s.m.* dulău.

mâtiné, -e *adj.* corcit.

matinée *s.f.* 1. dimineaţă. 2. matineu.

matois, -e *adj., s.m.f.* şiret.

matou *s.m.* 1. cotoi, motan. 2. *fig. fam.* om nesuferit.

matraque *s.f.* ciomag, bâtă.

matricule I. *s.f.* matricolă, registru. **II.** *s.m.* număr matricol. **III.** *adj.* matricol, matricular.

matriculer *vt.* a înmatricula.

matrone *s.f.* matroană, femeie în vârstă.

matûration *s.f.* coacere, maturaţie.

mâture *s.f.* catarg (al unei corăbii).

maturité *s.f.* 1. maturitate, coacere. 2. *fig.* judecată matură, maturitate.

maudire *vt.* 1. a blestema. 2. a urî.

maudissable *adj.* condamnabil.

maudit, -e I. *adj.* 1. blestemat. 2. afurisit, rău. **II.** *s.m.* 1. blestemat. 2. diavol.

maugréer *vi.* (**contre**) a înjura, a bombăni.

mauresque *adj.* maur, arăbesc.

mausolée *s.m.* mausoleu.

maussade *adj.* 1. ursuz, morocănos. 2. neplăcut, plictisitor.

mauvais, -e I. *adj.* 1. rău. 2. *fig.* muşcător, răutăcios. 3. *fig.* prost, slab, fără talent. 4. periculos, vătămător ‖ ~*e tête* nedisciplinat; ~ *esprit* om răutăcios; ~ *sujet* pramatie; *prendre* ~*e part* a lua în sens rău. **II.** *s.m.* 1. răul, ceea ce este rău. 2. persoană rea. **III.** *adv.* 1. urât. 2. primejdios.

mauve I. *adj.* mov, liliachiu. **II.** *s.m.* culoarea mov.

maxillaire *adj., s.m.* maxilar.

maxime *s.f.* maximă, precept.

maximum I. *s.m.* maximum, cel mai mare ‖ *au* ~ la maximum în cel mai înalt grad. **II.** *adj.* maxim.

mayonnaise *s.f.* maioneză.

mazout *s.m.* țiței, păcură.

me *pron. pers.* pe mine, mă, mie, îmi.

méandre *s.m.* **1.** meandră, cot (de râu). **2.** *fig.* șiretenie, ocoliș.

mécanicien, -enne 1. *s.m.f.* specialist în mecanică. **2.** *s.m.* mecanic.

mécanique I. *adj.* **1.** mecanic, de mașină. **2.** *fig.* mașinal, automat. **II.** *s.f.* **1.** mecanică. **2.** mașinărie, mașină. **3.** *fig* intrigă, urzeală.

méchamment *adv.* cu răutate.

méchanceté *s.f.* răutate.

méchant, -e I. *adj.* **1.** rău, răutăcios. **2.** *(așezat înaintea subst.)* prost, slab. **3.** neplăcut, primejdios. **4.** posomorât. ‖ **II.** *s.m.* persoană rea ‖ *faire le* ~ a se înfuria.

mèche *s.f.* **1.** fitil, feștilă, muc. **2.** sfichi (la bici). **3.** meșă, șuviță de păr.

mécompte *s.m.* **1.** eroare, greșeală (într-un calcul). **2.** *fig.* decepție, dezamăgire.

méconnaissable *adj.* de nerecunoscut.

méconnaitre I. *vt.* **1.** a nu recunoaște, a se face că nu cunoaște. **2.** a nu aprecia (meritul cuiva). **II.** *vr.* a uita ce a fost.

méconnu, -e *adj.* nerecunoscut, neapreciat.

mécontent, -e *adj.* nemulțumit.

mécontentement *s.m.* nemulțumire.

mécontenter *vt.* a nemulțumi.

mécréant, -e *adj., s.m.f.* necredincios, păgân.

médaille *s.f.* medalie.

médaillon *s.m.* medalion.

médecin *adj. s.m.* medic.

medicine *s.f.* **1.** medicină. **2.** doctorie, remediu.

médical, -e *adj.* medical.

médicament *s.m.* medicament, doctorie.

médicamenter I. *vi.* a da medicamente. **II.** *vr.* a lua medicamente.

médicamenteux, -euse *adj.* medicamentos.

médiocre I. *adj.* mediocru, mijlociu. **II.** *s.m.* mediocru.

médiocrité *s.f.* mediocritate.

médire *vi.* a vorbi de rău, a bârfi.

médisance *s.f.* bârfeală, clevetire.

médisant, -e *adj.* bârfitor, clevetitor.

méditation *s.f.* **1.** meditare. **2.** meditaţie (mică lucrare filozofică).

méditer *vt.* a medita, a reflecta.

médius *s.m.* degetul mijlociu.

méduse *s.f.* meduză.

méfait *s.m.* **1.** faptă rea. **2.** stricăciune, pagubă.

méfiance *s.f.* neîncredere.

méfiant, -e *adj.* neîncrezător.

méfier (se) *vr.* a nu avea încredere (în).

mégalomanie *s.f.* megalomanie.

mégarde *s.f.* neatenţie, nebăgare de seamă ‖ *par ~* din neatenţie.

mégère *s.f.* femeie rea şi arţăgoasă.

mégot *s.m.* muc de ţigară.

meilleur, -e *adj.* mai bun ‖ *le ~* cel mai bun.

mélancolique *adj.* melancolic.

mélange *s.m.* amestec, amestecătură.

mélanger *vt.* a amesteca.

mélasse *s.f.* melasă.

mêler I. *vt.* a amesteca, a uni (şi *fig.*). **II.** *vr.* **1.** a se amesteca, a se băga, a se vârî. **2.** a se uni, a se alătura.

mélèze *s.m.* molift.

mélodie *s.f.* melodie.

mélodieux, -euse *adj.* melodios.

mélodique *adj.* melodic.

mélodramatique *adj.* melodramatic.

mélodrame *s.m.* melodramă.

mélomane *adj., s.m.f.* meloman.

melon *s.m.* **1.** pepene (galben) ‖ *~ d'eau* pepene verde. **2.** (pălărie) melon. **3.** *pop.* nătărău.

mélopée *s.f.* melopee.

membrane *s.f.* membrană.

membraneux, euse *adj.* membranos.

même I. *adj.* **1.** acelaşi. **2.** însuşi ‖ *lui~* el însuşi. **II.** *adv.* **1.** chiar. **2.** chiar şi ‖ *~ les enfants* chiar şi copiii. **3.** tot aşa, tot astfel ‖ *de ~* la fel; *à ~* direct din, chiar din; *de ~ que* ca şi, precum; *à ~ de* în stare de; *tout de ~* totuşi.

mémoire I. *s.f.* **1.** memorie. **2.** amintire. **II.** *s.m.* **1.** memoriu ştiinţific, expunere. **2.** socoteală, cont. **3.** *pl.* memorii.

mémorable *adj.* memorabil, demn de amintit.

mémorandum *s.m.* memorandum.

mémorialiste *s.m.* memorialist.

mémorisation *s.f.* memorizare.

menaçant, -e *adj.* ameninţător.

menace *s.f.* ameninţare.

menacer *vt.* **1.** a ameninţa. **2.** a primejdui.

ménage *s.m.* **1.** menaj, căsnicie. **2.** gospodărie.

ménagement *s.m.* menajare, cruţare.

ménager I. *vt.* **1.** a menaja, a cruţa. **2.** a economisi. **3.** a procura, a pregăti. **II.** *vr.* a se menaja, a se cruța.

ménager, -ère I. *adj.* casnic, menajer. **II.** *s.f.* menajeră, gospodină.

ménagerie *s.f.* menajerie.

mendiant, -e *s.m.f.* cerșetor.

mendier *vt.* a cerși.

mener *vt.* **1.** a conduce. **2.** a duce. **3.** a trata pe cineva.

méningite *s.f.* meningită.

menotte *s.f.* **1.** *fam.* mânuță. **2.** *pl.* cătușe.

menotter *vt.* a pune cătușe, a încătușa.

mensonge *s.m.* minciună, născocire, ficțiune.

mensonger, -ère *adj.* mincinos, înșelător.

mensualité *s.f.* sumă plătită lunar.

mensuel, -elle *adj.* lunar.

mensurable *adj.* măsurabil.

mentalement *adv.* în minte.

mentalité *s.f.* mentalitate, concepție.

menteur, -euse *adj.*, *s.m.f.* mincinos.

menthe *s.f.* mentă.

mention *s.f.* **1.** mențiune, menționare. **2.** distincție, mențiune.

mentionner *vt.* a menționa, a pomeni.

mentir *vi.* a minți.

menton *s.m.* bărbie.

menu, -e I. *adj.* **1.** subțire. **2.** mic, mărunt. **II.** *s.m.* meniu, listă de bucătărie. **III.** *adv.* mărunt.

menuiserie *s.f.* tâmplărie.

menuisier *s.m.* tâmplar.

méprendre (se) *vr.* a se înșela.

mépris *s.m.* dispreț ‖ *au ~ de* fără a ține seama, în ciuda.

méprisable *adj.* de disprețuit.

méprisant, -e *adj.* disprețuitor.

méprise *s.f.* greșeală, eroare, confuzie ‖ *par ~* din greșeală.

mépriser *vt.* **1.** a disprețui. **2.** a înfrunta, a nu se teme.

mer *s.f.* mare ‖ *la pleine ~* largul mării.

mercantile *adj.* mercantil, negustoresc.

mercenaire *adj.*, *s.m.f.* mercenar.

mercerie *s.f.* mercerie.

merci I. *s.f.* milă, grație, iertare ‖ *être à la ~ de qn.* a fi la discreția cuiva. **II.** *s.m.* mulțumire. **III.** *interj.* mulțumesc, mersi.

mercier, -ère *s.m.f.* negustor de mărunțișuri.

mercredi *s.m.* miercuri.

mercure *s.m.* mercur, argint viu.

mercuriale *s.f.* **1.** mercurial, prețul oficial al mărfurilor. **2.** *fig.* dojană, mustrare.

merde *s.f.* excrement.

mère I. *s.f.* **1.** mamă. **2.** maică, călugăriță. II. *adj.* **1.** de căpetenie, fundamental. **2.** originar.

méridien, -enne *adj., s.m.f.* meridian.

meringue *s.f.* prăjitură din albuș de ou.

merisier *s.m.* cireș sălbatic.

mériter *vt.* a merita, a fi vrednic de.

méritoire *adj.* meritoriu, vrednic de laudă.

merle *s.m.* mierlă.

merveille *s.f.* minune, minunăție ‖ *à* ~ minunat, excelent, admirabil.

merveilleux, -euse I. *adj.* **1.** minunat, admirabil. **2.** uimitor, surprinzător. II. *s.m.* miraculos, supranatural.

mésalliance *s.f.* mezalianță.

mésange *s.f.* pițigoi.

mésaventure *s.f.* accident, pățanie.

mesdames *s.f. pl.* v. **madame**.

mesdemoiselles *s.f. pl.* v. **mademoiselle**.

mésestimer *vt.* avea o proastă părere despre cineva, a subestima.

mésintelligence *s.f.* neînțelegere, dezbinare.

mesquinerie *s.f.* meschinărie.

mess *s.m.* popotă ofițerească.

message *s.m.* mesaj, communicare.

messager, -ère *s.m.f.* mesager, vestitor.

messagerie *s.f.* mesagerie.

messe *s.f.* slujbă, liturghie (catolică).

mesurage *s.m.* măsurat, măsurătoare.

mesure *s.f.* **1.** măsură. **2.** măsurare. **3.** dimensiune, mărime. **4.** *fig.* limită, margine. **5.** rezervă, moderație. **6.** măsură, dispoziție ‖ *outre* ~ peste măsură; *au fur et à* ~ *que* pe măsură ce; *en* ~ *que* pe măsură ce; *en* ~ în stare, capabil.

mesuré, -e *adj.* **1.** măsurat. **2.** *fig.* cumpătat, cumpănit.

mesurer I. *vt.* **1.** a măsura. **2.** *fig.* a cumpăni. II. *vr.* a se măsura cu cineva.

métairie *s.f.* **1.** fermă arendată. **2.** mic domeniu rural.

métallique *adj.* metalic.

métalliser *vt.* **1.** a da o strălucire metalică. **2.** a metaliza.

métallurgique *adj.* metalurgic.

métamorphose *s.f.* metamorfoză.

métamorphoser *vt., vr.* a (se) transforma.

métaphore *s.f.* metaforă.

métaforique *adj.* metaforic.

métaphysique *s.f.* metafizică.

métayage *s.m.* arendă în natură.

métayer, -ère *s.m.f.* **1.** arendaș. **2.** fermier. **3.** muncitor agricol.

métempsycose *s.f.* metempsihoză.

météore *s.m.* meteor.

météorique *adj.* meteoric.

météorologique *adj.* meteorologic.

météorologiste, météorologue *s.m.* meteorolog

méthane *s.m.* metan.

méthode *s.f.* metodă.

méthodique *adj.* metodic.

méticuleux, -euse *adj.* meticulos, scrupulos, migălos.

méticulosité *s.f.* meticulozitate.

métier *s.m.* **1.** meserie, meşteşug. **2.** profesie. **3.** război (de ţesut).

métis, -isse *adj., s.m.f.* metis.

métrage *s.m.* măsurătoare cu metrul.

mètre *s.m.* metru.

métrique I. *adj.* metric. **II.** *s.f.* metrică.

métro *s.m.* metrou.

métrologie *s.f.* metrologie.

métronome *s.m.* metronom.

métropole *s.f.* metropolă.

mets *s.m.* fel de mâncare, bucate.

metteur *s.m.* (în *expr.*) ~ *en scène* regizor; ~ *en pages* paginator; ~ *en œuvre* montor de pietre preţioase.

mettre I. *vt.* **1.** a pune, a aşeza. **2.** a îmbrăca. **3.** a băga, a introduce. **4.** *fig.* a presupune ‖ ~ *dedans fig. fam.* a păcăli, a înşela;

~ *au fait* a pune la curent; ~ *à l'épreuve* a pune la încercare; *y* ~ *du sien* a face concesii. **II.** *vr.* **1.** a se aşeza. **2.** a se îmbrăca. **3.** a se apuca, a începe.

meuble I. *adj.* mobil. **II.** *s.m.* mobilă, mobilier.

meubler I. *vt.* **1.** a mobila. **2.** *fig.* a împodobi. **II.** a-şi cumpăra mobilă.

meugler *vt.* a mugi.

meule *s.f.* **1.** piatră de moară. **2.** căpiţă, claie (de fân). **3.** roată (de caşcaval).

meunier, -ère *s.m.f.* morar.

meurtre *s.m.* omor, asasinat.

meurtrir *vt.* **1.** a face vânătăi. **2.** (despre fructe) a strivi. **3.** *fig.* a răni.

meurtrissure *s.f.* **1.** vânătaie. **2.** (la fructe) partea stricată, lovită.

meute *s.f.* haită, ceată.

mezzanine *s.f.* mezanin.

mi *adv.* jumătate ‖ *à* ~*chemin* la jumătatea drumului.

miaulement *s.m.* miorlăit, mieunat.

miauler *vt.* a mieuna.

microbe *s.m.* microb.

microbien, -enne *adj.* microbian.

microcosme *s.m.* microcosm(os).

micro, microphone *s.m.* microfon.

microphotographie *s.f.* microfotografie.

microscope *s.m.* microscop.

microscopique *adj.* microscopic.

midi *s.m.* **1.** amiază, miezul zilei. **2.** sud **3.** (cu *maj.*) țările din sud ‖ *chercher ~ à quatorze heures* a căuta nod în papură.

midinette *s.f.* midinetă, tânără muncitoare din Paris.

miel *s.m.* miere

mien, -enne I. *pron.* al meu. II. *s.m.* **1.** al meu, ceea ce îmi aparține. **2.** *pl.* ai mei, rudele.

miette *s.f.* **1.** firimitură (de pâine). **2.** *fig.* rest, rămășiță.

mieux I. *adv.* mai bine. II. *s.m.* mai binele, îmbunătățire ‖ *il vaut ~* e preferabil; *à qui ~* care mai de care; *faute de ~* în lipsă de ceva mai bun; *tant ~* cu atât mai bine.

mièvre *adj.* **1.** de o drăgălășenie afectată. **2.** slăbuț, plăpând.

mignard, -e I. *adj.* drăgălaș, drăguț, gingaș. II. *s.m.* drăgălășenie.

mignon, -onne I. *adj.* drăguț, micuț. II. *s.m.* favorit.

mignoter *vt.* *fam.* a alinta, a cocoloși.

migraine *s.f.* migrenă, durere de cap.

migrateur, -trice *adj.* migrator.

migration *s.f.* migrațiune.

migratoire *adj.* migrator.

mijoter I. *vt.* **1.** a pune să fiarbă înăbușit. **2.** *fig.* a pregăti îndelung. II. *vi.* a mocni, a fierbe înăbușit.

milieu *s.m.* **1.** mijloc. **2.** mediu.

militaire *adj., s.m.* militar.

militant, -e *adj., s.m.f.* **1.** militant, luptător. **2.** activist.

militariser *vt.* a militariza.

militer *vi.* a milita, a combate, a lupta.

mille[1] *adj., s.m.* o mie.

mille[2] *s.m.* milă.

millénaire I. *adj.* milenar. II. *s.m.* mileniu.

millet *s.m.* mei.

milliard *s.m.* miliard.

milliardaire *s.m.* miliardar.

millième **1.** *num.* al miilea. **2.** *s.m.* miime.

millier *s.m.* o mie.

milligramme *s.m.* miligram.

millilitre *s.m.* mililitru.

millimètre *s.m.* milimetru.

million *s.m.* milion.

millionnaire *s.m.* milionar.

mime *s.m.* mim, actor de pantonimă.

mimer *vt., vi.* a mima.

mimique I. *adj.* mimic. II. *s.f.* mimică

mimosa *s.m.* mimoză.

minable *adj.* **1.** care poate fi minat. **2.** *fig.* *fam.* sărăcăcios.

minauderie *s.f.* sclifoseală.

mince *adj.* **1.** subțire. **2.** *fig.* plă-pând. **3.** neînsemnat, mic.

minceur *s.f.* subțirime.

mine¹ *s.f.* mină, înfățișare, apa-rență ‖ *avoir bonne* ~ a arăta bine; *faire des* ~s a face nazuri.

mine² *s.f.* **1.** mină (și *fig.*). **2.** mină (de creion).

miner *vt.* **1.** a mina. **2.** *fig.* a roade, a consuma încetul cu încetul.

mineral *s.m.* minereu.

minet, -te *s.m.f.* pisoi, pisicuță.

mineur¹ **I.** *s.m.* miner. **II.** *adj.* mi-nier.

mineur², **-e I.** *adj.* minor, mai mic. **II.** *adj., s.m.f.* minor (care nu este major).

miniature *s.f.* miniatură.

minime *adj.* minim, foarte mic.

minimiser *vt.* a minimaliza.

ministère *s.m.* **1.** minister. **2.** mi-niștri, guvern. **3.** mijlocie ‖ *le* ~ *public* procuratură.

ministériel, -elle *adj.* ministerial.

ministre *s.m.* **1.** ministru. **2.** preot al unui cult.

minois *s.m.* figură plăcută, agre-abilă.

minorité *s.f.* **1.** minoritate, număr mic. **2.** minoritate (vârstă).

minuit *s.m.* miezul nopții.

minuscule I. *adj.* minuscul, foar-te mic. **II.** *s.f.* literă mică.

minute *s.f.* **1.** minut. **2.** *jur.* minu-tă.

minutie *s.f.* minuțiozitate, migă-leală.

minutieux, -euse *adj.* minuțios, amănunțit.

mirabelle *s.f.* corcodușă.

miracle *s.m.* miracol, minune.

miraculeux, -euse I. *adj.* miracu-los, minunat. **II.** *s.m.* miraculos.

mirage *s.m.* miraj, iluzie.

mire *s.f.* **1.** miră. **2.** *fig.* țintă, per-soană vizată.

mirer I. *vt.* **1.** a ochi, a ținti. **2.** *fig.* a râvni. **II.** *vr.* **1.** a se privi. **2.** *fig.* a se contempla, a se admira.

mirifique *adj. fam.* uimitor.

miroir *s.m.* oglindă.

miroitant, -e *adj.* lucios, scân-teietor.

miroiter *vt.* a scânteia, a avea reflexe ‖ *faire* ~ *fig.* a încânta.

misanthrope *adj., s.m.f.* mizan-trop.

mise *s.f.* **1.** punere. **2.** miză. **3.** îm-brăcăminte, port ‖ ~ *en scène* punere în scenă; *être de* ~ a fi de rigoare.

miser *vt.* a miza.

misérable *adj., s.m.f.* **1.** mizera-bil, ticălos. **2.** sărac, sărman, nenorocit.

misérablement *adv.* (în mod) mizerabil.

misère *s.f.* **1.** mizerie, sărăcie. **2.** sărăcime. **3.** plictiseală. **4.** *pl.* calamitate, nenorocire.

miséreux, -euse *adj.* nevoiaș, nenorocit.

miséricorde *s.f.* **1.** milostivire, compasiune, milă, compătimire. **2.** iertare.

mission *s.f.* misiune.

missionnaire *s.m.* misionar.

missive *s.f.* misivă, scrisoare.

mitaine *s.f.* mitenă, mănușă fără degete.

mite *s.f.* molie.

mi-temps *s.f.* sport **1.** repriză. **2.** pauză între două reprize.

mitiger *vt.* a îndulci, a ușura.

mitrailler *vt.* a mitralia.

mitre *s.f.* mitră (de episcop).

mixte *adj.* mixt.

mixtion *s.f.* amestec, mixtură.

mobile I. *adj.* **1.** mobil, mișcător. **2.** *fig.* nestatornic, schimbător. **II.** *s.m.* **1.** (corp) mobil. **2.** mobil, scop.

mobilier, -ère I. *adj.* mobiliar, **II.** *s.m.* mobilier, mobile.

mobilisation *s.f.* mobilizare.

mobiliser *vt.* a mobiliza.

mobilité *s.f.* **1.** mobilitate. **2.** *fig.* inconstanță, nestatornicie.

mode[1] *s.f.* **1.** modă. **2.** fel, manieră. **3.** *pl.* atelier, comerț de îmbrăcăminte pentru femei și copii.

mode[2] *s.m.* **1.** fel, mod. **2.** formă, metodă. **3.** *gram.* mod.

modelage *s.m.* modelaj.

modèle *s.m.* model (și *fig.*).

modeler I. *vt.* **1.** a modela, a da formă. **2.** *fig.* a imita, a potrivi după. **II.** *vr.* a se lua după, a imita.

modeleur *s.m.* modelator.

modération *s.f.* moderație, cumpătare.

modéré, -e *adj.* moderat, cumpătat.

modérément *adv.* cu moderație.

modérer *vt.*, *vr.* a (se) modera, a (se) tempera.

moderne *adj.* modern.

modernisation *s.f.* modernizare.

moderniser *vt.*, *vr.* a (se) moderniza.

modernisme *s.m.* modernisme.

moderniste *s.m.* modernist.

modeste *adj.* **1.** modest, rezervat. **2.** moderat, simplu.

modicité *s.f.* lipsă de valoare, de însemnătate.

modification *s.f.* modificare, schimbare.

modifier *vt.*, *vr.* a (se) modifica, a (se) schimba.

modique *adj.* modic, neînsemnat.

modiste *s.f.* modistă.

modulation *s.f.* modulație.

module *s.m.* *tehn.* modul.

moduler *vt.* a modula.

moelle *s.f.* 1. măduvă 2. *fig.* esenţă, miez.

moelleux, -euse I. *adj.* moale. II. *s.m.* moliciune.

mœurs *s.f.* pl moravuri, obiceiuri.

moi I. *pron. pers.* eu, mie, pe mine, mă. II. *s.m.* eu.

moindre *adj.* mai mic ‖ le ~ cel mai mic, cel mai puţin important.

moine *s.m.* călugăr.

moineau *s.m.* 1. vrabie. 2. *fig. pop.* om nesuferit.

moins I. *adv.* mai puţin ‖ au ~ cel puţin; à ~ que afară de cazul când. II. *prep.* fără ‖ 15 ~ 8 égale 7 cinsprezece fără opt fac şapte.

moiré, -e *adj.* (despre o stofă) moarat, cu ape.

mois *s.m.* 1. lună. 2. salariu pe o lună.

moisir I. *vt.* a mucegăi. II. *vi., vr.* a (se) mucegăi.

moisson *s.f.* 1. seceriş, strângerea recoltei. 2. recoltă.

moissonner *vt.* 1. a secera, a culege recolta. 2. *fig.* a secera, a doborî, a nimici. 3. *fig.* a recolta, a culege (glorie, laude, aplauze).

moite *adj.* umed, jilav.

moitié *s.f.* 1. jumătate. 2. *peior.* soţie, nevastă ‖ à ~ pe jumă-

tate; de ~ pe din două; être de ~ avec qn. a fi tovarăş cu cineva într-o afacere.

mol, molle *adj.* v. **mou.**

molaire I. *adj. f.* molar. II. *s.f.* măsea.

môle *s.m.* dig.

moléculaire *adj.* molecular.

molécule *s.f.* moleculă.

molester *vt.* a molesta, a chinui.

mollement *adv.* moale, alene.

mollesse *s.f.* 1. moliciune. 2. *fig.* slăbiciune.

molletière *s.f.* moletieră.

mollir *vi.* 1. a se muia. 2. *fig.* a ceda, a se muia, a se linişti.

mollusque *s.m.* moluscă.

moment *s.m.* 1. clipă, moment, minut. 2. împrejurare, prilej. 3. prezent, actualitate ‖ à tout ~ în orice moment; d'un ~ à l'autre dintr-un moment într-altul; par ~s din când în când; en un ~ într-o clipă; dans un ~ în curând, imediat.

momentané, -e *adj.* momentan.

momentanément *adv.* momentan.

momie *s.f.* 1. mumie. 2. *fig.* persoană foarte slabă. 3. *fig.* retrograd, persoană cu idei învechite.

mon, ma (*pl. mes*) *adj. pos.* al meu.

monarchie *s.f.* monarhie.

monarque *s.m.* monarh.

monastère *s.m.* mănăstire.

mondain, -e *adj., s.m.f.* monden.

monde *s.m.* **1.** lume, univers. **2.** glob, pământ. **3.** lume, societate. **4.** viaţă lumească ‖ *mettre au* ~ a naşte.

mondial, -e *adj.* mondial.

monétaire *adj.* monetar.

moniteur, -trice **I.** *s.m.f.* sfătuitor. **II.** *s.m.* monitor (ziar).

monnaie *s.f.* monedă, bani ‖ *rendre à qn. la* ~ *de sa pièce* a plăti cuiva cu aceeaşi monedă.

monnayer *vt.* a preface în bani; a ştanţa monezi.

monocle *s.m.* monoclu.

monogramme *s.m.* monogram.

monographie *s.f.* monografie.

monolithe *s.m., adj.* monolit.

monologue *s.m.* monolog.

monôme *s.m.* monom.

monopole *s.m.* monopol.

monosyllabique *adj.* monosilabic.

monothéiste *adj., s.m.f.* monoteist.

monotone *adj.* monoton, uniform, plictisitor.

monotonie *s.f.* monotonie, uniformitate.

monseigneur *s.m.* monsenior (cleric catolic).

monsieur (*pl.* **messieurs**) *s.m.* domn.

monstre **I.** *s.m.* monstru (şi *fig.*) pocitanie. **II.** *adj. fam.* foarte mare, colosal.

monstrueux, -euse *adj.* monstruos, groaznic, excesiv.

monstruosité *s.f.* monstruozitate, grozăvie.

mont *s.m.* munte.

montage *s.m.* **1.** montaj. **2.** urcare, ridicare.

montagnard, -e *adj., s.m.f.* muntean, de la munte.

montagne *s.f.* munte (şi *fig.*).

montagneux, -euse *adj.* muntos.

montant¹, -e *adj.* care suie, urcător ‖ *robe montante* rochie închisă la/pe gât.

montant² *s.m.* **1.** sumă, total. **2.** uşor (la uşi).

monte *s.f.* **1.** urcare pe cal, încălecare **2.** montă.

monté, -e *adj.* **1.** aprovizionat, îndestulat, prevăzut. **2.** călare. **3.** montat. **4.** *fig.* pus la cale, urzit ‖ *être* ~ a fi mânios.

montée *s.f.* suiş, urcuş.

monter **I.** *vi.* **1.** a se urca, a se sui. **2.** (despre o apă) a creşte, a se umfla. **3.** *fig.* a se ridica, a înainta. **4.** (despre o marfă) a se scumpi. **II.** *vt.* **1.** a urca, a sui. **2.** a monta. **3.** a aproviziona, a echipa. **4.** *fig.* a monta, a aţâţa, a întărâta. **5.** *fig.* a pregăti, a urzi, a se aproviziona. **6.** a se ridica. **7.** *fig.* a se înfuria.

montre *s.f.* ceasornic.

montrer I. *vt.* a arăta, a demonstra, a dovedi ‖ ~ *les talons* a fugi; ~ *qn du doigt* a-şi bate joc de cineva în mod public. **II.** *vr.* a se arăta.

monture *s.f.* **1.** animal de călărie. **2.** montură.

moquer (se) *vr.* **1.** a-şi bate joc. **2.** a nu se sinchisi, a nu-i păsa.

moquette *s.f.* mochetă.

moqueur, -euse *adj., s.m.f.* batjocoritor, zeflemist, ironic.

moral, -e I. *adj., s.m.* moral. **II.** *s.f.* **1.** morală, mustrare, dojană. **2.** morală, etică.

moraliser *vt.* a face morală, a mustra, a dojeni.

moraliste *s.m.* moralist.

moralité *s.f.* **1.** moralitate, bune moravuri. **2.** reflecţie morală.

morbide *adj.* morbid, nesănătos.

morbidité *s.f.* morbiditate.

morceau *s.m.* **1.** bucată, parte. **2.** lucrare artistică ‖ *mettre en* ~*x* a face bucăţi, a sfâşia.

mordant, -e I. *adj.* **1.** muşcător. **2.** corosiv. **3.** *fig.* tăios, pătrunzător, caustic. **II.** *s.m.* **1.** causticitate. **2.** *chim.* mordant.

mordre I. *vt.* a muşca, a tăia, a roade ‖ ~ *la poussière* a fi înfrânt în luptă. **II.** *vi.* a muşca,

a se prinde. **III.** *vr.* a se muşca, a-şi muşca.

morfondu, -e *adj.* rebegit, îngheţat de frig.

morgue[1] *s.f.* **1.** morgă, aroganţă, trufie. **2.** *med.* morgă, institut medico-legal.

morgue[2] *s.f. med.* morgă, institut medico-legal.

moribond, -e *adj., s.m.f.* muribund.

morne *adj.* **1.** abătut, întunecat, posomorât. **2.** (despre culori) mat, fără luciu.

morose *adj.* morocănos, posomorât.

morphine *s.f.* morfină.

morphologie *s.f.* morfologie.

mors *s.m.* zăbală ‖ *prendre le* ~ *aux dents* a se înfuria.

morse *s.m.* morsă.

morsure *s.f.* muşcătură.

mort[1] *s.f.* **1.** moarte. **2.** suferinţă morală, durere ‖ *avoir la* ~ *dans l'âme* a fi adânc îndurerat; *être à la* ~ a fi pe moarte.

mort[2], **-e I.** *adj.* mort. **II.** *s.m.f.* mort, cadavru.

mortalité *s.f.* mortalitate.

mortel, -elle I. *adj.* **1.** muritor. **2.** mortal, de moarte. **3.** *fig.* crunt. **4.** lung şi plictisitor. **II.** *s.m.* muritor, om.

morte-saison (*pl.* **mortes-saisons**) *s.f.* sezon mort.

mortier *s.m. constr.* **1.** mortar. **2.** mojar. **3.** *mil.* mortier. **4.** tichie de magistrat.

mortuaire *adj.* mortuar, de moarte.

morue *s.f. iht.* morun, specie de peşte din ficatul căruia se extrage untura de peşte.

morveux, -euse I. *adj.* care are morvă. **II.** *s.m.f. fig.* mucos, copil tânăr, fără experienţă ‖ *qui se sent ~se mouche* cine este cu musca pe căciulă să înţeleagă.

mosaïque[1] *adj.* mozaic.

mosaïque[2] *s.f.* mozaic (lucrare, material).

mosquée *s.f.* moschee.

mot *s.m.* **1.** cuvânt, vorbă. **2.** dezlegare, cheie ‖ *~ d'ordre* lozincă, cuvânt de ordine; *~s croisés* cuvinte încrucişate; *gros ~s* cuvinte grosolane; *mot-à-mot* cuvânt cu cuvânt.

moteur, -trice I. *adj.* motrice, care pune în mişcare. **II.** *s.m.* motor.

motif *s.m.* **1.** motiv, cauză. **2.** *lit., muz.* temă, motiv.

motion *s.f.* moţiune.

motiver *vt.* a motiva, a justifica, a explica.

motocyclette, moto *s.f.* motocicletă.

motorisation *s.f.* motorizare.

motoriser *vt.* a motoriza.

motte *s.f.* bulgăre (de pământ, de unt).

mou, mol, molle *adj.* **1.** moale. **2.** (despre timp) cald şi umed. **3.** *fig.* moale, fără energie.

mouchard *s.m. arg.* spion, denunţător.

mouche *s.f.* **1.** muscă. **2.** *fig.* agent de poliţie. **3.** parazit ‖ *prendre la ~* a se înfuria; *fine ~* om şiret.

moucher I. *vt.* **1.** a şterge nasul ‖ *~ une chandelle* a tăia mucul unei lumânări. **2.** *pop.* a pedepsi. **II.** *vr.* a-şi şterge nasul.

moucheron *s.m.* **1.** musculiţă. **2.** muc de fitil.

mouchoir *s.m.* **1.** batistă. **2.** basma, fular.

moudre *vt.* a măcina, a râşni.

moue *s.f.* mutră, figură ‖ *faire la ~* a face mutre, a se bosumfla.

mouette *s.f.* pescăruş.

mouiller I. *vt.* **1.** a uda, a muia. **2.** (despre vin) a subţia, a boteza, a îndoi cu apă. **3.** a scădea în intensitate (un sunet) ‖ *~ l'ancre* a arunca ancora; *~ au large* a ancora în largul mării. **II.** *vr.* a se muia.

mouillure *s.f.* umezire, muiere.

moulage[1] *s.m.* mulaj, turnare în tipar.

moulage[2] *s.m.* măcinat.

moule *s.m.* tipar.

moulé, -e *adj.* 1. turnat, tipărit, 2. *fig.* bine făcut, proporţionat.

mouler I. *vt.* 1. a mula, a turna. 2. a mula, a scoate în evidenţă formele. II. *vr.* 1. a se mula, a se potrivi pe corp. 2. *fig.* a se lua după, a se conforma.

moulin *s.m.* 1. moară ‖ ~ *à café* râşniţă; ~ *à paroles fig.* moară stricată, flecar. 2. teasc ‖ ~ *à huile* teasc de ulei.

mourant, -e I. *adj.* 1. muribund. 2. care se şterge, dispare. 3. *fig.* lânced, lipsit de vigoare. II. *s.m.f.* muribund.

mourir I. *vi.* 1. a muri. 2. a se stinge. II. *vr.* a trage să moară.

mousquetaire *s.m.* muşchetar.

mousse[1] *s.m.* mus, ucenic marinar.

mousse[2] *s.f.* 1. *bot.* muşchi. 2. spumă. 3. frişcă.

mousseline *s.f.* muselină.

mousser *vi.* a face spumă.

mousseux-euse *adj.* spumos.

moustache *s.f.* mustaţă.

moustachu, -e *adj.* muştăcios.

moustique *s.m.* ţânţar.

moût *s.m.* must.

moutarde *s.f.* muştar.

mouton *s.m.* 1. oaie, berbec. 2. carne de berbec. 3. *fig.* om blând, liniştit. 4. *arg.* iscoadă, agent secret de poliţie.

moutonneux, -euse *adj.* spume-gând, agitat.

mouture *s.f.* 1. măcinatul grâului. 2. uium.

mouvant, -e *adj.* 1. mişcător. 2. care pune în mişcare.

mouvement *s.m.* 1. mişcare. 2. *fig.* fierbere, efervescenţă. 3. *fig.* pornire, imbold.

mouvementé, -e *adj.* 1. animat, plin de viaţă, de mişcare. 2. accidentat.

mouvoir *vt., vi., vr.* a (se) mişca.

moyen, -enne *adj.* 1. mijlociu, mediu, de mijloc. 2. *fig.* mediocru, ordinar, de rând.

moyen *s.m.* 1. mijloc. 2. intermediu, mijlocire. 3. *pl.* mijloace, posibilităţi. 4. *pl. fig.* calităţi, abilităţi intelectuale.

moyenâgeux, -euse *adj.* medieval, din evul mediu.

moyennant *prep.* cu ajutorul, prin intermediul.

moyenne *s.f.* medie.

muable *adj.* nestatornicie, schimbăcios.

mucosité *s.f.* mucozitate.

muet, -ette *adj., s.m.f.* mut.

mufle *s.m.* 1. bot. 2. *fig. fam.* mitocan.

mugir *vi.* 1. a mugi. 2. a urla, a vui.

mugissant, -e *adj.* mugitor.

mugissement *s.m.* muget, vuiet.

muguet *s.m.* mărgăritar, lăcrămioară.

mulâtre, -esse *adj., s.m.f.* mulatru.

mule *s.f.* catâr (femelă).

mulet *s.m.* catâr.

multicolore *adj.* multicolor.

multiforme *adj.* multiform.

multiple *adj.* multiplu.

multiplication *s.f.* înmulțire, multiplicare.

multiplier *vt.* a înmulți.

multitude *s.f.* mulțime, sumedenie, număr mare.

municipalité *s.f.* municipalitate, primărie.

municipe *s.m.* municipiu.

munir *vt.* a aproviziona, a dota, a înzestra cu cele trebuincioase.

munition *s.f.* muniție.

muqueux, -euse *adj.* mucos.

muqueuse *s.f.* mucoasă.

mur *s.m.* 1. zid, perete ‖ *mettre qn. au pied du ~ fig.* a încolți pe cineva. 2. *pl.* zidurile, incinta orașului.

mûr, -e *adj.* 1. copt. 2. *fig.* copt, matur.

muraille *s.f.* 1. zid gros. 2. *pl.* ziduri de cetate.

mûrier *s.m.* dud.

mûrir **I.** *vt.* a coace, a maturiza. **II.** *vi.* 1. a se coace. 2. a căpăta experiență.

murmure *s.m.* 1. murmur, șoaptă. 2. *fig.* nemulțumire, cârtire.

murmurer **I.** *vi.* 1. a murmura. 2. *fig.* a cârti, a protesta. **II.** *vt.* a șopti.

musarder *vi.* a-și pierde timpul, a se amuza cu fleacuri.

muscat **I.** *adj. m.* tămâios. **II.** *s.m.* 1. strugure tămâios. 2. vin tămâios.

muscle *s.m.* mușchi.

musclé, -e *adj.* musculos.

musculaire *adj.* muscular.

musculature *s.f.* musculatură, mușchi.

musculeux, -euse *adj.* musculos.

muse *s.f.* muză.

museau *s.m.* 1. bot. 2. *pop.* figură, mutră.

musée *s.m.* muzeu (de arte).

museler *vt.* 1. a pune botniță (unui câine). 2. *fig.* a impune tăcere.

muselière *s.f.* botniță.

muser *vi.* a-și pierde timpul cu fleacuri.

muséum *s.m.* muzeu (de științe naturale).

musical, -e *adj.* muzical.

musicien, -enne *s.m.f.* muzician, muzicant.

musique *s.f.* muzică.

musqué, -e *adj.* **1.** parfumat cu mosc. **2.** tămâios (ca miros sau gust). **3.** *fig.* afectat, căutat.

mutation *s.f.* mutaţie, schimbare.

muter *vt.* a schimba, a înlocui.

mutilateur *s.m.* care mutilează, ciunteşte.

mutilation *s.f.* mutilare, ciuntire, schilodire.

mutiler *vt.* a mutila, a ciunti, a schilodi.

mutinerie *s.f.* răzvrătire, răscoală.

mutisme *s.m.* mutism, muţenie.

mutualité *s.f.* reciprocitate, ajutor reciproc.

mutuel, -elle *adj.* mutual, reciproc.

myope *adj., s.m.f.* miop.

myopie *s.f.* miopie.

myosotis *s.m. bot.* nu-mă-uita.

myriade *s.f.* miriadă, număr nesfârşit.

myriapodes *s.m. pl.* miriapod.

myrrhe *s.f.* smirnă.

myrte *s.m.* mirt.

mystère *s.m.* mister, taină.

mystérieux, -euse *adj.* misterios, tainic.

mysticisme *s.m.* misticism.

mystification *s.f.* mistificare, înşelătorie.

mystique **I.** *adj.*, *s.m.f.* mistic. **II.** *s.f.* mistică.

mythe *s.m.* mit.

mythique *adj.* mitic.

mythologie *s.f.* mitologie.

mythologique *adj.* mitologic.

N

nacelle *s.f.* **1.** nacelă. **2.** luntre mică fără catarg şi pânze.

nacre *s.f.* sidef.

nacré, -e *adj.* sidefiu.

nage *s.f.* înot, nataţie ‖ *être tout en ~* a fi leoarcă de sudoare.

nager *vi.* **1.** a înota. **2.** a pluti. **3.** *mar.* a vâsli.

naguère *adv.* nu de mult, odinioară.

naïf, -ïve *adj.* naiv.

nain, -e *s.f.m., adj.* pitic.

naissance *s.f.* **1.** naştere. **2.** neam, origine. **3.** început, izvor.

naître *vi.* **1.** a se naşte. **2.** a izvorî, a începe.

naïveté *s.f.* naivitate.

nantir *vt.* **1.** a amaneta. **2.** *fig.* a asigura, a prevedea cu.

nantissement *s.m.* **1.** amanetare. **2.** amanet.

naphtaline *s.f.* naftalină.

nappe *s.f.* **1.** faţă de masă. **2.** (în *expr.*) *~ d'eau* pânză de apă, mare întindere de apă.

napperon *s.m.* şerveţel decorativ.

narcotique *adj., s.m.* narcotic.

narine *s.f.* nară.

narquios, -e *adj.* şiret, batjocoritor.

narration *s.f.* povestire, naraţiune.

narrer *vt.* a povesti.

nasal, -e I. *adj.* nazal. **II.** *s.f.* (vocală, consoană) nazală.

naseau *s.m.* nară (la animale).

nasiller *vi.* a fornăi, a fonfăi.

natation *s.f.* nataţie, înot.

natif, -ive *adj.* nativ, originar din.

nation *s.f.* naţiune.

national, -e *adj.* naţional.

nationaliser *vt.* a naţionaliza.

nationalité *s.f.* naţionalitate.

natte *s.f.* **1.** rogojină. **2.** împletitură. **3.** cosiţă de păr, coadă.

natter *vt.* **1.** a împleti. **2.** a acoperi cu rogojini.

naturalisation *s.f.* naturalizare.

naturaliser *vt.* **1.** a naturaliza, a încetăţeni. **2.** a aclimatiza (un animal, o plantă). **3.** (despre animale) a împăia.

naturaliste *s.m., adj.* naturalist.

nature *s.f.* **1.** natură. **2.** fire.

naturel, -elle I. *adj.* **1.** natural, firesc. **2.** (despre copii) nelegitim. **II.** *s.m.* natureleţe.

naufrage *s.m.* naufragiu.

naufrager *vi.* a naufragia.

nauséabond, -e, nauséeux, -euse *adj.* greţos, dezgustător.

nausée *s.f.* greaţă.

nautique *adj.* nautic.

naval, -e (*pl.* **-als**) *adj.* naval.

navet *s.m.* nap.

navette *s.f.* suveică.

navigation *s.f.* navigaţie, navigare.

navire *s.m.* vas, navă, corabie.

navrant, -e *adj.* trist, dureros.

navrer *vt.* a întrista, a mâhni.

nazi, -e *adj., s.m.f.* nazist.

nazisme *s.m.* nazism.

ne *adv.* nu.

né, -e *adj.* născut.

néanmoins *adv.* totuşi.

nébuleux, -euse *adj.* nebulos.

nécessaire I. *adj.* necesar, trebuincios. **II.** *s.m.* strictul necesar. **2.** trusă de obiecte indispensabile (unui anumit scop).

nécessité *s.f.* necesitate, nevoie.

nécrologe *s.m.* necrolog.

nécropole *s.f.* necropolă, cimitir.

nectar *s.m.* nectar.

nef *s.f.* **1.** naos. **2.** *înv.* navă, corabie.

néfaste *adj.* nefast.

négatif, -ive I. *adj.* negativ. **II.** *s.m.* negativ (la fotografii). **III.** *s.f.* negativă.

négation *s.f.* negaţie, negare.

négligé I. *adj.* neglijat, neîngrijit. **II.** *s.m.* neglijeu, haină de casă.

négligemment *adv.* în mod neglijent, cu nepăsare.

négligence *s.f.* neglijenţă, indolenţă.

négligent, -e *adj.* **1.** neglijent, nepăsător. **2.** neîngrijit.

négliger I. *vt.* a neglija. **II.** *vr.* a nu se îngriji.

négoce *s.m.* negoţ, comerţ.

négociable *adj.* negociabil.

négociation *s.f.* negociere.

négocier *vi., vt.* a negocia, a duce tratative.

nègre[1] *adj. invar.* negru, al negrilor.

nègre[2], **négresse** *s.m.f.* negru. || *travailler comme un* ~ a trudi, a munci ca un rob; *petit* ~ limbaj incorect şi simplificat.

neige *s.f.* zăpadă.

neiger *vi.* a ninge.

nenni *adv. fam.* nu, aş!

nénuphar *s.m. bot.* nufăr.

néolithique *adj.* neolitic || *l'âge* ~ epoca neolitică.

néologisme *s.m.* neologism.

néon *s.m.* neon.

néphrite *s.f. med.* nefrită.

népotisme *s.m.* nepotism.

nerf *s.m.* **1.** nerv. **2.** *fig.* nerv, energie, vigoare.

nerveux, -euse *adj.* **1.** nervos. **2.** *fig.* energic, viguros || *style* ~ stil energic.

nervure *s.f. bot.* nervură.

net, nette I. *adj.* **1.** curat. **2.** clar, transparent. **3.** *fig.* limpede, clar, net || *en avoir le cœur* ~ a se lămuri pe deplin. **II.** *s.m.* versiune curată, îngrijită. **III.** *adv.* **1.** net, clar, fără ocol, pe şleau || *parler tout ~* a vorbi fără înconjur. **2.** dintr-o dată; pe loc || *pour trancher ~* pentru a termina dintr-un foc.

netteté *s.f.* **1.** curăţenie. **2.** *fig.* claritate, limpezime.

nettoiement, nettoyage *s.m.* curăţenie, curăţat.

nettoyer *vt.* **1.** a curăţa. **2.** a goli.

neuf¹ *adj.* nouă.

neuf², neuve I. *adj.* **1.** nou, inedit. **2.** novice, neexperimentat. **II.** *s.m.* noul, noutatea || *de ~* cu haine noi; *à ~* în stare nouă; *quoi de ~?* ce mai e nou?, ce se mai aude?; *remettre à ~* a reface.

neurasthénique *adj.* neurastenie.

neurologie *s.f.* neurologie.

neurologue *s.m.* neurolog.

neurone *s.m.* neuron.

neutralisation *s.f.* neutralizare.

neutraliser *vt.* **1.** a neutraliza, a declara neutru (un stat, un teritoriu). **2.** *chim.* a neutraliza. **3.** *fig.* a neutraliza, a zădărnici.

neutralité *s.f.* neutralitate.

neutre *s.m.f., adj.* neutru.

neuvième I. *num.* al nouălea. **II.** *s.m.* a noua parte.

neveu *s.m.* nepot (de frate, de soră).

névralgique *adj.* nevralgic.

névropathe *s.m.f., adj.* nevropat.

névropathie *s.f.* tulburare a sistemului nervos.

névrose *s.f.* nevroză.

nez *s.m.* **1.** nas. **2.** miros. **3.** obraz, faţă || *pied de ~* tiflă.

ni *conj.* nici.

niable *adj.* care poate fi negat, contestat, tăgăduit.

niais, -e *s.m.f., adj.* nătărău, nerod.

niaisement *adv.* prosteşte.

niaiserie *s.f.* nerozie, neghiobie.

niche *s.f.* **1.** nişă (adâncitură într-un zid). **2.** cuşcă, coteţ (pentru câine).

nichée *s.f.* **1.** puii de păsări dintr-un cuib. **2.** droaie, mulţime.

nicher I. *vi.* a-şi face cuibul. **II.** *vt.* a pune, a aşeza. **III.** *vr.* **1.** a-şi face cuibul, a se cuibări. **2.** a se ascunde.

nickel *s.m.* nichel.

nicotine *s.f.* nicotină.

nid *s.m.* **1.** cuib. **2.** locuinţă. **3.** vizuină (şi *fig.*).

nièce *s.f.* nepoată (de frate, de soră).

nier *vt.* a nega, a tăgădui.

nigaud, -e *adj., s.m.f.* neghiob, nătărău.

nihilisme *s.m.* nihilism.

nimbe *s.m.* nimb.

nippes *s.f. pl. fam.* îmbrăcăminte uzată, zdrenţe.

nique *s.f.* gest de dispreţ, de batjocură.

niveau *s.m.* 1. nivel, înălţime. 2. nivelă. 3. *fig.* nivel, grad. 4. teapă, treaptă ‖ *de ~, au ~* la aceeaşi înălţime; ~ *de vie* nivel de trai; *passage à ~* barieră.

niveler *vt.* 1. a nivela, a netezi. 2. a măsura cu nivela. 3. *fig.* a nivela, a egaliza.

nivellement *s.m.* 1. nivelare, egalizare. 2. măsurare cu nivela.

nobiliaire *adj.* nobiliar.

noble I. *adj.* 1. nobil. 2. *fig.* nobil, distins. **II.** *s.m.f.* nobil.

noblesse *s.f.* 1. nobilime. 2. nobleţe (şi *fig.*).

noce *s.f.* 1. nuntă. 2. nuntaşi. 3. chef, petrecere ‖ *faire la ~* a chefui.

noceur, -euse *adj., s.m.f.* *fam.* chefliu.

nocif, -ive *adj.* nociv, vătămător.

noctambule *adj., s.m.f.* noctambul.

nocturne I. *adj.* nocturn. **II.** *s.m. muz.* nocturnă.

noël *s.m.* (cu *maj.*) Crăciun.

nœud *s.m.* 1. nod. 2. ciot (de arbore). 3. *fig.* legătură (morală). 4. *mar.* nod.

noir, -e I. *adj.* 1. negru, întunecos, întunecat, obscur. 2. *fig.* trist, melancolic. **II.** *s.m.* 1. (om) negru. 2. negru (culoarea) ‖ *passer du blanc au ~* a trece de la o

extremitate la alta; *broyer du ~* a avea gânduri negre.

noirceur *s.f.* 1. negreală. 2. *fig.* răutate, mârşăvie. 3. tristeţe, melancolie.

noircir I. *vt.* 1. a înnegri. 2. *fig.* a întuneca, a întrista. 3. *fig.* a calomnia. **II.** *vi.* a se înnegri.

noircissement *s.m.* înnegrire.

noise *s.f.* ceartă, gâlceavă ‖ *chercher ~* a căuta ceartă.

noisetier *s.m.* alun.

noisette *s.f.* alună.

noix *s.f.* nucă.

nom *s.m.* 1. nume. 2. *gram.* substantiv.

nomade *adj., s.m.f.* nomad, rătăcitor.

nombre *s.m.* număr.

nombreux, -euse *adj.* numeros.

nombril *s.m.* buric.

nomenclateur *s.m.* nomenclator.

nominal, -e *adj.* nominal.

nomination *s.f.* numire.

nommé, -e *adj., s.m.f.* numit.

nommément *adv.* anume.

nommer *vt., vr.* a (se) numi.

non *adv., s.m.* nu.

nonce *s.m.* nunţiu, ambasadorul papei.

nonchalance *s.f.* nepăsare, indiferenţă.

nonchalant, -e *adj., s.m.f.* nepăsător, indiferent.

non-intervention *s.f.* neintervenţie, neamestec ‖ ~ *dans les affaires intérieures d'un pays* neamestec în afacerile interne ale unei ţări.

non-lieu *s.m. jur.* neurmărire.

nonne, nonnain *s.f.* călugăriţă, maică.

nonobstant I. *prep.* cu toate, în ciuda. **II.** *adv.* totuşi, cu toate acestea.

nord *s.m.* nord, miazănoapte.

nordique *adj.* nordic, din nord.

normal, -e *adj.* normal.

normalien, -enne *s.m.f.* elev al unei şcoli normale.

norme *s.f.* normă, regulă.

nostalgie *s.f.* nostalgie.

nostalgique *adj.* nostalgie.

notabilité *s.f.* 1. vază, însemnătate. 2. notabilitate, persoană cu vază.

notable I. *adj.* însemnat, notabil. **II.** *s.m.* persoană cu vază.

notaire *s.m.* notar.

notamment *adv.* 1. în special, mai ales. 2. de exemplu, şi anume.

notarié, -e *adj.* înregistrat, întocmit la notariat.

notation *s.f.* notaţie, notare.

note *s.f.* notă, însemnare.

noter *vt.* a nota, a remarca, a observa.

notice *s.f.* notiţă.

notification *s.f. jur.* notificare, comunicare.

notifier *vt.* a notifica.

notion *s.f.* noţiune.

notoire *adj.* notoriu.

notoirement *adv.* (în mod) notoriu.

notoriété *s.f.* notorietate.

notre (*pl.* **nos**) *adj. pos.* nostru.

nôtre I. *pron. pos.* al nostru. **II.** *s.m. pl.* ai noştri, rudele noastre, prietenii noştri.

nouer I. *vt.* 1. a înnoda, a lega. 2. *fig.* a crea, a urzi. **II.** *vi.* (despre plante) a încolţi, a lega. **III.** *vr.* a se lega.

noueux, -euse *adj.* noduros.

nougat *s.m.* nuga.

nouilles *s.f. pl.* tăiţei.

nourrice *s.f.* doică.

nourrir I. *vt.* 1. a hrăni, a nutri. 2. a alăpta (un copil). 3. *fig.* a instrui, a educa. 4. a întreţine, a nutri. **II.** *vr.* a se hrăni, a se alimenta.

nourrissant, -e *adj.* hrănitor, nutritiv.

nourrisson *s.m.* sugar.

nourriture *s.f.* 1. hrană, mâncare. 2. alăptare.

nous *pron. pers. pl.* 1. noi. 2. pe noi. 3. nouă.

nouveau, nouvel, -elle I. *adj.* 1. nou. 2. novice, neexperimentat. **II.** *s.m.* nou, recentul. **III.** *adv.* (în *expr.*) *de nouveau* iarăşi; *à nouveau* din nou, încă o dată.

nouveauté *s.f.* noutate.

nouveau-né, -e *adj., s.m.f.* nou-născut.

nouvel, -elle *adj.* v. **nouveau.**

nouvelle *s.f.* **1.** știre, noutate. **2.** *lit.* nuvelă.

novateur, -trice *adj., s.m.f.* inovator, înnoitor.

novembre *s.m.* noiembrie.

novice I. *adj.* novice, neexperimentat. **II.** *s.m.* **1.** călugăr novice. **2.** ucenic de marină.

noyade *s.f.* înec.

noyau *s.m.* **1.** sâmbure. **2.** nucleu (al atomului). **3.** *fig.* nucleu, sâmbure, centru.

noyer[1] *vt., vr.* a (se) îneca.

noyer[2] *s.m. bot.* nuc.

nu, -e I. *adj.* gol, nud, neîmbrăcat. **II.** *s.m.* nud.

nuage *s.m.* nor.

nuageux, -euse *adj.* **1.** înnorat, noros. **2.** *fig.* nelămurit.

nuance *s.f.* nuanță (și *fig.*)

nuancer *vt.* a nuanța, a trece de la o nuanță la alta.

nubile *adj.* nubil.

nucléaire *adj.* nuclear.

nudité *s.f.* nuditate, goliciune.

nue *s.f.* nor ‖ *tomber des ~s* a fi căzut din nori; *élever jusqu'aux ~s* a ridica până în slava cerului.

nuée *s.f.* **1.** nor gros. **2.** *fig.* mulțime.

nuire I. *vt.* a dăuna, a discredita ‖ *cela risque de nuire à cette affaire; nuire à quelqu'un* a discredita pe cineva. **2.** a contraria **3.** a deranja, a jena ‖ *ce retard nuit à cette action* întârzierea dăunează acestei acțiuni. **II.** *vr.* **(se)** a-i dăuna ‖ *il se nuit en n'allant pas chez le médecin* își dăunează sieși neducându-se la doctor.

nuisible *adj.* vătămător.

nuit *s.f.* **1.** noapte. **2.** întuneric.

nuitamment *adj.* în timpul nopții.

nul, nulle I. *adj.* **1.** nici unul. **2.** nul, lipsit de orice valoare. **II.** *pron.* nimeni. **III.** *s.f.* zero, nulă.

nullement *adv.* nicidecum, deloc.

nullité *s.f.* nulitate, persoană fără valoare.

numéraire *s.m.* numerar.

numéro *s.m.* **1.** număr. **2.** bilet de loterie, loz.

numéroter *vt.* a numerota.

numismatique I. *adj.* numismatic. **II.** *s.f.* numismatică.

nuptial, -e *adj.* nupțial.

nuque *s.f.* ceafă, grumaz.

nutritif, -ive *adj.* nutritive, hrănitor. nutrition *s.f.* nutriție, hrănire.

nymphe *s.f.* **1.** nimfă (zeitate mitologică). **2.** *fig.* fată frumoasă.

O

ô *interj.* o

oasis *s.f.* oază.

obéir *vi.* **1.** a asculta, a se supune.
2. a ceda.

obéissance *s.f.* ascultare, supunere.

obéissant, -e *adj.* ascultător supus.

obélisque *s.m.* obelisc.

obèse *adj., s.m.* obez.

obésité *s.f.* obezitate.

objecter *vt.* a obiecta, a se împo-
trivi.

objectif, -ive **I.** *adj.* obiectiv, im-
parțial. **II.** *s.m.* obiectiv, scop,
țel.

objection *s.f.* obiecție, împotrivire.

objet *s.m.* **1.** obiect, lucru. **2.** in-
tenție, scop **3.** *gram.* complem-
ment, obiect.

obligation *s.f.* **1.** obligație, înda-
torire, **2.** motiv de recunoștință.
3. obligațiune, titlu de rentă.

obligatoire *adj.* obligatoriu.

obligé, -e **I.** *adj.* **1.** obligat, silit.
2. *fig.* îndatorat, recunoscător.
II. *s.m.f.* **1.** obligat, **2.** *fig.* înda-
torat.

obligeamment *adv.* cu amabilita-
te, cu bunăvoință.

obligeance *s.f.* îndatorire, bună-
voință.

obligeant, -e *adj.* îndatoritor,
binevoitor.

obliger **I.** *vt.* **1.** a obliga, a con-
strânge, a sili. **2.** *fig.* a îndatora
(pe cineva), a-i face servicii.
II. *vr.* a se obliga, a-și lua sar-
cina.

oblique **I.** *adj.* **1.** oblic, piezis.
2. *fig.* nesincer, prefăcut. **II.** *s.f.*
linie oblică.

obliquité *s.f.* înclinarea unei linii,
a unei suprafețe pe alta.

oblitération *s.f.* **1.** obliterare, șter-
gere, dispariție. **2.** *med.* obli-
terație.

oblitérer *vt.* a oblitera, a șterge.

oblong, -ongue *adj.* lunguieț.

obole *s.f.* obol, mică contribuție.

obscène *adj.* obscen, necuviincios.

obscur, -e **I.** *adj.* **1.** obscur, întu-
necat. **2.** *fig.* obscur, neclar. **3.**
retras, ascuns **II.** *adv.* (în expr.)
faire~ a se întuneca.

obcurantisme *s.m.* obscurantism.

obscurcir **I.** *vt.* **1.** a întuneca.
2. *fig.* a face confuz, neclar.
3. *fig.* a deforma. **II.** *vr.* a se
întuneca (și *fig.*).

obscurcissement *s.m.* întune-
care.

obscurément *adj.* 1. (în mod) confuz, neclar. 2. retras, neştiut de nimeni.

obscurité *s.f.* 1. obscuritate, întuneric. 2. *fig.* neclaritate. 3. retragere, izolare.

obséder *vt.* 1. a obseda. 2. a plictisi, a pisa.

obsèques *s.f. pl.* funeralii (cu pompă).

obséquieux, -euse *adj.* slugarnic, servil.

obséquiosité *s.f.* slugărnicie, servilism.

observable *adj.* observabil.

observateur, -trice *s.m.f., adj.* observator.

observation *s.f.* 1. observaţie. 2. observare, respectare a unei norme. 3. dojană, mustrare.

observatoire *s.m.* observator (astronomic)

observer I. *vt.* 1. a observa, a respecta, a îndeplini (o normă). 2. a băga de seamă, a observa. 3. a pândi, a spiona. **II.** *vr.* 1. a se observa, a se controla. 2. a se spiona, a se supraveghea reciproc.

obsession *s.f.* obsesie.

obstacle *s.m.* obstacol, piedică.

obstination *s.f.* încăpăţânare, îndărătnicie.

obstiné, -e *adj., s.m.f.* 1. încăpăţânat, îndărătnic. 2. *fig.* asiduu, îndârjit. 3. afurisit, de neînvins.

obstinément *adv.* cu îndârjire, cu încăpăţânare.

obstiner (s') *vr.* a se încăpăţâna, a se îndârji.

obstruction *s.f.* obstrucţie, împotrivire.

obstruer *vt.* a astupa.

obtenir *vt.* a obţine, a dobândi.

obtention *s.f.* obţinere, dobândire.

obtus, -e *adj.* 1. obtuz. 2. tocit. 3. *fig.* mărginit, încuiat.

obus *s.m.* obuz.

obusier *s.m.* obuzier.

obvier *vi.* a preîntâmpina, a lua măsuri.

occasion *s.f.* ocazie, prilej.

occasionnel, -elle *adj.* ocazional, întâmplător.

occasionner *vt.* a ocaziona, a prilejui.

occidental, -e I. *adj.* si *s.m.f.* occidental, apusean. **II.** *s.m. pl.* (cu *maj.*) occidentalii.

occlusion *s.f.* ocluzie.

occulte *adj.* ocult, ascuns.

occultisme *s.m.* ocultism.

occupation *s.f.* 1. ocupaţie, activitate. 2. ocupare.

occuper I. *vt.* 1. a ocupa. 2. a locui. 3. a pune stăpânire. **II.** *vr.* a se ocupa (de), a se îndeletnici (cu).

occurrence *s.f.* împrejurare, caz.

océan *s.m.* **1.** ocean. **2.** *fig.* întindere mare.

océanique *adj.* oceanic.

ocre *s.f.* **1.** ocru (humă colorată). **2.** (culoare) ocru.

octave *s.f.* octavă.

octobre *s.m.* octombrie.

octogénaire *adj., s.m.f.* octogenar.

octogone *s.m.* octogon.

octroi *s.m.* **1.** acordare, atribuire. **2.** taxe care se plătesc la intrarea în oraş a anumitor bunuri. **3.** birou pentru încasarea acestor taxe.

octroyer *vt.* a acorda.

oculaire *adj.* ocular.

oculiste *s.m.* oculist.

ode *s.f.* odă.

odeur *s.f.* miros.

odieux, -euse I. *adj.* odios, mârşav, mişelesc. II. *s.m.* mârşăvie.

odorant, -e *adj.* mirositor.

odorat *s.m.* miros (simtul)

œil (*pl.* **yeux**) *s.m.* ochi. || *du coin de l'œil* pe furiş; *a l'œil* nu cu ochiul liber; *faire de l'œil* a face cu ochiul; *cela crève les yeux* asta sare în ochi; *tourner de l'œil* a-şi da duhul; *ne pas avoir froid aux yeux* a nu se teme.

œillade *s.f.* ocheadă.

œillet *s.m.* garoafă.

œsophage *s.m.* esofag.

œuf *s.m.* **1.** ou. **2.** *fig.* sămânţă, germen || *jaune d'~* gălbenuş; *blanc d'~* albuş; *~ dur* ou tare, răscopt; *~ à la coque* ou fiert moale; *des ~s brouillés* jumări; *des ~s sur le plat* ochiuri; *~s de poisson* icre.

œuvre I. *s.f.* **1.** muncă. **2.** operă, lucrare, **3.** faptă. II. *s.m. pl.* ansamblul operelor unui artist sau scriitor.

offense *s.f.* ofensă, insultă, jignire.

offenser *vt.* **1.** a ofensa, a insulta. **2.** a supăra, a tulbura.

offenseur *s.m.* ofensator.

offensif, -ive I. *adj.* ofensiv. II. *s.f.* ofensivă || *prendre l'offensive* a porni ofensiva.

offert, -e *adj.* oferit.

office I. *s.m.* **1.** funcţie, sarcină. **2.** birou. **3.** serviciu, ajutor. **4.** slujbă bisericească. II. *s.f.* oficiu, cămară || *d'~* din oficiu.

officiel, -elle *adj.* oficial.

officier[1] *vt.* a oficia, a celebra o slujba religioasă.

officier[2] *s.m.* **1.** funcţionar. **2.** ofiţer.

officieusement *adj.* (în mod) oficios.

officieux, -euse *adj.* **1.** oficios. **2.** îndatoritor, săritor.

offrande *s.f.* ofrandă, dar.

offre *s.f.* ofertă.

offrir *vt., vr.* a (se) oferi.

offusquer *vt.* **1.** a întuneca. **2.** a orbi, a lua vederile. **3.** *fig.* a ofusca, a supăra.

ogive *s.f.* ogivă.

oh! *interj.* oh! ah!

ohé! *interj.* hei!

oie *s.f.* gâscă (şi *fig.*).

oignon *s.m.* **1.** ceapă. **2.** bătătură.

oindre *vt.* **1.** a unge. **2.** a mirui.

oiseau *s.m.* pasăre ‖ *à vot d'~* în linie dreaptă; *petit à petit l'~ fait son nid* încetul cu încetul se face oţetul.

oiseux, -euse *adj.* **1.** leneş, trândav. **2.** inutil, de prisos.

oisif, -ive *adj.* leneş, trândav.

oisiveté *s.f.* lene, trândăvie, lipsă de ocupaţie.

oléagineux, -euse *adj.* oleaginos.

oléandre *s.f. bot.* leandru.

olfactif, -ive olfactif.

oligarchie *s.f.* oligarhie.

oligophrène *adj., s.m.* oligofren.

olivâtre *adj.* măsliniu.

olive I. *s.f.* măslină. **II.** *adj. invar.* de culoarea măslinei.

olivette *s.f.* **1.** livadă de măslini. **2.** specie de strugure.

olivier *s.m.* măslin.

olographe *adj.* olograf ‖ *testament* ~ testament olograf.

olympiade *s.f.* olimpiadă, interval între două olimpiade.

olympien, -enne *adj.* olimpian (şi *fig.*).

olympique *adj.* olimpice ‖ *les jeux* ~s jocurile olimpice, olimpiadă.

ombrage *s.m.* **1.** umbrar. **2.** *fig.* bănuială, neîncredere.

ombrager *vt.* a umbri.

ombrageux, -euse *adj.* **1.** fricos. **2.** bănuitor.

ombre *s.f.* **1.** umbră, întuneric. **2.** fantomă, umbră, spirit. **3.** *fig.* urmă, aparenţă ‖ *à l'~ de* la adăpostul; *sous l'~, sous ~ de* sub pretextul.

ombrelle *s.f.* umbreluţă de soare.

omelette *s.f.* omletă.

omettre *vt.* a omite.

omission *s.f.* **1.** omitere. **2.** omisiune.

omnipotence *s.f.* omnipotenţă, atotputernicie.

omniscient, -e *adj.* atotştiutor.

omnivore *adj.* omnivor.

omoplate *s.f.* omoplat.

on *pron. nehot.* se ‖ ~ *dit* se spune.

oncle *s.m.* unchi.

onctueux, -euse *adj.* **1.** unsuros, gras. **2.** *fig.* onctuos, mieros.

onde *s.f.* **1.** val. **2.** apă. **3.** *fiz.* undă.

on-dit *s.m. invar.* zvon.

ondoiement *s.m.* unduire.

ondoyer *vi.* a undui.

ondulation *s.f.* ondulaţie, ondulare.

onduler *vt.* a ondula.

onéreaux, -euse *adj.* oneros.

ongle *s.m.* unghie ‖ *savoir une chose sur l'~* a şti un lucru pe de rost; *payer rubis sur l'~* a plăti tot, complet.

onguent *s.m.* alifie, unsoare.

onomastique I. *adj.* onomastic, de nume. II. *s.f.* onomastică, studiul numelor de persoane.

onomatopée *s.f.* onomatopee.

onyx *s.m.* onix.

onze *num.* unsprezece.

onzième I. *num.* al unsprezecelea. II. *s.m.* a unsprezecea parte.

opacifier *vt., vr.* a (se) face opac, a (se) opacifica.

opacité *s.f.* opacitate.

opale I. *s.f.* opal. II. *adj.* de culoarea opalului.

opaque *adj.* opac.

opéra *s.m.* 1. *muz.* operă. 2. (teatru de) operă.

opéra-comique (*pl.* **opéras-comiques**) *s.m.* operă comică.

opérateur, -trice *s.m.f.* operator.

opération *s.f.* 1. operaţie. 2. *fig.* combinaţie, acţiune.

opérer I. *vt.* 1. a face, a produce. 2. a opera. II. *vi.* a lucra, a produce efect ‖ *remède qui opère* leac care are efect.

opérette *s.f.* operetă.

ophtalmie *s.f. med.* oftalmie.

opiacé, -e *adj.* (substanţe) opiacee.

opiner *vi.* a opina, a-şi spune părerea.

opiniâtre *adj.* îndărătnic, încăpăţânat, îndârjit, perseverent.

opiniâtrement *adv.* cu încăpăţânare, cu înverşunare.

opiniâtreté *s.f.* încăpăţânare, îndărătnicie.

opinion *s.f.* opinie, părere, aviz.

opiomane *s.m.f., adj.* opioman.

opium *s.m.* opium.

opportun, -e *adj.* oportun, nimerit, favorabil.

opportunément *adv.* (în mod) oportun, la timp.

opportunisme *s.m.* oportunism.

opportunité *s.f.* oportunitate, ocazie, prilej.

opposant, -e *adj., s.m.f.* opozant, care se opune.

opposé, -e *adj., s.m.* opus, contrariu.

opposer *vt., vr.* a (se) opune, a (se) împotrivi.

opposition *s.f.* opunere, opoziţie, împotrivire.

oppresser *vt.* 1. a apăsa puternic, a jena respiraţia. 2. *fig.* a asupri, a oprima.

oppresseur *adj., s.m.* opresor, asupritor.

oppression *s.f.* apăsare, opresiune, oprimare, asuprire.

opprimer *vt.* a oprima, a asupri.

opprobre *s.m.* oprobriu, infamie.

optatif, -ive **I.** *adj.* care exprimă o dorință. **II.** *s.m.* optativ.

opter *vi.* a opta.

opticien *s.m.* optician.

optime *adv.* optim.

optimisme *s.m.* optimism.

optimiste *s.m.f., adj.* optimist.

option *s.f.* opțiune, alegere.

optique **I.** *adj.* optic **II.** *s.f.* **1.** *fiz.* optică. **2.** *fig.* optică, perspectivă.

opulence *s.f.* opulență, belșug, abundență.

opuscule *s.m.* opuscul.

or[1] *s.m.* **1.** aur. **2.** obiect din aur ‖ *être cousu d'~* a fi foarte bogat.

or[2] *conj.* or, însă.

oracle *s.m.* oracol.

orage *s.m.* **1.** furtună, vijelie, ploaie puternică și scurtă. **2.** *fig.* frământare, zbucium sufletesc. **3.** *fig.* calamitate, nenorocire.

orageux, -euse *adj.* **1.** vijelios, furtunos. **2.** *fig.* agitat, zbuciumat.

oraison *s.f.* **1.** discurs, cuvântare. **2.** rugăciune ‖ *~ funèbre* discurs funebru.

oral, -e *adj.* oral.

orange **I.** *s.f.* portocală. **II.** *adj., s.m.* portocaliu.

orangeade *s.f.* oranjadă.

oranger *s.m.* portocal.

orang-outan(g) *s.m.* urangutan.

orateur *s.m.* orator.

oratoire *adj.* oratoric, retoric.

orbite *s.f.* orbită (*și astron.*).

orchestre *s.m.* orchestră ‖ *chef d'~* dirijor.

orchestrer *vt.* a orchestra.

orchidée *s.f. bot.* orhidee.

ordinaire **I.** *adj.* **1.** ordinar, obișnuit. **2.** mediocru, vulgar. **II.** *s.m.* **1.** obicei. **2.** masă zilnică ‖ *à l'~* de obicei; *d'~, pour l'~* cel mai adesea.

ordonnance *s.f.* **1.** aranjare, rânduire. **2.** lege, regulament, ordin (emis de o autoritate). **3.** rețetă (medicală). **4.** ordonanță (soldat în serviciul unui ofițer).

ordonnancer *vt.* a ordonanța (o plată).

ordonné, -e *adj.* **1.** ordonat. **2.** hirotonisit. **3.** prescris de doctor.

ordonner *vt.* **1.** a rândui, a pune în ordine. **2.** a ordona, a porunci. **3.** a hirotonisi.

ordre *s.m.* **1.** ordine, rânduială **2.** ordin. **3.** ordin, clasă, categorie. **4.** hirotonisire ‖ *mod d'~* **a)** lozincă; **b)** parolă; *~ du jour* ordine de zi.

ordure *s.f.* **1.** gunoi, murdărie. **2.** *fig.* obscenități.

ordurier, -ère *adj.* murdar, obscen.

orée *s.f.* margine, lizieră.

oreille *s.f.* **1.** ureche. **2.** auz ‖ *avoir l'~ fine* a avea auz fin; *fig. prêter, dresser l'~* a fi atent; *faire la sourde ~* a face pe surdul, a se face că nu aude; *froller les ~s à qn.* a bate pe cineva; *se faire tirer l'~ fig.* a se lăsa greu.

oreiller *s.m.* pernă (de cap).

oreillons *s.m. pl.* oreion.

orfèvre *s.m.* argintar, aurar.

orfèvrerie *s.f.* argintărie, aurărie.

organe *s.m.* organ (și *fig.*).

organique *adj.* organic.

organisateur, -trice *s.m.f., adj.* organizator.

organisation *s.f.* **1.** organizare. **2.** organizație.

organiser *vt., vr.* a (se) organiza.

orge I. *s.f.* orz. II. *s.m.* (în *expr.*) *~ mondé, ~ perlé* arpacaș.

orgelet *s.m.* urcior la ochi.

orgue *s.m.* orgă ‖ *~ de Barbarie* flașnetă.

orgueil *s.m.* orgoliu, mândrie, trufie.

orgueilleux, -euse *adj.* orgolios, trufaș.

oriental, -e I. *adj., s.m.f.* oriental. **2.** *s.m. pl.* (cu *maj.*) orientalii, popoarele orientale, din răsărit.

orientation *s.f.* **1.** orientare (în spațiu). **2.** *fig.* orientare, direcție, îndreptare.

orienter I. *vt.* **1.** a orienta. **2.** *fig.* a îndepărta, a călăuzi. II. *vr.* **1.** a se orienta (în spațiu). **2.** *fig.* a se descurca, a se conduce.

orifice *s.m.* orificiu.

oriflamme *s.f.* flamură, stindard.

originaire *adj.* **1.** originar. **2.** înnăscut.

original, -e I. *adj.* **1.** original. **2.** nou, deosebit. **3.** ciudat, bizar. II. *s.m.* **1.** original. **2.** *fig.* persoană ciudată, excentrică.

originalement *adv.* (în mod) original.

originalité *s.f.* **1.** originalitate, noutate. **2.** *fig.* ciudățenie.

origine *s.f.* origine, izvor, obârșie.

oripeau *s.m.* **1.** foiță de aramă care pare de aur. **2.** stofă, broderie de aur sau argint fals. **3.** *fig.* strălucire falsă.

orme *s.m.* ulm ‖ *attendez-moi sous l'~* poți să mă aștepți mult și bine.

ornement *s.m.* ornament, podoabă.

ornemental, -e, *adj.* ornamental, de podoabă.

orner *vt.* a orna, a împodobi, a înfrumuseța (și *fig.*).

ornière *s.f.* **1.** făgaş, urmă lăsată de trăsuri, căruţe. **2.** *fig.* obişnuinţă, rutină.

ornithologie *s.f.* ornitologie.

orphelin, -e *adj., s.m.f.* orfan.

orteil *s.m.* deget de la picior.

orthodoxe *adj., s.m.f.* ortodox (şi *fig.*).

orthographier *vt.* a scrie corect.

orthographique *adj.* ortografic.

orthopédie *s.f.* ortopedie.

orthopédique *adj.* ortopedic.

orthopédiste *adj., s.m.* ortoped.

ortie *s.f.* urzică.

os *s.m.* os ‖ *en chair et en ~* în carne şi oase; *ne pas faire de vieux ~* a muri tânăr; *trempé jusqu'aux ~* ud până la piele.

oscillation *s.f.* oscilaţie, oscilare.

osciller *vi.* **1.** a oscila. **2.** *fig.* a şovăi, a ezita.

osé, -e *adj.* cutezător, îndrăzneţ.

oseille *s.f.* măcriş.

oser *vi., vt.* a cuteza, a îndrăzni.

osier *s.m.* **1.** răchită. **2.** nuia de răchită.

osmotique *adj.* osmotic.

osmose *s.f.* osmoză.

ossature *s.f.* osatură, schelet (şi *fig.*).

osselet *s.m.* **1.** oscior. **2.** arşic ‖ *jouer aux ~s* a juca arşice.

osseux, -euse *adj.* osos.

ossifier *vt.* a osifica.

ostensible *adj.* care poate fi arătat.

ostentation *s.f.* ostentaţie, paradă, lăudăroşenie.

ostraciser *vt.* a ostraciza.

otage *s.m.* zălog, ostatic.

ôter I. *vt.* **1.** a scoate. **2.** a lua. **3.** a scădea. **4.** a goni. **II.** *vr.* a se retrage.

otite *s.f.* otită.

ottomane *s.f.* divan, canapea.

ou *conj.* sau, ori.

où I. *adv.* unde. **II.** *pron. rel.* în care, la care.

ouailles *s.f. pl.* enoriaşi.

ouais! *interj.* ei drace!

ouate *s.f.* vată.

oubli *s.m.* uitare ‖ *~ de soi* abnegaţie, devotament.

oublier I. *vt.* a uita. **II.** *vr.* a-şi uita datoria, interesele.

ouest *s.m.* vest, apus.

ouf! *interj.* uf!

oui I. *adj.* da. **II.** *s.m.* da ‖ *prononcer le grand ~* a se căsători pour un *~ pour un non* pentru un fleac, o nimica toată.

ouï-dire *s.m. invar.* lucru auzit din auzite.

ouïe *s.f.* auz.

ouïr *vt.* a auzi, a asculta.

ouragan *s.m.* uragan, vijelie.

ourdir *vt.* **1.** a urzi (firele d stofă). **2.** *fig.* a unelti, a urzi.

ourlet *s.m.* tiv.

ours *s.m.* urs (şi *fig.*).

ourse *s.f.* ursoaică ‖ *la Grande, la Petite ~ astron.* Ursa-mare, Ursa-mică.

ourson *s.m.* ursuleţ.

outarde *s.f.* dropie.

outil *s.m.* unealtă, instrument.

outillage *s.m.* utilaj.

outiller *vt.* **1.** a utila, a înzestra cu utilaj, **2.** *fig.* a procura cele necesare.

outrager *vt.* **1.** a insulta, a jigni, a ultragia. **2.** *fig.* a batjocori.

ontrageux, -euse *adj.* insultător, jignitor.

outrance *s.f.* exagerat ‖ *à ~* cu înverşunare, fără limită.

outre[1] *s.f.* burduf din piele de capră.

outre[2] **I.** *prep.* **1.** dincolo, peste. **2.** în afară de. **II.** *adv.* mai departe *passer ~* a trece peste; *en ~* în afară de aceasta; *~ que* nu numai că, dar.

outrecuidance *s.f.* impertinenţă, înfumurare.

outre-mer *adv.* peste mări.

outrepasser *vt.* a depăşi, a trece peste.

ouvert, -e *adj.* **1.** deschis. **2.** *fig.* sincer, deschis.

ouverture *s.f.* **1.** deschizătură. **2.** deschidere. **3.** *muz.* uvertură.

ouvrage *s.m.* **1.** lucru. **2.** producţie literară, lucrare, operă. **3.** lucru de mână.

ouvrager *vt.* a lucra minuţios.

ouvrier, -ètre I. *s.m.f.* muncitor, lucrător. **II.** *adj.* muncitor.

ouvrir I. *vt.* **1.** a deschide, a străpunge. **2.** *fig.* a începe, a deschide. **II.** *vi.* a fi deschis. **III.** *vr.* **1.** a se deschide, a-şi deschide. **2.** *fig.* a se destăinui.

ovaire *s.m. anat.* ovar.

ovale *adj., s.m.* oval.

ovation *s.f.* ovaţie.

ovippare *adj., s.m.f.* ovipar.

ovoïde *adj.* în formă de ou.

ovule *s.m.* ovul.

oxydable *adj.* oxidabil.

oxydation *s.f.* oxidare.

oxyder *vt., vr.* a (se) oxida.

oxygénation *s.f.* oxigenare.

oxygéné, -e *adj.* oxigenat.

oxyure *s.f.* oxiur, vierme intestinal.

ozone *s.m.* ozon.

ozoner *vt.* a ozona.

P

pacage *s.m.* păşune, izlaz.

pacha *s.m.* paşa.

pachyderme *s.m.* pachiderm.

pacifier *vt.* a pacifica.

pacifique *adj.* pacific, paşnic.

pacifiste *adj., s.m.f.* pacifist.

pacotille *s.f.* marfă proastă.

pacte *s.m.* pact.

pactiser *vi.* 1. a pactiza, a încheia un pact. 2. *fig.* a se învoi, a se înţelege.

paf *interj.* pleosc!, poc!

pagaie *s.f.* vâslă; lopată.

pagaïe, pagaille, pagaye *s.f. fam.* învălmăşeală, dezordine.

paganisme *s.m.* păgânism.

page[1] *s.f.* pagină (dintr-o carte) ‖ *fam. à la* ~ la curent.

page[2] *s.f.* paj.

pagination *s.f.* paginare, paginaţie.

paginer *vt.* a pagina.

pagode *s.f.* pagodă.

paie *s.f.* v. **paye**.

paiement *s.m.* v. **payement**.

païen, -ne *adj., s.m.f.* 1. păgân. 2. *fam.* nelegiuit.

paillasson *s.m.* rogojină, ştergător (de rogojină).

paille **I.** *s.f.* pai, paie. 2. defect (într-un metal, la o piatră preţioasă) ‖ *tirer à la courte* ~ a trage la sorţi; *rompre la* ~ a se certa. **II.** *adj. invar.* galben-pai.

pailleter *vt.* (despre o rochie) a presăra cu paiete.

paillette *s.f.* paietă, fluturaş de metal lucios.

pain *s.m.* 1. pâine. 2. hrană ‖ ~ *bis* pâine neagră; ~ *de sucre* căpăţână de zahăr; ~ *de munition* pâine soldăţească; ~ *de savon* calup de săpun.

pair[1] *s.m.* 1. pair, mare vasal al regelui. 2. membru al Camerei Pairilor (sub monarhia din iulie).

pair[2], **-e** **I.** *adj.* cu soţ. **II.** *s.m.* egal.

paire *s.f.* pereche.

paisible *adj.* paşnic, liniştit.

paître *vt.* 1. a duce la păscut (vitele). 2. a paşte ‖ *fam. envoyer* ~ a da afară, a trimite la plimbare.

paix *s.f.* 1. pace. 2. linişte, calm.

palais[1] *s.m.* 1. palat, castel. 2. palatul justiţiei.

palais[2] *s.m.* 1. palatul, cerul-gurii. 2. gustul.

pâle *adj.* 1. palid. 2. *fig.* pal, şters.

paléontologie *s.f.* paleontologie.

paletot *s.m.* palton.

palette *s.f.* paletă, rachetă.

pâleur *s.f.* paloare.

palier *s.m.* 1. palier. 2. *tehn.* palier, lagăr.

pâlir I. *vi.* a păli. II. *vt.* a îngălbeni, a face să pălească.

palissade *s.f.* gard (de pari, uluci).

palliatif, -ive *adj.*, *s.m.* paliativ.

palme *s.f.* 1. ramură de palmier. 2. palmier ‖ *remporter la* ~ a ieşi învingător.

palmipède *adj.*, *s.m.* palmiped.

palpable *adj.* 1. palpabil. 2. *fig.* clar, evident.

palper *vt.* 1. a palpa. 2. *fig.*, *fam.* a primi bani.

palpitation *s.f.* palpitaţie.

palpiter *vi.* 1. a palpita. 2. *fig.* a fi emoţionat.

pâmer *vi.*, *vr.* a leşina ‖ *se* ~ *de rire* a leşina de râs.

pâmoison *s.f.* leşin.

pamphlet *s.m.* pamflet.

pamphlétaire *s.m.* pamfletar, autor de pamflete.

pamplemousse *s.m.* grepfrut.

pan[1] *s.m.* 1. bucată de zid. 2. poală, pulpană.

pan[2] *interj.* poc!

panacée *s.f.* panaceu.

panache *s.m.* 1. panaş, pompon. 2. *fig.* strălucire, lustru.

panais *s.m.* păstârnac.

panama *s.m.* 1. panama. 2. pălărie de panama.

pancarte *s.f.* pancartă, afiş.

pané, -e *adj.* în pesmet.

panégyrique *s.m.* panegiric.

paner *vt.* a tăvăli în pesmet (carne etc.)

panier *s.m.* coşuleţ, paner ‖ ~ *percé* risipitor; *sot comme un* ~ prost ca noaptea.

panification *s.f.* panificare.

panifier *vt.* a panifica, a fabrica pâine.

panique I. *adj.* (în *expr.*) *terreur* ~ teroare subită, nefondată. II. *s.f.* panică, groază.

panne *s.f.* slănină, osânză.

panné, -e *adj. pop.* sărac, lipsit de mijloace.

panneau *s.m.* 1. panou, tăblie. 2. laţ (pentru prins iepuri etc.) ‖ *tomber, donner dans le* ~ a cădea în cursă.

panorama *s.m.* panoramă.

pansement *s.m.* pansare, pansament.

panser *vt.* a ţesăla.

pantalon *s.m.* pantalon.

pantelant, -e *adj.* gâfâind.

panteler *vi.* a gâfâi.

panthéisme *s.m.* panteism.

panthéon *s.m.* panteon.

panthère *s.f.* panteră.

pantin *s.m.* 1. marionetă. 2. *fig.* persoană caraghioasă.

pantois, -e *adj. fam.* surprins, înmărmurit.

pantomime I. *s.f.* pantomimă. **II.** *s.m.* mim.

pantoufle *s.f.* papuc.

paon, -onne I. *s.m.f.* păun. **II.** *s.m.* om vanitos, trufaș.

papa *s.m.* **1.** tată, tătic. **2.** *fam.* bătrânel.

papauté *s.f.* papalitate.

pape *s.m.* papă.

paperasse *s.f.* hârțoagă, hârtie fără valoare.

papeterie *s.f.* papetărie.

papetier, -ière *adj., s.m.f.* fabricant, negustor de hârtie.

papier *s.m.* **1.** hârtie. **2.** *pl.* documente, pașaport || ~ *buvard* sugativă; ~ *de verre* glaspapir.

papier-monnaie *s.m.* hârtie-monedă.

papillaire *adj.* papilar.

papille *s.f.* papilă.

papillon *s.m.* **1.** fluture. **2.** papion. **3.** *fig.* tânăr nestatornic, flușturatic.

papillonner *vi. fam.* a trece de la un lucru la altul, a fi nestatornic.

papillote *s.f.* papiotă, moațe.

paquebot *s.m.* pachebot.

pâquerette *s.f. bot.* părăluță.

Pâques *s.m. pl.* Paști.

paquet *s.m.* pachet || *faire son* ~ a-și face bagajul, a pleca.

paquetage *s.m.* împachetare.

paqueter *vt.* a împacheta.

par *prep.* **1.** de, de către. **2.** prin, pe. **3.** din. **4.** în. **5.** cu || ~ *eau* pe apă; ~ *bonheur* din fericire; ~ *hasard* din întâmplare; *de* ~ în numele; ~ *conséquent* prin urmare.

parabole *s.f.* parabolă (și în *geom.*).

parachever *vt.* a termina complet, a isprăvi cu bine.

parachute *s.m.* parașută.

parachutiste *s.m.f.* parașutist.

parade *s.f.* **1.** paradă. **2.** *fig.* lăudăroșenie. **3.** parare, evitare a unei lovituri.

parader *vi.* **1.** a manevra. **2.** a se făli, a se mândri.

paradis *s.m.* **1.** paradis. rai. **2.** *fig.* fericire. **3.** galerie (la teatru).

paradisiaque *adj.* paradiziac.

paradoxe *s.m.* paradox.

paraffine *s.f.* parafină.

parage *s.m.* **1.** *mar.* regiune de țărm. **2.** *pl.* locuri, ținuturi.

paragraphe *s.m.* paragraf.

paraître I. *vi.* **1.** a apărea. **2.** a părea. **3.** a exista. **II.** *v. impers.* a se părea || *il paraît que* se pare că.

parallèle I. *adj.* paralel. **II.** *s.f.* paralelă. **III.** *s.m.* **1.** *geogr.* paralelă. **2.** *fig.* paralelă, comparație.

parallélépipède *s.m.* paralelipiped.

parallélogramme *s.m.* paralelogram.

paralyser *vt.* a paraliza.

paralysie *s.f.* paralizie.

paraphe *s.m.* parafă.

parapher *vt.* a parafa.

paraphrase *s.f.* 1. parafază. 2. discurs lung. 3. *fam.* comentariu răuvoitor.

parapluie *s.m.* umbrelă de ploaie.

parasitaire *adj.* parazitar.

parasite I. *s.m.* parazit. II. *adj.* parazit, inutil.

parasol *s.m.* umbrelă de soare.

paratonnerre *s.m.* paratrăznet.

paravent *s.m.* paravan.

parbleu *interj.* zău!

parc *s.m.* 1. parc, grădină. 2. țarc, ocol de vite.

parcage *s.m.* parcare.

parcelle *s.f.* parcelă, lot.

parceller *vt.* a parcela

parce que *loc. conj.* pentru că, fiindcă.

parchemin *s.m.* pergament.

parcheminé, -e *adj.* pergamentos, ca pergamentul.

parcimonie *s.f.* zgârcenie.

parcimonieux, -euse *adj.* zgârcit.

parcourir *vt.* a parcurge, a străbate (și *fig.*).

parcours *s.m.* parcurs, traseu.

pardessus *s.m.* pardesiu.

pardi! pardieu! *interj.* la dracu!

pardon *s.m.* 1. iertare. 2. scuze, pardon.

pardonnable *adj.* de iertat, scuzabil.

pardonner I. *vt.* a ierta, a scuza. II. *vi.* (à) 1. a cruța. 2. a ierta. III. *vr.* a se ierta, a-și ierta.

pare-brise *s.m. invar.* parbriz.

pareil, -eille I. *adj.* 1. asemănător, identic. 2. același, aceeași. II. *s.m.f.* seamăn; egal. III. *s.f.* (*în expr.*) *rendre la ~eille* a răspunde cu aceeași monedă.

parent *s.m.* 1. rudă. 2. *pl.* părinți.

parentage *s.m.* 1. înrudire. 2. rude.

parenté *s.f.* 1. rudenie, înrudire. 2. rude.

parenthèse *s.f.* 1. paranteză. 2. *fig.* digresiune.

parer I. *vt.* 1. a împodobi. 2. a para, a evita. 3. *mar.* a pregăti. II. *vi.* (à) a remedia. III. *vr.* 1. a se împodobi. 2. *fig.* a afișa.

paresse *s.f.* lene.

paresseux, -euse *adj., s.m.f.* leneș.

parfaire *vt.* a desăvârși, a termina; a completa.

parfait, -e I. *adj.* 1. perfect, desăvârșit. 2. complet. II. *s.m.* 1. perfecțiune. 2. *culin.* parfeu. 3. (timpul) perfect.

parfois *adv.* uneori, câteodată.

parfum *s.m.* parfum, mireasmă.

parfumer *vt., vr.* a (se) parfuma.

pari *s.m.* pariu, prinsoare, rămășag.

parier *vt.* a paria, a face prinsoare.

parité *s.f.* paritate, egalitate.

parjure I. *s.m.* sperjur, jurământ
fals. II. *adj., s.m.f.* sperjur, care
comite un sperjur.

parjurer (se) *vr.* a-şi călca ju-
rământul, a comite un sperjur.

parlant, -e *adj.* 1. grăitor, vorbi-
tor. 2. sonor ‖ *le cinéma ~*
cinematograf sonor. 3. leit,
foarte asemănător.

parlement *s.m.* parlament.

parlementaire *adj., s.m.* par-
lamentar.

parler[1] I. *vi., vt.* a vorbi. II. *vr.* a
se vorbi, a-şi vorbi ‖ *~ français*
a vorbi franţuzeşte.

parler[2] *s.m.* 1. vorbire, mod de a
vorbi. 2. grai, dialect.

parloir *s.m.* vorbitor.

parmi *prep.* printre.

parodie *s.f.* parodie.

parodier *vt.* a parodia.

paroi *s.f.* perete, zid.

paroisse *s.f.* parohie.

parole *s.f.* 1. cuvânt, vorbă. 2. vor-
bire, darul vorbirii ‖ *avoir la ~
haute* a vorbi de sus.

paroxysme *s.m.* paroxism, culme.

parquer *vt.* 1. a parca. 2. a în-
grădi. 3. *fig.* a închide.

parquet *s.m.* 1. *jur.* parchet.
2. pardoseală, parchet.

parrain *s.m.* naş (la botez).

parsemer *vt.* 1. a presăra. 2. a fi
răspândit.

part *s.f.* 1. parte (dintr-un întreg) ‖
prendre en mauvaise ~ a lua ceva
în nume de rău. 2. participare.
3. înştiinţare, comunicare ‖ *faire
~ d'une chose à qn.* a comunica
ceva cuiva. 4. parte, loc ‖ *nulle ~*
nicăieri; *quelque ~* undeva; *de
toutes ~s* din toate părţile; *de ~
et d'autre* din ambele părţi; *à ~*
aparte, fără, cu excepţia.

partager I. *vt.* 1. a împărţi. 2. a
stăpâni împreună cu altcineva ‖
~ une terre a împărţi un teren.
3. a împărtăşi, a lua parte. 4. a
înzestra, a dota. 5. a diviza, a
separa. II. *vi.* a împărţi. III. *vr.*
a se împărţi.

partant[1] *conj.* deci, prin urmare.

partant[2] *s.m.* cel care pleacă.

partenaire *s.m.f.* partener, asociat.

parterre *s.m.* 1. (*teatru*) parter.
2. strat de flori.

parti *s.m.* 1. partid ‖ *esprit de ~*
partinitate. 2. parte ‖ *prendre ~
contre qn.* a se declara contra
cuiva. 3. tabără. 4. hotărâre ‖
prendre son ~ d'une chose a se
resemna; *prendre un ~* a lua o
hotărâre. 5. folos ‖ *tirer ~ a* trage
folos. 6. partidă (căsătorie).

partial, -e *adj.* părtinitor.

partialité *s.f.* parţialitate, părtinire.

participation *s.f.* participare.

participe *s.m.* participiu.

participer *vi.* 1. a participa, a lua parte. 2. a ține prin natura sa de.

particulariser I. *vt.* 1. a specifica în amănunt. 2. a reduce la un caz particular. II. *vr.* a se singulariza.

particularité *s.f.* particularitate.

particule *s.f.* particulă, părticică.

particulier, -ère I. *adj.* 1. specific, personal. 2. particular, privat. 3. particular, special. 4. deosebit, ciudat. II. *s.m.* 1. particular, persoană particulară. 2. *peior.* tip, individ ‖ *en* ~separat, între patru ochi.

partie *s.f.* 1. parte. 2. partidă. 3. parte într-un proces ‖ *prendre qn. à* ~ a certa, a dojeni; *en* ~ în parte.

partiel, -elle *adj.* parțial.

partir *vi.* 1. a pleca, a porni. 2. a izbucni ‖ *à* ~ cu începere; *à* ~ *d'aujourd'hui* cu începere de astăzi.

partisan, -e *s.m.f., adj.* 1. partizan, adept. 2. partizan ‖ *guerre de* ~*s* război de partizani.

partitif, -ive *adj., s.m.* partitiv.

partition *s.f.* partitură.

partout *adv.* pretutindeni.

paru v. **paraître**.

parure *s.f.* podoabă, găteală.

parution *s.f.* apariție (a unei publicații).

parvenir *vi.* a ajunge, a parveni,

parvenu, -e *s.m.f.* parvenit.

parvis *s.m.* piață în fața unei biserici.

pas[1] *s.m.* 1. pas. 2. *fig.* progres. 3. prag. 4. pas, trecătoare, strâmtoare ‖ *mettre qn. au* ~ a domoli, a îmblânzi pe cineva; *mauvais* ~ încurcătură; *de ce* ~ fără întârziere.

pas[2] *adv.* nu ‖ ~ *vrai?* nu este așa?; *pourquoi* ~? de ce nu?; ~ *du tout* nicidecum; ~ *un* nici un.

passage *s.m.* 1. trecere, traversare. 2. pasaj. 3. *fig.* tranziție, trecere.

passager, -ère I. *adj.* trecător, care durează puțin. II. *s.m.f.* pasager, călător (pe un vas).

passant, -e *s.m.f.* trecător (pe stradă).

passe *s.f.* 1. trecere. 2. pasă. 3. *tipogr.* șpalt. 4. *mar.* strâmtoare ‖ *fig. être en bonne* ~ a fi într-o pasă bună; *être en* ~ *de* a fi pe punctul, a fi în situația de; *mot de* ~ parolă.

passé[1] *prep.* după ‖ ~ *huit heures* după orele opt.

passé[2]**, -e** *adj., s.m.* trecut.

passementerie *s.f.* ceaprazărie, pasmanterie.

passe-partout *s.m. invar.* șperaclu.

passeport *s.m.* pașaport.

passer I. *vi.* 1. a trece. 2. a dispărea. 3. a muri. 4. a deveni ‖ ~

capitaine a fi numit căpitan; ~ *pour* a trece drept; ~ *ur* a nu ține seama; ~ *outre* a trece peste, mai departe; ~ *de mode* a nu mai fi la modă. **II.** *vt.* **1.** a trece peste. **2.** a transporta. **3.** a da (un examen). **4.** a încheia (un contract). **5.** a pune (o haină). **6.** a petrece (timpul). **7.** a omite. **8.** a ierta (o greșeală). **9.** a depăși. **10.** a strecura ‖ *~son chemin* a-și vedea de drum; ~ *qn. par les armes* a împușca pe cineva. **III.** *vr.* **1.** a se scurge (timpul). **2.** a se petrece, a se întâmpla. **3.** a se lipsi (de ceva). **4.** a se trece, a se veșteji.

passerelle *s.f.* **1.** pasarelă, podișcă. **2.** *mar.* punte de comandă.

passe-temps *s.m. invar.* distracție.

passible *adj.* pasibil.

passif, -ive *adj., s.m.* pasiv.

passion *s.f.* **1.** pasiune, patimă. **2.** suferință.

passionnel, -elle *adj.* pasional.

passionnément *adv.* cu pasiune.

passionner I. *vt.* a pasiona, a înflăcăra. **II.** *vr.* a se aprinde, a se pasiona după.

passivement *adv.* (în mod) pasiv.

passivité *s.f.* pasivitate, inacțiune.

passoire *s.f.* strecurătoare.

pastèque *s.f.* pepene verde.

pasteur *s.m.* **1.** păstor, cioban. **2.** pastor.

pasteurisation *s.f.* pasteurizare.

patate *s.f.* **1.** varietate de gulie. **2.** *fam.* cartof.

patatras *interj.* buf!

pataud, -e *adj., s.m.f.* **1.** câine cu labele groase. **2.** persoană greoaie, grasă.

pâte *s.f.* **1.** aluat. **2.** pastă. **3.** magiun. **4.** *fig.* fire, caracter ‖ *mettre la main à la* ~ a face singur un lucru.

pâté *s.m.* pateu.

patelin, -e *adj., s.m.f.* pișicher, pehlivan.

patenté, -e *adj., s.m.f.* patentat, brevetat.

patenter *vt.* a patenta, a elibera o patentă, un certificat.

patère *s.f.* cuier.

paternel, -le *adj.* părintesc, din partea tatălui.

paternité *s.f.* paternitate.

pâteux, -euse *adj.* **1.** păstos, cleios. **2.** *fig.* greoi, încărcat.

pathologie *s.f. med.* patologie.

pathologique *adj.* patologic.

patibulaire *adj.* **1.** de spânzurătoare. **2.** *fig.* demn de spânzurătoare.

patiemment *adv.* cu răbdare.

patience *s.f.* **1.** răbdare. **2.** perseverență. **3.** pasiență ‖ *prendre* ~ a aștepta cu răbdare; *prendre en* ~ a suporta cu răbdare; *perdre* ~ a pierde răbdarea.

patient, -e I. *adj.* **1.** răbdător. **2.** făcut cu răbdare. **II.** *s.m.f.* pacient.

patienter *vi.* a avea răbdare.

patinage *s.m.* patinaj.

patine *s.f.* **1.** oxidare. **2.** patină (a timpului).

patiner *vi.* a patina.

pâtir *vi.* **1.** a suferi. **2.** a lâncezi.

pâtisserie *s.f.* **1.** plăcintă, prăjitură. **2.** patiserie.

pâtissier, -ère *adj., s.m.f.* cofetar.

patois *s.m.* grai, dialect.

pâtre *s.m.* păstor.

patriarcal, -e *adj.* patriarhal.

patriarche *s.m.* patriarh, bătrân venerabil.

patrie *s.f.* patrie.

patrimoine *s.m.* patrimoniu.

patriote *adj., s.m.f.* patriot.

patriotique *adj.* patriotic.

patriotisme *s.m.* patriotism.

patron, -ne *s.m.f.* **1.** patron, stăpân. **2.** protector.

patronage *s.m.* patronaj, protecție, ocrotire.

patronner *vt.* **1.** a patrona, a recomanda, a sprijini. **2.** a ocroti. **3.** a croi după un model.

patronymique I. *adj.* patronimic. **II.** *s.m.* nume de familie.

patrouille *s.f.* **1.** patrulă. **2.** patrulare.

patte *s.f.* **1.** labă. **2.** *fig. fam.* îndemânare. **3.** picior de pahar || *ne*

remuer ni pied ni ~ a sta nemișcat; *tomber sous la* ~ *de qn.* a fi la discreția cuiva; *coup de* ~ zgârietură; *~s de lapin* perciuni, favoriți scurți.

pâturage *s.m.* pășune.

pâture *s.f.* **1.** nutreț, furaj. **2.** pășunat. **3.** *fig.* hrană.

paume *s.f.* **1.** palmă (a mâinii). **2.** joc asemănător cu oina.

paupière *s.f.* pleoapă.

pause *s.f.* pauză.

pauvre I. *adj.* **1.** sărac, sărăcăcios. **2.** sărman, biet. **3.** slab, prost. **II.** *s.m.* sărac, cerșetor.

pauvreté *s.f.* sărăcie.

pavage *s.m.* **1.** pavaj. **2.** pavare.

pavé *s.m.* **1.** pavea. **2.** pavaj, caldarâm. **3.** *fig.* stradă, drum || *être sur le* ~ a nu avea slujbă, domiciliu, a fi pe drumuri; *tenir le haut du* ~ a deține un rang important.

pavement *s.m.* **1.** pavare. **2.** pavaj.

paver *vt.* a pava.

pavillon *s.m.* **1.** pavilion, chioșc. **2.** pavilion, steag, stindard. **3.** *anat.* pavilion. **4.** cort rotund sau pătrat.

pavoisement *s.m.* pavoazare, împodobire.

pavoiser *vt.* a pavoaza, a împodobi cu drapele.

payable *adj.* plătibil.

payant, -e *adj.* **1.** platnic, plătitor. **2.** cu plată.

paye, paie *s.f.* **1.** leafă, salariu, soldă. **2.** plată. **3.** *fam.* debitor, platnic.

payement, paiement *s.m.* **1.** plată. **2.** sumă plătită.

payer I. *vt.* **1.** a plăti. **2.** a recompensa, a răsplăti ‖ ~ *de retour* a plăti cu aceeași monedă; ~ *d'audace* a da dovadă de îndrăzneală; ~ *de sa personne* a-și risca viața. **II.** *vr.* **1.** a-și plăti. **2.** a fi plătit, recompensat. **3.** a-și plăti, a-și oferi ‖ *se* ~ *de* a se mulțumi cu; *se* ~ *la tête de qn.* a-și bate joc de cineva.

payeur, -euse *adj., s.m.f.* plătitor, casier care face plăți.

pays *s.m.* **1.** țară, regiune. **2.** *fam.* compatriot.

paysage *s.m.* peisaj, priveliște.

paysagiste *adj., s.m.* peisagist.

paysan, -ne *s.m.f.* țăran.

paysannerie *s.f.* țărănime.

peau *s.f.* **1.** piele ‖ *faire bon marché de sa* ~ a nu ține la viață. **2.** coajă (de fructe).

pêche[1] *s.f.* piersică.

pêche[2] *s.f.* pescuit.

péché *s.m.* păcat ‖ ~ *mignon* obicei prost, meteahnă.

pécher *vi.* a păcătui, a greși.

pêcher[1] *s.m.* piersic.

pêcher[2] **I.** *vt.* a pescui. **II.** *vr.* a fi pescuit.

pécheresse *s.f.* v. **pécheur.**

pêcherie *s.f.* pescărie, loc bun de pescuit.

pécheur, -eresse *adj., s.m.f.* păcătos.

pêcheur, -euse I. *s.m.f.* pescar, pescuitor. **II.** *adj.* pescăresc.

pécuniaire *adj.* pecuniar, bănesc.

pédagogique *adj.* pedagogic.

pédagogue I. *s.m.* **1.** pedagog, învățător. **2.** pedant. **II.** *adj.* dăscălesc.

pédale *s.f.* pedală.

pédaler *vi.* **1.** a pedala. **2.** *fam.* a se plimba cu bicicleta.

pédanterie *s.f.* pedanterie.

pédestre *adj.* **1.** pedestru. **2.** (despre statui) în picioare.

pédicule *s.m.* codiță (la plante).

pédicure *s.m.f.* pedichiurist.

pédoncule *s.m. bot.* peduncul.

peignage *s.m.* dărăcit.

peigne *s.m.* pieptene.

peigner I. *vt.* **1.** a pieptăna. **2.** a dărăci. **3.** *fig.* a îngriji. **II.** *vr.* a se pieptăna.

peignoir *s.m.* **1.** halat de baie. **2.** capot.

peindre *vt.* **1.** a picta. **2.** a descrie.

peine *s.f.* **1.** pedeapsă. **2.** chin, durere, suferință. **3.** osteneală, trudă. **4.** grijă. neliniște. **5.** în-

curcătură, ananghie ‖ *à ~ de ~*
abia; *à grand ~* cu mare greu-
tate; *se donner de la ~* a se
osteni, a se strădui; *être en ~* a se
nelinişti; *être dans la ~* a se găsi
într-o încurcătură; *cela ne vaut
pas la ~* nu merită osteneala.

peiné, -e *adj.* supărat, mâhnit.

peiner I. *vt.* a mâhni, a necăji, a
supăra. **II.** *vi.* a se obosi. **III.** *vr.*
1. a se munci, a se strădui. 2. a
se întrista, a se necăji.

peintre *s.m.* pictor ‖ *~ en bâti-
ments* zugrav.

peinture *s.f.* 1. pictură. 2. *fig.*
descriere, zugrăvire.

péjoratif, -ive *adj.* peiorativ,
defavorabil.

pelage *s.m.* 1. părul animalelor.
2. jupuitul pieilor.

pelé, -e I. *adj.* 1. fără păr, chel.
2. jupuit, fără coajă. **II.** *s.m.* chel.

pêle-mêle I. *s.m.* harababură, tal-
meş-balmeş. **II.** *adv.* în dezor-
dine.

peler I. *vt.* a curăţa, a jupui. **II.** *vi.*
a năpârli, a se coji. **III.** *vr.* a se
coji, a cheli.

pèlerin, -e *s.m.f.* pelerin.

pèlerinage *s.m.* pelerinaj.

pelisse *s.f.* şubă, blană.

pelle *s.f.* lopată, lopăţică.

pelleterie *s.f.* 1. blănărie. 2. blă-
nuri.

pelletier, -ère *adj., s.m.f.* blănar.

pellicule *s.f.* 1. mătreaţă. 2. peli-
culă (cinematografică).

pelote *s.f.* 1. ghem. 2. perniţă de
ace. 3. bulgăre, cocoloş.

peloton *s.m.* 1. pluton. 2. ghem.

pelotonnement *s.m.* ghemuire.

pelotonner I. *vt.* a face ghem.
II. *vr.* a se ghemui.

pelouse *s.f.* peluză, pajişte.

peluche *s.f.* pluş.

pelure *s.f.* coajă ‖ *papier ~* foiţă.

pénalisation *s.f.* penalizare (în
sport).

penaud, -e *adj.* încurcat, ruşinat.

penchant, -e I. *adj.* 1. înclinat,
aplecat. 2. *fig.* atras, înclinat.
II. *s.m.* 1. pantă, povârniş. 2. *fig.*
declin. 3. *fig.* înclinaţie, vocaţie.

pencher I. *vt.* a înclina, a apleca ‖
~ la tête a apleca capul. **II.** *vi.*
1. a se înclina, a fi aplecat. 2.
fig. a fi înclinat spre. **III.** *vr.* a
se înclina, a se apleca.

pendaison *s.f.* spânzurare.

pendant *prep.* în timpul ‖ *~ le jour*
în timpul zilei; *~ que* în timp ce.

pendentif *s.m.* pandantif.

pendre I. *vt.* a spânzura. **II.** *vi.* a
atârna. **III.** *vr.* a se spânzura.

pendu, -e *s.m.f.* spânzurat.

pendule I. *s.f.* pendulă, ceas.
II. *s.m. fiz.* pendul.

pénétrant, -e *adj.* pătrunzător.

pénétration *s.f.* 1. penetrare, pătrundere. 2. inteligență ascuțită.

pénétrer I. *vt.* 1. a pătrunde, a trece prin. 2. *fig.* a descoperi. II. *vi.* a pătrunde, a se introduce. III. *vr.* 1. a se combina, a se amesteca. 2. a se pătrunde, a se convinge. 3. a-și ghici gândurile.

pénible *adj.* 1. penibil. 2. obositor. 3. dureros.

péniche *s.f.* 1. șalupă ușoară. 2. barcă de curse. 3. șlep.

pénicilline *s.f.* penicilină.

péninsule *s.f.* peninsulă.

pénitence *s.f.* penitență, pocăință.

pénitencier *s.m.* penitenciar, închisoare, ocnă.

pénombre *s.f.* penumbră.

pensant, -e *adj.* gânditor, capabil să gândească.

pensée *s.f.* 1. gândire, judecată, raționament. 2. gând. 3. intenție. 4. amintire. 5. părere. 6. maximă, cugetare.

penser *vi.* 1. a se gândi, a reflecta, a raționa || *donner à* ~ a da de gândit. 2. a intenționa.

pensif, -ive *adj.* gânditor, pe gânduri.

pension *s.f.* 1. pensiune. 2. pension. 3. pensie.

pensionnaire *s.m.f.* 1. chiriaș într-o pensiune. 2. intern (într-un liceu etc.). 3. pensionar.

pensum *s.m.* pedeapsă (pentru elevi).

pente *s.f.* 1. pantă, povârniș. 2. *fig.* înclinare, pornire.

pénultième *adj.* penultim.

pépier *vi.* a piui.

pépin *s.m.* sâmbure mic.

pépinière *s.f.* pepinieră (și *fig.*).

perçage *s.m.* străpungere, găurire.

perçant, -e *adj.* 1. străpungător, pătrunzător (și *fig.*). 2. *fig.* ascuțit || *voix* ~*e* voce ascuțită. 3. vioi.

perce *s.f.* burghiu, sfredel.

percée *s.f.* 1. deschizătură, deschidere. 2. drum, cale.

percement *s.m.* străpungere, găurire.

perce-neige *s.f. invar.* ghiocel.

percepteur *s.m.* perceptor.

perceptible *adj.* perceptibil.

percer I. *vt.* 1. a străpunge, a găuri. 2. a pătrunde, a trece prin, a străbate. 3. a ieși la iveală. 4. a umple. 5. *fig.* a mâhni. II. *vi.* 1. a crăpa, a sparge. 2. a se manifesta. 3. *fig.* a se afirma.

percevoir *vt.* 1. a percepe, a încasa. 2. *fig.* a percepe, a înțelege.

perche *s.f.* prăjină || *saut à la* ~ săritură cu prăjina.

percher *vi., vr.* 1. a se cățăra. 2. *fam.* a locui.

percussion *s.f.* percuție, lovire.

percuter *vt.* **1.** a lovi. **2.** *med.* a percuta.

perdition *s.f.* perdiție, stricăciune.

perdre I. *vt.* **1.** a pierde. **2.** a distruge, a strica. **3.** a nenoroci, a ruina ‖ *~ la téte* a-şi pierde capul, a se zăpăci. **II.** *vi.* a pierde din valoare. **III.** *vr.* **1.** a se pierde, a dispărea, a se rătăci. **2.** *fig.* a se desfrâna.

perdrix *s.f.* potârniche.

perdu, -e I. *adj.* **1.** pierdut, rătăcit. **2.** dispărut. **3.** *fig.* cufundat în, adâncit în. **4.** stricat ‖ *à ses heures ~es* în momentele sale de răgaz; *peine ~e* oboseală zadarnică; *à corps ~* cu impetuozitate. **II.** *s.m.* nebun, smintit.

père *s.m.* **1.** tată. **2.** părinte, creator. **3.** moş, bătrân. **4.** preot, călugăr. **5.** *pl.* strămoşii.

pérégrination *s.f.* peregrinare, pribegie.

pérennité *s.f.* perenitate, veşnicie.

perfectible *adj.* perfectibil.

perfection *s.f.* **1.** perfecțiune, desăvârşire. **2.** terminare, definitivare.

perfectionnement *s.m.* perfecționare, desăvârşire.

perfectionner *vt., vr.* a (se) perfecționa, a (se) desăvârşi.

perfide *adj., s.m.f.* perfid.

perforation *s.f.* perforare, perforație, găurire.

perforer *vt.* a perfora, a găuri.

performance *s.f.* performanţă.

péricliter *vt.* a periclita, a pune în pericol.

péril *s.m.* pericol, primejdie ‖ *à ses risques et ~s* pe răspunderea sa.

périlleux, -euse *adj.* periculos, primejdios.

périmer *vi.* a se perima.

périmètre *s.m.* perimetru.

périnée *s.m.* perineu.

période *s.f.* perioadă.

périodicité *s.f.* periodicitate.

périodique I. *adj.* periodic. **II.** *s.m.* periodic, ziar.

péripetie *s.f.* peripeție, întâmplare.

périphérie *s.f.* periferie.

périphérique *adj.* periferic.

périphrase *s.f.* perifrază.

périple *s.m.* periplu, călătorie.

périr *vi.* a pieri, a muri.

périssable *adj.* perisabil.

péritonite *s.f.* peritonită.

perle *s.f.* perlă.

permanence *s.f.* permanenţă.

perméabilité *s.f.* permeabilitate.

perméable *adj.* permeabil.

permettre I. *vt.* a permite, a îngădui. **II.** *vr.* a-şi permite.

permis *s.m.* permis.

permission *s.f.* autorizaţie, permisie, încuviinţare.

pernicieux, -euse *adj.* pernicios, primejdios.

péroraison *s.f.* perorare, peroraţie.

pérorer *vi.* a perora.

perpendiculaire I. *adj.* perpendicular. **II.** *s.f.* (linie) perpendiculară.

perpendiculairement *adv.* perpendicular.

perpendicularité *s.f.* perpendicularitate.

perpétuation *s.f.* perpetuare.

perpétuel, -le *adj.* perpetuu, veşnic.

perpétuité *s.f.* perpetuitate, veşnicie ‖ *à ~* pe viaţă, pe veci.

perplexe *adj.* perplex.

perplexité *s.f.* perplexitate, nedumerire.

perquisition *s.f.* perchezіţie.

perroquet *s.m.* papagal.

perruque *s.f.* perucă.

persécuter *vt.* **1.** a persecuta, a chinui. **2.** *fig.* a plictisi, a pisa.

persécution *s.f.* persecuţie, persecutare.

persévérance *s.f.* perseverenţă, stăruinţă.

persévérer *vi.* a persevera, a stărui.

persienne *s.f.* oblon.

persiflage *s.m.* persiflaj, zeflemisire.

persil *s.m.* pătrunjel.

persistance *s.f.* persistenţă, trăinicie, durată.

persistant, -e *adj.* persistent, trainic, durabil.

persister *vt.* a persista, a se menţine.

personnage *s.m.* personaj, persoană importantă.

personnalité *s.f.* personalitate, persoană importantă.

personne I. *s.f.* persoană. **II.** *pron.* nehot. nimeni.

personnel, -le *adj., s.m.* personal.

personnification *s.f.* personificare.

personnifier *vt.* a personifica.

perspective *s.f.* perspectivă.

perspicacité *s.f.* perspicacitate, agerime.

persuader I. *vt.* a convinge. **II.** *vr.* a se convinge, a crede, a-şi închipui.

persuasif, -ive *adj.* persuasiv, convingător.

persuasion *s.f.* convingere.

perte *s.f.* **1.** pierdere. **2.** moarte, ruină. **3.** pagubă, prejudicii ‖ *à ~* în pierdere. v. **vue.**

perturbation *s.f.* perturbaţie, perturbare.

perversion *s.f.* perversiune, pervertire; depravare.

pervertir I. *vt.* **1.** a perverti, a strica, a corupe. **2.** *fig.* a denatura. **II.** *vr.* a se perverti, a se corupe.

pesamment *adv.* greoi, fără graţie.

pesant, -e I. *adj.* **1.** greu. **2.** greoi (şi *fig.*) lent. **II.** *s.m.* greutate ‖ *valoir son ~ d'or* a fi perfect.

pesanteur *s.f.* **1.** greutate. **2.** *fig.* încetineală, lipsă de vioiciune.

pesée *s.f.* **1.** cântărire. **2.** cantitate cântărită.

peser **I.** *vt.* **1.** a cântări. **2.** *fig.* a examina, a reflecta. **II.** *vi.* **1.** a cântări, a trage la cântar. **2.** a apăsa cu putere. **3.** *fig.* a împovăra, a apăsa.

pessimisme *s.m.* pesimism.

pessimiste *adj., s.m.f.* pesimist.

peste **I.** *s.f.* **1.** ciumă. **2.** *fig.* persoană nesuferită. **II.** *interj.* **1.** la dracu! **2.** drace!

pester *vi.* **1.** a drăcui. **2.** a fi furios.

pestiféré, -e *adj., s.m.f.* ciumat.

pestilentiel, -le *adj.* pestilențial.

pétale *s.m.* petală.

pétard *s.m.* petardă, pocnitoare.

pétillant, -e *adj.* **1.** care pocnește, pârâie. **2.** strălucitor, sclipitor, scânteietor.

pétillement *s.m.* **1.** pârâit, trosnitură, pocnitură. **2.** sclipire, scânteiere.

pétiller *vi.* **1.** a pârâi. **2.** a solipi, a scânteia. **3.** a țâșni.

petit, -e I. *adj.* **1.** mic. **2.** *fig.* neînsemnat. **3.** meschin ‖ ~ à ~ încetul cu încetul. **II.** *s.m.* **1.** micuț. **2.** pui, copil.

petite-fille (*pl.* **petites-filles**) *s.f.* nepoată (de fiu, de fiică).

petitement *adv.* **1.** puțin. **2.** meschin. **3.** *fig.* josnic.

petit-fils (*pl.* **petits-fils**) *s.m.* nepot (de fiu, de fiică).

pétition *s.f.* petiție, cerere.

pétri, -e *adj.* **1.** frământat. **2.** *fig.* plin.

pétrifier *vt.* a împietri, a petrifica (și *fig.*).

pétrin *s.m.* copaie de frământat ‖ *fam. être dans le ~* a fi în încurcătură.

pétrir *vt.* **1.** a frământa, a plămădi. **2.** *fig.* a forma, a educa.

pétrole *s.m.* **1.** petrol. **2.** gaz lampant, gaz.

pétrolier, -ère I. *adj.* petrolier ‖ *industrie* ~ industrie petroliferă. **II.** *s.m.* petrolier.

pétrolifère *adj.* petrolifer.

pétulance *s.f.* vioiciune, zburdălnicie.

pétulant, -e *adj.* vioi, zburdalnic.

pétunia *s.m. bot.* petunie.

peu I. *adv.* puțin. **II.** *s.m.* puținul ‖ *un homme de* ~ un om de nimic; *sous* ~ peste puțin; *à* ~ *près* cam, aproape; *tant soit* ~ oricât de puțin; *pour* ~ *que, si* ~ *que* oricât de puțin; ~ *à* ~ puțin câte puțin.

peuple *s.m.* **1.** popor. **2.** mulțime.

peuplé, -e *adj.* populat, plin.

peuplement *s.m.* populare.

peupler *vt.* a popula.

peuplier *s.m.* plop.

peur *s.f.* frică, groază, spaimă ‖ *avoir ~* a-i fi frică; *causer de la ~* a speria, a înfricoșa; *de ~ que* de frică să, de teamă că.

peureux, -euse *adj., s.m.f.* fricos, sperios.

peut-être I. *adv.* poate. **II.** *s.m. invar.* posibilitate.

phaéton *s.m.* **1.** faeton. **2.** vizitiu, cărutaș.

phalange *s.f.* falangă.

phantasme *s.m.* fantasmă, nălucire.

pharaon *s.m.* faraon.

phare *s.m.* **1.** far. **2.** *fig.* ghid, călăuză.

pharisien, -ne *s.m.f.* fariseu, ipocrit.

pharmacetique *adj.* farmaceutic.

pharmacie *s.f.* farmacie.

pharmacien, -enne *s.m.f.* farmacist.

pharyngite *s.f.* faringită.

phase *s.f.* fază, perioadă.

phénix *s.m.* pasărea Phoenix.

phénol *s.m.* fenol.

phénoménal, -e *adj.* fenomenal, uimitor.

phénomène *s.m.* fenomen.

philantrope *s.m.* filantrop.

philantropique *adj.* filantropic.

philatélie *s.f.* **philatélisme** *s.m.* filatelie.

philatéliste *s.m.* filatelist.

philharmonique *adj.* **1.** iubitor de muzică, de concerte. **2.** filarmonic.

philologie *s.f.* filologie.

philologique *adj.* filologic.

philologue *s.m.* filolog.

philomèle *s.f. poet.* privighetoare.

philosophe *s.m., adj.* filozof.

philosopher *vi.* a filozofa.

philosophie *s.f.* filozofie.

philosophique *adj.* filozofic.

philtre *s.m.* filtru, băutură magică.

phobie *s.f.* fobie.

phonétique I. *adj.* fonetic. **II.** *s.f.* fonetică.

phonographe *s.m.* fonograf.

phoque *s.m.* focă.

phosphate *s.m.* fosfat.

phosphoré, -e *adj.* fosforescent, cu fosfor.

phosphorescence *s.f.* fosforescență.

photo *s.f.* fotografie.

photocopie *s.f.* fotocopie.

photogénie *s.f.* fotogenie.

photographe *s.m.* fotograf.

photographier *vt.* a fotografia.

photosynthèse *s.f.* fotosinteză.

phrase *s.f.* frază ‖ *faire des ~s* a spune vorbe goale, a vorbi cu emfază.

phraséologie *s.f.* frazeologie.

phtisie *s.f.* ftizie, tuberculoză.

phtisique *adj.* ftizic, tuberculos.

phylloxéra, phylloxera *s.m.* filoxeră.

physicien, -enne *s.m.f.* fizician.

physiologie *s.f.* fiziologic.

physiologique *adj.* fiziologic.

physionomie *s.f.* fizionomie, înfățișare.

physique I. *adj.* fizic. **II.** *s.m.* fizic, înfățișare fizică. **III.** *s.f.* fizică.

piaffer *vi.* **1.** (despre cai) a tropăi, a da din picioare. **2.** *fig.* a fremăta.

piailler *vi.* a piui.

piaillerie *s.f.* piuit, țipăt.

pianiste *s.m.* pianist.

piano *s.m.* pian.

pic[1] *s.m.* **1.** târnăcop. **2.** pisc, culme, vârf || *à ~* perpendicular.

pic[2] *s.m.* ciocănitoare.

pichenette *s.f.* bobârnac.

pichet *s.m.* urcior.

pickpocket *s.m.* hoț de buzunare.

pick-up *s.m.* picup.

picorer I. *vi.* a ciuguli, a piguli. **II.** *vt.* a ciupi de ici și colo.

picotement *s.m.* furnicătură.

picoter *vt.* **1.** a pișca, a înțepa. **2.** a ciuguli. **3.** *fam.* a tachina.

pie I. *s.f.* **1.** coțofană. **2.** *fam.* persoană vorbăreață, flecar. **II.** *adj. invar.* alb și negru, alb și roșcat.

pièce *s.f.* **1.** bucată. **2.** piesă. **3.** piesă de teatru. **4.** cameră. **5.** act, document. **6.** petic. **7.** monedă, ban || *donner la ~* a da bacșiș.

pied *s.m.* **1.** picior || *lâcher ~* a fugi, a ceda; *mettre ~ à terre* a descăleca, a coborî; *à ~* pe jos; *de ~ ferme* a) nemișcat; b) țanțoș,

fără teamă. **2.** poale, parte de jos (la munte).

pied-à-terre *s.m.* locuință provizorie.

piédestal *s.m.* piedestal.

piège *s.m.* cursă, capcană (și *fig.*).

pierre *s.f.* piatră.

pierreries *s.f. pl.* pietre prețioase, giuvaericale.

piété *s.f.* pietate, cucernicie.

piétinement *s.m.* călcare în picioare.

piétiner I. *vt.* a călca în picioare. **II.** *vi.* a tropăi || *~sur place* a bate pasul pe loc.

piéton *s.m.* pieton.

piètre *adj.* mediocru, fără valoare.

pieu *s.m.* par, stâlp, țăruș.

pieusement *adv.* cu pietate.

pieuvre *s.f.* caracatiță.

pieux, -euse *adj.* pios, evlavios, cucernic.

pigeon, -onne I. *s.m.f.* porumbel. **II.** *s.m. fig.* nătărău.

pigeonnier *s.m.* porumbar, coteț pentru porumbei.

pigmentation *s.f.* pigmentare, pigmentație.

pignon *s.m.* **1.** pinion. **2.** coama unui zid || *avoir ~sur rue* a avea casă proprie.

pile *s.f.* stemă la o monedă.

piler *vt.* a pisa.

pilier *s.m.* stâlp (și *fig.*).

pillage *s.m.* jaf, jefuire.

piller *vt.* **1.** a jefui, a prăda. **2.** a plagia.

pilon *s.m.* mai de bătut.

pilonner *vt.* a bate cu maiul.

pilori *s.m.* stâlp (al infamiei) ‖ *mettre au* ~ a țintui la stâlpul infamiei.

pilotage *s.m.* pilotaj, pilotare.

pilote *s.m.* **1.** pilot, cârmaci. **2.** *fig.* călăuză.

piloter *vt.* **1.** a pilota (un vas, un avion). **2.** *fig.* a călăuzi, a conduce.

pilule *s.f.* pilulă, hap ‖ *fam. fig. avaler la* ~ a înghiți gogoși; *fig. dorer la* ~ a poleli.

piment *s.m.* ardei iute.

pimenter *vt.* **1.** a ardeia. **2.** *fig.* a pipera.

pin *s.m.* pin.

pince *s.f.* **1.** clește, pensă. **2.** strângere, apucare.

pincé, -e *adj.* **1.** înțepat. **2.** rece, sec.

pinceau *s.m.* **1.** pensulă. **2.** manieră de a picta. **3.** pictor.

pincer **I.** *vt.* **1.** a ciupi, a pișca. **2.** *fam.* a prinde (un hoț, un răufăcător). **II.** *vi.* a cânta ‖ ~ *de la harpe* a cânta din harpă.

pince-sans-rire *s.m.* persoană imperturbabilă.

pincette *s.f.* **1.** pensetă. **2.** clește, vătrai.

pingouin *s.m.* pinguin.

pinson *s.m.* cintezoi.

pintade *s.f.* biblică.

pinter *vi.*, *vr. pop.* a bea, a trage la măsea.

pioche *s.f.* cazma, hârleț.

piocher *vt.* **1.** a săpa. **2.** *fig.* a toci.

piocheur, -euse *adj.*, *s.m.f.* **1.** săpător. **2.** tocilar.

pionnier *s.m.* pionier.

pipe *s.f.* lulea, pipă.

piper *vt.* **1.** a prinde (păsări) în cursă. **2.** a înșela, a trișa.

piperie *s.f.* înșelătorie, trișare.

pipette *s.f.* pipetă.

piquant **I.** *adj.* **1.** picant, înțepător. **2.** *fig.* mușcător, spiritual. **II.** *s.m.* **1.** spin, ac. **2.** parte nostimă, picantă.

pique **I.** *s.f.* **1.** suliță. **2.** pică, supărare. **II.** *s.m.* pică (la jocul de cărți).

piqué, -e *adj.* **1.** acrit, înțepat. **2.** ros, alterat.

pique-nique *s.m.* picnic.

piquer **I.** *vt.* **1.** a împunge, a înțepa. **2.** a pișca, a ustura. **3.** a tigheli. **4.** *fig.* a ațâța, a trezi. **5.** *fig.* a supăra, a răni ‖ ~ *au vif* a răni, a supăra adânc. **6.** ~ *une tête* a se arunca în apă. **II.** *vi.* **1.** (despre băuturi) a se acri. **2.** ~ *des deux* a da pinteni (calului). **III.** *vr.* **1.** a se înțepa. **2.** a se făli, a se lăuda || se ~ de a avea pretenția.

piquet *s.m.* **1.** țăruș. **2.** pichet (de soldați, de grevă). **3.** pichet (joc de cărți).

piqûre *s.f.* **1.** înțepătură. **2.** injecție.

pirate *s.m.* pirat.

pire *adj.* mai rău || le ~ cel mai rău.

pirogue *s.f.* pirogă.

pirouette *s.f.* piruetă (și *fig.*).

pirouetter *vi.* a face piruete.

pis[1] *s.m.* uger.

pis[2] *adv.* mai rău || de mal en ~ din lac în puț; au ~ aller în cazul cel mai rău.

piscicole *adj.* piscicol.

piscine *s.f.* piscină, ștrand.

pissenlit *s.m.* păpădie.

pisser *vt.*, *vi.* a urina.

pistache *s.f.* fistic.

piste *s.f.* **1.** pistă. **2.** urmă.

piston *s.m.* **1.** piston. **2.** *fig.* pilă, protecție.

pitance *s.f.* hrană zilnică.

piteusement *adv.* în mod jalnic.

piteux, -euse *adj.* trist, demn de milă, jalnic.

pitié *s.f.* milă, compătimire.

pitoyable *adj.* **1.** demn de milă, jalnic. **2.** *înv.* milos.

pitre *s.m.* paiață, bufon, măscărici.

pittoresque *adj.* pitoresc.

pivert *s.m.* gheonoaie verde.

pivoine *s.f.* bujor.

pivot *s.m.* **1.** pivot. **2.** *fig.* bază, fundament.

pivoter *vi.* a pivota.

placage *s.m.* placaj.

placard *s.m.* **1.** dulap în perete. **2.** placardă, afiș, aviz. **3.** *tipogr.* șpalt.

place *s.f.* **1.** loc. **2.** slujbă, post. **3.** piață || à la ~ de în locul; faire ~ a face loc; prendre ~ a lua loc; mettre qn. en ~ a băga pe cineva în slujbă.

placement *s.m.* **1.** plasare (în serviciu). **2.** vânzare. **3.** plasament.

placer *vt.* **1.** a pune, a plasa. **2.** a băga în serviciu. **3.** a vinde. **4.** a plasa, a investi (bani).

placeur, -euse *s.m.f.* **1.** persoană care procură o slujbă. **2.** plasator.

placide *adj.* placid, calm, pașnic.

placidité *s.f.* placiditate, calm.

plafond *s.m.* plafon, tavan.

plafonner *vt.* **1.** a face tavanul. **2.** *av.* a plafona, a zbura cât mai sus cu putință.

plage *s.f.* plajă.

plagier *vt.* a plagia, a comite un plagiat.

plaid *s.m.* pled, pătură.

plaidant, -e *adj.* pledant.

plaider *vi.*, *vt.* a pleda, a susține o cauză.

plaidoirie *s.f.*, **plaidoyer** *s.m.* pledoarie.

plaie *s.f.* 1. rană, plagă. 2. flagel. 3. *fig.* durere, rană.

plaignant, -e *s.m.f.* reclamant.

plain, -e *adj.* neted, plat ‖ *de ~- pied* la acelaşi nivel.

plaindre I. *vt.* a plânge, a compătimi, a regreta. **II.** *vr.* 1. a se plânge, a se văita. 2. a reclama (în justiţie).

plaine *s.f.* câmpie, şes.

plainte *s.f.* 1. geamăt, plânset. 2. plângere, reclamaţie.

plaintif, -ive *adj.* plângăreţ, tânguitor.

plaire I. *vi.* a plăcea, a fi agreabil. **II.** *vr.* 1. a se plăcea. 2. a-i plăcea, a se simţi bine.

plaisamment *adv.* 1. (în mod) plăcut, ageabil. 2. caraghios, ridicol.

plaisant, -e I. *adj.* 1. plăcut. 2. hazliu, amuzant. 3. ridicol. **II.** *s.m.* 1. glumeţ, mucalit. 2. parte hazlie, amuzantă.

plaisanter I. *vi.* a glumi, a nu vorbi serios. **II.** *vt.* a râde de cineva.

plaisanterie *s.f.* 1. glumă ‖ *entendre la ~* a şti de glumă. 2. fleac, nimic.

plaisir *s.m.* 1. plăcere. 2. distracţie, petrecere. 3. plăcere ‖ *par ~* de plăcere; *partie de ~* petrecere; *bon ~* bun plac.

plan¹ *s.m.* 1. plan. 2. plan, proiect ‖ *laisser en ~* a lăsa baltă.

plan², -e *adj.* plan, neted.

planche *s.f.* 1. scândură. 2. planşă. 3. răzor, brazdă. 4. plută. (la înot). 5. *pl.* teatru, scenă ‖ *monter sur les ~s* a juca teatru.

plancher *s.m.* 1. planşeu. 2. podea, pardoseală.

planchette *s.f.* 1. scândurică. 2. planşetă.

planer *vi.* a plana, a pluti.

planétaire *adj.* planetar.

planète *s.f.* planetă.

plantage *s.m.* plantare, sădire.

plantation *s.f.* 1. plantare, sădire. 2. plantaţie.

plante *s.f.* 1. plantă. 2. talpa piciorului.

planté, -e *adj.* 1. plantat, sădit. 2. *fig.* înfipt, aşezat.

planter *vt.* 1. a planta, a sădi. 2. a înfinge, a implânta. 3. a arbora, a înălţa ‖ *~ là qn.* a părăsi brusc pe cineva, a lăsa mască pe cineva.

planteur *s.m.* plantator.

planton *s.m.* planton.

plantureux, -euse *adj.* 1. abundent, îmbelşugat. 2. rodnic, fertil.

plaque *s.f.* 1. placă, tăbliţă. 2. decoraţie, ordin.

plaqué *s.m.* metal suflat, placat.

plaquer *vt.* 1. a placa (un metal, lemnul). 2. a placa (un jucător de rugby). 3. *fam.* a părăsi.

plasma *s.m.* plasmă.

plasticité *s.f.* plasticitate.

plastique I. *adj.* plastic. **II.** *s.f.* plastic. **III.** *s.m.* material plastic.

plastron *s.m.* plastron.

plastronner I. *vt.* a pune plastron. **II.** *vi.* *fig.* a face pe grozavul.

plat[1] *s.m.* **1.** farfurie. **2.** fel de mâncare.

plat[2], **-e I.** *adj.* **1.** plat, neted. **2.** gol ‖ *avoir la bourse* ~*e* a avea punga goală. **3.** desăvârșit, perfect ‖ *calme* ~ calm desăvârșit (pe mare). **4.** *fig.* șters, searbăd. **5.** (despre păr) lins. **II.** *s.m.* latul, partea lată.

plateau *s.m.* **1.** platou, podiș. **2.** tavă. **3.** taler.

platine *s.m.* platină.

platiner *vt.* **1.** a acoperi cu un strat de platină. **2.** a platina, a da culoarea platinei.

platitude *s.f.* **1.** platitudine, banalitate. **2.** josnicie.

platonique *adj.* platonic.

plâtre *s.m.* ghips, ipsos.

plausible *adj.* plauzibil.

plèbe *s.f.* plebe, popor.

pléiade *s.f.* pleiadă.

plein, -e I. *adj.* **1.** plin, încărcat. **2.** complet, deplin. **3.** rotund, gras ‖ *avoir le cœur* ~ a fi trist. **II.** *s.m.* **1.** plinul. **2.** flux. **III.** *prep.* plin, cu vârf.

plénier, -ère *adj.* plenar ‖ *séance* ~*ère* ședință plenară.

plénipotentiaire *adj., s.m.* plenipotențiar.

plénitude *s.f.* **1.** plenitudine, abundență. **2.** deplinătate.

pléonasme *s.m.* pleonasm.

pleurer I. *vi.* a plânge. **II.** *vt.* **1.** a plânge (pe cineva). **2.** a regreta, a se căi.

pleurésie *s.f.* pleurezie.

pleureur, -euse I. *adj., s.m.f.* plângător, plângăreț. **II.** *s.f.* bocitoare; v. **saule.**

pleutre *adj., s.m.* ticălos, netrebnic.

pleuvoir I. *v. impers.* a ploua. **II.** *vi.* a curge, a ploua cu (și *fig.*).

pli *s.m.* **1.** cută, pliu. **2.** plic. **3.** scrisoare. **4.** rid, zbârcitură. **5.** încrețitură, ondulație. **6.** *fig.* obicei, apucătură.

plier I. *vt.* **1.** a îndoi, a plia. **2.** a încovoia. **3.** *fig.* a constrânge. **II.** *vi.* **1.** a se îndoi, a se încovoia, a se înclina. **2.** *fig.* a ceda, a se retrage ‖ ~ *bagage* a o șterge.

plissé, -e I. *adj.* plisat, încrețit. **II.** *s.m.* pliseu, cută.

plisser I. *vt.* a plisa. **II.** *vi.* a face pliuri.

pliure *s.f.* fălțuire (a hârtiei).

plomb *s.m.* **1.** plumb. **2.** glonț.

plomber I. *vi.* **1.** a plumbui. **2.** a pune peceți de plumb. **3.** a plomba. **II.** *vr.* a se întuneca, a se mohorî, a deveni plumburiu.

plombier *s.m.* **1.** lucrător în plumb. **2.** instalator.

plongée *s.f.* scufundare.

plonger I. *vt.* **1.** a scufunda. **2.** a înfige, a împlânta. **3.** a vârî, a arunca. **4.** *fig.* a cufunda. **II.** *vi.* **1.** a se arunca în apă. **2.** a se coborî. **III.** *vr.* **1.** a se scufunda. **2.** *fig.* a se cufunda.

ployer I. *vt.* a îndoi, a încovoia. **II.** *vi.* a se încovoia, a se pleca (și *fig.*).

pluche *s.f.* v. peluche.

pluie *s.f.* ploaie.

plume *s.f.* **1.** pană. **2.** peniță. **3.** *fig.* scriitor.

plumeau *s.m.* mătură din pene.

plumer *vt.* a jumuli (și *fig.*).

plumier *s.m.* penar.

plupart *s.f.* majoritate.

plurarité *s.f.* pluraritate.

pluriel, -le *adj., s.m. gram.* plural.

plus I. *adv.* **1.** mai mult. **2.** plus. **II.** *s.m.* maximum, plus ‖ *d'autant ~* cu atât mai mult; *sans ~* fără nimic mai mult; *tout au ~* cel mult; *de ~ en ~* din ce în ce mai mult.

plusieurs I. *adj.* mai mulți, câțiva. **II.** *pron.* unii.

plus-value (*pl.* **plus-values**) *s.f.* plusvaloare.

plutôt *adv.* mai degrabă.

pluvieux, -euse *adj.* ploios.

pneu *s.m.* pneu, cauciuc.

pneumatique I. *adj.* pneumatic. **II.** *s.f.* pneumatică.

pneumonie *s.f.* pneumonie.

pneumothorax pneumotorax.

poche *s.f.* **1.** buzunar. **2.** gușă (la păsări). **3.** polonic; lingură mare (de supă).

poché, -e *adj.* învinețit ‖ *œufs ~s* (ouă) ochiuri.

pocher *vt.* a învineți ‖ *~ les œufs* a face ouă ochiuri.

podagre I. *adj., s.m.f.* bolnav de gută. **II.** *s.f.* podagră, gută.

poêle[1] *s.m.* sobă.

poêle[2] *s.f.* tigaie.

poème *s.m.* poem.

poésie *s.f.* poezie.

poète *s.m.* poet.

poétique I. *adj.* poetic. **II.** *s.f.* poetică, arta poeziei.

poétiser *vt.* a poetiza.

poids *s.m.* **1.** greutate. **2.** *fig.* importanță. **3.** povară.

poignant, -e *adj.* cumplit, sfâșietor.

poignard *s.m.* pumnal.

poignarder *vt.* a înjunghia.

poignée *s.f.* **1.** un pumn, o mână de ‖ *une ~ de sel* un pumn de sare. **2.** *fig.* câțiva, o mână de ‖

une ~ de soldats o mână de soldați. **3.** mâner. **4.** clanță. ‖ *une ~ de main* o strângere de mână; *à ~ fig.* din plin.

poignet *s.m.* încheietura mâinii.

poil *s.m.* păr, peri ‖ *homme à ~* om energic.

poilu, -e **I.** *adj.* păros. **II.** *s.m.* **1.** om energic. **2.** soldat francez din războiul 1914-1918.

poinçonner *vt.* a poansona.

poindre *vi.* a răsări, a se ivi, a apărea.

poing *s.m.* pumn.

point[1] *s.m.* **1.** punct, loc. **2.** dantelă. **3.** grad. **4.** notă (la școală) ‖ *le ~ du jour* zorii zilei; *~ de côté* junghi; *à ~* **a)** la țanc; **b)** cum trebuie, potrivit; *à ~ nommé* la timpul fixat; *au dernier ~* grozav de; *en tout ~* în total.

point[2] *adv.* (negație) nu, de loc.

pointage *s.m.* **1.** împungere, perforare, marcare. **2.** îndreptare (a unei arme etc.) spre țintă.

pointe *s.f.* **1.** vârf. **2.** poantă, vorbă de spirit. **3.** cui, țintă. **4.** *fig.* un pic, un dram de ‖ *la ~ du jour* zorii zilei.

pointer **I.** *vt.* **1.** a puncta, a însemna. **2.** a ținti, a îndrepta. **II.** *vi.* **1.** a se ridica, a se înălța. **2.** a încolți, a începe să crească.

pointiller **I.** *vt.* **1.** a puncta, a face puncte. **2.** *fig.* a împunge, a înțepa. **II.** *vi.* **1.** a face puncte. **2.** *fig.* a cicăli.

pointu, -e *adj.* **1.** ascuțit. **2.** *fig.* minuțios, pretențios.

pointure *s.f.* măsură, număr (la pantofi, la pălărie etc.)

poire *s.f.* **1.** pară ‖ *garder une ~ pour la soif* a păstra bani albi pentru zile negre. **2.** *fig.* imbecil.

poireau *s.m.* praz.

poirée *s.f.* varietate de sfeclă.

poirier *s.m. bot.* păr (pom fructifer).

pois *s.m.* mazăre.

poison *s.m.* otravă (și *fig.*)

poisson *s.m.* pește.

poissonnier, -ière *s.m.f.* pescar, vânzător de pește.

poitrail *s.m.* **1.** pieptul calului. **2.** pieptar (la ham).

poitrinaire *adj., s.m.f.* tuberculos.

poitrine *s.f.* **1.** piept. **2.** plămâni.

poivre *s.m.* piper ‖ *fam. ~ et sel* cenușiu, gri.

poivré, -e *adj.* **1.** piperat (și *fig.*). **2.** *fig.* caustic, sarcastic. **3.** *fig.* deocheat.

poivrer *vt.* a pipera.

polaire *adj.* polar.

polarisation *s.f.* polarizare.

polariser *vt.* a polariza.

pôle *s.m.* pol.

polémique I. *s.f.* polemică, ceartă. **II.** *adj.* polemic.

polenta *s.f.* mămăligă.

pôli, -e I. *adj.* **1.** lustruit, şlefuit (şi *fig.*). **2.** bine crescut, politicos. **II.** *s.m.* lustru, strălucire.

police *s.f.* poliţie. **2.** poliţă.

policer *vt.* **1.** a civiliza, a îndulci moravurile. **2.** a administra bine.

polichinelle *s.m.* **1.** măscărici. **2.** *fam.* secătură, lichea ‖ *secret de ~* ceea ce ştie toată lumea.

policier, -ère *adj.*, *s.m.f.* poliţist, poliţienesc.

poliment *adv.* (în mod) politicos, cu politeţe.

poliomyélite *s.f.* poliomielită.

polir *vt.* a lustrui, a şlefui (şi *fig.*).

pôlissage, polissement *s.m.* lustruire, şlefuire.

polisson, -onne I. *s.m.f.* **1.** haimana, vagabond. **2.** ştrengar. **3.** desfrânat, stricat. **II.** *adj.* liber, fără perdea.

polissure *s.f.* poleire, lustru.

politesse *s.f.* politeţe, bună creştere.

politicien, -enne *s.m.f.* politician.

politique[1] *s.f.* **1.** politică. **2.** dibăcie.

politique[2] **I.** *adj.* **1.** politic. **2.** iscusit, dibaci. **II.** *s.m.* om politic.

pollen *s.m.* polen.

pollinisation *s.f.* polenizare.

polluer *vt.* a murdări, a spurca.

pollution *s.f.* **1.** profanare, spurcare. **2.** *med.* poluţie.

polonais, -e I. *adj.*, *s.m.f.* (cu *maj*) polonez. **II.** *s.m.* limba poloneză.

poltronnerie *s.f.* laşitate.

polygame *s.m.* poligam.

polyglotte *adj.*, *s.m.f.* poliglot.

polygone *s.m.* poligon.

polygraphe *s.m.* poligraf.

polynôme *s.m.* polinom.

polype *s.m.* polip.

polytechnicien *s.m.* politehnician.

polytechnique *adj.* politehnic.

pomiculteur *s.m.* pomicultor.

pommade *s.f.* pomadă, alifie.

pomme *s.f.* măr ‖ *~ de terre* cartof.

pommette *s.f.* umărul obrazului; *pl.* pomeţi.

pommier *s.m.* măr (pom fructifer).

pompe *s.f.* pompă (şi *fig.*).

pomper *vt.* **1.** a pompa. **2.** a absorbi, a atrage.

pompeux, -euse *adj.* pompos, fastuos.

pomponner *vt.*, *vr.* a (se) împodobi, a (se) găti.

ponce *s.f.* (în *expr.*) *pierre ~* piatră ponce.

poncif, -ive I. *adj.* banal, fără valoare. **II.** *s.m.* banalitate.

ponction *s.f.* puncţie.

ponctualité *s.f.* punctualitate.

ponctuation *s.f.* punctuaţie.

ponctuel, -elle *adj.* punctual, exact.

ponctuer *vt.* **1.** a puncta. **2.** *gram.* a pune semne de punctuație **3.** a accentua.

pondaison *s.f.* ouat (la păsări).

pondération *s.f.* **1.** echilibru. **2.** ponderație, moderație.

pondre *vt.* a oua.

pont *s.m.* pod, punte.

pontage *s.m.* pontaj.

ponter 1. *vt.* a face o punte. **2.** *vi.* a ponta, a miza.

pontife *s.m.* pontif (și *fig.*).

pope *s.m.* popă.

popote *s.f.* popotă.

populaire I. *adj.* popular. **II.** *s.m. peior.* popor, norod.

populariser *vt.* a populariza.

popularité *s.f.* popularitate.

population *s.f.* populație.

porc *s.m.* **1.** porc (și *fig.*). **2.** carne de porc.

porcelaine *s.f.* porțelan.

porche *s.m.* portic, tindă.

porcher, -ère *s.m.f.* porcar, păzitor de porci.

pore *s.m.* por.

poreux, -euse *adj.* poros.

pornographie *s.f.* pornografie.

porosité *s.f.* porozitate.

porphyre *s.m.* porfir.

port[1] *s.m.* **1.** port. **2.** *fig.* adăpost ‖ *arriver à bon* ~ a ajunge cu bine; *faire naufrage au* ~ a se îneca la mal.

port[2] *s.m.* **1.** port, purtare ‖ ~ *d'armes* port de arme. **2.** transport.

portable *adj.* portabil.

portail *s.m.* portal.

portant, -e *adj.* **1.** purtător, care poartă ‖ *bien* ~/*mal* ~ sănătos/ bolnav. **2.** *tehn.* portant. ‖ *loc. adv. à bout* ~ de foarte aproape.

portatif, -ive *adj.* portativ, transportabil.

porte *s.f.* **1.** poartă. **2.** ușă ‖ *mettre qn. à la* ~ a da pe cineva afară; ~ *à* ~ ușă în ușă.

porte-bagages *s.m.* portbagaj.

porte-bonheur *s.m.* obiect aducător de noroc.

porte-clefs *s.m.* portchei.

portée *s.f.* **1.** distanță, bătaie. **2.** putere de înțelegere. **3.** *fig.* forță, influență, valoare. **4.** pui fătați. **5.** *muz.* portativ.

portefaix *s.m.* hamal, salahor.

portefeuille *s.m.* **1.** portofel. **2.** portofoliu.

portemanteau *s.m.* cuier.

porte-monnaie *s.m.* portmoneu.

porte-parole *s.m.* purtător de cuvânt.

porte-plume *s.m.* toc (de scris).

porter I. *vt.* **1.** a purta, a duce. **2.** a aduce, a produce. **3.** a îndrepta, a dirija. **4.** a cauza, a provoca. **5.** a împinge, a îndemna. **II.** *vi.* **1.** a se sprijini. **2.** a bate, a nimeri. **3.** a avea drept obiect, a ținti. **III.** *vr.* **1.** a se îndrepta. **2.** a se prezenta. **3.** a se deda. **4.** a duce ‖ *se ~ bien* a fi sănătos.

portier, -ière *s.m.f.* portar.

portière *s.f.* portieră.

portion *s.f.* porție, tain.

portique *s.m.* portic.

portrait *s.m.* portret.

portraitiste *s.m.* portretist.

pose *s.f.* **1.** punere, așezare. **2.** *fig.* poză, afectare.

posé, -e *adj.* serios, grav.

posément *adv.* fără grabă.

poser I. *vt.* **1.** a așeza, a pune, a instala. **2.** a pune în valoare. **II.** *vi.* **1.** a poza (și *fig.*). **2.** a se sprijini. **III.** *vr.* **1.** a se erija. **2.** a ateriza.

poseur, -euse *adj., s.m.f.* persoană afectată, care pozează.

positif, -ive I. *adj.* pozitiv; cert, sigur. **II.** *s.m.* pozitiv.

position *s.f.* **1.** poziție, situație, atitudine. **2.** slujbă.

possédé, -e 1. posedat; dominat. **2.** *s.m.f.* apucat, smintit.

posséder I. *vt.* **1.** a poseda. **2.** *fig.* a ști. **II.** *vr.* a se stăpâni.

possesseur *s.m.* posesor.

possessif *adj., s.m.* posesiv.

possibilité *s.f.* posibilitate, putință.

possible I. *adj.* posibil, cu putin-ță. **II.** *s.m.* posibilul.

postal, -e *adj.* poștal.

poste[1] *s.f.* poștă.

poste[2] *s.m.* **1.** post, serviciu. **2.** gardă. **3.** santinelă. **4.** aparat (de telefon, radio etc.).

poster I. *vt.* **1.** a expedia cu poșta. **2.** a posta, a așeza **II.** *vr.* a se posta.

postérieurement *adv.* posterior, după un timp.

postérité *s.f.* posteritate, urmași.

postface *s.f.* postfață (la o carte).

posthume *adj.* postum.

postier, -ère *s.m.f.* funcționar poștal.

postulant, -e *s.m.f.* postulant, solicitant.

postuler *vt.* a cere, a solicita.

posture *s.f.* postură, situație.

pot *s.m.* vas, oală ‖ *~ pourri* a) ghiveci; b) potpuriu; *~ de chambre* oală de noapte; *découvrir le ~ aux roses* a descoperi secretul; *tourner autour du ~* a lua pe departe.

potable *adj.* potabil, de băut.

potage *s.m.* ciorbă.

potager[1]**-ère** *adj.* **1.** comestibil. **2.** legumicol, de zarzavaturi.

potager[2] *s.m.* grădină de zarzavaturi.

potasser *vt. fam.* a toci, a studia minuțios.

pot-au-feu *s.m. invar.* rasol.

poteau *s.m.* **1.** stâlp. **2.** potou, linia sosirii.

potelé, -e *adj.* durduliu, grăsun, rotunjor.

potence *s.f.* spânzurătoare, stâlp.

potentiel, -elle *adj., s.m.* potențial.

poterie *s.f.* olărie.

potier *s.m.* olar.

potion *s.f.* poțiune.

pou *(pl.* **-x)** *s.m.* păduche.

poubelle *s.f.* ladă de gunoi.

pouce *s.m.* **1.** degetul gros (de la mână sau picior) ‖ *manger sur le ~* a mânca în grabă; *se mordre les ~s fig.* a-și mușca degetele. **2.** *fig.* un deget, o bucățică.

poudre *s.f.* **1.** praf, pulbere. **2.** pudră. **3.** praf de pușcă ‖ *n'avoir pas inventé la ~ fig.* a nu fi prea deștept.

poudrer *vt.* a pudra.

pouf *interj.* buf!

pouf *s.m.* **1.** taburet capitonat. **2.** comunicare solemnă și înșelătoare.

pouffer *vi.* a pufni, a izbucni.

poulailler *s.m.* **1.** coteț de găini. **2.** (la teatru) galerie.

poulain *s.m.* mânz.

poule *s.f.* **1.** găină ‖ *~ mouillée fig.* bleg; *avoir la chair de ~* a avea piele de gâscă; a fi îngrozit. **2.** *pop.* prostituată.

poulet *s.m.* pui (de găină).

poulie *s.m.* roată de scripete.

pouls *s.m.* puls.

poumon *s.m. anat.* plămân.

poupée *s.f.* păpușă.

poupon, -onne *s.m.f.* **1.** prunc. **2.** copil dolofan.

pouponnière *s.f.* creșă.

pour *prep.* **1.** pentru. **2.** în locul. **3.** la, spre. **4.** drept. **5.** ca, ca și, de. **6.** gata, pe punctul de ‖ *~ rire* în glumă; *~ lors* atunci; *~ que* pentru ca; *~ peu que* cât de puțin, cât de cât.

pourboire *s.m.* bacșiș.

pourceau *s.m.* porc.

pourcentage *s.m.* procentaj.

pourchasser *vt.* a urmări cu înverșunare.

pourlécher I. *vt.* a linge de jur împrejur. **II.** *vr.* a se linge pe buze.

pourparlers *s.m. pl.* convorbire, tratative.

pourpre I. *s.f.* purpură. **II.** *s.m., adj.* purpuriu.

pourquoi I. *conj., adv.* pentru ce, de ce. **II.** *s.m.* cauză, motiv.

pourri, -e I. *adj.* putred, putrezit, stricat (și *fig.*). **II.** *s.m.* putregai, putreziciune.

pourrir I. *vi.* a putrezi (și *fig.*). **II.** *vt.* a strica, a face să putrezească.

poursuite *s.f.* urmărire.

poursuivre *vt.* **1.** a urmări (și *fig.*). **2.** *fig.* a ochi, a ținti. **3.** a continua.

pourtant *conj.* totuşi.

pourvoir I. *vi.* (à) a prevedea, a avea grijă, a procura. II. *vt.* a înzestra, a căpătui. III. *vr.* 1. a se îngriji, a se aproviziona. 2. *jur.* a face recurs.

pousse *s.f.* 1. mlădiţă, vlăstar. 2. creştere.

poussée *s.f.* 1. împingere, brânci. 2. *med.* acces, puseu.

pousser I. *vt.* 1. a împinge, a îmbrânci. 2. a scoate (ţipete). 3. *fig.* a duce, a împinge. II. *vi.* a creşte. III. *vr.* a-şi face loc.

poussière *s.f.* praf, pulbere.

poussin *s.m.* puişor (de găină).

poutre *s.f.* grindă.

pouvoir[1] I. *vt.* a putea. II. *v. impers.* a se putea, a fi posibil. III. *vr.* a se putea.

pouvoir[2] *s.m.* 1. putere, autoritate. 2. trecere, vază, influenţă. 3. mandat. 4. capacitate, putinţă. 5. *pl.* împuterniciţi.

prairie *s.f.* pajişte, păşune.

praline *s.f.* pralină.

practicable *adj.* practicabil.

praticien, -ne *s.m.f.* practician.

pratique[1] *s.f.* 1. practică. 2. experienţă, pricepere. 3. obicei. 4. client, muşteriu.

pratique[2] *adj.* practic.

pratiquer *vt.* 1. a practica, a profesa. 2. a face. 3. a frecventa.

pré *s.m.* pajişte.

préalable *adj.* prealabil.

préambule *s.m.* preambul.

préavis *s.m.* preaviz.

précaire *adj.* precar, nesigur.

précaution *s.f.* precauţie, prevedere.

précédemment *adj.* mai înainte.

précédent, -e *adj., s.m.* precedent.

précéder *vt.* a preceda.

précepteur, -trice *s.m.f.* precaptor, dascăl.

prêche *s.m.* predică.

prêcher I. *vt.* 1. a predica, a propovădui. 2. a recomanda. 3. a dojeni. II. *vi.* ~ *d'exemple* a da exemplu.

précieux, -euse *adj.* preţios, scump, valoros.

préciosité *s.f.* afectare, preţiozitate.

précipice *s.m.* prăpastie.

précipitamment *adj.* (în mod) precipitat.

précipitation *s.f.* precipitare, mare grabă.

précipiter I. *vt.* 1. a arunca de sus. 2. a precipita, a grăbi. 3. *chim.* a precipita. II. *vr.* 1. a se arunca. 2. a se precipita, a se repezi. 3. *chim.* a se precipita.

précis, -e I. *adj.* precis, fixat, exact. II. *s.m.* manual.

précisément *adv.* 1. sigur. 2. tocmai.

préciser *vt.* a preciza.

précision *s.f.* precizie.

précocité *s.f.* precocitate.

préconçu, -e *adj.* preconceput.

préconiser *vt.* **1.** a recomanda, a propune. **2.** a preconiza, a emite o ipoteză.

précurseur *adj., s.m.* precursor, înaintaş.

prédécesseur *s.m.* predecesor.

prédestination *s.f.* predestinare.

prédestiner *vt.* a predestina, a meni.

prédication *s.f.* predică, predicare.

prédire *vt.* a prezice, a prevesti.

prédisposer *vt.* a predispune.

prédisposition *s.f.* predispoziţie, înclinare.

prédominance *s.f.* predominanţă, predominare.

prédominer *vi.* a predomina.

prééminence *s.f.* preeminenţă, întâietate.

préétablir *vt.* a prestabili.

préexistence *s.f.* preexistenţă.

préface *s.f.* prefaţă.

préfacer *vt.* a prefaţa (o carte).

préfecture *s.f.* prefectură.

préférable *adj.* preferabil.

préférence *s.f.* preferinţă.

préférer *vt.* a prefera.

préfet *s.m.* prefect.

préfixe *s.m.* prefix.

préhistoire *s.f.* preistorie.

préhistorique *adj.* preistoric.

préjudice *s.m.* prejudiciu, pagubă.

préjudicier *vi.* a prejudicia, a păgubi.

préjugé *s.m.* prejudecată.

prélever *vt.* a lua, a scoate o parte dintr-un întreg.

préliminaire I. *adj.* preliminar. **II.** *s.m.* introducere; *pl.* preliminarii.

prélude *s.m.* preludiu.

prématuré, -e *adj.* prematur (*fig.*).

prématurément *adv.* (în mod) prematur, de timpuriu.

préméditation *s.f.* premeditare.

préméditer *vt.* a premedita.

prémices *s.f. pl.* **1.** primele roade. **2.** *fig.* începuturi, debut.

prémier, -ère I. *adj.* primul, cel dintâi, cel mai bun. **II.** *s.m.f. jeune ~, jeune ~ère* prim(ă) amorez(ă). **III.** *s.f.* premieră.

premièrement *adv.* mai întâi.

prémisse *s.f.* premisă.

prémunir I. *vt.* a feri. **II.** *vr.* a se apăra, a se asigura.

prendre I. 1. a lua, a apuca. **2.** a ocupa, a pune mâna pe ‖ *prendre place*. **3.** a mânca ‖ *prendre un repas*. **4.** a utiliza ‖ *prendre le métro*. **5.** a se angaja, a o lua pe ‖ *prendre une route* a o lua pe un drum. **6.** a angaja ‖ *J'ai pris une secrétaire*. **7.** a prinde ‖ *prendre un voleur* a prinde un hoţ. **8.** a face ‖ *prendre un bain* a face o baie. **II. (se)** *vr.* a se prinde, a se agăța ‖ *sa jupe s'est prise à un clou* i s-a agăţat fusta de un cui; *expr. prendre feu* a se înflăcăra; *prendre une grippe* a se molipsi, îmbolnăvi de gripă; *prendre la mer* a se îmbarca.

preneur, -euse *s.m.f.* consumator.

prénom *s.m.* prenume.

préoccupation *s.f.* preocupare.

préparatifs *s.m. pl.* preparative.

préparation *s.f.* preparare, pregătire.

préparer *vt., vr.* a (se) pregăti, a (se) prepara.

prépondérance *s.f.* preponderenţă, dominanţă.

préposé, -e *s.m.f.* slujbaş, persoană însărcinată cu.

préposer *vt.* a da o sarcină (cuiva).

prépositif, -ive *adj.* prepoziţional.

préposition *s.f.* prepoziţie.

prérogative *s.f.* prerogativă.

près I. *adj.* aproape, îndeaproape. **II.** *prep.* lângă, pe lângă.

présage *s.m.* prevestire.

présager *vt.* a prevesti.

presbyte *s.m.f., adj.* presbit.

prescription *s.f.* **1.** *jur.* prescripţie, prescriere. **2.** *med.* reţetă.

prescrire I. *vt.* a prescrie, a ordona. **II.** *vr. jur.* a se prescrie.

préséance *s.f.* precădere, întâietate, prioritate.

présence *s.f.* prezenţă.

présent[1] *s.m.* dar, cadou.

présent[2], -e *adj., s.m.* prezent.

présentable *adj.* prezentabil, arătos.

présentation *s.f.* prezentare.

présenter I. *vt.* a prezenta, a arăta. **II.** *vr.* a se prezenta, a se înfăţişa, a se ivi.

préserver *vt.* a prezerva, a apăra.

présidence *s.f.* preşedinţie.

président, -e *s.m.f.* preşedinte.

présidentiel, -elle *adj.* prezidenţial.

présider I. *vt.* a prezida. **II.** *vi.* **(à)** a conduce, a supraveghea.

présomption *s.f.* **1.** prezumţie, presupunere. **2.** înfumurare.

présomptueux, -euse *s.m.f., adj.* prezumţios, îngâmfat, înfumurat.

presque *adv.* aproape.

presqu'île *s.f.* peninsulă.

presse *s.f.* **1.** teasc, presă. **2.** tipar ‖ *sous ~* sub tipar. **3.** presă. **4.** *fig.* grabă, zor. **5.** aglomeraţie, înghesuială.

pressentir *vt.* a presimţi.

presser I. *vt.* **1.** a presa. **2.** a grăbi. **3.** a hărțui. **II.** *vi.* a fi urgent. **III.** *vr.* **1.** a se înghesui. **2.** a se grăbi.

pression *s.f.* **1.** presiune, apăsare. **2.** *fig.* constrângere.

pressoir *s.m.* teasc.

prestance *s.f.* prestanță.

prestation *s.f.* prestație.

preste *adj.* sprinten, iute.

prestesse *s.f.* iuțeală, agilitate.

prestidigitateur, -trice *s.m.f.* prestidigitator, scamator.

prestidigitation *s.f.* prestidigitație, scamatorie.

prestige *s.m.* prestigiu.

prestigieux, -euse *adj.* cu prestigiu.

présumer *vt.* a presupune.

prêt[1] *s.m.* împrumut.

prêt[2]**, -e** *adj.* gata.

prêtable *adj.* de împrumut.

prêté, -e *adj.* împrumutat, dat cu împrumut.

prétendant, -e *adj.* pretendent.

prétendre I. *vt.* **1.** a pretinde, a reclama. **2.** a pretinde, a susține, a afirma. **II.** *vi.* **(à)** a aspira, a râvni, a pretinde la.

prétentieux, -euse *adj.* **1.** pretenții, cu pretenții. **2.** *fig.* înfumurat, afectat.

prétention *s.f.* **1.** pretenție. **2.** înfumurare.

prêter I. *vt.* **1.** a împrumuta, a da cu împrumut. **2.** a da || ~ *secours* a da ajutor. **3.** a atribui. **II.** *vr.* a se preta, a se învoi.

prêteur, -euse *adj., s.m.f.* care dă cu împrumut.

prétexte *s.m.* pretext.

prétexter *vt.* a pretexta.

prêtre *s.m.* preot.

preuve *s.f.* **1.** probă. **2.** dovadă, mărturie || *faire ses* ~*s* a-și arăta, a-și dovedi calitățile.

preux *adj., s.m.* viteaz, voinic.

prévaloir I. *vi.* a prevala, a învinge. **II.** *vr.* a se prevala, a se folosi de.

prévenance *s.f.* atenție deosebită.

prévenir *vt.* **1.** a preveni, a preîntâmpina. **2.** a presimți, a ghici. **3.** a preveni, a înștiința. **4.** a influența.

prévention *s.f.* **1.** prevenție. **2.** idee preconcepută.

préventivement *adv.* **1.** în mod preventiv. **2.** în prevenție.

prévenu, -e I. *adj.* **1.** prevenit, informat. **2.** influențat. **II.** *s.m.f.* prevenit, deținut.

prévision *s.f.* previziune, prevedere.

prévoir *vt.* a prevedea.

prévoyance *s.f.* prevedere.

prier *vt.* **1.** a (se) ruga. **2.** a invita || *je vous (en) prie* **a)** vă rog! poftim!; **b)** încetați!

prière *s.f.* **1.** rugăciune. **2.** rugăminte, solicitare.

primaire *adj.* primar, elementar.

primauté *s.f.* întâietate.

prime[1] *s.f.* primă || *faire* ~ a fi foarte căutat.

prime² *adj.* **1.** primul, cel dintâi ‖ *de ~ abord* de la început, din capul locului. **2.** *mat.* prim.

primer *vt.* **1.** a prima, a avea întâietate. **2.** a da o primă, a premia.

primeur *s.f.* trufanda.

primitif, -ive *adj.* primitiv.

primo *adv.* (mai) întâi.

primordial, -e *adj.* primordial.

prince *s.m.* prinț, principe.

princesse *s.f.* prințesă, principesă.

princier, -ère *adj.* princiar.

principal, -e I. *adj.* principal. **II.** *s.m.* **1.** principalul, lucru de căpetenie. **2.** capital (într-o datorie). **3.** director de liceu comunal.

principauté *s.f.* principat.

principe *s.m.* **1.** început, izvor. **2.** principiu, concepție.

printanier, -ère *adj.* primăvăratic.

printemps *s.m.* primăvară.

priorité *s.f.* prioritate, întâietate.

prise *s.f.* **1.** prindere, luare, cucerire. **2.** pradă. **3.** priză. **4.** fărâmă. **5.** coagulare, solidificare ‖ *lâcher ~* a ceda, a da drumul; *en venir aux ~s* a se încăiera.

prisme *s.m.* prismă.

prison *s.f.* închisoare.

prisonnier, -ère *s.m.f.* prizonier.

privation *s.f.* privațiune, lipsă.

privé, -e I. *adj.* particular, privat. **II.** *s.m.* intimitate ‖ *dans le ~* în intimitate.

priver *vt., vr.* a (se) lipsi, a (se) priva.

privilège *s.m.* privilegiu.

privilégié, -e *adj., s.m.f.* privilegiat.

privilégier *vt.* a privilegia.

prix *s.m.* **1.** preț. **2.** premiu, răsplată. **3.** valoare ‖ *à tout ~* cu orice preț; *hors de ~* foarte scump.

probabilité *s.f.* probabilitate.

probable *adj.* probabil.

probe *adj.* cinstit.

probité *s.f.* cinste, probitate.

problématique *adj.* problematic.

problème *s.m.* **1.** problemă. **2.** chestiune.

procédé *s.m.* procedeu.

procéder *vi.* **1.** a proceda. **2.** a proveni.

procédure *s.f.* procedură.

procès *s.m.* proces.

procession *s.f.* procesiune.

processus *s.m.* proces, desfășurare.

procès-verbal (*pl.* **procès-verbaux**) *s.m.* proces-verbal.

prochain, -e I. *adj.* **1.** apropiat, învecinat. **2.** viitor. **II.** *s.m.* aproapele.

proche I. *adj.* apropiat. **II.** *s.m. pl.* rude.

proclamation *s.f.* proclamație, proclamare.

proclamer *vt., vr.* a (se) proclama.

procréation *s.f.* procreare, zămislire.

procréer *vt.* a procrea, a zămisli.

procuration *s.f.* procură.

procurer I. *vt.* a procura, a obține. **II.** *vr.* a-și procura.

procureur *s.m.* procuror.

prodigalement *adv.* cu risipă.

prodigalité *s.f.* prodigalitate, risipă.

prodige *s.m., adj.* minune.

prodigieux, -euse *adj.* prodigios, uimitor.

prodigue *adj., s.m.f.* risipitor.

prodiguer I. *vt.* **1.** a risipi, a împrăștia. **2.** a nu cruța. **II.** *vr.* **1.** a se risipi. **2.** a nu se cruța.

producteur, -trice *s.m.f.* producător.

productif, -ive *adj.* productiv.

production *s.f.* **1.** producție. **2.** producere, prezentare.

productivité *s.f.* productivitate.

produire *vt., vr.* a (se) produce.

produit *s.m.* produs.

proéminence *s.f.* proeminență.

profanation *s.f.* profanare, pângărire.

profaner *vt.* a profana, a pângări.

professer *vt.* **1.** a mărturisi, a declara. **2.** a profesa, a exercita. **3.** a preda.

professeur *s.m.* profesor.

profession *s.f.* **1.** profesie, ocupație. **2.** declarație publică, mărturisire ‖ *faire ~ de* a se lăuda cu.

professionnel, -elle I. *adj.* profesional. **II.** *s.m.* profesionist.

profil *s.m.* profil.

profiler *vt., vr.* a (se) profila, a (se) contura.

profitable *adj.* profitabil.

profiter *vi.* a profita.

profond, -e *adj.* adânc, profund (și *fig.*).

profondément *adv.* **1.** adânc. **2.** foarte.

profondeur *s.f.* profunzime, adâncime (și *fig.*).

profusion *s.f.* belșug, risipă ‖ *à ~* din belșug.

progéniture *s.f.* progenitură.

programme *s.m.* program.

progrès *s.m.* progres.

progresser *vi.* a progresa.

progressif, -ive *adj.* progresiv.

progression *s.f.* progresie.

prohibition *s.f.* prohibiție, interzicere.

proie *s.f.* pradă.

projecteur *s.m.* proiector.

projectile *s.m.* proiectil.

projection *s.f.* **1.** proiectare. **2.** proiecție.

projet *s.m.* proiect, plan.

projeter *vt.* **1.** a proiecta, a lansa. **2.** a proiecta, a plănui.

prolétaire *s.m.* proletar.

prolétarien, -enne *adj.* proletar, de proletar.

prolifique *adj.* prolific.

prologue *s.m.* prolog.

prolongation *s.f.* prelungire (în timp).

prolongement *s.m.* prelungire (în spațiu).

prolonger *vt., vr.* a (se) prelungi.

promenade *s.f.* plimbare.

promener *vt., vr.* a (se) plimba.

promeneur, -euse *s.m.f.* persoană care se plimbă.

promesse *s.f.* promisiune.

promettre I. *vt.* a promite, a făgădui. II. *vi.* a promite, a da speranțe. III. *vr.* a se decide, a plănui.

promiscuité *s.f.* promiscuitate.

promontoire *s.m.* promontoriu.

promotion *s.f.* 1. promoție. 2. promovare.

promouvoir *vt.* a promova, a înălța în grad.

prompt, -e *adj.* prompt, iute.

promptitude *s.f.* promtitudine.

promu, -e *adj.* promovat.

promulgation *s.f.* promulgare.

promulguer *vt.* a promulga.

pronom *s.m. gram.* pronume.

prononcer *vt., vr.* a (se) pronunța.

prononciation *s.f.* pronunție.

pronostiquer *vt.* a pronostica, a face un pronostic.

propagande *s.f.* propagandă.

propagation *s.f.* propagare, răspândire.

propager *vt., vr.* a (se) propaga, a (se) răspândi.

prophète *s.m.* profet, prooroc.

prophétie *s.f.* profeție, prevestire.

prophylactique *adj.* profilactic.

prophylaxie *s.f.* profilaxie.

propice *adj.* propice, favorabil.

proportion *s.f.* proporție.

proportionné, -e *adj.* proporționat.

proportionnel, -le *adj.* proporțional.

propos *s.m.* cuvânt ‖ *à* ~ la țanc; *à* ~ *de* în legătură cu.

proposer I. *vt.* a propune, a oferi. II. *vr.* 1. a-și propune. 2. a se propune, a se oferi.

proposition *s.f.* 1. propunere. 2. propoziție.

propre I. *adj.* 1. propriu, specific. 2. capabil, apt, potrivit. 3. curat. II. *s.m.* specific.

propreté *s.f.* curățenie.

propriétaire *s.m.f.* proprietar.

propriété *s.f.* 1. proprietate. 2. însușire, proprietate.

propulser *vt.* a propulsa.

propulsion *s.f.* propulsie.

proroger *vt.* a proroga.

prosaïque *adj.* prozaic.

prosateur *s.m.* prozator.

proscrire *vt.* a proscrie, a exila.

prose *s.f.* proză.

prospecter *vt.* a prospecta.

prospection *s.f.* prospecțiune.

prospectus *s.m.* prospect.

prospère *adj.* prosper, înfloritor.

prospérer *vi.* a prospera.

prospérité *s.f.* prosperitate, înflo-rire, belșug.

prostate *s.f. med.* prostată.

prosterner *vt., vr.* a (se) pro-sterna, a (se) ploconi.

prostituée *s.f.* prostituată.

prostituer *vt., vr.* a (se) prostitua.

protagoniste *s.m.* protagonist, actor principal.

protecteur, -trice *adj., s.m.f.* pro-tector.

protection *s.f.* protecție.

protéger *vt.* a proteja, a ocoli.

protestantisme *s.m.* protestantism.

protestataire *adj., s.m.f.* protes-tatar.

protestation *s.f.* protestare.

protester I. *vi.* a protesta, a deza-proba. **II.** *vt.* (à) a asigura.

protocolaire *adj.* protocolar.

protocole *s.m.* protocol, ceremo-nial.

prototype *s.m.* prototip.

protubérance *s.f.* protuberanță.

proue *s.f.* proră.

prouesse *s.f.* **1.** ispravă. **2.** vitejie.

prouver *vt.* a proba, a dovedi.

provenance *s.f.* proveniență.

provenir *vi.* a proveni, a rezulta din.

proverbe *s.m.* proverb.

proverbial *adj.* proverbial.

providence *s.f.* providență.

providentiel, -le *adj.* providențial.

province *s.f.* provincie.

proviseur *s.m.* director de liceu.

provision *s.f.* **1.** provizie. **2.** *fin.* acoperire (la bancă).

provisoire I. *adj.* provizoriu. **II.** *s.m.* provizorat.

provocation *s.f.* provocare.

provoquer *vt.* a provoca.

proxénète *s.m.f.* proxenet.

proximité *s.f.* apropiere.

prudemment *adv.* cu prudență.

prudence *s.f.* prudență.

prune *s.f.* prună ‖ *pour des ~s* de florile mărului.

prunelle *s.f.* pupilă (la ochi).

prunier *s.m.* prun.

psaume *s.m.* psalm.

pseudonyme *s.m.* pseudonim.

psychiatre *s.m.* psihiatru.

psychiatrie *s.f.* psihiatrie.

psychique *adj.* psihic.

psychologie *s.f.* psihologie.

psychologique *adj.* psihologic.

psychologue *s.m.* psiholog.

puant, -e *adj.* puturos, împuțit.

puanteur *s.f.* duhoare, putoare.

pubère *adj., s.m.f.* puber.

puberté *s.f.* pubertate.

public, -que *adj., s.m.* public.

publication *s.f.* publicație; publi-care.

publicité *s.f.* publicitate.

publier *vt.* **1.** a publica. **2.** a face public, a divulga, a răspândi.

puce *s.f.* purice ‖ *avoir la ~ à l'oreille fig.* a fi îngrijorat, neliniştit.

pudeur *s.f.* pudoare.

pudibond, -e *adj.* ruşinos.

pudique *adj.* pudic.

puer *vi.* a mirosi urât, a duhni.

puériculture *s.f.* puericultură.

puéril, -e *adj.* copilăros.

puérilité *s.f.* copilărie, puerilitate.

pugiliste *s.m.* pugilist, boxer.

puis *adv.* apoi.

puiser *vt.* **1.** a scoate (apă din puț). **2.** *fig.* a lua, a împrumuta.

puisque *conj.* deoarece, de vreme ce.

puissamment *adv.* **1.** puternic. **2.** foarte.

puissance *s.f.* **1.** putere, autoritate. **2.** stăpânire, stat, putere ‖ *les grandes ~s* marile puteri.

puissant, -e *adj.* puternic, influent.

puits *s.m.* puț.

pull-over *s.m.* pulover.

pullulation *s.f.* **1.** înmulțire, răspândire. **2.** mișunare.

pulluler *vi.* **1.** a se înmulți, a se răspândi. **2.** a mișuna.

pulmonaire *adj.* pulmonar.

pulpe *s.f.* pulpă (la fructe).

pulsation *s.f.* pulsație.

pulvérisateur *s.m.* pulverizator.

pulvériser *vt.* **1.** a pulveriza. **2.** *fig.* a distruge, a nimici, a face praf.

punaise *s.f.* ploşniță, **2.** piuneză.

punir *vt.* a pedepsi.

punition *s.f.* pedeapsă.

pupille *s.f.* pupilă (a ochiului).

pupitre *s.m.* pupitru.

pur, -e *adj.* **1.** pur, curat. **2.** *fig.* pur, inocent, nevinovat.

purée *s.f.* **1.** piure. **2.** *pop.* mizerie, strâmtoare.

pureté *s.f.* puritate, curățenie, inocență.

purgatif, -ive *adj., s.m. med.* purgativ.

purgation *s.f.* **1.** purgare. **2.** curățenie.

purger *vt.* **1.** a da un purgativ. **2.** a curăța. **3.** a scăpa de. **4.** *fig.* a elibera.

purification *s.f.* purificare.

purifier *vt., vr.* a (se) purifica.

purulence *s.f.* purulență.

pus *s.m.* puroi.

putréfaction *s.f.* putrefacție, putrezire.

putréfier *vt.* a putrezi.

pygmée *s.m.* **1.** pigmeu. **2.** pitic.

pyjama *s.m.* pijama.

pylône *s.m.* pilon.

pyramidal, -e *adj.* **1.** piramidal. **2.** *fig.* extraordinar, uimitor.

pyramide *s.f.* piramidă.

python *s.m.* piton.

Q

quadragénaire *adj., s.m.f.* cvadragenar.

quadriller *vt.* cadrila.

quadrupède *adj., s.m.f.* patruped.

quadruple *adj.* cvadruplu, împătrit.

quai *s.m.* 1. chei. 2. peron.

qualificatif, -ive *adj., s.m.* calificativ.

qualification *s.f.* calificare.

qualifier *vt.* a califica, a determina, a numi.

qualitatif, -ive *adj.* calitativ || *bonds* ~*s* salturi calitative.

qualité *s.f.* calitate, însușire, proprietate || *personne de* ~ persoană nobilă, „de rang" înalt.

quand I. *adv.* când. II. *conj.* 1. când. 2. chiar dacă.

quant (à) *loc. prep.* cât despre.

quantitatif, -ive *adj.* cantitativ.

quantité *s.f.* 1. cantitate. 2. mulțime, număr mare.

quarantaine *s.f.* 1. (vârsta de) patruzeci de ani. 2. carantină.

quarante *num.* patruzeci.

quart *s.m.* 1. sfert. 2. *mar.* cart.

quartier *s.m.* 1. sfert. 2. cartier. 3. bucată. 4. ciozvârtă. 5. *mil.*

cazarmă. 6. *fig.* iertare, îndurare || *demander* ~ a cere îndurare.

quartz *s.m. geol.* cuarț.

quasi, quasiment *adv.* aproape, cvasi-.

quatorze *num.* paisprezece.

quatrain *s.m.* catren.

quatre *num.* patru || *entre* ~ *yeux* între patru ochi; *se mettre en* ~ a face tot posibilul, a se face luntre și punte.

quatre~vingts *num.* optzeci.

quatuor *s.m. muz.* cvartet.

que I. *pron.* 1. pe care. 2. ce. II. *conj.* 1. să, ca să. 2. decât. 3. dacă. 4. de când. III. *adv.* cât.

quel, quelle *adj.* care, ce.

quelconque *adj.* oarecare.

quelque I. *adj.* 1. vreun, vreo, câțiva, unii. 2. orice. II. *adv.* 1. oricât de. 2. vreo, aproximativ, cam.

quelquefois *adv.* uneori, câteodată.

quelqu'un, -une *pron. nehot.* cineva.

quémander *vt.* a cerși, a implora.

querelle *s.f.* ceartă, gâlceavă.

quereller *vt., vr.* a (se) certa.

quérir *vt.* a căuta.

question *s.f.* **1.** întrebare. **2.** chestiune, problemă. **3.** *înv.* tortură ‖ *donner la* ~ a supune la caznă, a tortura.

questionnaire *s.m.* chestionar.

questionner *vt.* **1.** a chestiona, a întreba **2.** a investiga.

quête *s.f.* **1.** căutare; *en* ~ *de* în căutare. **2.** colectă publică de binefacere; *faire une* ~ *à l'église* a aduna bani pentru săraci la biserică.

quêter *vt.* **1.** a cerși, a aduna sume de binefacere. **2.** a solicita o favoare; ~ *des louages* a căuta laude.

queue *s.f.* **1.** coadă. **2.** codiță (la fructe). **3.** trenă. **4.** mâner. **5.** tac (la biliard) ‖ *faire (la)* ~ a face coadă, a sta la coadă, la rând; *finir en* ~ *de poisson* a lăsa în coadă de pește.

qui *pron.* **1.** care. **2.** cine, pe cine ‖ ~ *que ce soit* oricine ar fi.

quiconque *pron.* oricine, orișicine.

quiétude *s.f.* liniște.

quille *s.f.* *mar.* chilă.

quinine *s.f.* chinină.

quincaillerie *s.f.* marchetănie.

quintal *s.m.* chintal.

quinte *s.f.* **1.** cvintă. **2.** acces de tuse. **3.** capriciu, toană.

quintessence *s.f.* chintesență.

quintette *s.f.* cvintet.

quinzaine *s.f.* **1.** vreo cincisprezece. **2.** chenzină.

quinze *num.* cincisprezece.

quittance *s.f.* chitanță.

quitte *adj.* **1.** chit, achitat. **2.** scăpat ‖ *en être* ~ *pour* a scăpa numai cu; *tenir* ~ a scuti.

quitter *vt.* a părăsi.

qui-vive **I.** *interj.* cine-i? **II.** *s.m.* (în *expr.*) *être, se tenir sur le* ~ a fi cu ochii în patru.

quoi **I.** *pron.* ce ‖ *sans* ~ fără de care; ~ *que ce soit* orice ar fi. **II.** *interj.* ce!, ce fel!, cum!

quoique *conj.* deși, cu toate că.

quotidien, -enne **I.** *adj.* cotidian, zilnic. **II.** *s.m.* cotidian.

quotité *s.f.* cotă.

R

rabais *s.m.* rabat.

rabattre I. *vt.* **1.** a coborî, a lăsa în jos. **2.** a scădea, a reduce. **3.** a netezi. **4.** *fig.* a înjosi. **II.** *vi.* a scădea din, a o lăsa mai moale. **III.** *vr.* **1.** a se abate din drum. **2.** a schimba discuția.

rabattu, -e *adj.* lăsat în jos, aesfăcut ‖ *col* ~ guler răsfrânt.

rabbin *s.m.* rabin.

rabot *s.m. tehn.* rindea.

raboter *vt.* a rindelui.

rabougri, -e *adj.* pipernicit.

rabrouer *vt.* a bruftului.

racaille *s.f.* drojdie a societății.

raccommodage *s.m.* reparare.

raccommoder I. *vt.* **1.** a drege, a cârpi. **2.** *fig.* a împăca. **II.** *vr.* a se împăca.

raccord *s.m.* racord.

raccordement *s.m.* racordare.

raccorder *vt.* a racorda.

raccourci, -e I. *adj.* scurtat. **II.** *s.m.* **1.** prescurtare. **2.** scurtătură.

raccourcir *vt., vi.* a (se) scurta.

raccourcissement *s.m.* scurtare.

raccrocher I. *vt.* **1.** a atârna, a agăța din nou. **2.** a pune receptorul în furcă. **II.** *vr.* a se agăța.

race *s.f.* rasă.

rachat *s.m.* răscumpărare.

racheter I. *vt.* **1.** a răscumpăra. **2.** *fig.* a ispăși. **II.** *vr.* a se răscumpăra.

rachitique *adj. med.* rahitic.

racine *s.f.* rădăcină.

racler *vt.* a racla, a răzui ‖ ~ *du violon* a scârțâi din vioară.

raclure *s.f.* răzătură.

racolage *s.m.* racolaj.

racoler *vt.* a recruta (partizani, clienți etc.).

racontage *s.m.* flecăreală, sporovăială.

raconter *vt.* a povesti.

racornir (se) I. *vt.* a învârtoșa. **II.** *vr.* **1.** a se aspri, a se învârtoșa. **2.** a se sfriji.

rade *s.f.* radă.

radeau *s.m.* plută.

radiateur *s.m.* radiator.

radiation *s.f.* radiație, radiere.

radical, -e I. *adj.* **1.** radical. **2.** *fig.* complet, desăvârșit. **II.** *s.m. gram., mat.* radical.

radier¹ *vi.* a radia, a străluci.

radier² *vt.* a radia, a șterge de pe o listă.

radieux, -euse *adj.* **1.** strălucitor. **2.** *fig.* radios, vesel.

radio *s.f.* radio.

radioactif, -ive *adj. fiz.* radioactiv.

radioactivité *s.f.* radioactivitate.

radiographie *s.f. med.* radiografie.

radiophonie *s.f.* radiofonie.

radiotélégraphie *s.f.* radiotelegrafie.

radis *s.m.* ridiche.

radium *s.m.* radium.

radotage *s.m.* pălăvrăgeală.

radoter *vi.* a pălăvrăgi.

radouber *vt.* a face reparaţii unui vapor.

radoucir *vt., vr.* a (se) potoli, a (se) domoli.

rafale *s.f.* rafală.

raffermir *vt.* 1. a întări. 2. *fig.* a încuraja.

raffermissement *s.m.* întărire.

raffinement *s.m.* rafinament.

raffiner *vt.* a rafina.

raffoler *vi.* a se înnebuni după.

rafler *vt. fam.* a şterpeli, a jefui.

rafraîchir I. *vt.* 1. a răci, a răcori. 2. a reînnoi. 3. a împrospăta. II. *vr.* 1. a se răcori. 2. a se odihni.

rafraîchissant, -e *adj., s.m.* răcoritor.

rafraîchissement *s.m.* 1. răcorire. 2. *pl.* răcoritoare.

rage *s.f.* 1. turbare. 2. furie. 3. durere mare ‖ ~ *de dents* durere de dinţi. 4. pasiune.

rager *vi.* a turba, a fi furios.

ragoût *s.m.* tocană, iahnie.

raid *s.m.* raid, incursiune.

raide I. *adj.* 1. ţeapăn, încordat. 2. abrupt, vertical. 3. *fig.* de neînduplecat. 4. *fig.* piperat, deocheat. II. *adv.* brusc, deodată.

raidir I. *vt.* 1. a întinde tare, a încorda. 2. a înţepeni. II. *vr.* 1. a se înţepeni. 2. *fig.* a se încorda, a se ţine tare.

raidissement *s.m.* încordare, înţepenire.

raie *s.f.* 1. dungă, linie. 2. cărare (la păr).

raifort *s.m.* hrean.

rail *s.m.* şină.

railler I. *vt., vr.* a lua în zeflemea, a-şi bate joc de cineva. II. *vi.* a glumi, a nu vorbi serios.

raillerie *s.f.* zeflemea, bătaie de joc.

railleur, -euse *adj.* batjocoritor.

raisin *s.m.* strugure.

raison *s.f.* 1. raţiune, judecată ‖ *parler* ~ a vorbi cu judecată. 2. argument. 3. cauză, motiv. 4. *fig.* socoteală ‖ *demander* ~ a cere socoteală. 5. dreptate ‖ *avoir* ~ a avea dreptate. 6. *econ.* ~ *sociale* firmă.

raisonnable *adj.* raţional; rezonabil.

raisonnement *s.m.* raţionament.

raisonner *vi.* a raţiona, a judeca.

rajeunir *vt.* a întineri.

rajeunissement *s.m.* întinerire.

rajouter *vt.* a adăuga din nou.

rajustement *s.m.* potrivire.

rajuster I. *vt.* a potrivi, a drege.
II. *vr.* **1.** a se aranja. **2.** a se
împăca.

râle *s.m.* horcăit.

ralentir *vt.*, *vi.* a încetini.

ralentissement *s.m.* încetinire.

râler *vi.* a horcăi.

rallier *vt.*, *vr.* a (se) ralia, a (se)
alătura.

rallonger *vt.* a lungi, a prelungi.

rallumer *vt.* a aprinde din nou (şi
fig.).

ramasser I. *vt.* a strânge, a aduna,
a culege. **II.** *vr.* a se ghemui.

rame *s.f.* **1.** vâslă, ramă. **2.** top de
hârtie. **3.** *ferov.* garnitură (de
vagoane).

rameau *s.m.* cracă.

ramener *vt.* a readuce.

ramer *vi.* a vâsli.

ramifier *vt.*, *vr.* a (se) ramifica.

ramollir *vt.*, *vr.* a (se) muia, a (se)
moleşi.

ramollissement *s.m.* **1.** moleşire.
2. ramolisment, senilitate.

ramonage *s.m.* curăţatul coşurilor.

rampe *s.f.* rampă, balustradă. ‖ ~
de lancement bază, rampă de
lansare (a rachetelor).

ramper *vr.* **1.** a se târî (şi *fig.*).
2. (despre plante) a se agăţa, a
se căţăra.

ramure *s.f.* **1.** rămuriş. **2.** coarne
de cerb.

rancir *vi.* a râncezi.

rancœur *s.f.* pică, ură.

rançon *s.f.* **1.** preţ de răscumpă-
rare. **2.** *fig.* ispăşire.

rancune *s.f.* pică, pizmă.

randonnée *s.f.* **1.** (*cinegetic*) cir-
cuit al animalului. **2.** *fam.* plim-
bare lungă, călătorie.

rangé, -e *adj.* **1.** aranjat. **2.** *fig.*
aşezat.

ranger I. *vt.* **1.** a aşeza, a ordona,
a rândui. **2.** a pune, a trage
deoparte. **II.** *vr.* **1.** a se înşirui,
a se aşeza. **2.** a se da la o parte.
3. *fig.* a trece de partea cuiva.
4. *fig.* a se cuminţi.

ranimer I. *vt.* a reînsufleţi. **II.** *vr.*
a-şi veni în fire.

rapace *adj.* rapace, lacom, hrăpăreţ.

rapacité *s.f.* rapacitate, lăcomie.

rapatriement *s.m.* repatriere.

rapatrier *vt.*, *vr.* a (se) repatria.

râpe *s.f.* pilă, răzătoare.

râper *vt.* **1.** a răzui. **2.** a uza, a
roade (hainele).

rapetisser I. *vt.* a micşora. **II.** *vr.*,
vi. a se micşora.

rapide I. *adj.* **1.** rapid, iute. **2.** încli-
nat, abrupt. **II.** *s.m.* (tren) rapid.

rapidité *s.f.* rapiditate, iuţeală.

rapiécer *vt.* a cârpi, a petici.

rappel *s.m.* **1.** rechemare, chemare. **2.** *tehn.* rapel.

rappeler I. *vt.* **1.** a rechema, a readuce. **2.** a aminti. **II.** *vr.* a-şi reaminti.

rapport *s.m.* **1.** raport, comunicare, expunere. **2.** *econ.* venit ‖ *maison de ~* casă de raport. **3.** privinţă, punct de vedere. **4.** raport, legătură ‖ *par* ~ în legătură cu; *sous le ~* în privinţa.

rapporter I. *vt.* **1.** a aduce. **2.** a raporta, a face un raport. **3.** a produce un venit. **4.** a pârî. **5.** a anula, a desfiinţa (o lege). **II.** *(s'en)* *vr.* a se referi la.

rapporteur, -euse 1. *adj., s.m.f.* raportor. **2.** *s.m. geom.* raportor.

rapprochement *s.m.* apropiere.

rapprocher I. *vt.* **1.** a apropia. **2.** a împăca, a uni. **II.** *vr.* a se apropia, a se împăca.

raquette *s.f.* rachetă, paletă.

rare *adj.* rar.

raréfier *vt.* a rări.

ras, -e I. *adj.* **1.** (despre barbă, părul de pe cap) ras. **2.** plin. **3.** neted, şes ‖ *~e campagne* câmpie, şes ‖ *faire table ~e* a face tabula rasă, a nu mai lua în considerare ceea ce a fost. **II.** *adv.*

mărunt ‖ *couper* ~ a tăia mărunt. **III.** *s.m.* suprafaţă ‖ *au ~ de l'eau* la suprafaţa apei.

rasade *s.f.* un rând de băutură, un pahar plin ochi.

raser *vt.* **1.** a rade, a bărbieri. **2.** a nimici. **3.** a atinge în treacăt. **4.** *fam.* a pisa.

rasoir *s.m.* brici.

rassasiement *s.m.* săturare.

rassasier *vt., vr.* a (se) sătura.

rassemblement *s.m.* adunare, mulţime.

rassembler *vt., vr.* a (se) aduna, a (se) strânge.

rasseoir I. *vt.* a aşeza din nou. **II.** *vr.* **1.** a se aşeza din nou. **2.** *fig.* a se potoli.

rasséréner *vt., vr.* **1.** a (se) însenina. **2.** *fig.* a (se) linişti.

rassis, -e *adj.* (în *expr.*) *pain* ~ pâine veche, uscată; *esprit* ~ persoană potolită, chibzuită; *de sens* ~ calm, liniştit.

rassurant, -e *adj.* liniştitor.

rassurer *vt., vr.* a (se) linişti.

rat *s.m.* şobolan, guzgan.

ratatiner *vt., vr.* a (se) zbârci.

ratatouille *s.f.* mâncare proastă.

rate *s.f.* splină ‖ *ne pas se fouler la* ~ a nu se omorî cu firea.

râteau *s.m.* greblă.

rater I. *vt.* **1.** a nu nimeri. **2.** a pierde (a scăpa). **3.** a rata, a nu

reuşi. II. *vi.* **1.** (despre o armă) a nu lua foc. **2.** a nu izbuti.

ratification *s.f.* ratificare.

ratifier *vt.* a ratifica (un tratat).

ration *s.f.* raţie, porţie.

rationaliser *vt.* a raţionaliza.

rationnel, -elle *adj.* raţional.

rationner *vt.* a împărţi în raţii.

ratisser *vt.* **1.** a grebla. **2.** *arg.* a fura.

rattacher *vt.*, *vr.* a (se) lega, a (se) ataşa.

rattraper I. *vt.* **1.** a prinde, a apuca din nou. **2.** a ajunge, a prinde din urmă. **3.** a recâştiga. **II.** *vr.* **1.** a se prinde. **2.** *fig.* a se despăgubi prin.

rature *s.f.* ştersătură.

rauque *adj.* răguşit, aspru.

ravage *s.m.* ravagiu, pustiire, pagubă.

ravager *vt.* a pustii.

ravaler I. *vt.* **1.** a înghiţi. **2.** a răzui, a tencui. **3.** *fig.* a înjosi, a deprecia. **II.** *vr.* a se înjosi.

ravauder I. *vt.* **1.** a cârpi. **2.** a ocărî. **II.** *vi.* a flecări.

rave *s.f.* gulie.

ravin *s.m.* văgăună, râpă.

ravine *s.f.* puhoi, torent.

ravir *vt.* **1.** a răpi. **2.** *fig.* a fermeca, a încânta ‖ *à* ~ minunat.

raviser (se) *vr.* a se răzgândi.

ravissant, -e *adj.* **1.** răpitor. **2.** *fig.* încântător, fermecător.

ravissement *s.m.* **1.** răpire. **2.** *fig.* încântare, fermecare.

ravitaillement *s.m.* aprovizionare cu alimente.

ravitailler *vt.* a aproviziona cu alimente.

raviver *vt.* **1.** a aţâţa. **2.** *fig.* a trezi, a reînvia, a înviora.

rayé, -e *adj.* cu dungi, vărgat.

rayon *s.m.* **1.** rază. **2.** poliţă, raft. **3.** raion. **4.** fagure.

rayonnant, -e *adj.* **1.** strălucitor **2.** (şi *fig.*) care radiază.

rayonnement *s.m.* **1.** strălucire, radiere **2.** (şi *fig.*). propagare, răspândire.

rayonner *vi.* a radia, a străluci (şi *fig.*).

réactif, -ive *adj.*, *s.m.* reactiv.

réaction *s.f.* reacţie, reacţiune (şi *fig.*).

réactionnaire *s.m.* reacţionar.

réaffirmer *vt.* a reafirma.

réagir *vi.* a reacţiona.

réalisable *adj.* realizabil.

réalisation *s.f.* realizare.

réaliser *vt.* **1.** a realiza, a înfăptui. **2.** a înţelege, a-şi da seama.

réalisme *s.m.* realism.

réaliste *adj.*, *s.m.* realist.

réalité *s.f.* realitate.

réapparaître *vi.* a reapărea.

réapparition *s.f.* reapariţie.

rébarbatif, -ive *adj.* respingător.

rebâtir *vt.* a reconstrui.

rebattre *vt.* 1. a bate din nou. 2. a repeta mereu același lucru ‖ ~ les oreilles a împuia urechile.

rebelle *adj., s.m.f.* rebel, nesupus.

rébellion *s.f.* rebeliune, răzvrătire.

reboiser *vt.* a reîmpăduri.

rebondi, -e *adj.* plinuț, grăsuț.

rebondir *vi.* a sări în sus, a sălta.

rebord *s.m.* 1. margine. 2. tiv.

rebours *s.m.* contrar, opus ‖ à ~ pe dos, invers.

rebrousser I. *vt.* 1. a zbârli. 2. ~ chemin a se întoarce din drum. II. *vi.* a-și schimba direcția, sensul.

rebutant, -e *adj.* respingător.

rebuter I. *vt.* 1. a respinge, a trata cu asprime. 2. a descuraja. II. *vi.* a displăcea. III. *vr.* a se descuraja.

récapitulation *s.f.* recapitulare.

récapituler *vt.* a recapitula.

receler *vt.* 1. a tăinui. 2. a cuprinde.

récemment *adv.* recent.

recensement *s.m.* recensământ.

recenser *vt.* a recenza.

recenseur *s.m.* recenzor.

réceptacle *s.m.* receptacul.

récepteur *s.m.* receptor.

réception *s.f.* 1. recepție, primire. 2. recepționare.

réceptionnaire *s.m.* recepționar.

recette *s.f.* rețetă.

recevable *adj.* care poate fi primit.

recevoir *vt.* 1. a primi, a căpăta. 2. a accepta. 3. a admite, a trece (un candidat la examen).

rechange *s.m.* schimb.

recharger *vt.* a reîncărca.

réchaud *s.m.* reșou.

réchauffage *s.m.* (re)încălzire.

réchauffer I. *vt.* 1. a reîncălzi. 2. *fig.* a reînsufleți, a înviora. II. *vr.* a se încălzi.

rêche *adj.* 1. aspru (la pipăit, la gust). 2. *fig.* îndărătnic.

recherche *s.f.* 1. cercetare. 2. afectare.

rechercher *vt.* 1. a căuta, a cerceta. 2. a afecta.

rechute *s.f.* 1. recădere. 2. *med.* recidivă, revenire (a unei boli).

récidiver *vi.* a recidiva.

récidiviste *adj., s.m.f.* recidivist.

réciprocité *s.f.* reciprocitate.

réciproque I. *adj.* reciproc. II. *s.f. mat.* reciprocă.

récit *s.m.* poveste, povestire.

récitateur, -trice *s.m.f.* recitator.

récitation *s.f.* recitare.

réciter *vt.* a recita.

réclamation *s.f.* reclamație.

réclame *s.f.* reclamă.

réclamer I. *vt.* a reclama, a cere cu insistență. II. *vi.* a protesta.

reclus, -e *adj., s.m.f.* **1.** închis. **2.** singuratic.

réclusion *s.f.* **1.** izolare, viaţă retrasă. **2.** *jur.* recluziune.

recoin *s.m.* colţişor ascuns.

récolte *s.f.* **1.** recoltă. **2.** *fig.* roade.

récolter *vt.* a recolta, a culege.

recommandable *adj.* recomandabil.

recommandation *s.f.* recomandare.

recommander I. *vt.* a recomanda. **II.** *vr.* **(de)** a invoca (un sprijin etc.).

recommencer *vt., vi.* a reîncepe.

récompense *s.f.* recompensă, răsplată.

récompenser *vt.* a recompensa, a răsplăti.

réconciliation *s.f.* reconciliere, împăcare.

réconcilier *vt., vr.* a (se) împăca, a (se) reconcilia.

reconduire *vt.* **1.** a însoţi, a petrece. **2.** *ir.* a expulza, a da afară.

réconfort *s.m.* îmbărbătare, mângâiere.

réconforter *vt.* a reconforta (şi *fig.*).

reconnaissable *adj.* care poate fi recunoscut.

reconnaissance *s.f.* **1.** recunoaştere. **2.** recunoştinţă. **3.** recipisă.

reconnaissant, -e *adj.* recunoscător.

reconnaître I. *vt.* a recunoaşte. **II.** *vr.* a se recunoaşte, a se regăsi.

reconquérir *vt.* a recuceri, a recâştiga.

reconstituer *vt.* a reconstitui.

reconstitution *s.f.* reconstituire.

reconstruction *s.f.* reconstrucţie.

reconstruire *vt.* a reconstrui.

recordman *s.m.* recordman.

recoudre *vt.* a coase din nou.

recourber *vt.* a încovoia.

recourir *vi.* **1.** a alerga din nou. **2.** *fig.* a recurge la.

recours *s.m. jur.* **1.** recurs. **2.** *fig.* scăpare, refugiu, ajutor ‖ *avoir ~ à* a recurge la.

recouvrement *s.m.* **1.** regăsire. **2.** percepere a impozitelor.

recouvrer *vt.* a recăpăta, a recâştiga.

recouvrir *vt.* a acoperi, a înveli.

récréatif, -ive *adj.* odihnitor, recreativ.

récréation *s.f.* odihnă, recreaţie.

recréer *vt.* a crea din nou.

récréer *vt., vr.* a (se) recrea, a (se) distra.

récrier (se) *vr.* **1.** a exclama. **2.** a protesta.

récrimination *s.f.* recriminare, imputare.

recroqueviller (se) *vr.* **1.** a se zgârci, a se usca. **2.** *fig.* a se ghemui.

recrudescence *s.f.* înrăutățire, recrudescență.

recrue *s.f. mil.* recrut.

recrutement *s.m.* recrutare.

recruter *vt., vr.* a (se) recruta.

rectangle *s.m.* dreptunghi.

recteur *s.m.* rector.

rectification *s.f.* rectificare, îndreptare, corectare.

rectifier *vt.* a rectifica, a îndrepta.

rectiligne *adj.* drept, rectiliniu.

rectitude *s.f.* dreptate, corectitudine.

reçu -e I. *adj.* primit. **II.** *s.m.* chitanță.

recueil *s.m.* culegere.

recueillement *s.m.* reculegere.

recueillir I. *vt.* **1.** a culege, a strânge. **2.** a adăposti, a lua lângă sine. **II.** *vr.* a se reculege.

reculer *vt., vi.* **1.** a da, a trage înapoi. **2.** a amâna.

reculons (à) *loc. adv.* de-a-ndăratelea.

récupération *s.f.* recuperare.

récupérer I. *vt.* a recupera, a redobândi. **II.** *vr.* a se despăgubi.

récuser *vt., vr.* a (se) recuza.

rédacteur *s.m.* redactor ‖ ~ *en chef* redactor șef.

rédaction *s.f.* **1.** redacție. **2.** redactare.

reddition *s.f.* predare, capitulare.

rédemption *s.f.* mântuire.

redescendre *vt., vi.* a coborî din nou.

redevable *adj.* **1.** dator. **2.** *fig.* îndatorat.

redevance *s.f.* redevență.

rédiger *vt.* a redacta.

redingote *s.f.* redingotă.

redire I. *vt.* a spune din nou. **II.** *vi.* a critica.

redonner I. *vt.* a da din nou, a da înapoi. **II.** *vi.* a reîncepe, a o lua de la capăt.

redoublement *s.m.* întețire.

redoubler I. *vt.* **1.** a înteți, a crește. **2.** a căptuși. **3.** a repeta (o clasă). **II.** *vi.* a crește, a se înteți.

redoutable *adj.* de temut, redutabil.

redoute *s.f.* redută.

redouter *vt.* a se teme de.

redressement *s.m.* redresare (și *fig.*).

redresser *vt., vr.* a (se) redresa (și *fig.*).

réduction *s.f.* **1.** reducere. **2.** supunere, subjugare.

réduire *vt.* **1.** a reduce, a micșora. **2.** a preface, a transforma în. **3.** a supune, a subjuga. **4.** a aduce la.

réduit *s.m.* **1.** colțișor retras. **2.** locuință mizerabilă, cocioabă.

rééditer *vt.* a reedita.

rééducation *s.f.* reeducare.

rééduquer *vt.* a reeduca.

réel, -elle **I.** *adj.* real, adevărat. **II.** *s.m.* realul.

réélection *s.f.* realegere.

réélire *vt.* a realege.

réellement *adv.* efectiv, în adevăr.

refaire **I.** *vt.* a reface, a îndrepta, a drege. **II.** *vr.* a se reface, a se restabili, a-și reface.

référence *s.f.* referință, referire.

référendum *s.m.* referendum.

référer *vt., vr.* a (se) referi, a (se) raporta.

réfléchir **I.** *vt., vr.* a (se) reflecta, a (se) răsfrânge. **II.** *vi.* a se gândi, a cugeta.

réfléchissant, -e *adj.* care reflectă, care răsfrânge.

réflecteur *s.m.* reflector.

reflet *s.m.* reflectare, răsfrângere.

refléter *vt.* a reflecta, a răsfrânge.

réflexe *adj., s.m.* reflex.

réflexion *s.f.* **1.** *fiz.* reflectare, reflexie. **2.** *fig.* gândire, reflecție.

reflux *s.m.* reflux.

réformateur, -trice *adj., s.m.f.* reformator.

réformation *s.f.* reformare.

réforme *s.f.* reformă.

réformer *vt.* a reforma.

refouler *vt.* a respinge, a împinge înapoi, a refula.

réfractaire *adj.* refractar, nesupus.

refrain *s.m.* refren.

refréner *vi.* a înfrâna.

réfrigération *s.f.* refrigerare.

réfrigérer *vt.* a refrigera.

refroidir **I.** *vt.* a răci, a răcori. **II.** *vi., vr.* a se răci.

refroidissement *s.m.* **1.** răcire (și *fig.*). **2.** răceală, guturai.

refuge *s.m.* refugiu, adăpost.

réfugier (se) *vr.* a se refugia.

refus *s.m.* refuz.

refuser **I.** *vt.* a refuza, a respinge. **II.** *vr.* **1.** a-și refuza, a se lipsi de. **2.** a nu consimți.

réfutation *s.f.* combatere, respingere.

réfuter *vt.* a combate, a respinge.

regagner *vt.* **1.** a recâștiga, a redobândi. **2.** a se reîntoarce la.

regain *s.m.* **1.** otavă. **2.** *fig.* înflorire, împrospătare.

régal (*pl.* **-s**), *s.m.* **1.** banchet, ospăț. **2.** desfătare, încântare.

regard *s.m.* privire.

regardant, -e *adj.* **1.** meticulos. **2.** zgârcit.

regarder **I.** *vt.* a privi, a se uita. **II.** *vi.* (**à**) **1.** a fi atent la. **2.** a cheltui cu multă socoteală.

régénération *s.f.* regenerare.

régénérer *vt.* a regenera, a înnoi.

régent, -e I. *adj., s.m.f.* regent. II. *s.m.* diriginte (al unei clase).

régie *s.f.* regie.

régime *s.m.* regim.

région *s.f.* regiune.

régir *vt.* 1. a conduce, a cârmui, a administra. 2. *gram.* a cere, a determina.

régisseur *s.m.* 1. administrator. 2. regizor.

registre *s.m.* registru.

réglage *s.m.* reglaj, reglare.

règle *s.f.* 1. riglă, linie. 2. regulă, normă.

règlement *s.m.* regulament, reglementare.

réglementaire *adj.* reglementar.

réglementer *vt.* a reglementa.

régler I. *vt.* 1. a linia. 2. a reglementa, a orândui. II. *vr.* a se conduce, a se lua după.

règne *s.m.* domnie.

régner *vi.* a domni.

régression *s.f.* regres.

regrettable *adj.* regretabil.

regretter *vt.* a regreta.

régulariser *vt.* a regulariza.

régularité *s.f.* regularizare.

régulier, -ère *adj.* regulat.

réhabilitation *s.f.* reabilitare.

réhabiliter *vt.* a reabilita.

rehausser *vt.* 1. a înălţa, a ridica. 2. *fig.* a scoate în evidenţă.

rein *s.m.* 1. rinichi. 2. *pl.* şale.

reine *s.f.* regină.

reine-claude *s.f.* renglotă.

réintégration *s.f.* reintregrare.

réintégrer *vt.* a reintegra.

réitération *s.f.* repetare.

réitérer *vt.* a repeta.

rejaillir *vi.* 1. a ţâşni cu putere. 2. a cădea asupra, a se răsfrânge.

rejaillissement *s.m.* ţâşnire.

rejeter *vt.* 1. a arunca din nou. 2. a respinge. 3. *fig.* a arunca. 4. (despre plante) a scoate, a da ramuri noi.

rejoindre *vt.* 1. a împreuna, a uni. 2. a ajunge din urmă.

réjouir I. *vt.* 1. a înveseli, a distra. 2. a plăcea. II. *vr.* a se bucura, a se distra.

réjouissance *s.f.* 1. veselie, bucurie. 2. *pl.* serbări publice.

réjouissant, -e *adj.* îmbucurător, înveselitor.

relâche[1] *s.m.* 1. odihnă, răgaz. 2. relaş.

relâche[2] *s.f. mar.* escală, popas.

relâcher I. *vt.* 1. a destinde, a slăbi. 2. a elibera (un prizonier). II. *vi. mar.* a face escală, a poposi. III. *vr.* 1. a se destinde. 2. *fig.* a scădea, a se muia. 3. (despre timp) a se face frumos. 4. a deveni mai liber.

relater *vt.* a relata, a povesti.

relatif, -ive *adj.* relativ, referitor.

relation *s.f.* relație, legătură, raport.

relativité *s.f.* relativitate.

relayer *vt.* a înlocui, a schimba.

relent *s.m.* duhoare, miros urât.

relevé *s.m.* 1. extras. 2. copie, listă.

relèvement *s.m.* ridicare

relever I. *vt.* 1. a ridica, a înălța. 2. a însufleți, a încuraja. 3. a reclădi. 4. a schimba, a înlocui. 5. a scoate în evidență. 6. a copia. 7. a da gust. II. *vi.* 1. a-și reveni. 2. a ține de. III. *vr.* a se restabili, a-și reveni.

relier *vt.* a lega, a uni.

relieur, -euse *s.m.f.* legător de cărți.

religieux, -euse I. *adj.* religios. II. *s.m.f.* călugăr.

religion *s.f.* religie.

relique *s.f.* relicvă.

relire *vt.* a reciti.

reliure *s.f.* legătură a unei cărți.

reluire *vi.* a străluci.

reluisant, -e *adj.* strălucitor.

remâcher *vt.* 1. a mesteca din nou, a rumega. 2. *fig.* a frământa.

remaniement *s.m.* remaniere, modificare.

remanier *vt.* a remania, a modifica.

remarier *vt.*, *vr.* a (se) căsători din nou.

remarquable *adj.* remarcabil.

remarque *s.f.* remarcă, observație.

remarquer *vt.* a remarca, a observa, a distinge.

remblai *s.m.* rambleu.

remboursement *s.m.* rambursare, înapoiere, restituire.

rembourser *vt.* a rambursa, a restitui.

rembrunir I. *vt.* 1. a înnegri. 2. a întrista, a întuneca. II. *vr.* *fig.* a se posomorî.

remède *s.m.* remediu, leac.

remédier *vi.* 1. a lecui. 2. *fig.* a remedia, a îndrepta.

remémorer *vt.*, *vr.* a(-și) aminti.

remerciement *s.m.* mulțumire.

remercier *vt.* 1. a mulțumi. 2. a concedia, a destitui.

remettre I. *vt.* 1. a repune, a pune la loc. 2. a remite, a preda, a înmâna. 3. a împăca. 4. a încredința. 5. a anima. 6. a recunoaște. II. *vr.* 1. a se restabili, a-și reveni. 2. a reîncepe, a apuca din nou. 3. a-și aminti.

réminiscence *s.f.* reminiscență.

remise *s.f.* 1. predare, remitere. 2. punere la loc. 3. efect de comerț. 4. remiză, comision. 5. reducere. 6. amânare. 7. remiză, șopron.

rémission *s.f.* 1. iertare. 2. *med.* acalmie momentană (într-o boală).

remonter I. *vi.* **1.** a se urca (din nou). **2.** a se ridica. **3.** a data, a-şi avea originea. **II.** *vt.* **1.** a urca din nou. **2.** a merge împotriva curentului (pe o apă). **3.** a întoarce (un ceas). **4.** a ridica moralul, a îmbărbăta. **III.** *vr.* a prinde noi puteri.

remontrance *s.f.* mustrare.

remontrer I. *vt.* **1.** a arăta din nou. **2.** a dojeni. **II.** *vi.* en ~ à qn. a da lecţii, a fi superior cuiva.

remordre *vt.* a muşca din nou.

remords *s.m.* remuşcare.

remorquer *vt.* a remorca.

rempart *s.m.* meterez (şi *fig.*).

remplaçant, -e *s.m.f.* înlocuitor.

remplacement *s.m.* înlocuire.

remplacer *vt.* a înlocui.

remplir *vt.* **1.** a umple, a umple din nou. **2.** a completa. **3.** a îndeplini, a împlini.

remporter *vt.* **1.** a lua înapoi. **2.** a ridica. **3.** a repurta, a obţine.

remuer I. *vt.* **1.** a mişca. **2.** *fig.* a mişca, a înduioşa. **II.** *vi.* a se mişca, a se clătina.

rémunération *s.f.* remunerare, remuneraţie.

rémunérer *vt.* a remunera.

renaissance *s.f.* renaştere.

renaître *vi.* **1.** a renaşte. **2.** *fig.* a recăpăta puteri.

renard *s.m.* **1.** vulpe. **2.** *fig.* vulpoi

renchérir I. *vt.* a scumpi. **II.** *vi* **1.** a se scumpi. **2.** a exagera, a întrece.

rencontre *s.f.* întâlnire.

rencontrer *vt., vr.* a (se) întâlni.

rendement *s.m.* randament.

rendez-vous *s.m.* întâlnire.

rendre I. *vt.* **1.** a înapoia. **2.** a re da. **3.** a vomita. **4.** a preda. **5.** produce, a da. **6.** a face. **7.** a în deplini, a aduce. **II.** *vr.* **1.** a se duce, a se îndrepta. **2.** a s preda, a se supune. **3.** a se face

rêne *s.f.* **1.** hăţ. **2.** *pl.* frâne.

renfermer I. *vt.* **1.** a închide di nou. **2.** *fig.* a cuprinde. **3.** a as cunde. **II.** *vr.* **1.** a se închide î sine. **2.** a se limita.

renflouage, renflouement *s.m* despotmolire (a unui vas).

renflouer *vt.* a despotmoli (u vas).

renforcement *s.m.* întărire.

renforcer *vt.* a întări.

renfrogner *vt., vr.* a (se) încrunta

rengorger (se) *vr.* **1.** a-şi umfl pieptul. **2.** *fig.* a se îngâmfa.

reniement *s.m.f.* renegare.

renier *vt.* a renega, a tăgădui.

renifler *vt., vi.* a trage pe nas.

renom *s.m.* renume, faimă.

renoncement *s.m.* renunţare.

renoncer *vi.* a renunţa.

renouer I. *vt.* 1. a înnoda din nou. 2. a reîncepe, a relua. II. *vi. fig.* a relua (o legătură).

renouveler *vt.* 1. a reînnoi. 2. a reîncepe.

renouvellement *s.m.* 1. reînnoire. 2. reluare, început.

rénover *vt.* a renova.

renseignement *s.m.* informație.

renseigner *vt., vr.* a (se) informa.

rente *s.f.* rentă.

rentrée *s.f.* 1. întoarcere. 2. percepere (a impozitelor etc.). 3. deschidere (a școlilor).

rentrer I. a intra din nou. 2. a se întoarce (acasă). 3. a se îmbina. 4. a încasa. 5. a intra în, a fi cuprins în. II. *vt.* 1. a aduce, a băga înăuntru. 2. a ascunde.

renversement *s.m.* răsturnare.

renverser *vt.* 1. a răsturna. 2. a inversa. 3. *fam.* a uimi, a stupefia.

renvoi *s.m.* 1. înapoiere. 2. concediere, destituire.

renvoyer *vt.* I. a înapoia, a trimite înapoi. II. a concedia. III. a amâna.

repaire *s.m.* vizuină, bârlog.

repaître I. *vi.* a paște. II. *vt.* a hrăni (animale). III. *vr. fig.* a se hrăni.

épandre *vt., vr.* 1. a (se) vărsa. 2. a (se) răspândi, a (se) împrăștia.

reparaître *vi.* a reapărea.

réparation *s.f.* reparare, reparație.

réparer *vt.* a repara.

repartie *s.f.* replică promptă.

repartir I. *vt.* a răspunde imediat. II. *vi.* a pleca din nou.

répartir *vt.* a repartiza.

répartition *s.f.* repartiție, repartizare.

repas *s.m.* mâncare, masă.

repasser I. *vt.* 1. a trece, a traversa. 2. a repeta, a-și reaminti. 3. a evoca. 4. a călca (cu fierul). II. *vi.* a trece (din nou).

repêcher *vt.* 1. a pescui din nou. 2. *fam.* a scăpa pe cineva (dintr-o situație grea).

repenser *vi.* a se mai gândi.

repentir (se) *vr.* a se căi.

repentir *s.m.* căință.

répercuter *vt.* a repercuta, a răsfrânge.

repère *s.m.* reper.

repérer *vt.* a repera, a descoperi.

répertoire *s.m.* repertoriu.

répéter *vt., vr.* a (se) repeta.

répétition *s.f.* repetare, repetiție.

répit *s.m.* răgaz.

replâtrer *vt.* 1. a tencui. 2. *fig.* a cârpăci, a drege. 3. a ascunde.

repli *s.m.* 1. cută. 2. *fig.* ascunziș.

replier I. a strânge, a îndoi. II. *vr.* 1. a se strânge. 2. a se replia, a se retrage.

réplique *s.f.* replică, răspuns.

répliquer *vt.* a replica.

répondre I. *vt.* a răspunde. **II.** *vi.*
1. a răspunde. 2. a garanta. 3. a
corespunde.

réponse *s.f.* răspuns.

reportage *s.m.* reportaj.

reporter I. *vt.* 1. a duce din nou.
2. a reporta. **II.** *vr.* 1. a se duce
cu gândul. 2. a se referi la.

repos *s.m.* odihnă, repaus ‖ *de
tout* ~ absolut sigur, fără risc.

reposer I. *vt.* 1. a pune din nou.
2. a odihni. 3. *fig.* a potoli, a li-
niști. **II.** *vi.* 1. a dormi. 2. a odih-
ni, a fi înmormântat. **III.** *vr.* a se
odihni.

repoussant, -e *adj.* respingător.

repousser I. *vt.* 1. a împinge din
nou. 2. a respinge. 3. a refuza.
II. *vi.* a crește din nou.

répréhensible *adj.* reprehensibil,
blamabil.

reprendre I. *vt.* 1. a relua. 2. a re-
căpăta, a redobândi. 3. a mustra.
4. a drege, a cârpi. **II.** *vi.* 1. (des-
pre plante) a prinde din nou ră-
dăcină. 2. a reveni, a reîncepe. 3.
a se restabili. **III.** *vr.* 1. a-și veni
în fire. 2. a se corecta, a retracta.

représentant *s.m.* reprezentant.

représentation *s.f.* 1. reprezen-
tare. 2. reprezentație. 3. *pl.* mus-
trare.

représenter I. *vt.* 1. a reprezenta
2. a juca (piese). 3. a înfățișa,
prezenta. **II.** *vr.* a-și închipui.

réprimande *s.f.* mustrare, do
jană.

réprimander *vt.* a mustra,
dojeni.

réprimer *vt.* a reprima, a înăbuși

reprise *s.f.* 1. reluare ‖ *à plusieur
~s* de mai multe ori. 2. repriză
3. cârpeală (de rufe, de haine).

réprobation *s.f.* dezaprobare
reprobare.

reproche *s.m.* reproș, mustrare.

reprocher I. *vt.* a reproșa, a im
puta. **II.** *vr.* a-și imputa, a-
reproșa.

reproduire I. *vt.* 1. a reproduce,
produce din nou. 2. a imita. 3.
reedita. **II.** *vr.* a se reproduce,
se înmulți.

réprouver *vt.* a condamna.

reps *s.m.* rips.

reptile *s.m.* reptilă.

repu, -e *adj.* sătul.

républicain, -e *adj.*, *s.m*
republican.

république *s.f.* republică.

répudier *vt.* 1. a repudia. 2. a re
pinge.

répugnant, -e *adj.* respingător.

répugner *vt.* a respinge, a pr
duce dezgust.

répulsion *s.f.* repulsie, dezgust.

réputation *s.f.* reputație, renume.

réputé, -e *adj.* reputat, renumit.

requérir *vt.* 1. a ruga, a cere. 2. a reclama, a pretinde.

requête *s.f.* cerere, jalbă.

requin *s.m.* rechin.

requis, -e *adj.* cerut de lege, cuvenit.

réquisition *s.f.* rechiziție.

réquisitionner *vt.* a rechiziționa.

réquisitoire *s.m.* rechizitoriu.

rescapé, -e *adj., s.m.f.* scăpat dintr-o catastrofă, salvat.

rescousse (à la) *loc. adv.* în ajutor.

réseau *s.m.* rețea.

réserve *s.f.* rezervă.

réservé, -e *adj.* rezervat.

réserver I. *vt.* 1. a rezerva. 2. a destina. II. *vr.* a-și rezerva, a se rezerva.

réservoir *s.m.* rezervor.

résidence *s.f.* rezidență, reședință.

résidentiel, -elle *adj.* rezidențial.

résider *vi.* 1. a rezida, a avea reședința. 2. *fig.* a consta.

résidu *s.m.* rămășiță, reziduu.

résignation *s.f.* resemnare.

résigner I. *vt.* a renunța. II. *vr.* a se resemna.

résiliation *s.f.* reziliere.

résilier *vt.* a rezilia.

résine *s.f.* rășină.

résistance *s.f.* rezistență.

résister *vi.* a rezista.

résolu, -e *adj.* hotărât.

résolument *adv.* cu hotărâre.

résolution *s.f.* 1. rezolvare. 2. hotărâre, rezoluție. 3. denunțare.

résonance *s.f.* rezonanță.

résonner *vi.* a răsuna.

résorber *vt., vr.* a (se) resorbi.

résorption *s.f.* resorbție.

résoudre I. *vt.* 1. a descompune. 2. a preface. 3. a rezolva. 4. a determina. II. *vr.* 1. a se hotărî, a se decide. 2. a se preface.

respectable *adj.* respectabil.

respecter *vt.* a respecta, a cinsti.

respectivement *adv.* respectiv.

respectueux, -euse *adj.* respectuos.

respirable *adj.* respirabil, de respirat.

respiration *s.f.* respirație.

respirer *vt., vi.* a respira.

resplendir *vi.* a străluci.

resplendissant, -e *adj.* strălucitor.

responsabilité *s.f.* răspundere, responsabilitate.

responsable *adj.* responsabil, răspunzător.

ressaisir I. *vt.* a apuca iar. II. *vr.* a-și reveni în fire.

ressemblance *s.f.* asemănare.

ressembler *vi., vr.* a semăna cu, a se asemăna.

ressemeler *vt.* a pingeli.

ressentiment *s.m.* resentiment, ură.

resentir *vt., vr.* a (se) resimți.

resserrer **I.** *vt.* **1.** a strânge, a strâmta. **2.** a închide. **II.** *vr.* a se restrânge.

ressort *s.m.* resort, jurisdicție.

ressortir *vi.* **1.** a ieși în relief. **2.** a reieși, a decurge.

ressource *s.f.* resursă.

ressusciter *vt., vi.* a învia.

restaurant *s.m.* restaurant.

restaurateur, -trice **I.** *s.m.f.* restaurator, reparator. **II.** *s.m.* restaurator, birtaș.

restauration *s.f.* restaurare.

restaurer *vt.* a restaura.

reste *s.m.* rest, rămășiță.

rester *vi.* a rămâne.

restituer *vt.* a restitui, a înapoia.

restitution *s.f.* restituire.

restreindre *vt.* a restrânge, a micșora.

restriction *s.f.* restricție.

résulter *vi.* a rezulta.

résumé *s.m.* rezumat.

résumer *vt., vr.* a (se) rezuma.

résurrection *s.f.* înviere.

rétablir *vt., vr.* a (se) restabili.

rétablissement *s.m.* restabilire.

retard *s.m.* întârziere.

retardataire *adj., s.m.f.* întârziat, rămas în urmă.

retardement *s.m.* întârziere, amânare.

retarder **I.** *vt.* **1.** a întârzia. **2.** a amâna. **II.** *vi.* a rămâne în urmă.

retenir **I.** *vt.* **1.** a reține, a opri. **2.** a ține în frâu. **3.** a păstra, a conserva. **II.** *vr.* a se înfrâna, a se reține.

retentir *vi.* a răsuna.

retentissant, -e *adj.* răsunător.

retentissement *s.m.* răsunet.

retenue *s.f.* reținere, rezervă, discreție.

réticence *s.f.* reticență.

rétine *s.f.* retină.

retirer **I.** *vt.* **1.** a retrage. **2.** a lua înapoi. **3.** a extrage. **II.** *vr.* **1.** a se retrage. **2.** a se îngusta.

retordre *vt.* a răsuci ‖ *donner du fil à ~ à qn.* a da de furcă cuiva.

rétorquer *vt.* a răspunde, a replica.

retouche *s.f.* retuș, îndreptare.

retoucher *vt., vi.* **1.** a atinge din nou. **2.** *fig.* a retușa, a îndrepta.

retour *s.m.* **1.** întoarcere, înapoiere. **2.** repetare. **3.** schimbare ‖ *en ~ de* în schimbul; *sans ~* definitiv, pe veci; *aller et ~* dus și întors; *être de ~* a se întoarce; *être sur le ~* a începe să îmbătrânească.

retourner I. *vt.* **1.** a întoarce pe dos (o haină). **2.** a cerceta. **3.** *fig.* a tulbura. **4.** a înapoia. **II.** *vi.* **1.** a se înapoia, a se întoarce. **2.** a reîncepe, a relua. **III.** *vr.* a se întoarce, a întoarce capul. **IV.** *v. impers.* a fi vorba despre ‖ *de quoi retourne-t-il?* despre ce este vorba?, ce se întâmplă?

rétracter I. *vt.* **1.** a retrage. **2.** a retracta. **II.** *vr.* a se dezice.

retraite *s.f.* **1.** retragere, repliere. **2.** pensionare. **3.** pensie.

retraité, -e *adj., s.m.f.* pensionar.

retranchement *s.m.* **1.** tăiere, suprimare. **2.** meterez.

retrancher I. *vt.* **1.** a tăia. **2.** a suprima, a desființa. **3.** a întări, a fortifica. **II.** *vr.* **1.** a se fortifica. **2.** a se ascunde.

rétrécir *vt., vr.* a (se) strâmta (și *fig.*).

rétrécissement *s.m.* strâmtare.

retremper I. *vt.* **1.** a muia din nou. **2.** a căli din nou. **II.** *vr.* a se căli, a se oțeli.

rétribuer *vt.* a retribui.

rétribution *s.f.* retribuție.

rétroactif, -ive *adj.* retroactiv.

rétroactivité *s.f.* retroactivitate.

rétrocéder *vt.* a retroceda, a înapoia.

rétrocession *s.f.* retrocedare, înapoiere.

rétrograder I. *vt.* a retrograda. **II.** *vi.* a regresa, a da înapoi.

retroussé, -e *adj.* ridicat în sus ‖ *nez* ~ nas cârn.

retrousser I. *vt.* a ridica, a sufleca. **II.** *vr.* a-și ridica poalele.

retrouver *vt.* **1.** a regăsi. **2.** a recunoaște.

rets *s.m.* **1.** plasă. **2.** mreje, cursă.

réunion *s.f.* reunire, reuniune, întrunire.

réunir *vt., vr.* a (se) reuni, a (se) întruni.

réussir *vi., vt.* a reuși, a izbuti.

réussite *s.f.* reușită.

revanche *s.f.* revanșă.

revancher I. *vt.* a răzbuna. **II.** *vr.* a se revanșa.

rêve *s.m.* vis, iluzie.

réveil *s.m.* deșteptare, trezire.

réveille-matin *s.m. invar.* ceas deșteptător.

réveiller *vt., vr.* a (se) trezi, a (se) deștepta.

réveillon *s.m.* revelion.

révélation *s.f.* revelație.

révéler *vt.* a revela.

revenant, -e I. *adj.* plăcut. **II.** *s.m.* stafie.

revendication *s.f.* revendicare.

revendiquer *vt.* a revendica.

revenir *vi.* 1. a reveni, a se în-
toarce. 2. a-şi aminti. 3. a costa.
4. a-şi reveni, a-şi veni în fire.

revenu *s.m.* venit.

rêver *vt., vi.* a visa, a medita.

réverbérer *vt.* a răsfrânge, a re-
flecta.

révérence *s.f.* 1. reverenţă, ple-
căciune. 2. respect.

révérencieux, -euse *adj.* reveren-
ţios, respectuos.

rêverie *s.f.* reverie, visare.

revers *s.m.* 1. dos. 2. rever. 3. *fig.*
dizgraţie, nenorocire.

réversible *adj.* reversibil.

revêtir I. *vt.* 1. a îmbrăca din nou.
2. a acoperi. 3. a învesti. II. *vr.*
a se îmbrăca, a se acoperi.

rêveur, -euse *adj., s.m.f.* visător.

revient *s.m.* (în *expr.*) *prix de* ~
preţ de cost.

revision, révision *s.f.* revizie;
revizuire.

révocable *adj.* revocabil.

révocation *s.f.* revocare.

revoir I. *vt.* a revedea. II. *s.m.* re-
vedere.

révolte *s.f.* revoltă, răscoală.

révolter *vt., vr.* a (se) revolta.

révolu, -e *adj.* trecut.

révolution *s.f.* revoluţie.

révolutionnaire *adj., s.m.f.* revo-
luţionar.

révoquer *vt.* a revoca, a anula.

revue *s.f.* revistă.

rez-de-chaussée *s.m. invar.* parter.

rhabiller *vt., vr.* a (se) îmbrăca
din nou.

rhapsodie *s.f.* rapsodie.

rhétorique *s.f.* retorică.

rhinocéros *s.m.* rinocer.

rhombe *s.m.* romb.

rhumatisme *s.m.* reumatism.

rhume *s.m.* răceală, guturai.

riant, -e *adj.* vesel, surâzător.

ricaner *vi.* a rânji.

riche *adj., s.m.f.* bogat.

richesse *s.f.* bogăţie.

ricocher *vi.* a ricoşa.

ride *s.f.* rid, zbârcitură.

ridé, -e *adj.* ridat, zbârcit.

rideau *s.m.* perdea; cortină.

ridicule *adj., s.m.* ridicol.

ridiculiser *vt.* a ridiculiza.

rien I. *pron.* 1. nimic. 2. ceva.
II. *s.m.* 1. fleac, nimic. 2. neant.

rieur, -euse *adj., s.m.f.* (persoană)
care râde.

rigide *adj.* 1. rigid. 2. *fig.* neîn-
duplecat.

rigidité *s.f.* 1. rigiditate. 2. *fig.*
neînduplecare.

rigole *s.f.* rigolă.

rigoler *vi. pop.* a se distra; a glumi.

rigoureux, -euse *adj.* riguros.

rigueur *s.f.* 1. rigoare; asprime.
2. severitate. 3. exactitate ‖ *à la*
~ la rigoare.

rime *s.f.* rimă.

rimer *vt.* a rima.

rincer *vt.* a clăti.

riposte *s.f.* ripostă, răspuns.

riposter *vi.* a riposta.

rire **I.** *vi.* **1.** a râde ‖ *rire aux éclats* a râde cu hohote; *rire du bout des lèvres* a râde pe sub mustaţă; *rire aux anges* a râde în somn (un copil). **2.** a se amuza ‖ *ce garçon aime bien rire* acestui băiat îi place să se distreze. **II** **(se)** *vr.* a-şi bate joc ‖ *il se rit de vos enfants.*

risible *adj.* rizibil, de râs.

risque *s.m.* risc.

risquer *vt.* a risca.

rituel, -le *adj.* ritual.

rivage *s.m.* ţărm, mal.

rival, -e *adj., s.m.f.* rival.

rivaliser *vi.* a rivaliza.

rivalité *s.f.* rivalitate.

rive *s.f.* mal, ţărm.

river *vt.* ţintui ‖ *~ à qn. son clou* a pune la locul lui pe cineva.

rivière *s.f.* râu.

rixe *s.f.* încăierare.

riz *s.m.* orez.

robe *s.f.* **1.** rochie. **2.** robă.

robuste *adj.* robust, voinic.

roc *s.m.* stâncă.

rocailleux, -euse *adj.* pietros.

rocher *s.m.* stâncă ascuţită.

rodage *s.m.* rodaj.

roder *vt.* a roda (o maşină).

rôder *vi.* a da târcoale.

rogner *vt.* **1.** a roade, a tăia. **2.** a lua din, a scădea.

rognon *s.m.* rinichi (de animal).

roi *s.m.* rege.

rôle *s.m.* **1.** rol. **2.** rol, registru ‖ *à tour de ~* pe rând.

romain, -e **I.** *adj.* romanic. **II.** *s.m.f.* (cu *maj.*) roman.

roman *s.m.* roman.

romance *s.f.* romanţă.

romancier, -ère *s.m.f.* romancier.

romanesque *adj.* romanţios.

romantique **I.** *adj.* romantic. **II.** *s.m.* (scriitor) romantic.

romantisme *s.m.* romantism.

rompre **I.** *vt.* **1.** a rupe; a sparge. **2.** a strica, a distruge. **3.** a obişnui. **II.** *vi.* **1.** a se rupe, a ceda. **2.** a se certa. **III.** *vr.* a-şi rupe, a se rupe.

rond, -e **I.** *adj.* rotund. **II.** *s.m.* cerc.

ronde *s.f.* **1.** rond, inspecţie de posturi ‖ *à la ~* **a)** de jur împrejur; **b)** pe rând. **2.** rundă.

rondeur *s.f.* **1.** rotunjime. **2.** *fig.* sinceritate, lealitate.

ronflement *s.m.* sforăit.

ronfler *vi.* a sforăi.

ronger **I.** *vt.* **1.** a roade ‖ *~ son frein* a se stăpâni cu greu. **2.** a

măcina. II. *vr. fig.* a se roade, a se consuma.

rongeur, -euse *adj., s.m. pl.* rozător.

ronronner *vi.* (despre pisică) a toarce.

roquet *s.m.* **1.** javră, potaie. **2.** *fig.* om artăgos.

rosaire *s.m.* șirag de mătănii.

rose I. *s.f.* trandafir, roză. **II.** *adj.* roz, trandafiriu.

roseau *s.m.* trestie.

rosée *s.f.* rouă.

rosser *vt.* a bate.

rossignol *s.m.* privighetoare.

rotation *s.f.* rotație, învârtire.

rôti, rôt *s.m.* friptură (la tavă).

rôtir *vt.* a frige, a prăji.

rôtisserie *s.f.* birt.

rotonde *s.f.* rotondă.

rotule *s.f.* rotulă.

roturier, -ère *adj., s.m.f.* om de rând.

rouage *s.m.* **1.** roțile (unei mașini etc.). **2.** *fig.* mașinărie, mecanism.

roucouler *vi.* a gânguri.

roue *s.f.* roată.

roué, -e I. *adj.* **1.** tras pe roată. **2.** *fig.* rupt, frânt. **II.** *s.m.f.* destrăbălat.

rouer *vt.* a trage pe roată ‖ ~ *de coups* a stâlci în bătaie.

rouge I. *adj.* roșu. **II.** *s.m.* culoarea roșie.

rougeâtre *adj.* roșiatic.

rougeole *s.f.* rujeolă, pojar.

rougir *vt., vi.* a roși.

rouille *s.f.* rugină.

rouiller *vt., vi.* a (se) rugini (și *fig.*).

roulade *s.f.* **1.** rostogolire. **2.** ruladă.

roulant, -e *adj.* rulant.

rouleau *s.m.* rulou, sul.

rouler I. *vt.* **1.** a rostogoli. **2.** a rula, a face sul. **3.** *fam.* a trage pe sfoară. **II.** *vi.* **1.** a se rostogoli. **2.** a rula, a merge. **3.** *fig.* a privi, a trata despre. **III.** *vr.* **1.** a se zvârcoli, a se întoarce în somn. **2.** a se tăvăli.

roulette *s.f.* ruletă.

roumain, -e I. *adj.* român(esc). **II. 1.** *s.m.f.* (cu *maj.*) român. **2.** *s.m.* limba română.

route *s.f.* rută, drum.

routier, -ère I. *adj.* rutier. **II.** *s.m.* **1.** ciclist de fond. **2.** camionagiu.

routine *s.f.* rutină, experiență.

routinier, -ère *adj., s.m.f.* rutinat.

rouvrir *vt.* a redeschide.

royal, -e *adj.* regal.

royauté *s.f.* regalitate.

ruban *s.m.* panglică.

rubicond, -e *adj.* rumen, rubicond.

rubis *s.m.* rubin.

rubrique *s.f.* rubrică.

ruche *s.f.* 1. stup. 2. *fig.* aglomerație.

rude *adj.* 1. aspru. 2. greu. 3. *fig.* sever.

rudimentaire *adj.* rudimentar.

rudoyer *vt.* a bruftui.

rue *s.f.* stradă.

ruée *s.f.* iureș.

ruelle *s.f.* uliță.

ruer **I.** *vi.* (despre animale) a azvârli. **II.** *vr.* a se repezi.

rugby *s.m.* rugbi.

rugir *vi.* a răcni.

rugissement *s.m.* răcnet.

ruine *s.f.* ruină.

ruiner *vt.*, *vr.* a (se) ruina.

ruineux, -euse *adj.* ruinător.

ruisseau *s.m.* râuleț, pârâu.

ruisselant, -e *adj.* care curge.

ruisseler *vi.* a curge șiroaie.

rumeur *s.f.* rumoare, zvon.

ruminer *vt.* a rumega.

rupture *s.f.* rupere, ruptură.

ruse *s.f.* șiretlic, vicleșug.

rusé, -e *adj.*, *s.m.f.* șiret, viclean.

ruser *vi.* a umbla cu șiretlicuri.

rustique *adj.* rustic.

rustre *s.m.* mitocan, bădăran.

rythme *s.m.* ritm.

rythmer *vt.* a ritma.

rythmique *adj.* ritmic.

S

sable *s.m.* nisip.

sabler *vt.* **1.** a presăra nisip. **2.** *fig.* a bea dintr-o înghiţitură.

sablier *s.m.* clepsidră cu nisip.

sabot *s.m.* **1.** sabot. **2.** copită.

sabotage *s.m.* sabotaj.

saboter *vt.* a sabota.

sabre *s.m.* sabie.

sabrer *vt.* **1.** a izbi cu sabia. **2.** *fam.* a face de mântuialǎ. **3.** a bifa, a tăia.

sac *s.m.* **1.** sac. **2.** raniţă ‖ ~ *à main* poşetǎ.

saccadé, -e *adj.* sacadat.

saccager *vt.* **1.** a prăda, a jefui. **2.** a răvăşi, a răscoli.

saccharine *s.f.* zaharină.

sachet *s.m.* săculeţ.

sacoche *s.f.* geantă, sacoşă, taşcă.

sacramentel, -elle *adj.* sacramental.

sacre *s.m.* ungere, învestire.

sacrer **I.** *vt.* a unge, a sfinţi. **II.** *vi.* a blestema, a înjura.

sacrifice *s.m.* sacrificiu, jertfă.

sacrifier **I.** *vt.*, *vi.* a sacrifica, a jertfi, a aduce jertfă. **II.** *vr.* a se jertfi, a se sacrifica.

sacrilège **I.** *s.m.* sacrilegiu, profanare. **II.** *adj.* nelegiuit.

sacristain *s.m.* paracliser.

sacrum *s.m.* *anat.* (osul) sacrum.

sadique *adj.* sadic.

safran *s.m.* şofran.

sagace *adj.* pătrunzător, isteţ, sagace.

sagacité *s.f.* isteţime, perspicacitate, sagacitate.

sage **I.** *adj.* **1.** înţelept. **2.** deştept. **3.** moderat, cumpătat. **4.** cuminte, ascultător. **II.** *s.m.* înţelept.

sage-femme *s.f.* moaşă.

sagement *adv.* cuminte, cu înţelepciune.

sagesse *s.f.* **1.** înţelepciune. **2.** moderaţie, prudenţă. **3.** cuminţenie, supunere.

saignant, -e *adj.* sângerând.

saigner **I.** *vt.* **1.** a lua sânge. **2.** a tăia. **3.** *fig.* a stoarce de bani **II.** *vi.* **1.** a sângera. **2.** *fig.* a face mari sacrificii băneşti ‖ *se ~ aux quatre veines fam.* a da şi ultimul ban.

saillant, -e *adj.* **1.** ieşit în afară. **2.** *fig.* izbitor.

sain, -e *adj.* sănătos.

sainement *adv.* **1.** în condiţii igienice. **2.** sănătos, judicios.

93

SAN

aint, -e I. *adj.* sfânt, cucernic, pios. II. *s.m.* sfânt.

ainteté *s.f.* sfințenie.

aisie *s.f.* 1. sechestru. 2. confiscare, sechestrare.

aisir I. *vt.* 1. a apuca, a înhăța, a prinde. 2. a înțelege, a sesiza. 3. a cuprinde. 4. a pune sechestru. II. *vr.* a pune mâna, a lua.

aisissant, -e *adj.* 1. pătrunzător. 2. *fig.* emoționant, uimitor.

ison *s.f.* 1. anotimp. 2. epocă, perioadă.

isonnier, -ère *adj.* sezonier, de anotimp.

lade *s.f.* salată; ~ *de fruits* salată de fructe.

ladier *s.m.* salatieră.

laire *s.m.* 1. salariu. 2. *fig.* răsplată.

laison *s.f.* 1. sărare. 2. sărătură.

lamandre *s.f.* salamandră.

larié, -e *adj., s.m.f.* salariat.

larier *vt.* a salariza.

le *adj.* 1. murdar. 2. *fig.* necinstit.

lé, -e *adj.* 1. sărat. 2. *fig.* hazliu, spiritual. 3. *fig.* picant, deocheat. 4. *fam.* exagerat, piperat.

ler *vt.* a săra.

leté *s.f.* murdărie (și *fig.*).

ière *s.f.* solniță.

ine *s.f.* salină.

ir *vt.* 1. a murdări. 2. *fig.* a nânji, a murdări.

salissant, -e *adj.* care murdărește.

salive *s.f.* scuipat, salivă.

salle *s.f.* sală.

salope *s.f. pop.* femeie rea.

salopette *s.f.* salopetă.

saltimbanque *s.m.* 1. saltimbanc. 2. șarlatan.

salubrité *s.f.* salubritate.

saluer *vt.* a saluta.

salut *s.m.* 1. salvare, mântuire. 2. salut.

salutation *s.f.* salutare.

salve *s.f.* salvă.

samedi *s.m.* sâmbătă.

sanatorium *s.m.* sanatoriu.

sanctifier *vt.* a sfinți.

sanction *s.f.* 1. sancționare, aprobare. 2. sancțiune, pedeapsă.

sanctionner *vt.* 1. a sancționa, a aproba. 2. a sancționa, a pedepsi.

sanctuaire *s.m.* sanctuar.

sandale *s.f.* sanda.

sang *s.m.* sânge.

sanglant, -e *adj.* sângeros, însângerat.

sangler *vt.* a strânge cu chinga.

sanglier *s.m.* porc mistreț.

sanglot *s.m.* suspin, hohot de plâns.

sangloter *vi.* a plânge în hohote, a suspina.

sangsue *s.f.* lipitoare.

sanguin, -e *adj.* sangvin.

sanitaire *adj., s.m.* sanitar.

sans *prep.* fără.

santé *s.f.* sănătate.

sape *s.f.* **1.** tranşee, şanţ. **2.** seceră. **3.** *fig.* subminare, ruinare.

saper *vt.* **1.** a săpa (în vederea dărâmării). **2.** *fig.* a submina, a ruina.

saphir *s.m.* safir.

sapin *s.m.* brad.

sapristi *interj.* ei, drace!

sarabande *s.f.* sarabandă.

sarcasme *s.m.* sarcasme.

sarcastique *adj.* sarcastic.

sarclage *s.m.* plivit.

sarcler *vt.* a plivi.

sarcloir *s.m.* săpăligă (de plivit).

sarcophage *s.m.* sarcofag.

sardine *s.f.* sardea.

sardonique *adj.* batjocoritor, sardonic.

sas *s.m.* ciur, sită.

satellite *s.m.* satelit (şi *fig.*).

satiété *s.f.* saturaţie.

satiné, -e *adj.* satinat, ca satinul, mătăsos.

satire *s.f.* satiră.

satiriser *vt.* a satiriza.

satisfaction *s.f.* satisfacţie.

satisfaire **I.** *vt.* a satisface, a mulţumi. **II.** *vi.* a împlini.

satisfaisant, -e *adj.* satisfăcător.

saturation *s.f.* saturare, saturaţie.

saturer *vt.* a satura.

satyre *s.m.* satir.

sauce *s.m.* sos, zeamă.

saucisse *s.f.* cârnat.

sauf[1], sauve *adj.* teafăr, nevăt mat ‖ *sain et* ~ teafăr şi nevăt mat.

sauf[2] *prep.* afară de.

saugrenu, -e *adj.* straniu, car ghios.

saule *s.m.* salcie ‖ ~ *pleureur* sa cie pletoasă.

saumon *s.m.* somon.

saumure *s.f.* saramură.

saupoudrer *vt.* a presăra (zahăr, sare etc.).

saur *adj. m.* sărat şi afumat.

saut *s.m.* salt, săritură.

saute *s.f.* schimbare bruscă.

sauter **I.** *vt.* **1.** a sări. **2.** *fig.* a t ce peste, a omite. **II.** *vi.* **1.** a s în aer, a exploda.

sauterelle *s.f.* lăcustă.

sauteur, -euse *adj., s.m.f.* **1.** să tor. **2.** *fig.* schimbător.

sautillement *s.m.* ţopăială.

sautiller *vi.* a ţopăi.

sauvage **I.** *adj.* **1.** sălbatic. **2.** cr **II.** *s.m.f.* sălbatic, primitiv.

sauvegarde *s.f.* apărare, ocroti

sauvegarder *vt.* a apăra, a ocro

sauver **I.** *vt.* **1.** a salva. **2.** a m tui. **II.** *vr.* **1.** a fugi, a scăpa. 2 se mântui.

sauvetage *s.m.* salvare.

auveur *s.m.* **1.** salvator. **2.** mântuitor.

avamment *adv.* **1.** (în mod) savant. **2.** cu știință, cu pricepere.

avane *s.f.* savană.

avate *s.f.* pantof, papuc vechi, rupt.

aveur *s.f.* gust, savoare.

avoir[1] *vt.* **1.** a ști, a cunoaște, a fi informat ‖ *il ne sait pas où il partira* nu știe unde va pleca. **2.** a avea în memorie ‖ *cet élève sait bien sa leçon* acest elev își știe bine lecția. **3.** a cunoaște (o știință) ‖ *il connaît la physique* el știe fizică. **4.** a ști (să facă) *savoir lire, écrire et compter* a ști să citească, să scrie, să socotească; *expr.* ‖ *a savoir* de luat la cunoștință, de știut; *en savoir long* a ști multe despre; *ne savoir où donner de la tête (à quel saint se vouer)* a nu ști ce să mai faci.

avoir[2] *s.m.* cunoștință, știință.

avoir-faire *s.m.* pricepere, iscusință.

avoir-vivre *s.m.* cunoaștere a uzanțelor, a bunelor maniere.

avon *s.m.* **1.** săpun. **2.** săpuneală, dojană.

avonner *vt.* a săpuni (și *fig.*).

avourer *vt.* a savura, a gusta.

savoureux, -euse *adj.* gustos, savuros (și *fig.*).

saxophone *s.m.* saxofon.

sbire *s.m.* zbir.

scabreux, -euse *adj.* **1.** dificil, anevoios, necuviincios.

scalper *vt.* a scalpa.

scandale *s.m.* scandal.

scandaleux, -euse *adj.* scandalos.

scandaliser *vt., vr.* a (se) scandaliza, a (se) indigna.

scaphandrier *s.m.* scafandru.

scarlatine *s.f.* scarlatină.

sceau *s.m.* sigiliu, pecete.

scélérat, -e *adj., s.m.f.* scelerat, criminal.

sceller *vt.* a sigila, a pecetlui.

scénario *s.m.* scenariu.

scène *s.f.* scenă (și *fig.*).

scénographie *s.f.* scenografie.

scepticisme *s.m.* scepticism.

sceptique *adj., s.m.f.* sceptic.

sceptre *s.m.* sceptru.

schéma *s.m.* schemă, plan.

schématique *adj.* schematic.

schiste *s.m.* șist.

sciatique **I.** *adj., s.m.* sciatic. **II.** *s.f.* sciatică.

scie *s.f.* **1.** ferăstrău. **2.** *fig. pop.* pisălog, lucru plicticos, repetare obositoare.

sciemment *adv.* cu știință, conștient.

science *s.f.* știință; cunoștință.

scientifique adj. ştiinţific.

scier vt. 1. a tăia cu ferăstrăul. 2. pop. a plictisi.

scindement s.m. scindare, despărţire.

scinder vt. a scinda.

scintillant, -e adj. scânteietor, sclipitor.

scintillement s.m. scânteiere, sclipire.

scintiller vt. a scânteia, a sclipi.

scission s.f. sciziune, separare.

sciure s.f. rumeguş, pilitură.

sclérose s.f. scleroză.

scolaire adj. şcolar.

scolastique **I.** adj. scolastic. **II.** s.f. scolastică.

scooter s.m. scuter.

scribe s.m. 1. scrib. 2. copist.

scrupule s.m. scrupul.

scrupuleux, -euse adj. scrupulos.

scruter vt. a scruta, a cerceta.

sculpter vt. a sculpta.

sculpteur s.m. sculptor.

sculpture s.f. sculptură.

séance s.f. şedinţă.

seau s.m. găleată.

sec, sèche **I.** adj. 1. sec, uscat. 2. slab, uscăţiv. 3. fig. rece, nepăsător. 4. fig. sec, scurt. **II.** adv. brusc ‖ à ~ **a)** fără apă; **b)** fig. fără bani. **III.** s.m. uscat; uscăciune.

séchage s.m. uscare.

sécher **I.** vt. 1. a usca. 2. a seca. **II.** vi. 1. a seca. 2. arg. (d elevi) a fi clei.

sécheresse s.f. 1. uscăciune, seci tă. 2. fig. răceală, indiferenţă.

second, -e **I.** adj. al doile **II.** s.m. 1. al doilea. 2. (ofiţe secund. 3. etajul al doilea.

secondaire adj. secundar.

seconde s.f. secundă.

secondement adv. în al doile rând.

seconder vt. a seconda, a ajuta.

secouer vt. a scutura.

secourir vt. a ajuta, a sprijini.

secours s.m. ajutor, sprijin ‖ au ajutor!

secousse s.f. zguduitură, zdrunc nătură.

secret, -ète **I.** adj. secret. **II.** s. secret, taină.

secrétaire s.m. 1. secretar. 2. birou

sécréter vt. a secreta.

sécrétion s.f. secreţie.

sectaire adj., s.m. sectar.

secte s.f. sectă.

secteur s.m. sector, porţiune.

section s.f. secţie, secţiune.

sectionnement s.m. secţionare.

sectionner vt. a secţiona.

séculaire adj. secular.

séculier, -ère **I.** adj. mirean, la **II.** s.m. laic.

secundo adv. în al doilea rând.

sécurité *s.f.* siguranță, securitate.

sédatif, -ive *adj., s.m.* sedativ, calmant.

sédentaire *adj.* sedentar.

sédimentaire *adj.* sedimentar.

sédimentation *s.f.* sedimentare.

sédition *s.f.* sedițiune, răzvrătire.

séducteur, -trice *s.m.f., adj.* seducător.

séduction *s.f.* seducere, ademenire.

séduire *vt.* a seduce, a ademeni.

séduisant, -e *adj.* seducător, ademenitor.

segmenter *vt.* a segmenta.

seigle *s.m.* secară.

seigneur *s.m.* senior, domn, stăpân.

sein *s.m.* **1.** sân, piept. **2.** interior, miez. **3.** centru, mijloc.

séisme *s.m.* seism.

seize *num.* șaisprezece.

séjour *s.m.* sejur; ședere într-un loc.

séjourner *vi.* a sta, a se stabili un timp undeva.

sel *s.m.* **1.** sare. **2.** *fig.* haz, spirit.

sélection *s.f.* selecție, selectare.

selle *s.f.* șa.

seller *vt.* a înșeua, a pune șaua.

selon *prep.* după, conform cu.

semaille *s.f.* semănat.

semaine *s.f.* **1.** săptămână. **2.** salariu pentru o săptămână.

sémaphore *s.m.* semafor.

semblable **I.** *adj.* asemănător, asemenea. **II.** *s.m.* seamăn, aproape.

semblant *s.m.* aparență ‖ *faire ~* a se preface; *faux ~* șiretlic, ipocrizie.

sembler *vi., v. impers.* a părea, a se părea.

semelle *s.f.* talpă (de încălțăminte) ‖ *ne pas reculer d'une ~* a nu se urni din loc, a nu ceda.

semence *s.f.* sămânța (și *fig.*).

semer *vt.* a însămânța, a semăna (și *fig.*).

semestre *s.m.* semestru.

semestriel, -elle *adj.* semestrial.

semeur, -euse *s.m.f.* semănător.

sémillant, -e *adj.* vioi.

séminaire *s.m.* seminar (teologic).

séminal, -e *adj.* seminal.

semoir *s.m.* **1.** semănătoare. **2.** sac de grăunțe.

semoncer *vt.* a mustra.

sénateur *s.m.* senator.

sénile *adj.* senil.

sénilité *s.f.* senilitate.

sens *s.m.* **1.** simț. **2.** judecată, înțelegere. **3.** părere. **4.** sens, semnificație. **5.** sens, direcție.

sensation *s.f.* senzație.

sensationnel, -elle *adj.* senzațional.

sensé, -e *adj.* cu minte, înțelept.

sensibiliser *vt.* a sensibiliza.

sensibilité *s.f.* sensibilitate.

sensible *adj.* sensibil, simțitor.

sensorial, -e *adj.* anat. senzorial.

sensualité *s.f.* senzualitate.

sensuel, -elle *adj.* senzual.

sentence *s.f.* **1.** sentință. **2.** maximă.

sentencieux, -euse *adj.* sentențios.

senteur *s.f.* miros, parfum.

sentier *s.m.* potecă, cărare.

sentimental, -e *adj.* sentimental.

sentimentalité *s.f.* sentimentalitate.

sentinelle *s.f.* sentinelă.

sentir I. *vt.* **1.** a simți, a resimți. **2.** a mirosi. **3.** a răspândi un miros. **4.** a suferi (pe cineva). **5.** a înțelege, a cunoaște. **II.** *vi.* a răspândi un miros. **III.** *vr.* a se simți, a-și simți.

seoir I. *vi.* a sta bine. **II.** *v. imper.* a se cuveni, a se cădea.

séparable *adj.* separabil.

séparation *s.f.* separare, despărțire.

séparé, -e I. *adj.* separat. **II.** *s.m.* separeu.

séparer *vt., vr.* a (se) separa, a (se) despărți.

sept *adj.* șapte.

septembre *s.m.* septembrie.

septentrional, -e *adj.* septentrional, nordic.

septicémie *s.f.* septicemie.

septique *adj.* septic.

septuagénaire *adj., s.m.f.* septuagenar.

sépulture *s.f.* mormânt, înmormântare.

séquelle *s.f.* **1.** clică, ceartă. **2.** *med.* sechelă.

séquence *s.f.* secvență.

séquestration *s.f.* sechestrare.

séquestrer *vt.* a sechestra.

sérail *s.m.* serai.

serein *adj.* senin (și *fig.*).

sérénade *s.f.* serenadă.

sérénité *s.f.* seninătate, calm, liniște.

serf, serve *adj., s.m.f.* șerb, iobag.

serfouette *s.f.* săpăligă.

serge *s.f.* serj.

sergent *s.m.* sergent.

sériciculture *s.f.* sericicultură.

série *s.f.* serie.

sérier *vt.* a seria.

sérieusement *adv.* serios.

sérieux, -euse I. *adj.* serios. **II.** *s.m.* seriozitate.

serin, -e *s.m.f.* **1.** canar. **2.** *fig., fam.* nătărău, prostuț.

seriner *vt.* a bate la cap.

seringue *s.f.* seringă.

serment *s.m.* jurământ ‖ *prêter ~* a depune jurământ.

sermonner I. *vi.* a ține o predică.
II. *vt.* a dojeni, a mustra.
serpe *s.f.* cosor.
serpent *s.m.* șarpe (și *fig.*).
serpenter *vt.* a șerpui.
serre *s.f.* **1.** strângere. **2.** gheară.
3. seră.
serré, -e *adj.* **1.** strâns. **2.** *fig.* riguros, concis. **3.** atent, prudent.
4. *fam.* zgârcit.
serrement *s.m.* strângere.
serrer I. *vt.* **1.** a strânge. **2.** a pune bine. **II.** *vr.* **1.** a se strânge. **2.** a se înghesui ‖ ~ *de près* a urmări îndeaproape.
serrure *s.f.* broască, încuietoare.
serrurier *s.m.* lăcătuș.
servage *s.m.* șerbie, iobăgie.
servant, -e *adj. mil.* servant.
servante *s.f.* **1.** servitoare. **2.** bufet (de sufragerie).
serviable *adj.* serviabil.
service *s.m.* serviciu, funcție, ajutor.
serviette *s.f.* **1.** șervet, prosop. **2.** servietă, geantă.
servile *adj.* servil, slugarnic.
servir I. *vt.* **1.** a servi, a sluji. **2.** a face un serviciu. **II.** *vi.* a servi la, a sluji. **III.** *vr.* a se servi.
serviteur *s.m.* servitor.
servitude *s.f.* servitute, supunere robie.
session *s.f.* sesiune.

seuil *s.m.* prag.
seul, -e *adj.* singur, unic.
seulement *adj.* **1.** numai. **2.** cel puțin, măcar. **3.** abia.
sève *s.f.* sevă (și *fig.*).
sévère *adj.* sever, aspru.
sévèrité *s.f.* severitate.
sévices *s.m. pl.* maltratări, acte de violență.
sévir *vi.* **1.** a pedepsi cu asprime. **2.** a bântui.
sevrer *vt.* a înțărca.
sexagénaire *adj., s.m.f.* sexagenar.
sexe *s.m.* sex.
sexualité *s.f.* sexualitate.
sexuel, -elle *adj.* sexual.
seyant, -e *adj. fig.* care șade, care vine bine.
si¹ *conj.* dacă ‖ ~ *tant est que* dacă într-adevăr; ~ *ce n'est que* afară de.
si² *adv.* **1.** atât de. **2.** da, ba da.
sidéré, -e *adj.* înmărmurit, uimit.
sidérurgie *s.f.* siderurgie.
siècle *s.m.* secol, veac.
siège *s.m.* **1.** scaun. **2.** sediu. **3.** reședință. **4.** asediu. **5.** centru.
siéger *vi.* **1.** a avea reședința. **2.** a sta, a ședea.
sien, -enne I. *pron. pos.* al său, a sa. **II.** *s.m. pl.* rudele, prietenii săi. **III.** *s.f. pl.* șotii, năzbâtii.
sieste *s.f.* siestă.

siffler *vi.*, *vt.* a fluiera, a şuiera.

sifflet *s.m.* fluier.

signal *s.m.* semnal.

signalement *s.m.* semnalmente.

signaler I. *vt.* a semnala. **II.** *vr.* a se distinge.

signalisation *s.f.* semnalizare.

signataire *s.m.* semnatar.

signature *s.f.* semnătură.

signe *s.m.* semn.

signer I. *vt.* a semna. **II.** *vr.* a face semnul crucii.

signifier *vt.* **1.** a însemna. **2.** a face cunoscut. **3.** a notifica.

silence *s.m.* tăcere, linişte.

silencieux, -euse *adj.* tăcut, liniştit.

silex *s.m.* silex.

silhouette *s.f.* siluetă.

sillage *s.m.* urmă.

sillon *s.m.* **1.** brazdă. **2.** *pl.* zbârcituri.

sillonner *vt.* a brăzda.

similaire *adj.* similar, asemănător.

similitude *s.f.* asemănare, similitudine.

simple I. *adj.* **1.** simplu. **2.** natural. **3.** naiv, prostuţ. **II.** *s.m.* **1.** simplu, ceea ce e simplu. **2.** persoană simplă, redusă.

simplicité *s.f.* simplitate.

simplification *s.f.* simplificare.

simplifier *vt.* a simplifica.

simulacre *s.m.* simulacru, aparenţă.

simulateur, -trice *s.m.f.* simulator.

simulation *s.f.* simulare.

simuler *vt.* a simula.

simultané, -e *adj.* simultan.

simultanéité *s.f.* simultaneitate.

sincère *adj.* sincer.

sincérité *s.f.* sinceritate.

sinécure *s.f.* sinecură.

singe *s.m.* maimuţă.

singer *vt.* a imita pe cineva, a maimuţări.

singularité *s.f.* ciudăţenie.

singulier, -ère *adj.* **1.** unic. **2.** original, deosebit, ciudat.

sinistre I. *adj.* sinistru, funest. **II.** *s.m.* sinistru, calamitate.

sinistré, -e *adj.*, *s.m.f.* sinistrat.

sinon *conj.* dacă nu, altfel.

sinueux, -euse *adj.* sinuos.

sinuosité *s.f.* sinuozitate.

sinusite *s.f.* sinuzită.

siphon *s.m.* sifon (aparat).

sirène *s.f.* sirenă.

sirop *s.m.* sirop.

siroter *vt.*, *vi. fam.* a sorbi puţin câte puţin, a savura (o băutură).

sirupeux, -euse *adj.* siropos.

site *s.m.* loc, poziţie.

sitôt *adv.* îndată.

situation *s.f.* situaţie, poziţie.

situer I. *vt.* a situa. **II.** *vr.* a se situa, a se aşeza.

six *adj.* şase.

ski *s.m.* schi.

skieur, -euse *s.m.f.* schior.

snobisme *s.m.* snobism.

sobre *adj.* **1.** sobru, moderat. **2.** modest.

sobriété *s.f.* sobrietate.

sobriquet *s.m.* poreclă.

soc *s.m.* brăzdar.

sociable *adj.* sociabil.

social, -e *adj.* social.

socialiser *vt.* a socializa.

socialisme *s.m.* socialism.

sociétaire *adj., s.m.f.* societar.

société *s.f.* societate, asociaţie.

socle *s.m.* soclu.

soda *s.m.* sifon (băutură).

sœur *s.f.* soră.

soi *pron. pers.* sine ‖ *prendre sur ~* a lua asupra-şi; *revenir à ~* a-şi veni în fire; *chez ~* acasă.

soi-disant **I.** *adj. invar.* aşa-zis. **II.** *loc. adv.* chipurile.

soie *s.f.* mătase.

soif *s.f.* sete (şi *fig.*).

soigné, -e *adj.* îngrijit.

soigner *vt., vr.* a (se) îngriji.

soigneux, -euse *adj.* **1.** îngrijit. **2.** care lucrează cu grijă, meticulos. **3.** preocupat de, grijuliu.

soin *s.m.* **1.** grijă ‖ *petits ~s* atenţii. **2.** îngrijire.

soir *s.m.* seară.

soirée *s.f.* seară, serată.

soit *conj.* fie ‖ *tant ~ peu* cât de puţin.

soixantaine *s.f.* **1.** circa/aproximativ şaizeci. **2.** vârstă de aproape şaizeci de ani.

soixante *num.* şaizeci.

solaire *adj.* solar.

soldatesque **I.** *adj.* soldăţesc. **II.** *s.f. peior.* soldăţime.

solde *s.f.* soldă.

soleil *s.m.* soare.

solennel, -elle *adj.* solemn.

solennité *s.f.* solemnitate.

solfège *s.m.* solfegiu.

solidaire *adj.* solidar.

solidariser *vt., vr.* a (se) solidariza.

solidarité *s.f.* solidaritate.

solide **I.** *adj.* **1.** solid, rezistent. **2.** *fig.* temeinic, serios. **II.** *s.m.* solid.

solidification *s.f.* solidificare.

solidifier *vt.* a solidifica.

solidité *s.f.* soliditate, tărie.

soliste *s.m.* solist.

solitaire *adj., s.m.f.* **1.** solitar, singuratic. **2.** (diamant) solitar.

solitude *s.f.* singurătate.

sollicitation *s.f.* solicitare, cerere.

solliciter *vt.* **1.** a solicita, a cere. **2.** a atrage, aprovoca.

solstice *s.m.* solstiţiu.

soluble *adj.* solubil.

solution *s.f.* **1.** soluţie, rezolvare. **2.** dizolvare.

solvabilité *s.f.* solvabilitate.

solvable *adj.* solvabil.

sombre *adj.* 1. întunecat, sumbru. 2. *fig.* posomorât, tăcut.

sombrer *vi.* 1. *mar.* a se scufunda. 2. *fig.* a se prăbuşi, a se ruina.

sommaire I. *adj.* sumar. II. *s.m.* sumar.

sommation *s.f.* somaţie.

somme *s.f.* sumă.

sommeil *s.m.* somn.

sommeiller *vi.* a moţăi.

sommer *vt.* a soma.

sommet *s.m.* vârf.

sommier *s.m.* somieră.

sommité *s.f. fig.* somitate, personalitate.

somnambule *adj., s.m.f.* somnambul.

somnifère *adj., s.m.* somnifer.

somnolence *s.f.* somnolenţă.

somptueux, -euse *adj.* somptuos, măreţ.

somptuosité *s.f.* somptuozitate, măreţie.

son[1] **sa** (*pl.* **ses**) *adj. pos.* său.

son[2] *s.m.* sunet.

son[3] *s.m.* 1. tărâţă. 2. *fam.* pistrui.

sonate *s.f.* sonată.

sondage *s.m.* sondaj.

sonde *s.f.* sondă.

sonder *vt.* a sonda.

songe *s.m.* 1. vis. 2. iluzie.

songer *vi.* 1. a (se) gândi. 2. a visa. 3. a intenţiona.

sonner *vi., vt.* a suna.

sonnerie *s.f.* sonerie.

sonnet *s.m.* sonet.

sonore *adj.* sonor.

sonorité *s.f.* sonoritate.

soprano (*pl.* **soprani**), *s.m.* şoprană.

sorcellerie *s.f.* vrăjitorie.

sorcier, -ère *s.m.f.* vrăjitor.

sordide *adj.* sordid, murdar.

sornette *s.f.* fleac, moft, braşoavă.

sort *s.m.* 1. soartă. 2. întâmplare. 3. sorţ. 4. vraja.

sorte *s.f* sort, fel, soi ‖ *loc. conj.* de ~ que astfel încât.

sortie *s.f.* ieşire (şi *fig.*).

sortilège *s.m.* farmec, vrajă.

sortir I. *vi.* a ieşi. II. *vt.* a scoate.

sot, sotte I. *adj.* prost, neghiob. II. *s.m.f.* prost, nătărău.

sottise *s.f.* prostie.

sou *s.m.* ban, para.

soubresaut *s.m.* 1. săritură neaşteptată a calului. 2. tresărire.

souche *s.f.* 1. butuc, buştean. 2. izvor, origine. 3. *fam.* tâmpit. 4. suşă.

souci *s.m.* grijă.

soucier (se) *vr.* a se îngriji, a se sinchisi, a-i păsa.

soucoupe *s.f.* farfurioară (de ceaşcă, pahar).

soudain, -e I. *adj.* neașteptat, brusc: II. *adv.* deodată, pe ne-așteptate.

soudard *s.m.* soldățoi.

saude *s.f.* sodă.

souder *vt.*, *vr.* a (se) suda.

soudoyer *vt.* a plăti, a tocmi.

soudure *s.f.* sudură.

souffle *s.m.* **1.** suflu, răsuflare. **2.** adiere. **3.** *fig.* avânt, inspirație.

souffler I. *vi.* **1.** a sufla. **2.** a gâfâi. **3.** a răsufla. **4.** a vorbi, a șopti. II. *vt.* **1.** a sufla, a ațâța. **2.** a stinge. **3.** a umfla cu aer. **4.** *fig.* a sufla, a șopti.

soufflet[1] *s.m.* foale.

soufflet[2] *s.m.* palmă.

souffleter *vt.* a pălmui.

souffrance *s.f.* suferință || *jour de* ~ ferestruică.

souffrant, -e *adj.* suferind.

souffrir. I *vt.* a suporta, a îndura II. *vi.* a suferi.

soufrer *vt.* a unge cu sulf.

souhait *s.m.* dorință, urare || *à* ~ după pofta inimii.

souhaiter *vt.* a dori, a ura.

souiller *vt.*, *vr.* a (se) mânji, a (se) păta.

souillure *s.f.* pată (și *fig.*).

soulagement *s.m.* ușurare.

soulager *vt.* a ușura, a alina.

soûler I. *vt.* **1.** a sătura. **2.** îmbăta. II. *vr.* a se îmbăta.

soulèvement *s.m.* **1.** ridicare. **2.** răscoală.

soulever I. *vt.* **1.** a ridica. **2.** a răscula || ~ *le cœur* a produce greață. II. *vr.* **1.** a se ridica. **2.** a se răscula.

soulier *s.m.* pantof || *être dans ses petits* ~ a fi în încurcătură.

souligner *vt.* a sublinia.

soumettre *vt.*, *vr.* a (se) supune.

soumission *s.f.* supunere.

soupape *s.f.* supapă.

soupçon *s.m.* **1.** bănuială. **2.** dram, cantitate infimă.

soupçonner *vt.* a bănui.

soupe *s.f.* supă.

souper[1] *vi.* a supa.

souper[2] *s.m.* supeu, masă de seară.

soupeser *vt.* a cântări din mână.

soupière *s.f.* supieră.

soupir *s.m.* suspin.

soupirail *s.m.* răsuflătoare (a unei pivnițe).

soupirer *vi.* a suspina.

souple *adj.* suplu, mlădios.

souplesse *s.f.* suplețe.

source *s.f.* sursă, izvor.

sourcil *s.m.* sprânceană.

sourd, -e, I. *adj.* **1.** surd. **2.** spălăcit, șters. II. *s.m.f.* surd.

sourdine *s.f.* surdină.

sourd-muet *s.m.* surdomut.

souriant, -e *adj.* surâzător.

souricière *s.f.* 1. cursă de şoareci. 2. *fig.* cursă, capcană.

sourire[1] *vi.* a surâde.

sourire[2] *s.m.* surâs, zâmbet.

souris *s.f.* şoarece.

sournois, -e *adj.* viclean, ascuns.

sous *prep.* sub ‖ ~ *peu* în curând.

souscription *s.f.* subscripţie.

souscrire I. *vt.* a subscrie, a semna. II. *vi.* 1. a subscrie, a se angaja. 2. *fig.* a consimţi, a adera la.

sous-marin, -e *adj.*, *s.m.* submarin.

sous-préfet *s.m.* subprefect.

soussigné, -e *s.m.f.*, *adj.* subsemnat.

sous-sol *s.m.* subsol.

soustraction *s.f.* 1. sustragere. 2. *mat.* scădere.

soustraire I. *vt.* 1. a sustrage. 2. *mat.* a scădea. II. *vr.* a se sustrage.

soutenir I. *vt.* 1. a susţine. 2. a apăra, a sprijini. II. *vr.* 1. a se menţine, a se susţine. 2. a se ajuta, a se sprijini reciproc.

souterrain, -e *adj.* subteran.

soutien *s.m.* sprijin (şi *fig.*).

soutirer *vt.* 1. *fig.* a sustrage. 2. a pritoci.

souvenir[1] *s.m.* amintire, suvenir.

souvenir[2] *vr.*, *v. impers.* a-şi aminti.

souvent *adv.* adesea.

souverain, -e I. *adj.* suveran. II. *s.m.* suveran, monarh.

soya *s.m.* soia.

soyeux, -euse *adj.* mătăsos.

spacieux, -euse *adj.* spaţios.

spadassin *s.m.* spadasin.

spasme *s.m.* spasm.

spécial, -e *adj.* special.

spécialisation *s.f.* specializare.

spécialiser *vt.*, *vr.* a (se) specializa.

spécialiste *adj.*, *s.m.f.* specialist.

spécialité *s.f.* specialitate.

spécification *s.f.* specificare.

spécifier *vt.* a specifica.

spécifique *adj.* specific.

spectacle *s.m.* spectacol.

spectaculaire *adj.* spectaculos.

spectateur, -trice *s.m.f.* spectator.

spectre *s.m.* 1. spectru, strigoi. 2. *fiz.* spectru.

spéculer *vi.* 1. a specula. 2. a face speculaţii, a medita.

sperme *s.m.* spermă.

sphère *s.f.* sferă (şi *fig.*).

sphérique *adj.* sferic.

sphincter *s.m. anat.* sfincter.

sphinx *s.m.* sfinx (şi *fig.*).

spirale *s.f.* spirală.

spirituel, -elle *adj.* spiritual.

spiritueux, -euse I. *adj.* alcoolic, spirtos. II. *s.m.* băutură alcoolică.

spleen *s.m.* splin, plictiseală.

splendeur *s.f.* splendoare, stră-
lucire.

splendide *adj.* splendid, strălucit.

spoliation *s.f.* spoliere, jaf.

spolier *vt.* a spolia, a jefui, a
deposeda.

spontané, -e *adj.* spontan.

spontanéité *s.f.* spontaneitate.

spontanément *adv.* (în mod)
spontan.

sporadique *adj.* sporadic.

sportif, -ive *adj., s.m.f.* sportiv.

squelette *s.m.* schelet.

stabilisation *s.f.* stabilizare.

stabiliser *vt.* a stabiliza.

stabilité *s.f.* stabilitate.

stable *adj.* stabil, statornic.

stade *s.m.* 1. stadiu, fază. 2. sta-
dion.

stage *s.m.* stagiu.

stagiaire *adj.* stagiar.

stagnation *s.f.* stagnare.

stalactite *s.f.* stalactită.

stalagmite *s.f.* stalagmită.

stalle *s.f.* 1. stal. 2. strană. 3. boxă
(în grajd).

standardiser *vt.* a standardiza.

station *s.f.* stație, oprire.

stationnaire *adj.* staționar.

stationnement *s.m.* staționare.

stationner *vi.* a staționa.

statique I. *adj.* static. **II.** *s.f.* statică.

statisticien *s.m.* statistician.

statistique I. *s.f.* statistică. **II.** *adj.*
statistic.

statue *s.f.* statuie.

statuer *vt., vr.* a hotărî, a statua.

stature *s.f.* statură.

sténodactylo *s.f.* stenodactilo-
grafă.

sténodactylographie *s.f.* steno-
dactilografie.

sténographe *s.m.* stenograf.

sténographier *vt.* a stenografia.

steppe *s.f.* stepă.

stéréotypé, -e *adj.* stereotip.

stérile *adj.* steril.

stérilisateur *s.m.* sterilizator.

stérilisation *s.f.* sterilizare.

stériliser *vt.* a steriliza.

stérilité *s.f.* sterilitate.

stigmate *s.m.* stigmat.

stigmatiser *vt.* a stigmatiza.

stimulant, -e *adj., s.m.* stimulent.

stimulation *s.f.* stimulare.

stimuler I. *vt.* a stimula. **II.** *vr.* a
se încuraja reciproc.

stipendier *vt.* a stipendia.

stipulation *s.f.* stipulare.

stipuler *vt.* a stipula.

stockage *s.m.* stocaj, stocare.

stocker *vt.* a stoca.

stoïcisme *s.m.* stoicism.

stoïque *adj., s.m.* stoc.

stoïquement *adv.* cu stoicism.

stopper *vt.* a stopa.

store *s.m.* stor.

strangulation *s.f.* strangulare.

stratagème *s.m.* stratagemă.

stratège *s.m.* strateg.

stratégie *s.f.* strategie.

stratégique *adj.* strategic.

stratifier *vt.* a stratifica.

stratosphère *s.f.* stratosferă.

strict, -e *adj.* strict, riguros.

strier *vt.* a striga, a brăzda.

structure *s.f.* structură.

studieux, -euse *adj.* studios.

stupéfaction *s.f.* uimire, încredere.

stupéfait, -e *adj.* uimit.

stupéfier *vt.* 1. a amorți. 2. *fig.* a uimi.

stupeur *s.f.* 1. amorțire. 2. *fig.* uimire, stupoare.

stupide *adj.* stupid, prost.

stupidité *s.f.* stupiditate, prostie.

style *s.m.* stil.

stylet *s.m.* stilet.

stylistique *s.f.* stilistică.

stylo *s.m.* stilou.

suaire *s.m.* giulgiu.

suave *adj.* suav.

suavité *s.f.* suavitate.

subalterne *adj., s.m.f.* subaltern.

subconscient, -e *adj.* subconștient.

subir *vt.* 1. a suferi, a îndura. 2. a susține.

subit, -e *adj.* subit.

subjectif, -ive *adj.* subiectiv.

subjectivité *s.f.* subiectivitate.

subjugation *s.f.* subjugare.

subjuguer *vt.* a subjuga (și *fig.*).

sublime *adj., s.m.* sublim.

submerger *vt.* 1. a inunda, a îneca. 2. *fig.* a copleși.

submersion *s.f.* 1. submersiune. 2. înecare.

subordonné, -e *adj., s.m.f.* subordonat.

subordonner *vt.* a subordona.

suborner *vt.* a ademeni, a seduce.

subreptice *adj.* ilicit, pe sub mână.

subside *s.m.* subsidiu, ajutor bănesc.

subsidiaire *adj.* subsidiar.

subsistance *s.f.* subzistență.

subsister *vi.* a subzista.

substance *s.f.* substanță.

substantiel, -elle *adj.* substanțial (și *fig.*).

substituer I. *vt.* a înlocui, a substitui. **II.** *vr.* a se substitui.

substitut *s.m.* substitut, locțiitor.

substitution *s.f.* substituire, înlocuire.

subterfuge *s.m.* subterfugiu.

subtil, -e *adj.* 1. subtil, greu de sesizat. 2. pătrunzător. 3. *fig.* ingenios, greu de urmărit.

subtilité *s.f.* subtilitate.

subvenir *vi.* 1. a avea grijă de. 2. a da ajutor.

subvention *s.f.* subvenție.

subventionner *vt.* a subvenționa.

subversif, -ive *adj.* subversiv.

suc *s.m.* suc.

succéder *vi.* a succeda.

succés *s.m.* succes.

successeur *s.m.* succesor, urmaș.

succession *s.f.* moștenire, succe- siune.

successivement *adv.* (în mod) succesiv.

successoral, -e *adj.* succesoral.

succinctement *adv.* (în mod) succint.

succion *s.f.* sugere, supt.

succomber *vi.* a sucomba, a muri.

succulent, -e *adj.* suculent, gustos.

succursale *s.f.* sucursală.

sucer *vt.* a suge (și *fig.*).

sucette *s.f.* tetină, suzetă.

sucre *s.m.* zahăr ‖ *pain de ~* căpățână de zahăr.

sucrer *vt.* a îndulci.

sucrerie *s.f.* **1.** fabrică de zahăr. **2.** *pl.* dulciuri.

sud *s.m.* sud.

sud-est *s.m.* sud-est.

sud-ouest *s.m.* sud-vest.

suée *s.f.* asudare.

suer I. *vi.* **1.** a asuda, a năduși. **2.** a picura, a avea igrasie. **II.** *vt.* (în expr.) *~sang et eau* a munci pe brânci.

sueur *s.f.* sudoare, năduşeală.

suffire I. *vi.* a ajunge. **II.** *v. im- pers.* a fi de ajuns. **III.** *vr.* a nu avea nevoie de alții, a-i fi de ajuns.

suffisance *s.f.* **1.** îndestulare. **2.** în- fumurare.

suffisant, -e *adj.* **1.** suficient, îndestulător. **2.** înfumurat.

suffisamment *adv.* îndeajuns, destul.

suffixe *s.m.* sufix.

suffoquer *vt.*, *vi.* a (se) sufoca.

suffrage *s.m.* sufragiu.

suggérer *vt.* a sugera.

suggestif, -ive *adj.* sugestiv.

suggestion *s.f.* sugestie.

suggestionner *vt.* a sugestiona.

suicide *s.m.* sinucidere.

suicidé, -e *s.m.f.* sinucis.

suicider (se) *vr.* a se sinucide.

suie *s.f.* funingine.

suif *s.m.* seu.

suinter *vi.* a musti, a se prelinge.

suite *s.f.* **1.** suită. **2.** urmare. **3.** *fig.* șir, înșiruire ‖ *par ~* ca urmare; *tout de ~* imediat.

suivant¹ *prep.* după, conform.

suivant², -e I. *adj.* următor. **II.** *s.f.* servitoare, subretă.

suivi, -e *adj.* **1.** urmat. **2.** neîntre- rupt.

suivre I. *vt.* **1.** a urma. **2.** a însoți. **3.** a continua. **4.** a urmări, a asculta. **II.** *vi.* a urma, a veni la rând. **III.** *v. impers.* a rezulta, a urma. **IV.** *vr.* **1.** a succeda. **2.** a se înlănțui.

sujet[1] *s.m.* **1.** subiect **2.** motiv, cauză. **3.** individ.

sujet[2] , **-ette** *adj.* **1.** *jur.* supus. **2.** expus. **3.** înclinat (spre).

sujétion *s.f.* supunere.

superbe I. *adj.* superb, admirabil. **II.** *s.f.* trufie.

supercherie *s.f.* înșelătorie.

superficialité *s.f.* superficialitate.

superficiel, -elle *adj.* superficial.

superflu, -e I. *adj.* de prisos, inutil. **II.** *s.m.* prisos.

superfluité *s.f.* prisos.

supérieur *adj., s.m.* superior.

supériorité *s.f.* superioritate.

superlatif, -ive *adj., s.m.* superlativ.

superposer *vt.* a suprapune.

superstitieux, -euse *adj.* superstițios.

superstition *s.f.* superstiție.

superstructure *s.f.* suprastructură.

supplanter *vt.* a înlocui.

suppléant, -e *adj., s.m.f.* supleant, locțiitor.

suppléer *vt., vi.* a înlocui, a suplini.

supplément *s.m.* supliment.

supplémentaire *adj.* suplimentar.

suppliant, -e *adj., s.m.f.* rugător.

supplice *s.m.* supliciu, chin.

supplicier *vt.* a executa un condamnat.

supplier *vt.* a ruga fierbinte, a implora.

support *s.m.* suport, sprijin.

supportable *adj.* suportabil.

supporter *vt.* a suporta, a suferi.

supposé, -e *adj.* **1.** fals. **2.** presupus, admis.

supposer *vt.* a presupune, a închipui.

supposition *s.f.* presupunere, supoziție.

suppositoire *s.m.* supozitor.

suppression *s.f.* suprimare.

supprimer *vt.* a suprima.

suppuration *s.f.* supurație.

suppurer *vi.* a supura.

supputer *vt.* a socoti, a calcula, a evalua.

suprématie *s.f.* supremație, întâietate.

suprême *adj.* **1.** suprem, cel mai înalt. **2.** cel din urmă.

sur[1] *prep.* **1.** pe, peste. **2.** la. **3.** despre. **4.** asupra. **5.** după. **6.** din.

sur[2], **-e** *adj.* acru.

sûr, -e I. *adj.* sigur. **II.** *s.m.* ceea ce este sigur ‖ *pour* ~, în mod sigur; *à coup* ~ neapărat, negreșit.

surabondance *s.f.* supraabun-
denţă.

surabondant, -e *adj.* supraabun-
dent.

suraboder *vi.* a fi/a se găsi din
abundenţă, a prisosi.

suraigu, -e *adj.* foarte ascuţit.

suralimenter *vt.* a supraalimenta.

suranné, -e *adj.* învechit, peri-
mat.

surcharger *vt.* a supraîncărca.

surchauffer *vt.* a supraîncălzi.

surclasser *vt.* a depăşi net, a
surclasa.

surcroît *s.m.* creştere, mărire ‖
par ~ pe lângă aceasta.

surdité *s.f.* surditate.

surenchère *s.f.* supralicitare.

surestimer *vt.* a supraestima.

sûreté *s.f.* 1. siguranţă, garanţie.
2. tărie. 3. siguranţă (poliţie).

surexcitation *s.f.* surexcitare.

surexciter *vt.* a surexcita.

surface *s.f.* suprafaţă.

surfaire *vt., vi.* 1. a cere un preţ
exagerat. 2. a lăuda exagerat.

surfiler *vt.* a surfila, a însăila.

surgir *vi.* a se ivi, a se arăta (şi
fig.).

surhomme *s.m.* supraom.

surhumain, -e *adj.* suprao-
menesc.

sur-le-champ *adv.* pe loc, ime-
diat.

surlendemain *s.m.* poimâine.

surmené, -e *adj.* surmenat, exte-
nuat.

surmener *vt., vr.* a (se) surmena,
a (se) extenua.

surmonter *vt.* 1. a trece peste, a
birui. 2. a sta deasupra.

surnaturel, -elle *adj.* suprana-
tural.

surnom *s.m.* poreclă.

surpayer *vt.* a plăti cu suprapreţ.

surpeuplement *s.m.* suprapopu-
lare.

surpeuplé, -e *adj.* suprapopulat.

surplus *s.m.* surplus, prisos.

surprenant, -e *adj.* surprinzător.

surprendre *vt.* 1. a surprinde. 2.
a uimi. 3. a înşela. 4. a inter-
cepta.

surprise *s.f.* surpriză.

surproduction *s.f.* suprapro-
ducţie.

sursaut *s.m.* tresărire.

sursauter *vi.* a tresări.

surseoir *vt., vi.* a amâna.

sursis *s.m.* amânare.

surtaxe *s.f.* suprataxă.

surtout *adv.* mai ales.

surveillance *s.f.* supraveghere.

surveillant, -e *s.m.f.* suprave-
ghetor.

surveiller *vt.* a supraveghea.

survenir *vi.* a surveni.

survie *s.f.* supravieţuire.

survivant, -e *adj., s.m.f.* supra-
vieţuitor.

survivre *vi.* a supravieţui.

survoler *vt.* a zbura peste.

sus *prep.* peste, pe, asupra.

susceptibilité *s.f.* susceptibilitate.

susceptible *adj.* **1.** susceptibil de,
apt de. **2.** supărăcios.

susciter *vt.* a suscita, a trezi.

susdit, -e *adj.* sus-numit.

suspect, -e *adj., s.m.f.* suspect.

suspecter *vt., vr.* a (se) suspecta.

suspendre *vt.* **1.** a suspenda, a
atârna. **2.** a interzice. **3.** a între-
rupe. **4.** a amâna.

suspens *adj.* suspendat, interzis ‖
en ~ în suspensie.

suspension *s.f.* **1.** suspendare,
atârnare. **2.** suspendare, înce-
tare. **3.** suspensie.

suspicion *s.f.* suspiciune, bănu-
ială.

susurrer *vt.* a fremăta, a mur-
mura, a susura.

suzerain, -e *adj., s.m.f.* suzeran.

suzeraineté *s.f.* suzeranitate.

svelte *adj.* zvelt.

syllabe *s.f.* silabă.

syllogisme *s.m.* silogism.

sylviculteur *s.m.* silvicultor.

sylviculture *s.f.* silvicultură.

symbiose *s.f.* simbioză.

symbole *s.m.* simbol.

symbolique *adj.* simbolic.

symboliser *vt.* a simboliza.

symétrie *s.f.* simetrie.

symétriquement *adv.* (în mod)
simetric.

sympathie *s.f.* simpatie.

sympathique *adj.* simpatic.

sympathiser *vi.* a simpatiza.

symphonie *s.f.* simfonie.

symphonique *adj.* simfonic.

symptomatique *adj.* simptomatic.

symptôme *s.m.* simptom.

synagogue *s.f.* sinagogă.

synchronisation *s.f.* sincronizare.

synchroniser *vt.* a sincroniza.

syncope *s.f. med., gram., muz.*
sincopă.

syndical, -e *adj.* sindical.

syndicat *s.m.* sindicat.

synode *s.m.* sinod.

synonyme *adj., s.m.* sinonim.

syntaxe *s.f.* sintaxă.

syntaxique, syntactique *adj.* sin-
tactic.

synthèse *s.f.* sinteză.

synthétique *adj.* sintetic.

synthétiser *vt.* a sintetiza.

syphilis *s.f.* sifilis.

systématique *adj.* sistematic.

systématiser *vt.* a sistematiza.

système *s.m.* sistem.

T

tabac *s.m.* tutun.

tabatière *s.f.* tabacheră.

table *s.f.* **1.** masă. **2.** masă (mâncare). **3.** placă. **4.** tablă, listă.

tableau *s.m.* **1.** tablou. **2.** tabel, listă. **3.** tablă (neagră).

tabler *vi.* a se baza, a se bizui.

tablette *s.f.* **1.** policioară. **2.** tabletă. **3.** tăbliță, placă.

tablier *s.m.* șorț.

tableau *s.m.* tablou.

tabouret *s.m.* taburet.

tac *s.m.* zgomot sec ‖ *riposter du ~ au ~* răspunde prompt.

tache *s.f.* pată.

tâche *s.f.* sarcină, obligație.

tacher *vt., vr.* a (se) păta.

tâcher *vi.* a se strădui.

tacite *adj.* tacit.

tacot *s.m. fam.* (despre vehicule) rablă, vechitură.

tact *s.m.* **1.** simțul pipăitului. **2.** tact (și *fig.*).

taffetas *s.m.* tafta.

taie *s.f.* **1.** față de pernă. **2.** albeață (la ochi).

taillant *s.m.* tăiș.

taille *s.f.* **1.** tăiere. **2.** croială, tăietură. **3.** talie ‖ *être de ~* a fi în măsură; *de haute ~* înalt în statură.

taille-crayon(s) *s.m. invar.* ascuțitoare.

tailler I. *vt.* **1.** a tăia. **2.** a croi (o haină). **3.** a ascuți (creionul). II. *vi.* a tăia cărțile de joc. III. *vr.* a-și croi, a-și face.

tailleur *s.m.* **1.** croitor. **2.** tăietor ‖ *~ de pierres* pietrar.

taillis *s.m.* crâng, desiș.

taire I. *vt.* a nu spune, a ascunde. II. *vr.* a tăcea.

talisman *s.m.* talisman.

taloche *s.f. pop.* palmă.

talon *s.m.* **1.** călcâi. **2.** toc (la pantof). **3.** talon.

talonner *vt.* a urmări îndeaproape.

talus *s.m.* povârniș, taluz.

tambour *s.m.* **1.** tobă. **2.** toboșar ‖ *sans ~ ni trompette* pe tăcute; *mener ~ battant* a lua repede.

tambouriner *vi. fig.* a bate toba.

tamiser *vt.* a cerne.

tamponner *vt.* **1.** a tampona. **2.** a ciocni.

tancer *vt.* a dojeni, a certa.

tandis que *loc. conj.* pe când, în timp ce.

tangence *s.m.* tangență.

tangentiel, -elle *adj.* tangențial.

tangible *adj.* tangibil.

tanière *s.f.* vizuină.

tank *s.m.* tanc, car de luptă.

tannant *s.m.* tanant.

tanner *vt.* **1.** a tăbăci. **2.** *pop.* a plictisi, a pisa (pe cineva).

tannerie *s.f.* tăbăcărie.

tanneur *s.m.* tăbăcar.

tant *adv.* **1.** atât. **2.** atât timp ‖ ~ *mieux*, ~ *pis* cu atât mai bine; cu atât mai rău; ~ *soit peu* cât de puțin; *en* ~ *que* în calitate de.

tante *s.f.* mătușă.

tantième *s.m. fin.* tantiemă.

tantinet *s.m. fam.* un pic.

tantôt *adv.* **1.** curând. **2.** adineauri.

taon *s.m.* tăun.

tapage *s.m.* tapaj, gălăgie.

tapageur, -euse I. *adj.* **1.** zgomotos. **2.** bătător la ochi, țipător. **II.** *s.m.f.* zgomotos, gălăgios.

tapeur, -euse *s.m.f. fam.* persoană care cere bani cu împrumut.

tapir (se) *vr.* a se piti.

tapis *s.m.* covor.

tapisser *vt.* a tapisa; a tapeta.

taquiner *vt.* a tachina, a cicăli ‖ *la muse* a face versuri.

taquinerie *s.f.* tachinărie.

tarauder *vt.* a sfredeli.

tard *adv.* târziu ‖ *le* ~ târziu; *au plus* ~ cel mai târziu.

tarder I. *vi.* a întârzia. **II.** *v. impers.* il me tarde de aștept cu nerăbdare.

tardif, -ive *adj.* tardiv, întârziat.

tare *s.f.* **1.** tară, dara. **2.** *fig.* tară, cusur, lipsă.

taré, -e *adj.* viciat, corupt.

tarer *vt.* **1.** a strica (mărfuri). **2.** a lua daraua unei mărfi. **3.** *fig.* a vicia, a corupe.

tarir I. *vt.* a seca, a slei. **II.** *vi.* **1.** a seca. **2.** *fig.* a înceta ‖ *ne pas* ~ *sur* a vorbi fără încetare despre.

tarissement *s.m.* **1.** secare. **2.** *fig.* epuizare.

tartine *s.f.* **1.** tartină. **2.** *fam.* discurs/articol plictisitor și lung.

tartuferie *s.f.* ipocrizie.

tas *s.m.* grămadă, vraf, teanc.

tasse *s.f.* ceașcă.

tasser *vt., vr.* **1.** a (se) tasa. **2.** a (se) strânge, a (se) îngrămădi.

tâter I. *vt.* **1.** a pipăi. **2.** *fig.* a sonda. **II.** *vi.* **(de, à)** **1.** a gusta. **2.** *fig.* a încerca.

tatillon, -ne *adj., s.m.f. fam.* migălos.

tâtonner *vi.* a tatona, a căuta.

tatouer *vt.* a tatua.

taudis *s.m.* cocioabă.

taupe *s.f.* cârtiță.

taureau *s.m.* taur.

taux *s.m.* **1.** preț curent. **2.** taxă, impozit. **3.** dobândă, procent. **4.** *fin.* rată.

taxation *s.f.* taxare, impunere.

taxer *vt.* a taxa (și *fig.*).

te *pron.* pe tine, te, ție, îți.

technique I. *s.f.* tehnică. **II.** *adj.* tehnic.

technologie *s.f.* tehnologie.

teigne *s.f.* **1.** molie. **2.** *fam.* femeie cicălitoare și afurisită.

teindre *vt.* a vopsi, a colora.

teint¹, -e *adj.* vopsit, colorat.

teint² *s.m.* ten, culoare.

teinte *s.f.* **1.** tentă, nuanță. **2.** dram ‖ *une ~ d'humor* un dram, puțin umor.

tel, telle I. *adj.* astfel, asemenea. **II.** *s.m.f. un ~* cutare.

télégramme *s.m.* telegramă.

télégraphe *s.m.* telegraf.

télégraphiste *s.m.f.* telegrafist.

télépathie *s.f.* telepatie.

téléphone *s.m.* telefon.

téléphoner *vt., vi.* a telefona.

téléphoniste *s.m.f.* telefonist.

télescope *s.m.* telescop.

téléviseur *s.m.* televizor.

télévision *s.f.* televiziune.

tellement *adv.* astfel, așa de.

téméraire *adj.* temerar.

témoignage *s.m.* **1.** mărturie. **2.** semn, dovadă.

témoigner I. *vt.* a arăta, a dovedi. **II.** *vi.* a depune mărturie.

témoin *s.m.* martor.

tempe *s.f.* tâmplă.

tempérament *s.m.* **1.** temperament. **2.** cale de împăcare. **3.** rată ‖ *vente à ~s* vânzare în rate.

température *s.f.* temperatură.

tempête *s.f.* furtună, vijelie.

tempêtueux, -euse *adj.* furtunos.

temple *s.m.* templu.

temporaire *adj.* temporar.

temporel, -ele *adj.* **1.** vremelnic, trecător. **2.** lumesc.

temporisation *s.f.* temporizare, tergiversare.

temporiser *vi.* a temporiza, a tergiversa.

temps *s.m.* timp, vreme ‖ *à ~* la timp; *de ~ en ~* din când în când.

ténacité *s.f.* tenacitate, perseverență.

tenaille(s) *s.f.* clește.

tenacier, -ère *s.m.f.* **1.** administrator; patron. **2.** arendaș.

tendance *s.f.* tendință (și *fig.*).

tendre¹ *vt.* **I.** a întinde, a încorda. **2.** a tapisa. **II.** *vi.* a tinde, a năzui.

tendre² *adj.* **1.** moale, fraged. **2.** tandru, afectuos. **3.** delicat, sensibil.

tendresse *s.f.* tandrețe, afecțiune.

ténèbres *s.f. pl.* **1.** întuneric, beznă. **2.** *fig.* ignoranță, nesiguranță.

ténébreux, -euse *adj.* **1.** tenebros, întunecat. **2.** *fig.* obscur, încâlcit.

teneur¹ *s.f.* conținut.

teneur², -euse *s.m.f.* deținător ‖ *~ de livres* contabil.

tenir *vt.* **I. 1.** a ține, ‖ *tenir son enfant par la main* a-și ține copilul de mână. **2.** a păstra, a conserva ‖ *cette femme tient sa maison propre* această femeie își păstrează casa curată. **3.** a poseda, a deține ‖ *il tient sa destinée entre ses mains* își are soarta în mână. **4.** a ocupa (spațiu) ‖ *tenir la droite* a merge pe dreapta. **5.** a gira ‖ *tenir un hôtel* a administra un hotel; expr. *tiens!* uite! *avoir de qui tenir* a avea cu cine să semeni; *tenir dans* a încăpea în. **II. (se)** *vr.* a se ține ‖ *les enfants se tiennent par la main* copiii se țin de mână. **III.** *v. impers. qu'à cela ne tienne* nu are nici o importanță.

tension *s.f.* tensiune, încordare (și *fig.*).

tentant, -e *adj.* tentant, ispititor.

tentateur, -trice *s.m.f.* ispititor, ademenitor.

tentation *s.f.* tentație, ispită.

tentative *s.f.* tentativă, încercare.

tente *s.f.* cort.

tenter *vt.* **1.** a încerca. **2.** a tenta, a ispiti.

tenue *s.f.* **1.** ținută. **2.** comportare. **3.** ținere ‖ *~ des livres* contabilitate.

tergiversation *s.f.* tergiversare.

terme *s.m.* **1.** termen, capăt, sfârșit. **2.** termen, cuvânt (în scadență). **3.** *pl.* termeni, relații.

terminaison *s.f.* **1.** sfârșit. **2.** terminație.

terminer *vt., vr.* a (se) termina, a (se) sfârși.

terne *adj.* tern, șters.

ternir *vt.* **1.** a întuneca, a șterge (lustru). **2.** *fig.* a terfeli, a mânji.

terrain *s.m.* teren ‖ *~ vague* maidan.

terrasse *s.f.* terasă.

terrassement *s.m.* terasament.

terre *s.f.* **1.** pământ. **2.** moșie, domeniu agricol ‖ *mettre pied à ~* a descăleca; *~ à ~* banal, comun; *remuer ciel et ~* a face pe dracu-n patru; *~ cuite* teracotă.

terrer (se) *vr. fig.* a se ascunde.

terreur *s.f.* teroare, groază.

terreux, -euse *adj.* pământiu, pământos.

terrible *adj.* teribil, înfloritor, groaznic.

terrifier *vt.* a îngrozi.

terrine *s.f.* strachină.

territoire *s.m.* teritoriu.

territorial, -e *adj.* teritorial.

terroriser *vt.* a teroriza.

tertiaire *adj.* terțiar.

tertre *s.m.* movilă.

test *s.m.* test, probă.

testament *s.m.* testament.

testateur, -trice *s.m.f.* testator.

tester *vi.* a testa, a-și face testamentul.

tête *s.f.* **1.** cap. **2.** judecată, înțelepciune, minte. **3.** vârf. **4.** cap, fructe ‖ *avoir la ~ près du bonnet* a se înfuria repede; *à la ~ de* în fruntea; *se payer la ~ de qn.* a-și bate joc de cineva.

tête-à-tête *s.m.* tête-à-tête.

téter *vt.* a suge (lapte).

tétin *s.m.* sfârc.

tétine *s.f.* **1.** uger. **2.** tetină (de biberon).

téton *s.m.* mamelă, țâță.

têtu, -e *adj.* încăpățânat.

texte *s.m.* text.

textile *adj.* textil.

textuel, -le *adj.* textual.

thé *s.m.* ceai.

théâtral, -e *adj.* teatral.

théâtre *s.m.* teatru.

théière *s.f.* ceainic.

thème *s.m.* **1.** temă, subiect, materie. **2.** retroversiune.

théologie *s.f.* teologie.

théologien *s.m.* teolog.

théorème *s.m.* teoremă.

théoricien, -enne *s.m.f.* teoretician.

théorie *s.f.* teorie.

théorique *adj.* teoretic.

thérapeutique *s.f.* terapeutică.

thermodynamique *s.f.* termodinamică.

thérmomètre *s.m.* termometru.

thésauriser *vi.* a tezauriza.

thèse *s.f.* teză.

thorax *s.m.* torace.

thym *s.m. bot.* cimbru.

tic *s.m.* tic (și *fig.*).

ticket *s.m.* tichet, bilet.

tiède *adj.* **1.** călduț. **2.** *fig.* indiferent, rece.

tiédeur *s.f.* **1.** faptul de a fi călduț. **2.** *fig.* nepăsare, indiferență.

tien, -ne I. *pron., adj. pos.* al tău. **II.** *s.m.* ceea ce este al tău.

tiers, tierce I. *adj.* terț, al treilea. **II.** *s.m.* **1.** treime. **2.** terț.

tige *s.f.* tulpină.

tigre, -esse *s.m.f.* tigru.

tilleul *s.m.* tei, floare de tei.

timbre *s.m.* **1.** timbru, sunet. **2.** timbru, marcă.

timbre-poste *s.m.* (*pl.* **timbres-poste**) marcă poștală.

timide *adj.* timid, sfios.

timidité *s.f.* timiditate.

timonier *s.m.* timonier.

timoré, -e *adj.* timorat, înfricoșat.

tintamarre *s.m.* tărăboi, zarvă.

tintement *s.m.* dangăt (de clopot) ‖ *~ d'oreilles* țiuit al urechilor.

tique *s.f.* căpușă.

tiquer *vi.* **1.** a avea un tic. **2.** *fam.* a protesta.

tir *s.m.* tir.

tirage *s.m.* **1.** tragere. **2.** tiraj. **3.** greutate, dificultate.

tirailler *vt.* **1.** a smuci. **2.** *fig.* a hărțui.

tire-bouchon *s.m.* tirbuşon.

tire-lire *s.f.* puşculiţă.

tirer I. *vt.* **1.** a trage. **2.** a scoate. **3.** a arunca, a lansa. **4.** a vâna ‖ ~ *parti* a folosi. **II.** *vi.* **1.** (despre o sobă) a trage. **2.** a ţinti, a ochi. **3.** (despre stofe) a bate în. **III.** *vr.* a scăpa, a se descurca ‖ *s'en* ~ a se descurca; ~ *en longueur* a tărăgăna; ~ *à conséquence* a avea urmări.

tiroir *s.m.* sertar.

tisane *s.f.* tizană.

tison *s.m.* tăciune.

tissage *s.m.* ţesut.

tisser *vt.* a ţese.

tisserand *adj., s.m.* ţesător.

tissu, -e I. *adj.* ţesut. **II.** *s.m.* ţesătură, ţesut.

titiller *vt.* a gâdila.

titre *s.m.* titlu ‖ *à juste* ~ pe drept cuvânt; *à quel* ~? în ce calitate?

titré, -e *adj.* titrat.

tituber *vi.* a se împletici, a se clătina.

titulaire *adj., s.m.* titular.

toast *s.m.* toast.

toboggan *s.m.* tobogan.

tocsin *s.m.* **1.** tocsin. **2.** semnal de alarmă.

tohu-bohu *s.m.* talmeş-balmeş, harababură.

toi *pron.* v. **tu**.

toile *s.f.* **1.** pânză. **2.** cortină.

toilette *s.f.* **1.** toaletă, găleată. **2.** (masă de) toaletă.

toiser *vt.* a măsura ‖ ~*qn.* a măsura pe cineva cu privirea.

toison *s.f.* lână.

toit *s.m.* **1.** acoperiş. **2.** *fam.* casă, locuinţă.

tôle *s.f.* **1.** tablă. **2.** *pop.* închisoare.

tolérance *s.f.* toleranţă, îngăduinţă.

tomate *s.f.* roşie, tomată.

tombe *s.f.* **1.** mormânt. **2.** *fig.* moartea.

tombée *s.f.* cădere ‖ *à la ~ de la nuit* la căderea nopţii; *à la ~ du jour* pe înserat.

tomber *vi.* **1.** a cădea (şi *fig.*). **2.** a micşora, a scădea. **3.** (despre conversaţie) a lâncezi. **4.** a înceta ‖ ~*malade* a se îmbolnăvi.

tome *s.m.* tom, volum.

ton[1]**, ta** (*pl.* **tes**) *adj. pos.* tău, ta.

ton[2] *s.m.* ton.

tonalité *s.f.* tonalitate.

tondeuse *s.f.* maşină de tuns.

tondre *vt.* a tunde.

tonifier *vt.* a întări, a tonifica.

tonique I. *adj.* tonic. **II.** *s.m.* tonic, întăritor. **III.** *s.f.* silabă tonică.

tonne *s.f.* tonă.

tonnelier *s.m.* dogar.

tonnelle *s.f.* umbrar.

tonner I. *v. impers.* a tuna. **II.** *vi.* a bubui.

tonnerre *s.m.* tunet.

topographie *s.f.* topografie.

toponymie *s.f.* toponimie.

toquade *s.f. fam.* capriciu, toană.

toque *s.f.* tocă.

toqué, -e *adj. fam.* țicnit.

torche *s.f.* torță.

torcher *vt.* **1.** a șterge cu cârpa. **2.** *fam.* a face de mântuială.

torchon *s.m.* cârpă.

tordre **I.** *vt.* a suci, a răsuci ǁ *~ du linge* a stoarce rufe. **II.** *vr.* a se suci ǁ *rire à ~* a suci ǁ *rire à se ~* a se strica de râs.

torpeur *s.f.* amorțeală.

torpille *s.f.* torpilă.

torrentiel, -le *adj.* torențial.

torride *adj.* torid, arzător.

torse *s.m.* trunchi, tors.

tort *s.m.* **1.** nedreptate. **2.** rău, pagubă ǁ *à ~* pe nedrept; *avoir ~* a nu avea dreptate; *faire ~ à qn.* a face rău cuiva; *à ~ et à travers* alandala.

tortillement *s.m.* răsucire, întortochere.

tortiller **I.** *vt.* a răsuci. **II.** *vi.* **1.** a legăna, a balansa. **2.** a recurge la subterfugii. **III.** *vr.* (despre reptile) a se încolăci.

tortionnaire **I.** *adj.* de tortură. **II.** *s.m.* călău.

tortue *s.f.* broască țestoasă.

tortueux, -euse *adj.* **1.** întorto-cheat. **2.** *fig.* nesincer.

torture *s.f.* tortură, chin.

torturer *vt.* a tortura, a chinui.

tôt *adv.* curând, devreme.

total, -e *adj., s.m.* total.

totaliser *vt.* a totaliza.

touchant[1], -e *adj.* mișcător.

tochant[2] *prep.* cu privire la.

touche *s.f.* **1.** atingere ǁ *pierre de ~* piatră de încercare. **2.** clapă. **3.** tușă.

toucher[1] **I.** *vt.* **1.** a atinge. **2.** a în-casa, a primi. **3.** a interesa, a privi. **4.** a mișca, a emoționa. **5.** a spune. **II.** *vi.* a (se) atinge, a ajunge.

toucher[2] *s.m.* pipăit.

touffe *s.f.* tufă, smoc.

touffu, -e *adj.* **1.** stufos. **2.** *fig.* încărcat.

toujours *adj.* **1.** mereu, întotd-eauna. **2.** încă.

toupet *s.m.* **1.** moț, smoc de păr. **2.** *fig.* tupeu, îndrăzneală.

toupie *s.f.* sfârlează, titirez.

tour[1] *s.f.* turn.

tour[2] *s.m.* **1.** învârtitură. **2.** ocol, înconjur. **3.** renghi, festă. **4.** rai-tă, plimbare. **5.** rând, ǁ *chacun à son ~* fiecare la rândul său; *en un ~ de main* într-o clipă; *à ~ de rôle* pe rând.

tour[3] *s.m.* strung.

tourbe[1] *s.f.* turbă.

tourbe[2] *s.f.* gloată.

tourbillon *s.m.* vârtej, vâltoare.

tourbillonner *vi.* a se învolbura.

tourisme *s.m.* turism.

touriste *s.m.f.* turist.

tourment *s.m.* chin, frământare.

tourmenter I. *vt.* **1.** a chinui. **2.** a hărțui. **II.** *vr.* a se agita, a se frământa.

tournant, -e I. *adj.* care se învârtește. **II.** *s.m.* **1.** colț. **2.** cotitură (și *fig.*). **3.** turnantă.

tournebroche *s.m.* fier de învârtit frigarea.

tournée *s.f.* **1.** turneu. **2.** *fam.* cinste ‖ *payer une* ~ a face cinste.

tourner I. *vt.* **1.** a învârti, a întoarce. **2.** a da la strung. **3.** a înconjura, a ocoli (și *fig.*). **4.** a ticlui. **II.** *vi.* **1.** a se învârti. **2.** a cârmi. **3.** *fig.* a se frământa. **4.** a se strica, a se altera (laptele, vinul). **5.** a se schimba, a deveni. **6.** a ieși ‖ ~ *bien* a ieși bine; ~ *à tout vent* a-și schimba des părerile; ~ *les talons* a o lua din loc. **III.** *vr.* a se întoarce, a se schimba.

tournesol *s.m.* **1.** *bot.* floarea-soarelui. **2.** *chim.* turnesol.

tourneur *adj., s.m.* strungar.

tournevis *s.m.* șurubelniță.

tournoyer *vi.* a se roti.

tournure *s.f.* **1.** întorsătură. **2.** înfățișare. **3.** turnură.

tous *adj., pron.* v. **tout.**

tousser *vi.* a tuși.

tout, -e I. *adj.* **1.** tot. **2.** orice ‖ *être* ~ *yeux* ~ *oreilles* a fi numai ochi și urechi. **II.** *pron.* tot ‖ *après* ~ la urma urmelor; *point du* ~ de fel; *à* ~ *prendre* după toate considerațiile. **III.** *s.m.* totul ‖ *du* ~ *au* ~ cu desăvârșire. **IV.** *adv.* foarte, în întregime ‖ ~ *à fait* în întregime; ~ *à coup* deodată; ~ *de même* oricum.

toutefois *adv.* totuși.

toux *s.f.* tuse.

toxique *adj.* toxic, otrăvitor.

tracas *s.m.* **1.** dezordine. **2.** necaz, grijă.

tracasser *vt.* a hărțui, a necăji.

trace *s.f.* urmă, dâra.

tracé *s.m.* traseu.

trachée *s.f.* trahee.

tracteur *s.m.* tractor.

traction *s.f.* tracțiune, tragere.

tradition *s.f.* tradiție.

traditionalisme *s.m.* tradiționalism.

traditionaliste *adj., s.m.f.* tradiționalist.

traditionnel, -elle *adj.* tradițional.

traducteur, -trice *s.m.f.* traducător.

traduction *s.f.* traducere.

traduire I. *vt.* **1.** a traduce. **2.** a înfățișa, a exprima. **3.** ~ *en justice* a da în judecată, a cita. **II.** *vr.* a se exprima, a se manifesta.

traduisible *adj.* traductibil.

trafiquer *vi.* a trafica, a face comerţ.

tragédie *s.f.* tragedie.

tragédien, -ne *s.m.f.* tragedian.

tragique I. *adj.* tragic. **II.** *s.m.* **1.** autor de tragedii. **2.** aspect tragic.

trahir I. *vt.* **1.** a trăda. **2.** a da pe faţă. **II.** a se trăda, a se da de gol.

trahison *s.f.* trădare.

train *s.m.* **1.** mers. **2.** fel de viaţă. **3.** tren. **4.** şir, convoi ‖ *être en ~ de* a fi pe cale; *mener grand ~* a trăi pe picior mare; *faire du ~* a face tămbălău; *à fond de ~* cu toată viteza.

traînant, -e *adj.* tărăgănat, molatic.

traîne *s.f.* trenă.

traînée *s.f.* **1.** dâră. **2.** *pop.* târfă.

traîner I. *vt.* **1.** a trage, a târî. **2.** a dura mult, a se prelungi. **II.** *vi.* **1.** a atârna. **2.** a fi în dezordine. **3.** a (se) tărăgăna. **III.** *vr.* a se târî.

traire *vt.* a mulge.

trait *s.m.* **1.** trăsătură a feţei. **2.** trăsătură, caracteristică. **3.** săgeată. **4.** înghiţitură. **5.** *fig.* înţepătură ‖ *d'un seul ~* pe nerăsuflate; *à longs ~s* pe îndelete; *~ d'union* liniuţă de unire.

traitable *adj.* **1.** care se poate trata. **2.** blând, îngăduitor.

traite *s.f.* **1.** muls, mulgere. **2.** bucată de drum, etapă ‖ *tout d'une ~* fără oprire. **3.** trată, poliţă. **4.** trafic, negoţ.

traité *s.m.* tratat.

traitement *s.m.* tratament.

traiter I. *vt.* **1.** a trata, a se purta cu. **2.** a trata, a expune. **3.** a ospăta. **4.** a negocia. **II.** *vi.* **1.** a negocia. **2.** a vorbi, a discuta. **III.** *vr.* a se trata, a se califica.

traîtrise *s.f.* trădare.

trajectoire *s.f.* traiectorie.

trajet *s.m.* traiect, drum parcurs, traseu.

tram *s.m. fam.* tramvai.

trame *s.f.* **1.** urzeală (şi *fig.*). **2.** complot.

tramer *vt.* **1.** a urzi. **2.** *fig.* a unelti.

tramway *s.m.* tramvai.

tranchant, -e I. *adj.* tăios (şi *fig.*), tranşant. **II.** *s.m.* tăiş.

tranche *s.f.* **1.** felie, bucată. **2.** tranşă.

trancher I. *vt.* **1.** a tăia. **2.** *fig.* a rezolva, a tranşa. **II.** *vi.* **1.** a hotărî. **2.** a contrasta cu. **3.** a-şi da ifose.

tranquille *adj.* liniştit.

tranquillisant, -e *adj.* liniştitor.

tranquillité *s.f.* linişte.

transaction *s.f.* tranzacţie, înţelegere.

transborder *vt.* a transborda.

transcription *s.f.* transcriere.

transe *s.f.* **1.** transă. **2.** (mai ales la *pl.*) spaimă.

transfert *s.m.* transfer.

transfiguration *s.f.* transfigurare.

transfigurer *vt., vr.* a (se) transfigura.

transformation *s.f.* transformare.

transformer *vt., vr.* a (se) transforma.

transfuge *s.m.* transfug, fugar.

transfusion *s.f.* transfuzie.

transgresser *vt.* a încălca.

transhumance *s.f.* transhumanţa.

transi, -e *adj.* pătruns de frig, rebegit.

transiger *vi.* a cădea la învoială.

transit *s.m.* tranzit.

transiter I. *vt.* a tranzita. **II.** *vi.* a trece în tranzit.

transitif, -ive *adj.* tranzitiv.

transition *s.f.* tranziţie.

transitivement *adv.* (în mod) tranzitiv.

transitoire *adj.* trecător, tranzitoriu.

transmetteur *s.m.* transmiţător.

transmettre *vt.* a transmite.

transmission *s.f.* transmisiune.

transparence *s.f.* transparenţă.

transparent, -e I. *adj.* transparent, străveziu. **II.** *s.m.* transparent.

transpiration *s.f.* transpirare, transpiraţie.

transpirer *vi.* a transpira (şi *fig.*).

transplanter *vt.* a transplanta.

transport *s.m.* **1.** transport. **2.** *fig.* emoţie puternică.

transportable *adj.* transportabil.

transporter I. *vt.* **1.** a transporta. **2.** *fig.* a scoate din fire. **II.** *vr.* a se transporta.

trapèze *s.m.* trapez.

trappe *s.f.* **1.** chepeng. **2.** trapă, capcană. **3.** cursă.

trapu, -e *adj.* îndesat, bondoc.

traquer *vt.* a hăitui, a urmări îndeaproape.

travail *s.m.* **1.** muncă, lucru. **2.** lucrare. **3.** *pl.* lucrări, dezbateri.

travailler I. *vi.* a munci, a lucra. **II.** *vt.* **1.** a lucra, a modela. **2.** a prelucra. **3.** *fig.* a chinui.

travailleur, -euse *adj., s.m.f.* lucrător, muncitor, om al muncii.

travers *s.m.* **1.** lăţime, curmeziş. **2.** *fig.* defect ‖ *de* ~ **a)** de-a curmezişul; **b)** anapoda; *à* ~ prin mijlocul.

traversée *s.f.* traversare.

travesti, -e I. *adj.* travestit. **II.** *s.m.* travestire.

travestir I. *vt.* **1.** a travesti, a deghiza. **2.** *fig.* a falsifica, a denatura. **II.** *vr.* a se travesti.

travestissement *s.m.* travestire.

trébucher *vi.* a se poticni, a se împiedica.

tréfiler *vt.* a trefila (sârma).

trèfle *s.m.* 1. trifoi. 2. treflă.

tréfonds *s.m.* 1. subsol. 2. *fig.* străfund, ascunziş.

treillis *s.m.* 1. spalier. 2. zăbrele. 3. pânză de sac.

treize *adj.* treisprezece.

treizième *adj.* al treisprezecelea.

tréma *s.m.* tremă.

tremblant, -e *adj.* tremurător.

tremblement *s.m.* tremurătură ‖ ~ *de terre* cutremur.

trembler *vi.* a tremura.

trémousser 1. *vr.* a se agita, a se fâţâi. 2. a se legăna, a se balansa.

trempé, -e *adj.* 1. ud, muiat. 2. călit.

tremper I. *vt.* 1. a muia, a uda. 2. a căli (oţelul). II. *vi.* 1. a se înmuia. 2. a fi complice, părtaş.

tremplin *s.m.* trambulină.

trentaine *s.f.* 1. vreo treizeci. 2. vârsta de treizeci de ani.

trente *adj.* treizeci.

trentième I. *num.* al treizecilea. II. *s.m.* a treizecea parte.

trépanation *s.f.* trepanaţie.

trépidant, -e *adj.* trepidant, agitat.

trépidation *s.f.* trepidaţie, agitaţie.

trépignement *s.m.* tropăială.

trépigner *vi.* a tropăi.

très *adv.* foarte.

trésor *s.m.* comoară (şi *fig.*).

tressaillement *s.m.* tresărire.

tressaillir *vi.* a tresări.

tresse *s.f.* 1. tresă, galon. 2. cosiţă, codiţă.

trêve *s.f.* armistiţiu.

tri *s.m.* alegere, triere.

triangle *s.m.* triunghi.

triangulaire *adj.* triunghiular.

tribu *s.f.* trib.

tribulation *s.f.* agitaţie, tribulaţie, frământare.

tribunal *s.m.* tribunal.

tribune *s.f.* tribună.

tricher *vt., vi.* a trişa.

tricherie *s.f.* trişare.

tricotage *s.m.* tricotaj, tricotare.

tricoter *vt., vi.* a tricota.

tricycle *s.m.* triciclu, tricicletă.

trier *vt.* a tria, a alege.

trigonométrie *s.f.* trigonometrie.

trille *s.m.* tril.

trillion *s.m.* trilion.

trilogie *s.f.* trilogie.

trimbaler *vt.* a căra, a duce, a trambala.

trimestre *s.m.* trimestru.

trinquer *vi.* a ciocni paharele, a închina.

triomphal, -e *adj.* triumfal.

triomphant, -e *adj.* triumfător.

triomphateur, -trice *adj., s.m.f.* triumfător, victorios.

triomphe *s.m.* triumf, victorie.

triompher *vi.* a triumfa.

tripe *s.f.* maţ, măruntaie de animal.

triple I. *adj.* triplu. **II.** *s.m.* triplu, întreit.

tripot *s.m.* tripou.

tripotage *s.m.* **1.** amestec murdar. **2.** *fig.* intrigă, înşelătorie. **3.** *fam.* trafic de influenţă, potlogărie.

tripotier, -ère *s.m.f.* afacerist, gheşeftar.

trisaïeul, -e *s.m.f.* străbun.

triste *adj.* **1.** trist, întunecat. **2.** penibil.

tristesse *s.f.* tristeţe.

triturer *vt.* a măcina, a tritura.

trivialité *s.f.* trivialitate.

troc *s.m.* troc.

troglodyte *s.m.* **1.** troglodit. **2.** *fig.* necioplit, bădăran.

trois *num.* trei.

troisième *num.* al treilea.

troisièmement *adv.* în al treilea rând.

trombone *s.m.* trombon.

trompe *s.f.* **1.** trompă. **2.** trompetă. **3.** claxon.

trompe-l'oeil *s.m.* iluzie, aparenţă înşelătoare.

tromper *vt.*, *vr.* a (se) înşela.

trompette I. *s.f.* trompetă. **II.** *s.m.* gornist.

trompeur, -euse *adj.*, *s.m.f.* înşelător.

tronçonnement *s.m.* îmbucătăţire.

tronçonner *vt.* a îmbucătăţi.

trône *s.m.* tron.

trôner *vi.* a trona, a domni.

tronquer *vt.* a trunchia (şi *fig.*).

trop *adv.* prea, prea mult ‖ *par ~* excesiv; *de ~* de prisos.

trophée *s.m.* trofeu.

tropical, -e *adj.* tropical.

tropique *s.m.* tropic.

trop-plein *s.m.* prisos.

troquer *vt.* a face schimb.

trot *s.m.* trap ‖ *au ~* la trap.

trotter *vi.* **1.** (despre cai) a merge în trap. **2.** a umbla.

trottinette *s.f.* trotinetă.

trottoir *s.m.* trotuar.

trou *s.m.* **1.** gaură, vizuină. **2.** cocioabă.

troublant, -e *adj.* tulburător.

trouble I. *adj.* tulbure. **II.** *s.m.* **1.** tulburare. **2.** răzmeriţă.

troubler I. *vt.* **1.** a tulbura. **2.** a zăpăci. **3.** a învrăjbi. **II.** *vr.* a tulbura, a se zăpăci.

trouer *vt.* a găuri.

troupe *s.f.* trupă, ceată, bandă.

troupeau *s.m.* turmă.

trousse *s.f.* **1.** legătură, mănunchi. **2.** trusă ‖ *être aux ~s de qn.* a fi în urmărirea cuiva.

trousseau *s.m.* trusou.

trousser *vt.* **1.** a sufleca, a ridica. **2.** a face iute.

trouvaille *s.f.* descoperire, găsire.

trouver I. *vt.* **1.** a găsi. **2.** a resimți. **3.** a socoti, a considera. II. *vr.* a se găsi, a se afla.

truc *s.m.* **1.** truc, șiretlic. **2.** dibăcie, iscusință. **3.** lucru oarecare.

truie *s.f.* scroafă.

truite *s.f.* păstrăv.

truquer *vt.* a înșela, a falsifica, a truca.

trust *s.m.* trust.

tsar *s.m.* țar.

tu *pron.* tu ‖ *être à ~ et à toi avec qn. fam.* a fi foarte intim cu cineva.

tuant, -e *adj. fam.* obositor, chinuitor.

tube *s.m.* tub, țeavă.

tuberculeux, -euse *adj., s.m.f.* tuberculos.

tuberculose *s.f.* tuberculoză.

tubéreuse *s.f.* tuberoză.

tuer I. *vt.* **1.** a omorî. **2.** *fig.* a pisa. **3.** a distruge. II. *vr.* a se sinucide, a se omorî.

tuerie *s.f.* măcel.

tue-tête (à) *loc. adv.* cât îl ține gura.

tueur, -euse *s.m.f.* ucigaș, asasin.

tuile *s.f.* **1.** țiglă, olan. **2.** *fig.* belea, pacoste.

tuilerie *s.f.* țiglărie.

tulipe *s.f.* lalea.

tumescence *s.f.* umflătură.

tumeur *s.f.* tumoare.

tumulte *s.m.* tumult, dezordine.

tumultueux, -euse *adj.* tumultuos, agitat.

tunique *s.f.* tunică.

tunnel *s.m.* tunel.

turbine *s.f.* turbină.

turbot *s.m. iht.* calcan.

turbulence *s.f.* turbulență, gălăgios.

turc, turque I. *adj.* turcesc. II. *s.m.f.* (cu maj.) turc. III. *s.m.* limba turcă.

turf *s.m.* **1.** hipodrom. **2.** hipism.

tutelle *s.f.* tutelă.

tuteur, -trice *s.m.f.* tutore.

tutoiement *s.m.* tutuire.

tutoyer *vt.* a tutui.

tuyau *s.m.* **1.** țeavă, canal, tub, burlan. **2.** *fig.* informație confidențială.

type *s.m.* tip, individ.

typhoïde I. *adj.* tifoid. II. *s.f.* febră tifoidă.

typhon *s.m.* taifun.

typhus *s.m.* tifos.

typique *adj.* tipic.

typographe, typo *s.m.* tipograf.

typographie *s.f.* tipografie.

tyran *s.m.* tiran.

tyrannie *s.f.* tiranie.

tyranniser *vt.* a tiraniza.

tzigane *adj., s.m.f.* țigan.

U

ulcera... ...lceraţie.

ulcère *s.m.* ulcer.

ulcérer *vt.* a ulcera, răni.

ultérieurement *adv.* ulterior.

ultimatum *s.m.* ultimatum.

ultra-violet, -ette *adj.* ultra-violet.

ululer *vi.* (despre păsările de noapte) a ţipa.

un, une I. *num.* 1. unu, una. 2. primul, întâiul. II. *art. nehot.* un, o. III. *s.m.f.* unul, una ‖ *pas* ~ nici unul; ~ *à* ~ unul câte unul.

unanime *adj.* unanim.

unanimité *s.f.* unanimitate ‖ *à l'*~ în unanimitate.

uni, -e *adj.* 1. unit. 2. neted. 3. (despre ţesături) simplu, fără desen. 4. *fig.* lin, calm.

unification *s.f.* unificare.

unifier *vt.* a unifica.

uniforme I. *adj.* uniform. II. *s.m.* uniformă.

uniformément *adv.* (în mod) uniform.

uniformiser *vt.* a uniformiza.

unilatéral, -e *adj.* unilateral.

union *s.f.* 1. unire, uniune, asociaţie. 2. căsătorie.

unique *adj.* 1. unic. 2. *fig.* fără pereche. 3. ciudat, extravagant.

unir *vt.*, *vr.* a (se) uni, a (se) căsători.

unisson *s.m.* unison (şi *fig.*).

unitaire *adj.* unitar.

unité *s.f.* unitate.

universalité *s.f.* universalitate.

universel, -le *adj.* universal.

universitaire I. *adj.* universitar. II. *s.m.* profesor universitar

université *s.f.* universitate.

uranium *s.m.* uraniu.

urbain, -e *adj.* urban.

urbanité *s.f.* politeţe.

urée *s.f.* uree.

urémie *s.f.* uremie.

uretère *s.m.* ureter.

urètre *s.m.* uretră.

urgence *s.f.* urgenţă.

urgent, -e *adj.* urgent.

urinaire *adj.* urinar.

urine *s.f.* urină.

uriner *vt.* a urina.

urne *s.f.* urnă.

urticaire *s.f.* urticarie.

urtication *s.f.* urzicătură.

us *s.m.* uzanţă, obicei ‖ *les* ~ *et coutumes* datinile şi obiceiurile.

usage *s.m.* **1.** uz, folosință.
2. uzanță, obicei.

user **I.** *vi.* a se folosi, a uza de.
II. *vt.* **1.** a folosi, a consuma.
2. a uza, a strica. **III.** *vr.* a se
uza, a se strica.

usine *s.f.* uzină.

usité, -e *adj.* uzitat.

ustensile *s.m.* unealtă, instru-
ment.

usuel, -le *adj.* uzual, obișnuit.

usufruit *s.m.* uzufruct.

usure[1] *s.f.* camătă.

usure[2] *s.f.* uzură.

usurier, -ère **I.** *s.m.f.*
II. *adj.* cămătăresc.

usurpateur, -trice *s.m.f.* uzu
pator.

usurpation *s.f.* uzurpare.

usurper *vt.* a uzurpa.

utérin, -e *adj.* uterin.

utérus *s.m.* uter.

utile *adj.* util, folositor.

utilisation *s.f.* utilizare, folosire.

utiliser *vt.* a utiliza, a folosi

utilité *s.f.* utilitate, folos.

utopique *adj.* utopic, irealiza-
bil.

V

...canţă (post
...nţă (şcolară,

vacarme s.m. ...acarm, zarvă, hărmălaie.

vaccination s.f. vaccinare.

vacciner vt. a vaccina.

vache s.f. vacă, carne de vacă ‖ *manger de la ~ enragée* a trage pe dracu de coadă; *parler français comme une ~ espagnole* a vorbi stricat franţuzeşte.

vacherie s.f. grajd pentru vaci.

vaciller vi. 1. a sclipi, a licări, a tremura. 2. *fig.* a şovăi, a fi nehotărât.

va-et-vient s.m. invar. du-te-vino.

vagabond, -e adj., s.m.f. vagabond, hoinar.

vagabonder vi. a umbla fără rost, a hoinări, a vagabonda.

vague[1] s.f. val, talaz.

vague[2] adj., s.m. nelămurit, vag. v. **terrain**.

vaguer vi. a rătăci, a hoinări.

vaillamment adv. vitejeşte, curajos.

vaillance s.f. vitejie, curaj.

vaillant, -e adj. viteaz, curajos. ‖ *n'avoir pas un sou* ~ a nu avea para chioară.

vain, -e adj. 1. zadarnic, deşert ‖ *en* ~ în zadar. 2. îngâmfat.

vaincre I. vt. a birui, a învinge. **II.** vr. a se stăpâni.

vainqueur adj., s.m. biruitor, învingător.

vaisseau s.m. 1. vas, recipient. 2. navă, vas. 3. *anat.* vas.

vaisselle s.f. veselă, văsărie.

valable adj. valabil.

valence s.f. valenţă.

valeur s.f. 1. valoare. 2. vitejie, curaj.

valeureux, -euse adj. viteaz.

validation s.f. validare.

valide adj. valid, sănătos.

valider vt. a valida.

valise s.f. valiză, geamantan.

vallée s.f. vale.

vallon s.m. vâlcea.

valoir I. vi. 1. a valora. 2. a merita. **II.** vt. a aduce, a produce ‖ *cele ne vaut pas un zeste* nu face nici cât o ceapă degerată; *faire* — **a)** a pune în valoare; **b)** a scoate în evidenţă; *il vaut mieux* e mai bine; *vaille que vaille* de bine de rău.

valorisation s.f. valorizare.

valse s.f. vals.

valser vi. a valsa.

valve s.f. valvă.

vampire s.m. vampir (şi *fig.*).

van s.m. vânturătoare.

vandalisme *s.m.* vandalism.

vanille *s.f.* vanilie.

vanité *s.f.* **1.** deşertăciune. **2.** în-
gâmfare, vanitate ‖ *tirer ~ de
qch.* a se lăuda cu, a fi mândru
de.

vaniteux, -euse *adj.* îngâmfat.

vanner *vt.* **1.** a vântura. **2.** *fig.
pop.* a istovi.

vantail *s.m.* (*pl.* **~aux**) canat.

vantard, -e *adj.*, *s.m.f.* lăudăros.

vanter *vt.*, *vr.* a (se) lăuda.

va-nu-pieds *s.m.* desculţ, sără-
cime.

vapeur[1] *s.f.* **1.** abur, vapor. **2.** *pl.*
istericale. **3.** *pl.* fumuri ‖ *à la ~,
à toute ~*, cu toată graba.

vapeur[2] *s.m.* vapor (navă).

vaquer *vi.* **1.** a fi vacant. **2.** a fi în
vacanţă ‖ *~ à ses affaires* a-şi
vedea, a se ocupa de treburile
sale.

variable *adj.* schimbător, varia-
bil.

variation *s.f.* schimbare, variaţie.

varier *vt.*, *vi.* a (se) schimba, a
varia.

variété *s.f.* varietate.

variole *s.f.* variolă, vărsat.

vasculaire *adj.* vascular.

vascularité *s.f.* vascularitate.

vase[1] *s.m.* **1.** vas (recipient).
2. vază (de flori).

vase[2] *s.f.* nămol, mâl.

vaseline *s.f.* vaselină.

vaseux, -euse *adj.* nămolos.

vasistas *s.m.* oberliht.

vaste *adj.* vast, întins, larg.

vaudeville *s.m.* vodevil.

vau-l'eau (à) *loc. adv.* **1.** în josul
apei. **2.** în debandadă, în de-
zordine.

vaurien, -enne *s.m.f.* netrebnic,
secătură.

vautour *s.m.* vultur pleşuv.

vautrer *vt.*, *vr.* a (se) tăvăli prin
noroi (şi *fig.*).

veau *s.m.* **1.** viţel, carne de viţel.
2. box.

vecteur *s.m.* vector.

vedette *s.f.* vedetă.

végétal, -e *adj.* vegetal.

végétatif, -ive *adj.* vegetativ.

végétation *s.f.* vegetaţie.

végéter *vi.* a vegeta.

véhicule *s.m.* vehicul.

veille *s.f.* **1.** veghe, veghere.
2. ajun. **3.** insomnie ‖ *le fruit de
ses ~s* rodul muncii sale.

veillée *s.f.* **1.** seară (timpul dintre
cină şi culcare). **2.** clacă.

veiller *vt.*, *vi.* **1.** a veghea. **2.** a su-
praveghea.

veilleuse *s.f.* lampă mică de
noapte.

veine *s.f.* **1.** vână (şi în lemn, în
piatră). **2.** *fam.* noroc.

vêler *vi.* (despre vaci) a făta.

vélin, -e *adj., s.m.* (hârtie) velină.

velléité *s.f.* veleitate.

vélo *s.m. fam.* bicicletă.

velours *s.m.* catifea ‖ *faire patte de ~ fig.* a-şi ascunde ghearele.

volouté, -e *adj.* catifelat.

velu, -e *adj.* flocos, miţos.

venaison *s.f.* (carne de) vinat.

vénalité *s.f.* venalitate.

venant, -e I. *adj.* **1.** care vine. **2.** care se plăteşte regulat. **II.** *s.m.* cel care vine ‖ *à tout ~* primului venit; *les allants et les ~s* cei care pleacă şi cei care vin.

vendable *adj.* care se poate vinde.

vendange *s.f.* **1.** culesul viilor. **2.** struguri.

vendeur, -euse *s.m.f.* vânzător (v., **venderesse**).

vendre *vt.* **1.** a vinde. **2.** *fig.* a trăda.

vendredi *s.m.* vineri ‖ *tel qui rit ~, dimanche pleurera* toamna se numără bobocii.

vénéneux, -euse *adj.* veninos, otrăvitor.

vénération *s.f.* veneraţie.

vénérer *vt.* a venera.

vénérien, -enne *adj.* veneric.

vengeance *s.f.* răzbunare ‖ *tirer ~ de qn.* a se răzbuna pe cineva.

venger *vt., vr.* a (se) răzbuna.

venimeux, -euse *adj.* **1.** (despre un animal) cu venin. **2.** (despre critică) plin de venin.

venir I. *vi.* **1.** a veni. **2.** a se trage, a coborî din. **3.** a creşte ‖ *cet arbre vient bien* acest copac creşte bine; *je vous vois ~* văd eu unde baţi, unde vrei s-ajungi; *~ à bout* a-i veni de hac cuiva, a-i da de cap; *en ~ aux mains* a ajunge la încăierare; *les générations à ~* generaţiile viitoare; *soyez le (la) bienvenu(e)* fiţi binevenit(ă). **II.** la prezentul indicativului + „de" şi infinitivul unui verb formează trecutul apropiat al acelui verb; *vient de paraître* a apărut de curând. **III.** la imperfectul indicativului + „de" şi infinitivul unui verb formează mai-mult-ca-perfectul apropiat al acelui verb: *venait de paraître* apăruse de curând, tocmai apăruse.

vent *s.m.* vânt ‖ *entrer en coup de ~* a intra ca o furtună; *avoir ~ de* a prinde de veste; *des quatre ~s* din toate colţurile lumii.

vente *s.f.* vânzare.

ventilateur *s.m.* ventilator.

ventiler *vt.* a ventila.

ventouse *s.f.* ventuză.

ventre *s.m.* pântece, burtă ‖ *prendre du ~* a face burtă; *à plat ~* pe burtă.

ventrebleu *interj.* drace !

ventricule *s.m.* ventricul.

ventru, -e *adj.* pântecos.

venue *s.f.* venire, sosire.

vêpres *s.f. pl.* vecernie.

ver *s.m.* vierme ‖ *~ de terre* râmă; *~ à soie* vierme de mătase; *~ luisant* licurici; *tirer les ~s du nez* a trage de limbă.

verbal, -e *adj.* verbal.

verbe *s.m.* **1.** verb. **2.** cuvânt ‖ *avoir le ~ haut* **a)** a vorbi tare; **b)** a vorbi de sus.

verdâtre *adj.* verzui.

verdeur *s.f.* **1.** verdeață. **2.** vigoare. **3.** libertate (în cuvinte).

verdir *vt., vi.* a (se) înverzi.

verdure *s.f.* verdeață.

véreux, -euse *adj.* **1.** viermănos; *poire véreuse* pară viermănoasă. **2.** necinstit, suspect; *affaire véreuse* afacere veroasă; *avocat ~* avocat necinstit.

verge *s.f.* vargă, nuia.

verger *s.m.* livadă.

verglas *s.m.* polei.

vergogne *s.f.* rușine.

vérificateur *adj., s.m.* verificator.

vérification *s.f.* verificare.

vérifier *vt., vr.* a (se) verifica.

véritable *adj.* veritabil, adevărat, autentic.

vérité *s.f.* adevăr.

vermeil, -le I. *adj.* rumen. **II.** *s.m.* argint aurit.

vermicelle *s.m.* fidea.

vermine *s.f.* vermină, insectă parazită (și *fig.*).

vermisseau *s.m.* viermișor.

vermoulu, -e *adj.* **1.** (despre lemn) mâncat de viermi. **2.** *fig.* obosit, istovit.

vernier *vt.* a lăcui.

vernis *s.m.* **1.** lac (pentru lăcuit). **2.** lustru (și *fig.*).

vernissage *s.m.* **1.** lăcuire. **2.** vernisaj.

verre *s.m.* **1.** sticlă (material). **2.** pahar.

verrou *s.m.* zăvor ‖ *sous les ~s* la închisoare.

verrouiller *vt.* **1.** a zăvorî. **2.** a pune la arest.

verrue *s.f.* neg.

vers[1] *s.m.* vers.

vers[2] *prep.* către, spre.

versatilité *s.f.* versatilitate, nestatornicie.

versement *s.m.* depunere, vărsământ.

verser I. *vt.* **1.** a turna, a vărsa. **2.** a depune (o sumă). **II.** *vi.* (despre vehicule) a se răsturna.

versificateur *s.m.* versificator.

versification *s.f.* versificare.

versifier *vt.* a versifica.

version *s.f.* **1.** traducere (şcolară) în limba maternă. **2.** versiune.

verste *s.f.* verstă (1 066 m).

vert, -e I. *adj.* **1.** verde. **2.** necopt. **3.** viguros, în putere. **4.** proaspăt, nou. **5.** aspru. **6.** deocheat, deşuchiat. **II.** *s.m.* **1.** (culoare) verde. **2.** verdeaţă ‖ *en dire de ~ es* a fi slobod la gură.

vertement *adv.* tare, răspicat.

vertèbre *s.f.* vertebră.

vertébré, -e *adj., s.m.* vertebrat.

vertical, -e *adj.* vertical.

vertige *s.m.* **1.** ameţeală. **2.** rătăcire a minţii.

vertigineux, -euse *adj.* vertiginos, ameţitor.

vertu *s.f.* **1.** virtute. **2.** însuşire, proprietate.

vertueux, -euse *adj.* virtuos, cast.

verve *s.f.* vervă.

vésicule *s.f.* veziculă.

vessie *s.f.* băşica udului ‖ *prendre des ~s pour des lanternes* a (se) înşela grosolan.

veste *s.f.* vestă.

vestiaire *s.m.* vestiar.

vestibule *s.m.* vestibul.

vestige *s.m.* urmă.

veston *s.m.* veston, haină, sacou.

vêtement *s.m.* veşmânt, îmbrăcăminte.

vétérinaire *adj., s.m.* veterinar.

vétille *s.f.* fleac, lucru de nimic.

vêtir *vt., vr.* a (se) îmbrăca.

vétuste *adj.* învechit, vetust.

veuf, veuve *adj., s.m.f.* văduv, văduvit (şi *fig.*).

veule *adj. fam.* moale, lipsit de energie.

veulerie *s.f.* moleşeală, lipsă de energie.

veuvage *s.m.* văduvie.

vexation *s.f.* jignire, vexaţie.

vexer *vt.* a jigni, a sâcâi, a vexa.

viabilité *s.f.* viabilitate.

viable *adj.* viabil.

viaduc *s.m.* viaduct.

viager, -ère I. *adj.* viager. **II.** *s.m.* rentă.

viande *s.f.* carne (pentru hrană).

vibration *s.f.* vibraţie.

vibrer *vi.* a vibra (şi *fig.*).

vicaire *s.m.* vicar.

vice *s.m.* **1.** viciu. **2.** imperfecţiune, defect. **3.** desfrâu.

vice-versa *loc. adv.* viceversa.

vicier *vt.* a strica, a vicia.

vicieux, -euse *adj.* vicios ‖ *cheval ~* cal năravaş.

vicissitude *s.f.* vicisitudine.

victime *s.f.* jertfă, victimă.

victoire *s.f.* victorie, biruinţă, izbândă.

victorieux, -euse *adj.* victorios, biruitor.

vidanger *vt.* a vidanja, a goli.

vide I. *adj.* gol. **II.** *s.m.* vid ‖ *à* ~ în gol.

vider *vt.* **1.** a goli ‖ *les lieux* a ieşi. **2.** *fig.* a rezolva, a sfârşi ‖ ~ *un différend* a pune capăt unei neînţelegeri.

vie *s.f.* **1.** viaţă, trai, existenţă. **2.** vioiciune ‖ *jamais de la* ~*!* niciodată !; *il y va de la* ~ e în joc viaţa; *mener joyeuse* ~ a o ţine tot într-o petrecere; *à* ~ pe viaţă.

vieillard *s.m.* bătrân.

vieillesse *s.f.* **1.** bătrâneţe. **2.** bătrânet.

vieillir *vi.*, *vt.* a îmbătrâni.

vieillissement *s.m.* îmbătrânire.

vierge I. *adj.* virgin, pur. **II.** *s.f.* fecioară.

vieux, (înainte de voc., h mut) **vieil, vieille** *adj.*, *s.m.f.* **1.** bătrân. **2.** vechi ‖ *mon* ~ dragul meu.

vif, vive *adj.*, *s.m.* **1.** viu. **2.** vioi. **3.** aprins, iute ‖ *eau vive* apă de izvor; *chaux vive* var nestins; *de vive voix* prin viu grai; *trancher dans le* ~ a tăia în carne vie; *piquer qn. au* ~ *fig.* a răni amorul propriu al cuiva.

vif-argent *s.m.* argint viu (şi *fig.*), mercur.

vigilance *s.f.* vigilenţă.

vigilant, -e *adj.* vigilent.

vigne *s.f.* **1.** vie. **2.** viţă de vie.

vigneron, -onne *s.m.f.* podgorean, vier.

vignoble *s.m.* vie, podgorie.

vigoureux, -euse *adj.* viguros, tare, puternic.

vigueur *s.f.* vigoare, vlagă.

vil, -e *adj.* **1.** josnic, ordinar. **2.** fără valoare ‖ *à* ~ *prix* pe (un preţ de) nimic.

vilain, -e I. *adj.* **1.** urât. **2.** rău. **3.** *fig.* murdar, necinstit. **II.** *s.m.f.* **1.** bădăran, mojic. **2.** *ist.* ţăran.

vilenie *s.f.* **1.** josnicie. **2.** zgârcenie.

villa *s.f.* vilă.

village *s.m.* sat.

villageois, -e I. *adj.* de sat, sătesc. **II.** *s.m.f.* sătean.

ville *s.f.* oraş.

villégiature *s.f.* vilegiatură.

vin *s.m.* vin ‖ *cuver son* ~ a dormi după chef; *sac à* ~ beţiv.

vinaigre *s.m.* oţet.

vindicatif, -ive *adj.* răzbunător, vindicativ.

vingtaine *s.f.* cam douăzeci.

viol *s.m.* viol.

violacé, -e *adj.* violaceu.

violation *s.f.* violare, călcare.

viole *s.f.* violă.

violence *s.f.* violență ‖ *se faire ~ a* se constrânge.

violemment *adv.* cu violență.

violent, -e *adj.* violent.

violer *vt.* **1.** a călca, a viola. **2.** a viola, a comite un viol.

violet, -ette 1. *adj.* violet. **2.** *s.f.* viorea, violetă.

violon *s.m.* **1.** vioară. **2.** violonist. **3.** arest, închisoare.

violoncelle *s.m.* **1.** violoncel. **2.** violoncelist.

violoniste *s.m.* violonist.

vipère *s.f.* viperă (și *fig.*).

virage *s.m.* viraj.

virement *s.m.* virament.

virer I. *vt.* a vira. **II.** *vi.* a se învârti ‖ *~ de* bord; *fig.* a-și schimba părerile politice.

virginité *s.f.* virginitate.

virgule *s.f.* virgulă.

viril, -e *adj.* viril, bărbătesc.

virilité *s.f.* virilitate, bărbăție.

virtuel, -elle *adj.* virtual.

virtuellement *adv.* (în mod) virtual.

virtuose *s.m.f.* virtuos.

virtuosité *s.f.* virtuozitate.

virulence *s.f.* virulență.

vis *s.f.* șurub ‖ *escalier en ~*scară în spirală.

visa *s.m.* viză.

visage *s.m.* față, înfățișare.

vis-à-vis *loc. prep.* **1.** în față, peste drum, față în față. **2.** față (de), în comparație cu.

viscère *s.m.* viscere.

visée *s.f.* **1.** ochire, țintire. **2.** intenție, scop.

viser[1] **I.** *vt.* a ținti. **II.** *vi.* a năzui.

viser[2] *vt.* a pune viză.

visibilité *s.f.* vizibilitate.

visible *adj.* vizibil, vădit, evident.

visière *s.f.* vizieră, cozoroc ‖ *rompre en ~* a o rupe brusc cu cineva.

vision *s.f.* **1.** văz, vedere. **2.** vedenie, viziune.

visionnaire *s.m.f., adj.* visător, vizionar.

visite *s.f.* **1.** vizită. **2.** inspirație. **3.** musafir.

visiter *vt.* **1.** a vizita. **2.** a cerceta.

visiteur, -euse *s.m.f.* **1.** vizitator. **2.** inspector.

visqueux, -euse *adj.* vâscos.

visser *vt.* a înșuruba.

visuel, -elle *adj.* vizual.

vitalité *s.f.* vitalitate.

vitamine *s.f.* vitamină.

vite *adj., adv.* iute, repede.

vitesse *s.f.* viteză, iuțeală, repeziciune.

viticole *adj.* viticol.

viticulture *s.f.* viticultură.

vitrail *s.m.* vitraliu.

vitre *s.f.* geam.

vitrer *vt.* a pune geamuri.

vitrine *s.f.* vitrină.

vivace *adj.* **1.** vivace. **2.** vioi, repede.

vivacité *s.f.* **1.** vioiciune, vivacitate. **2.** înflăcărare.

vivant, -e *adj.* **1.** viu. **2.** vioi ‖ *bon ~* om de viață, petrecăreț; *en son ~* pe când era în viață.

vivier *s.m.* heleșteu.

vivisection *s.f.* vivisecție.

vivre[1] *vi.* **1.** a trăi. **2.** a locui. **3.** a se hrăni cu.

vivre[2] *s.m.* **1.** hrană. **2.** *pl.* merinde, provizii.

vocabulaire *s.m.* vocabular.

vocal, -e *adj.* vocal.

vocalique *adj.* vocalic.

vocation *s.f.* vocație, chemare.

vociférations *s.f. pl.* vociferări, țipete.

vociférer *vi.* a vocifera, a răcni, a striga.

vœu *s.m.* **1.** făgăduință solemnă, jurământ. **2.** urare, dorință ‖ *faire ~ de* a se lega prin jurământ să.

vogue *s.f.* faimă, vogă ‖ *être en ~* a fi la modă, a avea căutare.

voguer *vi.* **1.** a pluti. **2.** a rătăci.

voici *prep.* iată.

voie *s.f.* **1.** cale, drum. **2.** *fig.* mijloc ‖ *~ d'eau* cale de apă; *~ ferrée* cale ferată; *en ~* pe cale să, gata să; *~s de fait* acte de violență, samavolnicie.

voilà *prep.* iată ‖ *~ un an que* s-a împlinit un an de când; *en ~ assez!* destul!

voile *s.m.* văl, voal ‖ *prendre le ~* a se călugări; *sous le ~ de* sub cuvânt că.

voiler I. *vt.* **1.** a acoperi cu un văl, cu un voal. **2.** a ascunde. **3.** a pune pânze unei corăbii **II.** *vr.* a se voala, a se acoperi.

voilette *s.f.* voaletă.

voir *vr.* a (se) vedea. **1.** *voir bien (mal)* a vedea bine (rău). **2.** a zări, a distinge ‖ *voir à l'œil nu* a vedea cu ochiul liber. **3.** a asista, a viziona; *voir un film* a viziona un film, *voir un match* a asista la un meci. **4.** a-și închipui, a concepe; *voir les choses en noir* a vedea lucrurile în negru, a fi pesimist. **5.** a examina, a studia, a analiza; *voir un dossier* a studia un dosar. **6.** a judeca, a aprecia; *voir quelqu'un au travail* a judeca pe cineva după cum muncește. **7.** a vizita, a se întâlni; *je le vois tous les jeudis* îl întâlnesc în fiecare joi; *cela n'a rien à voir avec* asta nu are nimic a face cu.

voire *adv.*, chiar.

voisin, -e *adj.*, *s.m.f.* 1. vecin. 2. apropiat, aproape.

voisinage *s.m.* vecinătate.

voiture *s.f.* 1. trăsură. 2. automobil. 3. vagon‖ *en ~* poftiți în vagoane!

voix *s.f.* 1. voce, glas ‖ *à ~ basse* încet; *à haute ~* cu voce tare. 2. părere, opinie. 3. vot ‖ *~ délibérative/consultative* vot deliberativ/consultativ; *aller aux ~* a vota; *à dix ~ de majorité* cu o majoritate de zece voturi; *avoir ~ au chapitre* a avea dreptul de a-și spune părerea. 4. *gram.* diateză.

vol¹ *s.m.* 1. zbor. 2. stol. 3. *fig.* avânt.

vol² *s.m.* 1. furt. 2. obiect furat.

volaille *s.f.* pasăre de curte, orătanie.

volant¹ *s.m.* volan.

volant², **-e** *adj.* zburător, volant.

volatiliser *vt.*, *vr.* a (se) volatiliza.

volcan *s.m.* vulcan.

volcanique *adj.* vulcanic.

voler¹ *vi.* a zbura.

voler² *vt.* fura ‖ *il ne l'a pas volé* (are ce) merită.

volet *s.m.* 1. oblon. 2. scândurică ‖ *trier sur le ~* a alege pe sprânceană.

voleur, -euse *s.m.f.*, *adj.* hoț.

volière *s.f.* colivie mare.

volontaire I. *adj.* 1. voluntar. 2. încăpățânat. II. *s.m.* voluntar.

volonté *s.f.* 1. voință. 2. dorință. 3. *pl.* fantezie, capriciu ‖ *les dernières ~s* ultimele dorințe.

volontiers *adv.* 1. cu plăcere, bucuros. 2. lesne.

voltage *s.m.* voltaj.

voltaïque *adj.* voltaic.

volte-face *s.f. invar.* 1. întoarcere. 2. *fig.* schimbare bruscă de păreri.

voltiger *vi.* 1. a zbura ici și colo. 2. a fâlfâi. 3. a face acrobații. 4. *fig.* a-și schimba repede ideile.

volume *s.m.* 1. volum. 2. tom, volum.

volumineux, -euse *adj.* voluminos.

volupté *s.f.* voluptate.

voluptueux, -euse *adj.*, *s.m.f.* voluptos.

vomir *vt.* 1. a vărsa, a vom(it)a. 2. a arunca. 3. a profera.

vomissement *s.m.* vărsătură.

voracité *s.f.* lăcomie, voracitate.

vote *s.m.* vot, votare.

voter *vt.*, *vi.* a vota.

votre (*pl.* **vos**) *adj. pos.* vostru.

vôtre I. *pron. pos.* al vostru, a voastră, a(l) dv. II. *s.m. pl.* părinţii, rudele, prietenii voştri (dv.).

vouer *vt.* **1.** a consola, a dedica. **2.** a făgădui solemn ǁ *voué à l'échec* condamnat la insucces; ~ *à tous les diables* a trimite la toţi dracii.

vouloir *vt.* **1.** a voi, a dori. **2.** a cere, a porunci. **3.** binevoi ǁ *veuillez agréer* binevoiţi a primi; *en* ~ *qn.* a avea necaz, a purta pică cuiva.

vous *pron. pers.* **1.** voi, dumneata, dumneavoastră. **2.** vouă, dumneavoastră. **3.** pe voi, pe dumneavoastră.

voûter *vt.* **1.** a bolti. **2.** *fig.* a îndoi, a încovoia.

voyage *s.m.* călătorie, drum, voiaj.

voyager *vi.* a călători.

voyageur, -euse *adj., s.m.f.* călător.

voyelle *s.f.* vocală.

voyou *s.m.* haimana, vagabond.

vrai, -e I. *adj., adv.* adevărat. **II.** *s.m.* adevăr ǁ *être dans le* ~ a avea dreptate.

vraiment *adv.* într-adevăr.

vraisemblable *adj., s.m.* verosimil.

vraisemblance *s.f.* verosimilitate.

vrille *s.f.* **1.** burghiu. **2.** cârcel (la anumite tulpine).

vu, -e I. *adj.* văzut ǁ *ni* ~ *ni connu* nevăzut, necunoscut. **II.** *s.m.* văz ǁ *au* ~ *et au su de tout le monde* în văzul lumii. **III.** *prep.* având în vedere, dat fiind ǁ ~*son absence* având în vedere că nu e de faţă. **IV.** *loc. conj.* ~ *que* având în vedere că.

vue *s.f.* **1.** vedere. **2.** văz. **3.** *fig.* ţel, intenţie ǁ ~ *basse* vedere slabă; *à perte de* ~ cât vezi cu ochii; *garder qn. à* ~ a nu slăbi din ochi pe cineva; *à* ~ *œil* văzând cu ochii; *avoir* ~*sur la rue* a avea vedere la stradă; *en* ~ *de* în vederea, spre a.

vulcanisation *s.f.* vulcanizare.

vulcaniser *vt.* a vulcaniza.

vulgaire *adj.* vulgar.

vulgarisateur, -trice *s.m.f.* vulgarizator.

vulgarisation *s.f.* vulgarizare.

vulgariser *vt.* a vulgariza.

vulgarité *s.f.* vulgaritate.

vulnérabilité *s.f.* vulnerabilitate.

vulnérable *adj.* vulnerabil.

WXYZ

wagon *s.m.* vagon ‖ ~ *lit* vagon de dormit; ~ *restaurant* vagon restaurant; ~*poste* vagon poştal.

wagonnet *s.m.* vagonet.

warrant *s.m.* warant, girant.

water-closet *s.m.* (*pl.* **water-closets**) closet (cu apă).

watt *s.m.* watt.

wattman *s.m.* (*pl.* **watmen**) vatman, manipulant.

week-end *s.m.* week-end, sfârşit de săptămână.

whisky *s.m.* whisky.

wolfram *s.m.* wolfram.

xanthophylle *s.f.* xantofilă, clorofilă galbenă.

xénophobe *adj.* xenofob.

xenophobie *s.f.* xenofobie.

xylophone *s.m.* xilofon.

y I. *adv.* acolo. II. *pron.* la aceasta ‖ *il y a* se află, există.

yacht *s.m.* iaht.

yachting *s.m.* 1. sporturi nautice. 2. plimbare cu iahtul.

yaourt, yogourt *s.m.* iaurt.

yard *s.m.* iard (0,914 m).

yatagan *s.m.* iatagan.

yeux *s.m. pl.* v. **œil.**

yole *s.f.* iolă, barcă.

youyou *s.m.* barcă de bord.

zèbre *s.m.* zebră.

zèle *s.m.* zel, sârguinţă, râvnă.

zélé, -e *adj.* zelos.

zénith *s.m.* zenit.

zéphire *s.m., adj.* zefir (ţesătură).

zéphyr *s.m.* zefir, vânt plăcut.

zéro *s.m.* zero.

zeste *s.m.* 1. coajă de lămâie, de portocală. 2. *fig.* fleac, nimic. v. **valoir.**

zézaiement *s.m.* pelticărie, vorbire peltică.

zézayer *vi.* a vorbi peltic.

zibeline *s.f.* zibelină, samur.

zig-zag *s.m.* zigzag.

zigzaguer *vi.* a merge în zigzag.

zinc *s.m.* 1. zinc. 2. tejghea (la bar).

zincographie *s.f.* zincografie.

zinguer *vt.* a acoperi cu zinc, a galvaniza cu zinc.

zizanie *s.f.* zâzanie, dezbinare.

zodiacal, -e *adj.* zodiacal.

zodiaque *s.m.* zodiac.

zone *s.f.* zonă.

zoo *s.m. fam.* grădină zoologică.

zoologie *s.f.* zoologie.

zoologique *adj.* zoologic.

zoologiste, zoologue *s.m.* zoolog.

zootechnicien, -enne *adj., s.m.f.* zootehnician.

zootechnie *s.f.* zootehnie.

zut! *interj. pop.* drace! la naiba!